CW00742469

Les pauvres
Tragédie-Farce

Gérard Absal

Les pauvres

Tragédie-Farce

Théâtre

ISBN : 979-10-377-8773-6

À ma femme, mes enfants et petits-enfants

Il arrive souvent, en effet, qu'au contact d'esprits étroits, les meilleures résolutions des hommes les plus généreux s'érodent.

Hermann Melville

Personnages

Paul, Jeanne, Pierre, Jacques, Monsieur Troudelassec, Monsieur Prazoc, François, Vanessa, Tubar, Professeur Harro, Le Narrateur.

Acte I

Scène I
Paul, Pierre, Jeanne

La scène est noire. Un cliquetis se fait entendre. Une porte claque doucement.

PAUL (*voix un peu lointaine*) : Enfin, ce n'est pas trop tôt. Cette serrure m'a donné du fil à retordre.
Où est la lumière ? Zut je me suis cogné !

Les pas s'approchent. Déclic d'interrupteur. La lumière envahit une pièce immense et éclaire un homme vêtu de haillons qui bute sur un fauteuil dans lequel est affalé un homme d'une tenue vestimentaire recherchée.

PIERRE : Qu'est-ce que c'est ?
(*Apercevant Paul*) Qui vous a permis d'entrer ?

PAUL : Bonjour ! Je viens voir comment vivent les riches.

PIERRE : Quel culot ! Vous ne savez pas lire ? Sur la plaque d'or collée à la porte d'entrée, il est écrit « Interdit aux colporteurs, démarcheurs et vagabonds. »

PAUL : Sauf le respect que je ne vous dois pas, le vagabond c'est plutôt vous. Vous m'avez tout l'air de vagabonder dans la haute finance si j'en juge par le luxe qui règne ici.

PIERRE (*il quitte son fauteuil et se tourne vers une petite porte située au fond de la pièce*) : Jeanne ! Jeanne ! Mais que fait-elle donc ? Jeanne !

JEANNE (*la porte s'ouvre et Jeanne apparaît, les cheveux en désordre*) : Que veux-tu…

PIERRE (*il l'interrompt*) : N'entendez-vous pas Jeanne lorsque je vous appelle ?

JEANNE : Mais… (*elle se reprend*) : Oui Monsieur, vous m'avez appelée ?

PIERRE : En effet Jeanne ! ça s'entend, je crois. Pouvez-vous m'expliquer, Jeanne, le fin mot de l'histoire ?

JEANNE : Quelle histoire Monsieur ?

PIERRE : Enfin Jeanne, il y a bien quelqu'un devant nous ?

JEANNE (*interdite*) : On dirait bien, Monsieur.

PIERRE : Pourquoi avoir laissé ce type arriver jusqu'à moi ? Pouvez-vous m'expliquer cette intrusion ? C'est la deuxième fois que je vous pose la même question.

JEANNE : C'était quand la première fois ?

PIERRE : Jeanne, ne jouez pas avec mes nerfs ! Pour la dernière fois quelle explication donnez-vous à la présence de cet énergumène devant mes yeux ?

JEANNE : Mais je ne sais pas ce qu'il fait là ce type !
(*Elle dévisage l'homme des pieds à la tête*)

Il est évident que si j'avais ouvert la porte moi-même à ce… à cet individu, je la lui aurais claquée au nez sans sommation. J'ai l'impression, Monsieur, que vous avez de drôles de fréquentations.

PIERRE : Jeanne, je ne vous permets pas !

PAUL : Permettez, Jeanne, que je prenne la défense de votre patron. Car c'est bien votre patron n'est-ce pas ?

JEANNE : On ne peut rien vous cacher !

PAUL : C'est difficile à cacher ! Eh bien Jeanne, l'idée de me fréquenter n'a jamais effleuré l'esprit civilisé de votre patron. Donc c'était à moi de faire le premier pas.

JEANNE : Il n'y a que le premier pas qui coûte.

PIERRE : Jeanne, veuillez cesser ces enfantillages !

PAUL : Eh quoi, vous allez bientôt l'empêcher de respirer ?
(*S'adressant d'une voix douce à Jeanne*) : Aussi prenant mon courage à deux mains (*il fait mine de sortir les mains de ses poches puis se ravis*e) j'ai décidé d'être dès aujourd'hui fréquentable à ses yeux. Moi d'ordinaire si timide avec les étrangers. J'avais envie de faire connaissance. Une lubie en quelque sorte. Après tout, les grands esprits ne sont-ils pas destinés à se rencontrer ?

PIERRE : A-t-on jamais entendu pareille stupidité ? Vraiment pour le sans-gêne, chapeau ! Vous avez l'air d'être passé maître en la matière ! Aurais-je l'idée de débarquer chez vous sans vous connaître et à l'improviste ?

PAUL : Chez moi ? Mais vous y êtes le bienvenu à toute heure du jour et de la nuit ! Venez donc chez moi, à l'instant même si vous voulez.

PIERRE : Certainement pas. D'abord vous dégagez une odeur à la limite du supportable.

PAUL : Elle vous incommode à ce point ?

JEANNE (*avec une pointe de moquerie dans la voix*) : Cette rencontre après tout ne devrait pas vous déplaire, Monsieur. Vous rêviez depuis longtemps de connaître des gens de cette espèce, je veux dire réellement dans le besoin.

PIERRE : Taisez-vous, Jeanne ! Mêlez-vous de ce qui vous regarde !

JEANNE : Entendu, Monsieur, je me retire.

PIERRE : Attendez une seconde. Je dois tirer cette affaire au clair. Vous le timide, comment êtes-vous entré chez moi ?

PAUL : Ma foi, par la porte, comme tout le monde.

PIERRE : Et la porte s'est ouverte toute seule, je suppose ?

PAUL : Vous supposez mal. Les serrures de portes n'ont pas de secrets pour moi, tout simplement.

PIERRE : Vous voulez dire, vous avez osé…

PAUL : Ne vous alarmez pas. Je n'ai rien forcé. J'ai des doigts de fée et un bon matériel.

PIERRE (*se sentant mal*) : Jeanne, soutenez-moi, je vous prie !

JEANNE (*ne bougeant pas*) : Mais puisqu'il n'a rien forcé, il vient de vous le dire !

PAUL : Ces bourgeois, quels émotifs !

Vous n'allez tout de même pas prévenir la police ? Je ne suis pas venu dans l'intention de cambrioler ni même de commettre un meurtre. Mes mains sont assez sales comme ça. (*Il les retire de ses poches trouées et tend des mains noires de crasse.*)

JEANNE : Quelle horreur ! Vous pourriez vous laver avant de pénétrer chez les gens.

PAUL : Je noircis à l'excès le tableau. Il faut bien comprendre qu'un pauvre c'est sale et ça pue.

JEANNE : Je connais des tas de pauvres gens. Ils ont leur dignité. Ils se lavent comme tout le monde, souvent mieux que les riches.

PAUL : Vous venez sans doute, Jeanne, d'une famille modeste ? Et vous avez survécu avec bravoure à la vermine. Pourquoi vos parents vous ont-ils si mal éduquée ?

PIERRE : Cela suffit, Monsieur le curieux. Vos questions nous indisposent au plus haut point. Prenez immédiatement la porte. Estimez-vous heureux que je ne donne pas une suite judiciaire à votre comportement scandaleux.

PAUL : Il m'avait pourtant semblé comprendre d'après les dires de Jeanne…

PIERRE : Jeanne, vous pouvez raccompagner cet homme. J'en ai fini avec lui.

JEANNE : Avec plaisir, Monsieur. Oh ! Je ne supporte plus cette odeur de pourriture. (*S'adressant à l'inconnu*) Si tous les nécessiteux empestaient autant que vous, il faudrait porter en permanence des masques à gaz dans les lieux publics.

PIERRE : Dans cette éventualité, on devrait plutôt les obliger à se coiffer de filtres à charbon actif. Pourquoi serait-ce aux gens convenables de s'embarrasser d'appareillages ?

PAUL : Aucune de ces deux mesures ne pourrait résoudre le problème. Nous puerions tout autant. La pauvreté est nauséabonde, elle suinte par tous nos orifices. Pensez-vous pouvoir boucher vous-même tous ces trous purulents ?

PIERRE : Sortez, Monsieur ! Ma patience a des limites.

PAUL : Appelez-moi Paul ! Car nous sommes appelés à nous revoir, n'est-ce pas ?

PIERRE : Je ne sais pas ce qui me retient de vous couper les deux mains et de vous noircir le visage avec.

PAUL : Le souci des convenances sans doute. Je vous dis à bientôt. Ne me raccompagnez pas, je connais le chemin.

Scène II
Jeanne, Pierre, Jacques

Pierre et Jeanne le regardent partir puis pendant quelques secondes qui semblent durer une éternité ne prononcent pas un seul mot. Jeanne s'approche de Pierre. Elle a l'air mal à l'aise.

JEANNE : Ne regrettez-vous pas, Monsieur, de l'avoir renvoyé si vite ?

PIERRE : D'abord, Jeanne, ne m'appelle plus Monsieur !

JEANNE : Comment veux-tu que je t'appelle ?

PIERRE : Pierre, évidemment !

JEANNE : Il faut savoir ce que tu veux !

PIERRE : Pourquoi t'obstines-tu à me vouvoyer et à m'affubler de ce vocable ridicule, Monsieur, quand nous sommes seuls tous les deux ? Tu n'es pas mon employée que diable !

JEANNE : En es-tu si sûr ?

PIERRE : On n'est jamais sûr de rien.

JEANNE : Dans ce cas j'aurais bien tort de ne pas continuer à te donner du Monsieur quand j'en ai envie et en particulier quand nous sommes seuls.

PIERRE : Voyons, Jeanne, ce n'était qu'une boutade. As-tu oublié ce que je ne cesse de te répéter ? Nous ne jouons vraiment la comédie qu'aux autres. Entre toi et moi, le jeu est d'une tout autre nature.

JEANNE : Je n'ai rien oublié. Tes paroles sont coincées dans ma tête comme des balles qu'un apprenti assassin m'aurait logées maladroitement.

PIERRE : Décoince-les et elles t'iront droit au cœur.

JEANNE : Tu n'as qu'à viser plus juste.

PIERRE : Si je n'arrive pas à te toucher suffisamment c'est que tu doutes encore de moi.

JEANNE : Oh si, tu me touches plus que tu ne le crois. Tu ne te contentes pas de me toucher, mon amour, tu me blesses mortellement.

PIERRE : Mortellement ? Alors que je veux te faire comprendre ce qu'est la vie !

JEANNE : Ne vois-tu pas que j'ai honte de me prêter à un jeu auquel je n'adhère que par amour pour toi ?

PIERRE : N'est-ce pas la plus belle des hontes ?

JEANNE : La plus honteuse des hontes car je n'ai pas mon libre arbitre.

PIERRE : Personne ne l'a ! C'est pour ça qu'il vaut mieux jouer en toute connaissance de cause.

JEANNE : Je veux bien t'aimer car aimer, contrairement à ce que tu crois, n'est pas un jeu.

PIERRE : L'amour aussi est un jeu.

JEANNE : Alors je ne veux plus y jouer.

PIERRE : Jeanne, tu mélanges tout. Le côté ludique des choses est tout à fait réjouissant. L'enfant joue dès son plus jeune âge, c'est frais et attendrissant. Ne dit-on pas d'un adulte qu'il a perdu son âme d'enfant quand il devient trop sérieux c'est-à-dire quand il ne joue plus.

JEANNE : Veux-tu me faire croire que la comédie que tu me fais jouer à tout bout de champ me permet de conserver mon âme d'enfant ?

PIERRE : Elle te permet de montrer du doigt l'hypocrisie humaine.

JEANNE : Nous nous moquons des gens sans même savoir s'ils le méritent.

PIERRE : Mieux vaut prévenir que guérir.

JEANNE : Alors l'homme que nous venons de renvoyer est un grand médecin. Il nous a fait un superbe étalage de ses talents de comédien.

PIERRE : Mais bien sûr. Il nous a fait un numéro grandiose.

JEANNE : Ah si c'est toi qui le reconnais !

PIERRE : Mais tout le monde joue la comédie à tout le monde ! Et dans toutes les sphères de la société !

JEANNE : Que reproches-tu alors aux gens ? De mal jouer la comédie ?

PIERRE : Mais non, ils la jouent très bien !

JEANNE : Tu leur reproches en somme de trop bien la jouer ?

PIERRE : Je reproche à l'humanité comédienne de ne pas reconnaître qu'elle joue la comédie.

JEANNE : Pourquoi le reconnaîtrait-elle ?

PIERRE : Il n'y a aucune raison en effet pour qu'elle agisse en ce sens.

JEANNE : Si c'est sans espoir pourquoi te tortures-tu l'esprit à le lui reprocher ?

PIERRE : Je ne peux pas m'en empêcher.

JEANNE : C'est qu'au fond de toi tu conserves un espoir.

PIERRE : Il faudra bien qu'un jour elle avoue la comédie qu'elle se joue à elle-même.

JEANNE : Et pourquoi d'après toi tarde-t-elle tant à le faire ?

PIERRE : Tu le sais aussi bien que moi, petite questionneuse.

JEANNE : Je n'en sais rien du tout. Réponds-moi si tu ne veux pas que je meure ignorante.

PIERRE : Veux-tu me faire croire que tu n'as pas ton idée sur la question ?

JEANNE : Si j'en ai une, elle n'a pas encore fait son chemin. Tu peux me répondre en toute tranquillité d'esprit puisque je n'ai pas même la sagesse de poser des questions dont je connais les réponses.

PIERRE : Soit ! Si nous avons si peur de jeter le masque, si surtout nous avons peur de reconnaître que nous portons un masque c'est parce que nous ne voulons pas nous voir dans le miroir tels que nous sommes.

JEANNE : Et comment sommes-nous ?

PIERRE : Nus ! Tout nus et si fragiles. La société a besoin de croire que chacun de ses membres peut être solide, dur comme de la pierre, efficace. Ceux qui ne répondent pas à ces critères sont impitoyablement éliminés. Alors les plus forts jouent le jeu. Nous sommes d'autant plus efficaces que nous sommes inauthentiques. Tous ces rôles qui collent à notre peau comme une seconde nature sont la meilleure garantie de notre bon fonctionnement. Notre vraie peau, nous ne la voyons plus jamais, nous ne voulons plus la voir. Cela nous ferait trop de mal d'arracher cette deuxième peau qui nous va si bien.

JEANNE : Nous risquerions d'emporter en même temps la peau primitive ?

PIERRE : C'est probable.

JEANNE : Observant alors nos os et nos muscles dans leur extrême dénuement, nous pousserions alors un cri d'effroi dont nous craindrions par-dessus tout les effets salutaires.

PIERRE : C'est possible.

JEANNE : Le même cri que je pousse quand je te fais l'amour !

PIERRE : Suis-je donc si effrayant ?

JEANNE : Non. Je le pousse parce que je suis authentique.

PIERRE (*il la prend dans ses bras*) : Je n'en doute pas.

JEANNE (*cajoleuse*) : Et toi ?

PIERRE : Moi ? Non, je ne crie jamais dans ces moments-là.

JEANNE (*de plus en plus câline*) : Je veux dire, es-tu authentique avec moi ?

PIERRE : À toi de juger.

JEANNE (*elle s'éloigne un peu*) : Mais encore ? Quand nous nous étreignons, que penses-tu de moi ?

PIERRE : Dans tes bras, je n'arrive pas à penser.

JEANNE : Chameau, me diras-tu le fond de ta pensée ?

PIERRE : On ne peut être à la fois juge et partie.

JEANNE : Ne serais-tu pas à nouveau entré dans tes habits de comédien ?

PIERRE : Viens, il y a de la place pour deux.

JEANNE : Tu m'exaspères. Tu retournes un peu trop facilement à la représentation théâtrale. Pourquoi tiens-tu tant à singer tes semblables ?

PIERRE : Parce que c'est follement amusant.

JEANNE : Même si on ne sait plus après ce que tu penses vraiment ?

PIERRE : Ne me connais-tu pas assez pour le savoir ?

JEANNE : Je te connais assez pour savoir quand tu ne veux pas me répondre.

C'est comme ce pauvre bougre. Je te repose la question de tout à l'heure. Pourquoi l'as-tu renvoyé si vite ?

PIERRE : Parce qu'il jouait trop bien la comédie.

JEANNE : Tu le lui reproches maintenant ?

PIERRE : Je ne lui reproche rien, ni ses allures de pauvre, ni son impertinence.

D'ailleurs à bien y réfléchir sa pauvreté est trop belle pour être fausse.

JEANNE : Eh bien moi je pense qu'il nous mène en bateau. Si cet homme est pauvre, moi je suis la reine de Saba.

PIERRE : Son jeu était trop outré pour ne pas être naturel.

JEANNE : Tu as le goût du paradoxe mais à ce point !

PIERRE : Cet homme est même plus pauvre qu'il n'y paraît.

JEANNE : Tu divagues ! Peut-on être encore plus pauvre que ce qu'il a voulu nous montrer.

PIERRE : Il ne nous a pas donné à voir une pauvreté si extrême.

JEANNE : Dis tout de suite qu'il avait mis ses habits du dimanche !

PIERRE : Mais absolument. Des habits du dimanche de pauvre, naturellement : des haillons dans toute leur splendide hideur. Mais il a quand même voulu donner le change.

JEANNE : Avec toi, j'aurai vraiment tout entendu. Et ces mains repoussantes de saleté était-ce pour paraître plus convenable ?

PIERRE : La palette de la pauvreté est très étendue et il ne faut pas se fier qu'aux apparences. On peut d'ailleurs être encore plus pauvre sans avoir les mains aussi noires pour autant.

JEANNE : Il revendiquait pourtant cette noirceur comme étant les stigmates de sa pauvreté.

PIERRE : En ce bas monde tout n'est qu'ambiguïté et faux-semblants. As-tu remarqué que malgré ses haillons et son odeur de fromage son langage n'était pas à proprement parler celui d'un clochard ?

JEANNE (*sur un ton ironique*) : C'est sans doute un clochard lettré ou mieux un agrégé de lettres tombé dans le plus profond dénuement.

PIERRE : Et toi, tu es tombée dans le panneau. Il a tenté de nous faire croire qu'un pauvre peut avoir une culture éprouvée. C'est de la poudre aux yeux. Il a dû apprendre par cœur quelques tournures de phrases bien léchées. Il n'a joué la comédie que pour masquer le tragique de sa situation. C'est un très bon stratège mais à moi on ne me l'a fait pas.

JEANNE : Où veux-tu en venir exactement ? Je ne te suis plus. Tu me donnes le tournis.

PIERRE : Il a voulu cacher une facette capitale de la pauvreté : la pauvreté de l'esprit. Il n'y a que les pauvres hautement intégristes pour agir ainsi. Ils sont irrécupérables. Pour moi c'est un vrai pauvre dans tous les sens du terme.

JEANNE : Je ne crois pas un seul instant que tu penses un seul mot de ce que tu dis. Et si c'était le cas, tu es vraiment à côté de la plaque. Pour moi c'est un riche qui s'est noirci les mains exprès par désœuvrement. Tu aurais très bien pu agir comme lui.

PIERRE : Mais non ! C'est un pauvre d'esprit et de corps qui a voulu ménager le premier tout en outrageant le second. Preuves indéniables de sa totale pauvreté.

JEANNE (*à bout d'arguments*) : Pense ce que tu veux, cela m'est bien égal !

PIERRE : Merci pour ton aimable autorisation.

JEANNE (*prête à rendre les armes*) : Mais enfin, pourquoi est-il venu nous voir, que veut-il nous faire comprendre à la fin ?

PIERRE : Il ne veut rien nous faire comprendre car il n'y a rien à comprendre.

JEANNE : Tu ne peux pas dire ça !
Tu étais en train de disséquer le personnage et de mettre à jour ses intentions et tu oses dire qu'il n'y a rien…

PIERRE (*sur un ton définitif*) : Rien qui vaille la peine qu'on s'y attarde. Et même s'il y avait un message extraordinaire à déchiffrer, je me garderais bien de perdre mon temps à le faire. Il n'y a aucun risque de retrouver ce pauvre type sur notre chemin.

JEANNE : Qu'en sais-tu ?

PIERRE : Je ne suis pas assez pauvre pour avoir envie de le revoir.

JEANNE : Assez pauvre ? Tu te crois donc pauvre ?

PIERRE : Regarde-moi. Ai-je l'air d'être riche ?

JEANNE : Quel toupet ! Tu vas bientôt me dire que tu es dans un état d'extrême pauvreté et que sous ta veste de soie et ta chemise en dentelle respire un corps dénutri prêt à se désagréger par la disette. Ton cerveau évidemment s'en ressent car il n'est pas en état lui de me cacher…

PIERRE : Que sais-tu après tout de mon état social, physique ou mental…

JEANNE (*elle crie presque*) : Pierre, arrête !

PIERRE : Je suis un grand bourgeois, d'accord. Et ce pauvre prolétaire l'a tout de suite compris. Peut-être a-t-il appris en fouinant dans ma vie que j'ai hérité il y a deux ans d'un lointain cousin que je ne connais pourtant ni d'Eve ni d'Adam. La bonne fortune, cette grosse catin m'a touché les fesses de ses gros doigts boudinés. Depuis lors, nous sommes comme cul et chemise tous les deux. Je peux donc la palper dès que l'envie s'en fait sentir. J'en ai souvent envie et pourquoi taire que grâce à elle je me porte comme un charme ?

JEANNE : Ton cynisme effectivement pour qui veut l'apprécier n'est pas le moindre de tes charmes. On peut y ajouter une paresse à toute épreuve qu'un destin favorable n'a fait qu'engraisser. Ménage-toi mon cher. Faire l'acteur en permanence surtout à domicile n'est-ce pas un travail particulièrement éreintant ?

PIERRE : L'acuité de ton ironie sied particulièrement bien à ton teint de pêche. Si je ne me retenais pas, je violerais à la fois ta présence d'esprit et ce corps qui l'a vu naître. Si je t'attrape...

JEANNE (*Elle s'échappe promptement, il fait mine de la poursuivre*) : Ne tente pas de violer ta nature indolente. Tu ne serais même pas capable d'attraper une mouche à demi morte. Tu es le partisan du moindre effort. Que serait-il advenu de toi si tu n'avais pas atteint cet état d'irréversible prospérité par le plus grand des hasards ?

PIERRE : J'aurais continué à faire ce que je faisais il y a deux ans.

JEANNE : Oui, c'est à dire à végéter !

PIERRE : Que reproches-tu aux végétaux ? N'ont-ils pas le mérite d'exister ? Ne sont-ils pas utiles ? Ne nous apportent-ils pas la joie de les contempler, la beauté de leurs floraisons, la quiétude de leurs feuillages, la...

JEANNE : Je sais que tu es poète dans l'âme mais ne dénature pas mes propos.

PIERRE : Veux-tu dire par là que je n'étais qu'un légume ? Mais les légumes ont de tout temps nourri les hommes ! Oh et puis on ne peut pas discuter avec toi !

JEANNE : Est-ce à peine croyable ? La carapace se fendille, le masque tombe. N'ai-je point touché une corde sensible ?

PIERRE : Oui, tu finis par me taper sur les nerfs avec tes jugements ridicules.

JEANNE : Les nerfs ! Donc ta peau s'est carrément volatilisée !

PIERRE : N'emploie pas plus de métaphores qu'il n'en faut, s'il te plaît.

JEANNE : T'ai-je à ce point vexé en te traitant de paresseux ?

PIERRE : Garde-toi bien d'imaginer qu'il y a vexation. Je suis fier de ma paresse. C'est le propre des très grands bourgeois de ne faire aucun effort indigne de leur statut.

JEANNE : Tu laisses les efforts et la sueur aux autres.

PIERRE : Chacun agit en fonction de ses dons et de ses goûts.

JEANNE : Je ne sais pas ce qui me retient de te dire tes quatre vérités ! Le seul don que je te reconnaisse c'est celui de me faire sortir de mes gonds plus souvent que j'en ai envie.

PIERRE : Tu ne supportes pas de ne pas me voir travailler, n'est-ce pas ? Mais je ne suis pas le seul dans ce cas, l'oublies-tu ? Il y a d'un côté les travailleurs qui sont d'ailleurs des chômeurs en puissance avec dans leurs dos à les envier les chômeurs qui sont des travailleurs en puissance et puis de l'autre côté ceux qui pensent être à la fois des privilégiés et des bienfaiteurs parce qu'ils donnent par sadisme et par masochisme du travail aux autres. Et puis il y a ceux qui comme moi ne demandent rien à personne. Depuis ce jour béni où un membre adorable de la famille a cessé de respirer, je peux faire fructifier son capital à mon profit par des opérations boursières qui dépassent certes mon entendement mais évoquent si bien, tu en conviendras, le mystère de ce système miraculeux.

JEANNE : Tu pousses le bouchon du cynisme un peu trop loin. Oser parler de miracle quand pour la majorité des gens c'est l'enfer ! Tu sais très bien de quoi je parle. Tant mieux pour toi si tu n'es pas obligé de mener une vie d'esclave mais si la nécessité t'y avait contraint, tu n'aurais pas mieux résisté que n'importe quel prolétaire et tu te serais plié bon gré mal gré aux lois incontournables du capitalisme.

PIERRE : J'ai déjà lu ça quelque part. Pourrais-tu me dire où ? J'ai oublié.

JEANNE : Mais non, tu n'as rien oublié. Je ne suis pas crédule au point de te croire atteint par la sénilité. Tu fais c'est vrai des efforts méritoires pour m'en persuader. En tout cas moi je n'ai pas oublié qu'avant de boursicoter et d'organiser des soirées mondaines pour recevoir tes amis de la bonne société, tu passais des journées entières au milieu des livres. Cette époque, malheureusement, semble bien révolue. Ne m'as-tu pas dit qu'on te prenait auparavant pour un intellectuel ?

PIERRE : Oh le vilain mot ! Quelle insulte à ma joie de vivre ! Ne le prononce plus jamais devant moi, je t'en prie. Intellectuel ! C'est pire que de me traiter de fainéant en prenant un air navré.

JEANNE (*avec un accent désespéré dans la voix*) : Pierre, tu aimais lire auparavant !

PIERRE : Auparavant, auparavant ! Tu n'as plus que ce mot suranné à la bouche. Ne vis pas dans le passé, un passé qu'en ce qui me concerne tu as d'ailleurs très peu connu. (*Il se fait soudain très tendre.*) Pense au présent, à nous deux les yeux dans les yeux. Comprends-moi bien. Je ne cherche pas tant à penser qu'à vibrer. Je veux sentir ton parfum (*il la renifle*), pétrir tes seins (*il recroqueville ses mains au-dessus de sa poitrine*), engloutir ta bouche (*il est prêt à l'embrasser mais Jeanne le repousse doucement).*

JEANNE : Ne suis-je qu'un objet sexuel pour toi ?

PIERRE : Bien sûr !

JEANNE : Comment ça bien sûr ?

PIERRE : Ton sexe est le complément d'objet direct de mon verbe aimer.

JEANNE : Et toi tu en es le sujet, bien évidemment !

PIERRE : Je suis le très dévoué sujet de votre très gracieuse Majesté !

JEANNE : Tu crois pouvoir t'en tirer une fois de plus par une pirouette ?

(*Un coup de sonnette prolongé se fait entendre*)
PIERRE : C'est certainement Jacques. Il devait passer aujourd'hui.

JEANNE : Il ne manquait plus que lui !
(*Elle se dirige vers la porte*)

PIERRE : Jeanne !

JEANNE (*elle se retourne*) : Oui ?

PIERRE : Je n'ai jamais cessé de lire.

JEANNE : À quel moment lis-tu, quand je dors ?
(*Elle atteint la porte et l'ouvre brusquement. Le visage enjoué de Jacques apparaît dans l'embrasure. Elle ne le fait pas entrer.*)

JACQUES : Bonjour Jeanne !

JEANNE : Bonjour Maître !

JACQUES : Ton patron est-il visible ?
(*Il pose cette question en s'avançant avec détermination. Jeanne est obligée de reculer. Il lui tend son pardessus*.)

JEANNE : Je n'ai pas de patron.
(*Elle ne prend pas le pardessus, le vêtement tombe par terre*.)

JACQUES : Voyons, Jeanne, mon pardessus !

JEANNE (*elle quitte la pièce par une porte de service, le poing droit fièrement levé au-dessus de sa tête*) : Ni Dieu ! Ni Maître !

Scène III
Jacques, Pierre

JACQUES (*il aperçoit Pierre, immobile, au milieu de la pièce*) : Ah bonjour, Pierre ! Peux-tu m'expliquer ? Quelle sorte de mouche a donc piqué Jeanne ? Regarde mon pardessus !

PIERRE (*hilare*) : Il n'est pas normal qu'un avocat de renom tel que toi provoque par maladresse un incident vestimentaire.

JACQUES : Cela risque même de frôler l'incident diplomatique si elle ne me présente pas des excuses. Ni Dieu ni Maître ! Je crois rêver.

PIERRE : Jeanne a des circonstances atténuantes.

JACQUES : J'ose l'espérer.

PIERRE : Je viens de lui refuser une augmentation de salaire.

JACQUES : Ce genre de refus me surprend chez toi. Pourquoi t'a-t-elle demandé une augmentation ? Tu ne la paies pas assez ?

PIERRE : Je lui avais promis une augmentation de ses gages.

JACQUES : Tu ne tiens donc pas tes promesses ? C'est indigne de toi !

PIERRE : La conjoncture économique n'est guère favorable à une politique indulgente des salaires.

JACQUES : Sois plus précis : la conjoncture en général ou ta situation financière personnelle ?

PIERRE : C'est la même chose. Il faut être prévoyant donc rester vigilant. Suppose que je l'augmente parce que mes affaires semblent florissantes et qu'un mois plus tard une mesure gouvernementale pondue par des cerveaux aliénés mette à mal la vigueur de mes actions en Bourse, eh bien de quoi aurai-je l'air ?

JACQUES : Et de quoi as-tu l'air maintenant ? De quelqu'un d'imprévoyant puisque promesse d'augmentation a bel et bien été prononcée, et parjure par-dessus le marché puisque tu tournes allégrement le dos à ta promesse. Ce double constat ne plaide pas en ta faveur.

PIERRE : Oui je le reconnais, j'ai agi avec légèreté.

JACQUES : Ce n'est pas suffisant de le reconnaître. On ne revient jamais sur une promesse même s'il doit nous en coûter. Que fais-tu de ton honneur ?

PIERRE (*l'air penaud*) : Mon honneur ? On ne me l'a jamais présenté. Je n'ai pas commis de faute, tout au plus une erreur. Or l'erreur est humaine. C'est ce que j'ai tenté de faire comprendre à Jeanne.

JACQUES : Si encore Jeanne n'était pas méritante. Mais cette fille est pétrie de qualités.

PIERRE (*l'air sournois*) : Pourtant tout à l'heure elle a jeté ton manteau à terre !

JACQUES : C'était tout à l'heure !

PIERRE (*il enfonce le clou*) : Elle a même été jusqu'à te crier : « Ni Dieu !, ni Maître ! » À toi, un avocat !

JACQUES : Je ne connaissais pas les tenants et les aboutissants de cette histoire !

PIERRE : Moi, c'est pareil. En lui promettant monts et merveilles je ne connaissais pas les tenants et les aboutissants…

JACQUES : Je te prends en flagrant délit de mauvaise foi. Dis-moi plutôt la vérité.
Pourquoi lui as-tu promis une augmentation de salaire ?

PIERRE : Par simple humanité.

JACQUES : Tu reconnais implicitement qu'en revenant sur ta promesse, tu nies en toi toute humanité.

PIERRE : Au contraire. En ne respectant pas ma promesse, je proclame mon humanité à la face du monde. Seuls les robots ne changent jamais d'avis. Ils sont programmés pour dire toujours la même chose.

JACQUES : Ce que tu dis est tout simplement navrant. Tu commets à l'égard de Jeanne un véritable déni de Justice. Je suis bien placé pour te l'affirmer. L'Injustice est ce que le Droit combat au premier chef.

PIERRE : L'argument de l'injustice est l'excuse des faibles. Il n'y a pas d'injustice puisqu'il n'y a pas de justice.

JACQUES : Tu crois me faire gober ça ? S'il n'y a pas de justice, il y a bien injustice.

PIERRE : Peut-on tirer quelque chose du néant ?

JACQUES : La société est ce qu'elle est avec tous ses défauts je te l'accorde mais tu n'as pas le droit de dire qu'elle ne contient que du vide.

PIERRE : Le vide est encore trop plein pour elle.

JACQUES : Pour toi tout n'est donc que chaos ?

PIERRE : Pire que ça : absence de chaos !

JACQUES : Encore une de tes formules à l'emporte-pièce !

PIERRE : Je suis assez fière en effet de celle-là !

JACQUES : Crois-tu pouvoir me cacher la souffrance qui perce derrière l'insolence de tes formules ? Je devine le déchirement de ton cœur d'avoir dû déplaire à Jeanne.

PIERRE : Mon cœur n'est nullement déchiré. Il n'a guère lieu de l'être.

JACQUES : Oui, je connais ton optimisme à toute épreuve, mais c'est une attitude de façade.

PIERRE : Tu connais aussi, je suppose, l'image de la bouteille à moitié pleine ou à moitié vide selon qu'on est optimiste ou pessimiste.

JACQUES : Oui, où veux-tu en venir ?

PIERRE : Moi, je ne suis ni optimiste ni pessimiste, j'opte pour l'absence de bouteille.

JACQUES : Je t'ai rarement connu aussi désabusé.

PIERRE : Je suis lucide, c'est tout.

JACQUES : On ne peut donc jeter aucune bouteille à la mer ?

PIERRE : Sait-on seulement où se trouve la mer ?

JACQUES : Tu me donnes le cafard ! Et moi qui voulais t'entretenir de ma journée au palais. J'y renonce.

PIERRE : Renonces-y moins que jamais. Le spectacle de l'art théâtral m'a toujours profondément réjoui.

JACQUES : Je connais tes théories là-dessus.

PIERRE : Juger, plaider, n'est-ce pas en effet du grand Art ?

JACQUES : C'est avant tout démontrer noblement que le Droit n'est pas un vain mot.

PIERRE : Je ne doute pas un instant de ta sincérité. Mais permets-moi d'insister.

Le spectateur, témoin de ces joutes oratoires n'entre-t-il pas de plain-pied dans la tragédie grecque ?

JACQUES (*il soupire bruyamment*) : Où vas-tu chercher ce genre de questions ? La mienne est bien plus simple. Veux-tu connaître par le détail mon emploi du temps oui ou non ?

PIERRE : Si tu emploies ton temps à dépouiller les hommes de leur banalité, oui !

JACQUES : J'essaie déjà de les débarrasser de leurs vices, de leur ignorance, de leur esprit obtus et épais que n'éclaire aucune lueur de lucidité. Les prétoires sont encombrés de causes perdues et d'hommes

PIERRE : Quel air me chantes-tu là ? La Direction, ça a une enveloppe charnelle avec un visage, une voix, des jambes et tout le reste.

JACQUES : Je ne vois alors qu'une seule explication. Son entreprise était une société anonyme.

PIERRE : Grand bien lui fasse !

JACQUES : Tu ne comprends donc pas ?

PIERRE : Qu'y a-t-il à comprendre ?

JACQUES : Dans ces conditions, comment vraiment connaître la hiérarchie ?

PIERRE : Une société anonyme ! Ah oui j'ai compris ! Donc un homme sans visage ! Une direction invisible comme le vent ! Et un avocat qui me fait marcher depuis le début ! Ô le chacal ! J'aurais dû m'en douter, tout n'est qu'invention pure et simple.

JACQUES : Je t'assure que non. Tout est vrai dans ce que je viens de te confier. Même la société anonyme. La déduction que j'en ai faite est peut-être un peu aventureuse mais pourquoi pas ? En tout cas je n'ai pas cherché à te tromper. La vérité est pour un avocat ce qu'il a de plus cher au monde.

PIERRE : Surtout ne me parle pas de la vérité. Jamais !

JACQUES : Et pourquoi donc, qu'est-ce qu'elle t'a donc fait la vérité ?

PIERRE (*il parle fébrilement*) : La vérité est comme la lune, Jacques. Elle a une face cachée à laquelle on devrait ajouter foi et une face bien visible qui contient tout un bric-à-brac de sornettes dont nos contemporains font leurs délices idéologiques.

JACQUES : Pourquoi t'emportes-tu comme ça ? Cette vérité-là, je n'y ai pas pris part.

PIERRE : Peux-tu me l'assurer ? Il est difficile d'échapper à son emprise. Je ne t'en voudrais pas si tu as apporté ta pierre à cet édifice d'illusions.

JACQUES : Je suis un très mauvais maçon. Et je me demande bien qui aurait eu l'audace de fabriquer la vérité telle que tu l'as décrite.

PIERRE : Tous les hommes. Ils ont tourné la vérité en dérision et ne voient plus que le mensonge, aussi bien à l'œil nu qu'à la lunette astronomique.

JACQUES : Ne me compte pas parmi tous les hommes. Comment, moi qui suis ton ami, pourrais-je te faire prendre des vessies pour des lanternes ?

PIERRE (*il n'a pas écouté la question de Jacques. Il a un regard fixe qui semble contempler l'horizon. Il est comme pris au piège d'un rêve éveillé*) : Il suffirait pourtant de peu de choses. Seulement ouvrir les yeux. Et la vérité redeviendrait une évidence pour tout le monde. Seulement voilà, plus une chose est évidente moins on la voit. Et moins on la voit plus elle disparaît réellement de notre champ de vision pour ne laisser place qu'à notre cécité.

JACQUES (*il s'approche de Pierre et le regarde d'un air amusé*) : Pierre, Pierre où es-tu parti comme ça ? Ohé mon Capitaine… Terre en vue ! Pierre, ça suffit. Reviens à toi. Tu es encore dans la lune… À la recherche de la vérité ?

JACQUES : C'était du pain, je crois.

PIERRE : L'œuf, c'est une image. Et il va tout droit au bagne car il a sauté directement dans la catégorie poids lourd du crime.

JACQUES : Et Vautrin ?

PIERRE : On attend qu'il ait volé son œuf, un scooter par exemple. Mais tant qu'il ne l'a pas fait, ce n'est pas un criminel.

JACQUES : Il n'a pas commis de crimes ?

PIERRE : Être un faussaire assassin tout juste fasciné par l'exercice du pouvoir n'est qu'un crime de seconde catégorie, une peccadille et non pas à proprement parler une crapulerie.

JACQUES : C'est toi qui le dis ?

PIERRE : C'est la société qui dans tous ses actes le fait comprendre même si elle proclame le contraire.

JACQUES : Je suis bien aise de savoir que ce n'est pas ton opinion.

PIERRE : Que sais-tu de mes opinions ?

JACQUES (*décontenancé*) : À vrai dire peu de choses.

PIERRE : Continue de n'en savoir pas plus.

JACQUES : Veux-tu connaître le fond de ma pensée ?

PIERRE : S'il y a un fond, je veux bien.

JACQUES : Tu es un charmant compagnon. Mais il ne faut pas discuter trop longtemps avec toi sinon ta raison s'égare dans des pays où l'on n'a que trop peur de te suivre.

PIERRE : Ne t'inquiète pas de ma raison. Ma folie s'en occupe.

JACQUES : Je crains le pire.

PIERRE : Le pire n'est souvent rien d'autre que l'ignorance du meilleur.

JACQUES (*irrité*) : Ben, voyons !

PIERRE : N'est-ce pas être terriblement esclave que de ne pas savoir où se trouve la liberté ?

JACQUES (*toujours irrité*) : C'est inconcevable ! Tu passes du coq à l'âne comme on passe du bouillon cube au caviar.

PIERRE : Il vaut mieux un bon gros esclavage en toute connaissance de cause.

D'ailleurs l'esclavage c'est la liberté, la guerre c'est la paix, l'ignorance c'est la force comme l'a superbement dit quelqu'un de ma connaissance.

JACQUES : Crains donc de forger des principes qui soient pires que ceux auxquels tu veux mettre un terme.

PIERRE : Toute proclamation d'un principe démontre son contraire.

JACQUES : Tu parles pour ne rien dire.

PIERRE : Ne prends pas tout ça au pied de la lettre. Je fais comme tout un chacun. À défaut de changer les choses, nous changeons le sens des mots.

JACQUES (*toujours irrité, il se dirige vers la porte*) : Tu m'embrouilles avec tes phrases anticonformistes !

Je prends congé de ta philosophique personne. Je te laisse à tes délires d'intellectuel.

PIERRE (*il déplie fébrilement une page de journal qu'il tenait cachée dans une manche de son gilet*) : Avant que tu ne partes, je voudrais te féliciter copieusement.

JACQUES (*sur ses gardes*) : À quoi dois-je cet honneur ?

PIERRE : J'ai ici un exemplaire à paraître du « *Monde des audiences* » Voici ce qui y est écrit : « Maître Jacques S. du barreau de Paris a défendu hier, une fois n'est pas coutume, un squatter pour le moins original. Cet énergumène s'était barricadé dans un cabanon de chantier et défendait bec et ongles son abri de fortune contre les assauts répétés des ouvriers qui voulaient reprendre leur bien. Plusieurs ouvriers ont été blessés sérieusement par des jets de pierres. Le forcené (*il regarde Jacques*) comme tu l'as toi-même qualifié a été rapidement maîtrisé par la police. Il a été condamné à six mois de prison ferme et trois mille francs d'amende ». Ton squatter avait une autre allure. Bravo pour ton imagination débordante.

JACQUES (*de plus en plus irrité, il est sur le point de sortir*) : Je ne pensais pas que ce journal s'intéressait à des broutilles.

PIERRE : Une fois n'est pas coutume.

JACQUES : Sans ce journal tu aurais cru à mon histoire !

PIERRE : Suis-je à ce point naïf qu'il me faille l'aide d'un journal ?

JACQUES (*tournant la poignée de la porte d'entrée*) : La prochaine fois, il te faudra l'aide d'un journaliste pour déjouer mes petites histoires.

PIERRE : Je demanderai à François de m'assister.

JACQUES (*en sortant*) : Excellente initiative !

PIERRE (*il retient la porte quelques secondes et parle à Jacques sur le palier*) : À bientôt, Jacques ! Et sans rancune ! Tu feras mieux la prochaine fois.

Acte II

Scène I
Jeanne, Pierre, Monsieur Troudelassec, Monsieur Prazoc

La scène est noire. On entend un déclic. La lumière envahit une pièce, la même que précédemment. Dans le même fauteuil, Pierre est affalé, endormi. Jeanne le contemple, à la fois attendrie et exaspérée. Elle porte un tablier de soubrette. Elle est sur le point de quitter la pièce, se ravise et revient au fauteuil.

JEANNE (*elle soupire avec un hochement de tête découragé*) : Pierre, réveille-toi donc enfin ! Il est onze heures passées. Une personne plus qu'estimable a rendez-vous avec toi dans un quart d'heure.

PIERRE (*dans un bâillement*) : Fiche-moi donc la paix. Je dors.

JEANNE : Cesse de te comporter comme un enfant. Dans exactement neuf cents secondes, un professionnel de santé viendra frapper à ta porte.

PIERRE : Oh la barbe ! Que me veut-il ?
(*Sur un ton de reproche*) : Est-ce toi qui as pris rendez-vous pour moi ?

JEANNE : Tu as la mémoire courte. François t'a demandé à l'occasion de la sortie de son livre sur les médecines de pointe de recevoir un de leur initiateur. Tu ne refuses jamais rien à François. Tu as immédiatement acquiescé.

PIERRE : J'accède d'autant plus volontiers à ses demandes qu'elles ne me parviennent plus depuis une éternité.

JEANNE : Tu n'es plus en contact avec lui ?

PIERRE : Bien sûr que si, par la pensée. Le connaissant comme je l'ai connu, il s'y connaît en médecines de pointe autant que mon arrière-grand-mère s'y connaissait en éducation sexuelle.

JEANNE : Ne joue pas au macho et prépare-toi !

PIERRE : Mais je n'ai rien dans le ventre. Je dois manger d'abord.

JEANNE (*avec une mine réjouie*) : Trop tard, j'entends des pas. Il est en avance.

PIERRE : Dans ces conditions je ne peux pas le recevoir.

JEANNE : Tu n'avais qu'à prendre quelque chose quand je t'ai sorti du lit tout à l'heure.

PIERRE : Je n'obéis exclusivement qu'à mon rythme biologique. Tout à l'heure je n'avais pas faim.

Un coup de sonnette strident se fait entendre.
Jeanne va ouvrir. Deux personnages en costume sombre entrent timidement. Ils caressent leur cravate pour se donner une contenance. Jeanne les salue respectueusement et s'éclipse.

PIERRE (*il reste assis dans son fauteuil*) : Entrez Messieurs ! Vous êtes deux ! Tant mieux ! Le rapport de force sera ainsi plus équilibré.

MONSIEUR TROUDELASSEC : Nous ne cherchons pas un rapport de force, nous cherchons votre aide.

PIERRE : Eh bien qui peut le plus peut le moins.

MONSIEUR TROUDELASSEC : Nous ne demandons en effet pas grand-chose.

PIERRE (*philosophe*) : C'est à voir.

MONSIEUR TROUDELASSEC : Oserais-je dire que c'est tout vu ?

PIERRE (*il se lève du fauteuil avec regret et dans un dernier regard à celui-ci s'approche de son interlocuteur*) : Tout vu, vous avez dit ? Bravo, j'aime votre esprit d'à-propos. Au fait, à qui ai-je l'honneur ?

MONSIEUR TROUDELASSEC (*il lui tend la main*) : Monsieur Troudelassec pour vous servir !

PIERRE (*il prend la main qui lui est tendue et constate qu'elle est bien blanche*) : À la bonne heure ! Votre main sent le savon. Et votre nom a l'air d'être typiquement breton !

MONSIEUR TROUDELASSEC : Je dirai plutôt typiquement médico-social.

MONSIEUR PRAZOC (*il donne aussi sa main à serrer*) : Enchanté, je suis Monsieur Prazoc, pharmacien.

PIERRE : Enchanté, Monsieur… Prazoc. Votre nom me dit quelque chose.

MONSIEUR PRAZOC : Je suis pharmacien dans le quartier. Peut-être avez-vous déjà franchi la porte de mon officine ?

PIERRE : Non, je ne suis jamais malade. Votre nom évoque le ridicule de la condition humaine.

MONSIEUR PRAZOC (*quelque peu outré*) : Je puis vous assurer que j'ai un nom parfaitement décent.

PIERRE : J'en suis parfaitement conscient. Surtout, n'en changez pas.

MONSIEUR PRAZOC : Vous me voyez rassuré.

PIERRE : Puisque nous le sommes tous, je suis en mesure de vous écouter.

MONSIEUR PRAZOC : Moi, je viens surtout en voisin. Je n'ai rien à dire.

PIERRE : Et vous Monsieur….

MONSIEUR TROUDELASSEC : Je ne sais par où commencer. Je suis dans la recherche médicale. Je travaille sur le rejet des greffes. Pour m'y opposer à vrai dire.

PIERRE : Vous opposer à quoi ?

MONSIEUR TROUDELASSEC : Au rejet des greffes, pardi !

PIERRE : Oui bien sûr. Veuillez poursuivre.

MONSIEUR TROUDELASSEC : Je suis sur le point d'aboutir. Je suis très en avance sur mes confrères dans ce domaine. J'ai découvert un procédé biochimique révolutionnaire pour empêcher le rejet des greffes. En ce moment je m'intéresse surtout à la greffe de pancréas.

PIERRE : Ah ! Ah !

MONSIEUR TROUDELASSEC : J'ai besoin de votre soutien.

PIERRE : Je ne pense pas pouvoir vous être utile.

MONSIEUR TROUDELASSEC : Détrompez-vous, vous êtes indispensable à mon projet.

PIERRE (à Monsieur Prazoc) : Êtes-vous du même avis que votre collègue ?

MONSIEUR PRAZOC : Moi, je viens surtout en voisin. Je n'ai rien à dire.

PIERRE : Votre modestie vous honore. Mais peut-être devriez-vous prendre modèle sur votre voisin ?

MONSIEUR PRAZOC : On ne se refait pas.

PIERRE : Monsieur Trou… et cetera, entrons dans le vif du sujet, voulez-vous ?

MONSIEUR TROUDELASSEC : Le gros problème c'est de trouver des donneurs. Nous en manquons cruellement. Il y a beaucoup de diabétiques et nous n'avons pas le droit de faire des prélèvements sur les accidentés de la route. C'est dommage. Cela résoudrait bien des problèmes.

PIERRE : Quels problèmes ? Je ne comprends pas. Si je ne me trompe les diabétiques bénéficient actuellement de traitements

efficaces et d'après ce que François a pu m'en dire je ne pense pas que la greffe de pancréas soit la solution collective la plus appropriée.
D'autres voies de recherches sont bien plus prometteuses.

MONSIEUR TROUDELASSEC : En effet. Mais elles n'ont pas encore abouti à une solution fiable. Je dois donc profiter de ce créneau de quelques années pour mettre sur le marché mon traitement anti-rejet.

PIERRE : Qu'ont à y gagner les malades ?

MONSIEUR TROUDELASSEC : Un pancréas tout neuf et moi le prix Nobel de Médecine.

PIERRE : Le Prix Nobel ! Mais bien sûr ! Je n'y avais pas pensé ! Pourquoi voulez-vous donc le Prix Nobel ?

MONSIEUR TROUDELASSEC : Parce que je le mérite !

PIERRE : C'est ma foi une raison plus qu'estimable.

MONSIEUR TROUDELASSEC : Je ne vous le fais pas dire. Aussi pour arriver à mes fins, il me faut trouver des donneurs, des milliers de donneurs car les diabétiques comme je vous le disais sont innombrables.

PIERRE : Et les donneurs, comme vous le disiez, à part ceux coincés dans les voitures accidentées, ça ne court pas les rues. Comment comptez-vous vous y prendre ?

MONSIEUR TROUDELASSEC : Justement, j'y arrive. Il y aurait bien un moyen.

PIERRE : Lequel ?

MONSIEUR TROUDELASSEC (*Sur un ton claironnant*) : Le Tiers-Monde !

PIERRE : Comment ça le Tiers-Monde ?

MONSIEUR TROUDELASSEC : Eh oui le Tiers-Monde ! Ce mot vous fait-il peur ?

PIERRE : J'ai surtout peur de comprendre.

MONSIEUR TROUDELASSEC : Vous avez très bien compris, alors !

PIERRE : Êtes-vous sain de corps et d'esprit ?

MONSIEUR TROUDELASSEC : Pouvez-vous en douter ? Écoutez-moi bien. Dans les villes du Tiers-Monde déambulent des centaines de milliers de gosses, pauvres et désœuvrés. Nos diabétiques et nos leucémiques (car je pense aussi à la greffe de moelle osseuse) espèrent des avancées et tous ces pauvres gosses qui errent par milliers en se sentant complètement inutiles, voilà l'occasion ou jamais de leur rendre leur fierté.

PIERRE : Vous voulez donc prendre à ces gosses le seul bien qui leur reste, leur corps ?

MONSIEUR TROUDELASSEC : Voilà un bien grand mot. Seule une infime partie de leur corps est visée. Et puis nous ne sommes pas des barbares. Nous allons monnayer les prélèvements. Et c'est là que vous intervenez.

PIERRE : Vous m'en voyez ravi. N'avez-vous pas peur cependant de tomber non seulement sur des êtres affaiblis aux organes déficients mais en plus porteurs de germes et de virus en tout genre ?

MONSIEUR TROUDELASSEC : Certains jeunes du Tiers-Monde sont bien plus vigoureux qu'on ne le pense. Et puis nous prendrons nos précautions. Nous ferons des examens et des analyses approfondies des prélèvements. Nous paierons le prix qu'il faudra. Et d'ailleurs c'est là que vous intervenez. Votre ami le journaliste à qui je n'ai pas fait mystère de mes projets m'a assuré que je pouvais compter sur vous.

PIERRE : Tous ces pauvres gamins, que deviennent-ils une fois qu'on leur a ôté le pancréas ?

MONSIEUR TROUDELASSEC : Cette question ! Ils deviennent diabétiques à leur tour. C'est inévitable.

PIERRE : Qui va les prendre en charge ?

MONSIEUR TROUDELASSEC : S'il se trouve des âmes charitables pour leur proposer des injections d'insuline le restant de leur vie, je n'y vois quant à moi aucune objection. C'est là d'ailleurs que vous pouvez intervenir.

PIERRE : Je vois. Mais moi j'ai une objection à vous faire. Si vous voulez faire des économies, allez donc chercher des milices paramilitaires, des escadrons de la mort. Ils ont déjà œuvré en ce sens. Ils vous feront ça pour rien, pour le plaisir. Vous n'aurez pas d'argent à débourser pour faire les prélèvements. Quant aux analyses, vous trouverez bien des médecins bénévoles partageant leur idéologie, prêts à les pratiquer en un tour de main.

MONSIEUR TROUDELASSEC : Mauvaise idée ! Très mauvaise idée ! Je l'ai envisagé un court instant mais ils vont bousiller la marchandise. Ils ne seront pas du tout capables de faire des prélèvements corrects. Ils vont esquinter cet organe noble avec leur couteau de boucher. Il nous faut des techniciens hors-pair, des spécialistes rompus à ce genre d'exercice, pour tout dire des médecins ultra-compétents et non pas des médecins idéologues qui pourraient se laisser aller à des actes répréhensibles. Il leur faudra travailler rapidement sur le terrain. Le choix et le ramassage des cobayes se feront exclusivement la nuit, les prélèvements effectués dans des camions banalisés, l'abandon des donneurs devra se faire sans pagaille avec le souci de les préserver de la curiosité de la populace. Nous ne pouvons pour l'instant nous permettre de travailler au grand jour. Dès que l'ensemble de nos travaux prendra une tournure favorable, nous en publierons les premiers résultats et alors cette formidable révolution scientifique sortira rapidement de sa confidentialité. Des équipes médicales formées sont déjà prêtes à s'atteler à l'énorme tâche de prendre en charge les milliers d'organes qui vont arriver pour les greffer à nos malades dans les meilleures conditions. Naturellement leur travail ne sera pas gratuit et c'est là d'ailleurs que vous devrez intervenir. Si François m'a bien informé, vous connaissez bien le monde sordide de la pauvreté et vous avez d'énormes moyens financiers. Ce sont deux avantages conséquents qui m'ont donné l'idée de faire appel à vos services. Êtes-vous prêt à m'aider à mener à bien cette opération d'envergure ? Si votre réponse est positive, l'humanité vous en saura gré. Vous vous en rendez compte, le diabète éradiqué de la surface de la planète du jour au lendemain ! Quelle gloire pour moi !

PIERRE (*il prend un air cérémonieux*) : J'ai une grave question à vous poser.

MONSIEUR TROUDELASSEC : Faites donc, cher ami. Je vois que le courant passe entre nous.

PIERRE : Est-ce que ce sera douloureux ?

MONSIEUR TROUDELASSEC : Quoi donc cher ami ?

PIERRE : Eh bien, le prélèvement par exemple ?

MONSIEUR TROUDELASSEC : Oui bien sûr. Mais quand on prend sur soi c'est supportable.

PIERRE : Vous n'allez pas les endormir ?

MONSIEUR TROUDELASSEC : Qui donc les pauvres ? Non ! Ce serait une perte de temps. Et puis utiliser un anesthésique coûterait trop d'argent. Ce n'est pas nécessaire. Les pauvres du Tiers-Monde, surtout les jeunes, sont durs au mal. Dans nos pays confortables, nous pleurnichons dès que nous avons une égratignure. Dans ces contrées démunies où le malheur a forgé le caractère, ils ne peuvent pas se payer le luxe de s'apitoyer sur eux-mêmes. Il leur suffit de serrer les dents pour ne pas crier même si on leur arrache les yeux.

PIERRE : Vous avez réponse à tout. Le monde sordide de la pauvreté a encore moins de secrets pour vous que pour moi. Vous vous y faufilez avec l'aisance d'une taupe dans un terrain miné.

MONSIEUR TROUDELASSEC : Vous avez trouvé le mot juste. Le terrain est miné et il faut le déminer.

Supprimer des pauvres permettra de guérir les riches. Vous rendez-vous compte que nous pourrons étendre le programme à bien d'autres organes ? Nous manquons de cœurs, de reins, de foies, de moelle osseuse.

PIERRE : C'est une guerre sans merci que vous entendez mener. Est-ce la haine qui vous guide ou bien une ambition démesurée vous fait penser que la fin justifie les moyens ? Arracher un cœur d'un thorax par exemple c'est commettre, vous l'admettrez, un acte définitif. C'est tout bonnement un meurtre.

MONSIEUR TROUDELASSEC : Supprimer une existence misérable qui ne sert strictement à rien pour permettre à un homme greffé d'un nouveau cœur de continuer à mener la vie extraordinaire qu'il n'aurait jamais dû voir interrompue, n'est-ce pas un magnifique acte d'amour ?

PIERRE : Pourquoi est-ce toujours aux pauvres de se sacrifier pour les riches ?

MONSIEUR TROUDELASSEC : Parce que c'est dans l'ordre naturel des choses.

PIERRE : Qu'entendez-vous par naturel ?

MONSIEUR TROUDELASSEC : Les pauvres existent dans la nature au même titre que les doryphores ou les nénuphars. Et parfois comme eux, ils prolifèrent.

PIERRE : Est-ce une raison pour les massacrer ?

MONSIEUR TROUDELASSEC : Je ne veux d'aucune façon commettre un génocide. Je veux juste aider la nature à trouver un équilibre. Que cela s'apparente à un génocide, je n'y peux rien.

PIERRE : Vous espérez donc que la nature supprime les pauvres comme elle a supprimé les dinosaures ?

MONSIEUR TROUDELASSEC : Je veux en effet la suppléer quand elle fait preuve de faiblesse coupable.

PIERRE : N'est-ce pas un aveu d'impuissance que de vouloir anéantir les uns pour sauver les autres ?

MONSIEUR TROUDELASSEC : L'impuissance c'est de ne rien faire. Je dois tuer pour faire vivre.

PIERRE : Pourquoi ne pas vous tuer en premier ?

MONSIEUR TROUDELASSEC : À vous écouter plus longtemps, c'est ce qui va se passer.

Si je me tue à vous dire que je veux supprimer des pauvres pour sauver les malades dans nos pays riches, n'est-ce pas pour vous faire comprendre que c'est pour le bien commun ? Vous allez finir par avoir ma peau en persistant à ne pas saisir l'humanité de ma démarche. Les malades des pays civilisés auxquels je veux apporter les bienfaits de la médecine moderne ne comptent-ils pas des pauvres dans leurs rangs ?

PIERRE : Ceux-là, vous voulez bien les soigner ? Quelle preuve admirable d'humanité ! On peut faire encore mieux. La nature peut supprimer les pauvres tout simplement en éradiquant la pauvreté.

MONSIEUR TROUDELASSEC : La nature n'a jamais fait ça. Vos dinosaures, par exemple, la nature les a bel et bien anéantis.

PIERRE : La nature peut faire des progrès.

MONSIEUR TROUDELASSEC : N'y comptez pas trop. À quelle sorte de nature aurions-nous affaire si elle extirpait la pauvreté et non les pauvres ?

PIERRE : Tout simplement à la nature humaine. Les hommes quoi !

MONSIEUR TROUDELASSEC (*interloqué*) : Quels hommes ?

PIERRE : Tous les hommes ou presque. C'est-à-dire les pauvres.

MONSIEUR TROUDELASSEC : Les riches n'accepteront jamais.

PIERRE : Peut-être le jour où les riches entendront battre un cœur de pauvre dans leur poitrine, en viendront-ils à de meilleurs sentiments ?

MONSIEUR TROUDELASSEC (*sur un ton de conciliation ironique*) : Vous pouvez toujours l'espérer.

PIERRE (*portant les mains au niveau de son cœur*) : Ils auront enfin du cœur.

MONSIEUR TROUDELASSEC (*toujours conciliant*) : Je ne demande qu'à vous croire après tout.

PIERRE (*cherchant une porte de sortie*) : J'y pense tout à coup. Pourquoi au lieu de faire des coups de force dans les pays du Tiers-Monde, ne ferions-nous pas appel à la générosité publique pour trouver des organes ? Je suis sûr que nos concitoyens mieux informés feraient plus facilement don de leurs organes s'il leur arrivait un malheur fatal.

MONSIEUR TROUDELASSEC : Ils sont informés. Et ce n'est guère concluant. Même pas pour la greffe de moelle osseuse où aucun malheur fatal n'est exigé sinon le prélèvement de quelques centaines de centimètres cubes de leur os iliaque.

PIERRE : Redoublez d'efforts.

MONSIEUR TROUDELASSEC : Non c'est trop tard. Cela prendrait beaucoup trop de temps. En attendant, nombre de nos concitoyens malades meurent faute de pouvoir être greffés à temps. Aussi je ne connais que ce cri de guerre : « si tu ne vas pas à Lagardère, Lagardère ira à toi ! »

PIERRE : Fameux cri de guerre, en effet !

MONSIEUR TROUDELASSEC *il se désigne à nouveau conciliant* : Et croyez bien que si Lagardère avait pu rester sur le sol de son pays natal pour mener à bien son entreprise, il l'aurait fait.

PIERRE : Je vous crois sur parole. Un justicier tel que vous !

MONSIEUR TROUDELASSEC (*faisant mine de dégainer*) : Mais Lagardère doit dégainer sa rapière dans les pays du Tiers-Monde et il le fera sans état d'âme.

PIERRE (*entrant dans son jeu*) : Lagardère est-il certain que son traitement anti-rejet est si efficace que ça ?

MONSIEUR TROUDELASSEC : Lagardère ne pourra le prouver que sur le terrain. Il lui faut une expérimentation à grande échelle.

PIERRE (*s'amusant de plus en plus*) : Étant donné votre noblesse d'esprit, chevalier, je me permets d'insister. Pourquoi Lagardère ne prendrait-il pas de force à nos concitoyens les organes dont il a besoin ? C'est à eux de faire l'effort.

MONSIEUR TROUDELASSEC : Ils ne voudront jamais et les comités d'éthique qui fleurissent un peu partout, non plus.

PIERRE : Votre fameux cri de guerre, n'est-ce pas plutôt ? : « Si tu ne vas pas à Lagardère, Lagardère ira au pauvre étranger ! ».

MONSIEUR TROUDELASSEC : Je ne le répéterai jamais assez. L'étranger, pauvre de surcroît, peut-être utile parfois. Surtout la progéniture de l'étranger. Mais je vous fais une promesse. Nous endormirons tous ces pauvres gosses, si vous y tenez. Et c'est là que vous intervenez, avec votre argent.

PIERRE : Vous m'en voyez flatté. N'est-ce pas, Monsieur Prazoc, qu'il y a lieu d'être flatté ?

MONSIEUR PRAZOC : Il y a surtout lieu d'être stupéfait. Dans le bon sens du terme, évidemment.

PIERRE (*épaté*) : Oh ! Monsieur Prazoc a quelque chose à dire. N'avez-vous pas peur, Monsieur Troudelassec, que Monsieur Prazoc ici présent, parle de vos projets ? Il m'a l'air de prêter une oreille attentive et indiscrète à notre conversation.

MONSIEUR TROUDELASSEC : Ne vous inquiétez pas. Je lui ai remis une certaine somme d'argent pour m'assurer de son silence. Et c'est là aussi que vous interviendrez, vous voyez ce que je veux dire. Nous nous sommes rencontrés dans l'escalier de votre immeuble, alors que nous montions tous les deux, mais séparément, vous voir. Nous avons eu le temps de bavarder un peu. Monsieur Prazoc s'est montré très compréhensif. Il est déjà acquis corps et âme à mon entreprise de salubrité publique.

PIERRE : Pourquoi êtes-vous venu me voir, Monsieur Prazoc ?

MONSIEUR PRAZOC : J'avais besoin d'une aide financière pour sauver mon officine de pharmacie de la faillite. Mais après le geste généreux de Monsieur Troudelassec, votre aide ne s'impose plus.

PIERRE : Monsieur Troudelassec, je suppose, a été d'autant plus généreux avec vous qu'il attend de moi que je le sois avec lui.

MONSIEUR TROUDELASSEC : Vous supposez bien. J'avais tellement confiance dans votre jugement que je n'ai pas hésité à faire preuve de prodigalité à son égard.

MONSIEUR PRAZOC (*saisissant les mains de Monsieur Troudelassec) :* Pour moi vous êtes un père prodigue !

MONSIEUR TROUDELASSEC (*il se dessaisit des mains de Monsieur Prazoc, visiblement agacé*) : Et je me garderai bien de penser que cette confiance que je vous porte puisse être entamée.

PIERRE (*se rasseyant dans son fauteuil)* : Et si cette confiance n'était pas récompensée ?

MONSIEUR TROUDELASSEC : Que voulez-vous dire ?

PIERRE : Et si je ne vous aidais pas ? Financièrement, s'entend. Puisque vous m'avez l'air d'en avoir surtout après mon argent.

MONSIEUR TROUDELASSEC : Je n'ai pas envisagé sérieusement cette hypothèse.

(*Il repousse Monsieur Prazoc qui tentait à nouveau des travaux d'approche*)

Monsieur Prazoc ! Calmez-vous !

PIERRE : Toutes les hypothèses sont envisageables !

MONSIEUR TROUDELASSEC : Vous avez dit tout à l'heure que pour moi la fin justifie les moyens et vous aviez ma foi entièrement raison. Me suis-je bien fait comprendre ?

PIERRE : Ai-je tort de penser que c'est une menace déguisée ?

MONSIEUR TROUDELASSEC : Vous avez tort de penser qu'elle est déguisée !

PIERRE : Je supposais que malgré l'emportement de votre passion vos paroles n'oseraient pas franchement dépasser votre pensée.

MONSIEUR TROUDELASSEC : Ce ne sont pas mes paroles que je retiens mais ma pensée.

PIERRE : Vous vous faites donc violence pour ne pas envisager d'ourdir contre moi un sombre complot si par malheur je ne vous aidais pas financièrement.

MONSIEUR TROUDELASSEC : Laissez-moi donc le temps de l'envisager et votre visage perdra de ses couleurs comme mes pensées se libèreront des harnais de la bienséance.

PIERRE : Bravo ! Vous gardez facilement votre sang-froid !

MONSIEUR TROUDELASSEC (*Monsieur Prazoc s'est à nouveau approché*) : En effet. Et comme tous les animaux à sang-froid, ma température interne ne demande qu'à s'élever dès que l'air ambiant se réchauffe.

PIERRE : Que faut-il donc pour faire bouillir votre sang ?

MONSIEUR TROUDELASSEC : Il suffit par exemple pour m'échauffer les oreilles que Monsieur Prazoc continue à me coller comme une sangsue.

MONSIEUR PRAZOC : Monsieur Troudelassec, vous n'allez pas me reprendre tout de même ce que vous m'avez si généreusement offert !

MONSIEUR TROUDELASSEC (*il l'attire par sa cravate*) : Cela dépend de notre interlocuteur !

PIERRE : Sachez qu'aucun chantage, aucune flatterie ni pression d'aucune sorte ne détermineront ma décision dans cette affaire. Je n'ai pas du tout envie de vous répondre maintenant. Sortez donc Messieurs, on vous écrira.

MONSIEUR TROUDELASSEC : Je respecte votre envie de réfléchir. Je ne doute pas un seul instant du choix…

PIERRE : Monsieur, plus aucun mot, sortez !

MONSIEUR TROUDELASSEC : Vous avez entendu Monsieur Prazoc ? Dehors !

Monsieur Troudelassec tire Monsieur Prazoc par la cravate pour l'entraîner vers la sortie. Puis, de sa main libre tendue, il lui signifie de lui rendre quelque chose. Monsieur Prazoc feint d'ignorer le geste. Monsieur Troudelassec insiste en lui touchant le nez de sa main comme une épée menaçante tandis que bon prince il relâche lentement la cravate. Résigné, Monsieur Prazoc sort un chèque de sa poche et le donne à contrecœur à Monsieur Troudelassec.

MONSIEUR TROUDELASSEC : Je vous le rendrai au centuple si l'affaire prend une bonne tournure comme je l'espère. Et ne vous avisez surtout pas, Monsieur Prazoc, de me trahir. Vous avez vu comme j'ai le bras long.
(*Ils sortent*)

PIERRE (*il se lève du fauteuil, se ravise et s'allonge de tout son long jusqu'à ne plus faire qu'un avec le fauteuil. On entend sa voix caverneuse*) : Qu'est-ce qu'ils ont tous à venir m'importuner ? On ne peut pas me laisser tranquille ? Je ne supporte plus la société des hommes. Tous des rapaces, des parasites, des monstres sans cervelle. Je vais me faire moine ou sauvage des forêts tropicales ou…

Scène II
Jeanne, Pierre

JEANNE (*elle entre discrètement par la porte de service*) : Ou paresseux de sofa. Mais ça, c'est déjà fait.

PIERRE : Tu écoutes donc aux portes ?

JEANNE : Oui, je suis une fameuse espionne. Rien ne m'a échappé de cette entrevue.

PIERRE : Je t'emmènerai, naturellement.

JEANNE : Je ne suis pas certaine de vouloir venir. À moins que…

PIERRE : J'emploierai la force s'il le faut.

JEANNE (*elle s'agenouille à côté de lui*) : Tu crois ? ça va te fatiguer !

PIERRE : Toi aussi tu es contre moi !

JEANNE (*elle lui donne un baiser*) : Mais non !

PIERRE : Pourquoi as-tu dit : à moins que ?

JEANNE : J'ai dit : à moins que ?

PIERRE : Ne fais pas ton intéressante. Nous savons tous les deux ce que tu as dit.

JEANNE : Si tu ne m'avais pas interrompue, tu en saurais déjà plus.

PIERRE : Bien. Je ne t'interromprai plus.

JEANNE : Je te suivrai au bout du monde dans les déserts les plus reculés si…

PIERRE : Si…

JEANNE : Tu vois, tu m'interromps encore !

PIERRE : C'est pour la bonne cause !

JEANNE : Si tu nous inventes, rien que pour nous deux, une nouvelle société.

PIERRE : Oh la montagne qui accouche d'une souris !

JEANNE : Merci. Trop aimable. Je n'arrive pas à me mettre à ton niveau, c'est ça ?

PIERRE : Ne le prends pas mal. J'adore les formules toutes faites. En tout cas ce serait vraiment stupide de formuler de nouvelles règles entre nous. Celles qui existent ne sont-elles pas formidables ?

JEANNE : Ah oui nos rapports maître-esclave en présence de tierces personnes. Formidables, tu peux le dire !

PIERRE : Quand nous sommes seuls, entre nous, n'y a -t-il pas un rapport de parfaite égalité ? Ce serait donc pareil si nous étions seuls sur une île déserte du pacifique ou au sommet d'une montagne africaine ou dans une pagode de moine tibétain.

JEANNE : Et si par extraordinaire un naufragé accoste sur notre île, un yéti vient rendre visite à notre nid neigeux, ou un ermite asiatique frappe à la porte de notre pagode, je devrai enfiler ma tenue de soubrette humble et dévouée ?

PIERRE : Bon d'accord, va pour ta nouvelle société. Nous n'aurions pas besoin de jouer la comédie à des humains dépouillés de tout artifice.

JEANNE : Ta bonté te perdra. Pour te récompenser, je te révélerai que mon rôle d'espionne à temps partiel m'a permis non seulement d'écouter à ta porte mais aussi à la porte qui donne sur l'escalier.

PIERRE : Et alors ?

JEANNE : Et alors ? Eh bien, sur le palier, le plus petit des deux, celui qui avait l'air niais, disait à l'autre, le grand bourru à l'air autoritaire, tu ne devineras jamais quoi ?

PIERRE : Il disait quoi ?

JEANNE : Il lui disait : est-ce que j'ai été à la hauteur ? Est-ce que j'ai été à la hauteur ? Croyez-vous qu'il m'a cru ?

PIERRE : Et qu'a répondu l'autre ?

JEANNE : Il lui a répondu : pourquoi ne vous aurait-il pas cru, vous n'avez pratiquement pas ouvert la bouche. Il n'y a donc rien à croire ou à ne pas croire.

PIERRE : En voilà encore deux qui se croient plus malins qu'ils ne le sont en réalité.

JEANNE (*sur un ton espiègle*) : Ils jouent à quoi d'après toi ? À te faire peur ? À te pousser dans tes derniers retranchements ?

PIERRE : Tu parles ! Ils sont aussi inoffensifs que des œufs sur le point d'éclore.

JEANNE : Justement, attends l'éclosion pour savoir. Tu es vraiment trop naïf. Et puis cette histoire de médecin prédateur qui attend le grand Soir de la greffe généralisée, tu y accordes un quelconque crédit ? Pour moi c'est du pipeau !

PIERRE : Qui peut savoir ? Tout est possible dans cette société. J'en toucherai un mot à François.

JEANNE : François, quelle source d'inspiration !

PIERRE : Je ne te le fais pas dire.

JEANNE : Pour moi la prudence est de rigueur : ou bien ce gars-là, je parle du grand type, est mythomane ou bien c'est un escroc de piètre envergure qui en veut maladroitement à ton argent. Quant au petit, il ne me dit rien qui vaille. Sa stupidité ne me fait pas rire du tout. Ce monsieur Praz…

PIERRE : Oc !

JEANNE : Langue d'Oc ou pas il me donne l'impression d'avoir un double langage. Quand il dit je n'ai rien à dire ça veut dire vous avez tout à redouter de mes silences. Il joue un double jeu.

PIERRE : Bravo, Jeanne. Tu y viens doucement à mes théories. Ce Monsieur Prazoc a peut-être une peau supplémentaire, celle de la fausse stupidité ou alors…

JEANNE : Ou alors ?

PIERRE : Il est vraiment stupide.

JEANNE : Tu crois vraiment ?

PIERRE : En tout cas, ce Monsieur Troudelassec, il faut bien l'appeler par son nom, n'a pas l'air d'avoir une grande estime pour lui, ni devant nous, ni quand ils sont entre eux.

JEANNE : Alors pourquoi s'acoquinent-ils ensemble ? Laisse-moi te mettre en garde. Ils te cachent des choses. Ce sont peut-être des espions.

PIERRE : À la solde de qui ? Que pourraient-ils apprendre sur moi ? Je ne suis pas haut fonctionnaire. Je ne détiens pas de secret d'État. Je ne suis pas non plus une vedette de la chanson ou du cinéma. Si ce sont des paparazzis, ils se donnent du mal inutilement. Je ne ferais même pas vendre un seul exemplaire d'un journal à sensation. Et je ne suis même pas un espion.

JEANNE : Tu es bien plus que tout ça. Tu es toi !

PIERRE : Sans l'ombre d'un doute. Et qu'ai-je à craindre d'être moi ?

JEANNE : Je ne sais pas. On peut tout craindre s'ils te percent à jour. Moi, ça suffit à éveiller ma méfiance, surtout après ce que j'ai surpris de leur conversation.

PIERRE : Tu te méfies donc de moi ?

JEANNE : Mais non ! Je me méfie d'eux à cause de ta personnalité.

PIERRE : Il ne te reste plus qu'une chose à faire.

JEANNE : Laquelle ?

PIERRE : Mener ton enquête.

JEANNE : Comment ça ?

PIERRE : Monsieur Prazoc est, paraît-il, pharmacien dans le quartier. Vérifie si c'est bien vrai. Tâche de lui rendre visite dans son officine. Le prétexte est facile à trouver.

Une femme a toujours besoin de babioles. Pour sa peau, ses cheveux, ses ongles, ou pour améliorer son équilibre nerveux. Deviens une fidèle cliente, tire-lui les vers du nez comme seule une femme sait le faire.

JEANNE : Ce que tu es macho !
Crois-tu que j'ai du temps et de l'argent à perdre ?

PIERRE : Eh bien, n'y pense plus !

JEANNE : J'irai quand même faire un petit tour pour te faire plaisir.

PIERRE : Voilà qui est bien parlé !

JEANNE : Pierre !

PIERRE : Oui, Jeanne !

JEANNE : Ne donne pas un seul centime à ces deux cinglés.

PIERRE : Bien sûr que non. Je dois garder mon magot pour tes futurs achats cosmétiques.

JEANNE : Tu parles d'or. En attendant, viens m'aider. On a d'autres courses à faire.

(*Ils sortent tous les deux de scène.*)

Scène III
Paul, Jeanne

La scène reste allumée. On est toujours dans la même pièce, le salon de Pierre dans lequel trône, libre de son occupant, le fauteuil. Un fauteuil qui sert la plupart du temps de siège de repos et accessoirement de siège de repas, de siège de débats plus ou moins animés et plus souvent qu'à son tour de siège d'ébats sexuels.

La porte s'ouvre. Paul apparaît. Il a une tenue parfaitement décente. On le reconnaît à peine.

PAUL : Il n'y a personne. Au moins je ne risque pas d'être mal reçu. Quel homme étrange ce Pierre. Je sais très bien à qui j'ai affaire et il a pourtant un comportement difficile à comprendre.

(*Il s'approche d'une petite bibliothèque*)

Étonnant. Il n'y a pas le moindre bouquin ! J'ai pourtant cru le voir plus d'une fois dans ma librairie.

À ce moment-là, la porte d'entrée s'ouvre et Jeanne apparaît.

JEANNE : D'où vous sortez, vous, vous avez les clefs de la maison ?

C'est Pierre qui vous les a données ?

PAUL : Les clefs de Saint-Pierre ?

Vous avez les mots pour rire ! Non Jeanne, je sors de nulle part et j'ai mes entrées partout où une porte se dresse sur mon chemin. Je vous l'ai déjà dit.

JEANNE : On se connaît ? D'où vous connaissez mon prénom ?

PAUL : D'où ? Mais d'ici, voyons !
Je traverse les murs mais pas encore les cerveaux.

JEANNE : Vous êtes déjà venu rendre visite à Pierre ? Si c'était le cas, je le saurais. Il n'est jamais chez lui quand je n'y suis pas.

PAUL : Ah oui ? Vous y êtes chez lui et il n'a pourtant pas l'air d'être là.

JEANNE : Mêlez-vous de ce qui vous regarde. Et d'abord, partez ! Il n'est pas ici et faites comme si je n'y étais pas non plus.

PAUL : Cette partie de cache-cache est agréable mais ne mène à rien. Veuillez sentir mes mains !

JEANNE : Et puis quoi encore ! On me l'a déjà faite celle-là.

PAUL : Ne craignez rien, je ne vous frapperai pas. Ces mains sont aussi innocentes que des ailes de colombes. Approchez et reniflez le parfum qui s'en dégage.

JEANNE : Ai-je l'air de quelqu'un qui renifle les gens ? Me prenez-vous pour un chien ?

PAUL : Vous n'êtes pas très physionomiste. Vous m'avez pourtant flairé, à votre corps défendant je l'avoue mais pas plus tard qu'avant-hier.

JEANNE (*Elle s'approche, intriguée et sa voix change d'un seul coup*) : Ah c'est vous le pauvre hère puant qui nous a mis dans un état proche de l'hystérie. Je ne vous aurais pas reconnu !

PAUL : Merci pour le compliment. Passons. Je suis venu pour discuter sérieusement avec Pierre.

JEANNE : Et vous ne pouviez pas vous présenter dans une tenue normale au lieu de faire le mariole en vous moquant des pauvres.

PAUL : Connaissant Pierre comme je le connais, enfin c'est une façon de parler, je ne pensais pas qu'il serait interloqué. Quant à vous, comment dois-je vous appeler ? Vous êtes sa femme, sa compagne, sa maîtresse, une amie, ou que sais-je encore ?
Il s'adresse à vous comme si vous étiez sa bonne. Mais venant de lui, je flaire une subtile plaisanterie destinée à tromper le bourgeois. Si vous vous en accommodez et si chacun y trouve son compte, à la bonne heure !

JEANNE : Vous croyez être le seul à commettre de subtiles plaisanteries ? Quant à moi, ce que je suis pour lui ne vous regarde pas.

PAUL : Jeanne, vous êtes une délicieuse jeune femme et je crois que je vais tomber amoureux de vous !
Il s'approche et fait mine de vouloir l'embrasser.

JEANNE (*L'évitant de justesse*) : Vous croyez que vous allez pouvoir me déguster comme une vulgaire pâtisserie. Arrière mon bonhomme, je suis féministe et en fait de gâteau tu vas plutôt prendre un pain dans la tronche !

PAUL : Quelle vulgaire manière de s'adresser à un homme qui veut juste discuter d'égal à égal avec une femme.

JEANNE : À moi on ne me la fait pas. Tous les hommes sont égaux mais il y en a qui sont plus égaux que d'autres, les autres en question étant surtout des femmes !

PAUL (*extatique*) : Quelle magnifique phrase de Georges Orwell ! Vous connaissez, bien sûr. Moi, je n'ai aucun mérite. Il y a deux ans j'étais encore dans ma librairie. Je n'offrais aux lecteurs que des auteurs passionnants, de mon point de vue bien sûr. Des auteurs qui sont passés à la postérité et qu'on ferait bien de lire et relire.

JEANNE (*radoucie*) : Lesquels par exemple ?

PAUL : Orwell, je viens de le dire. Puis me viennent forcément à l'esprit Boris Vian, Oscar Wilde, B. Traven, Jack London, Arthur Rimbaud, etc. Il y en a d'autres mais je ne peux pas tous les citer de peur de passer pour un pédant.

JEANNE : Comment peut-on être aussi cultivé tout en étant un fieffé misogyne ?

PAUL : Je suis misogyne parce que j'ai voulu vous donner un baiser ?

JEANNE : Attendez que Pierre arrive et ses embrassades vous chaufferont les oreilles.

PAUL : La jalousie, ce ne doit pas être son genre. Vu ses idées, il doit en être débarrassé depuis longtemps.

JEANNE *(étonnée) :* Quelles idées peut-il bien avoir d'après vous ? Je ne crois pas que vous soyez si intime que vous en connaissiez seulement une parcelle. Il n'a jamais dû franchir la porte de votre librairie. Cela fait longtemps qu'il ne met plus les pieds dans des lieux de culture.

PAUL : Vous ne le connaissez pas aussi bien que vous le dites.

JEANNE : On va vite en avoir le cœur net car j'entends la porte s'ouvrir.

Scène IV
Pierre, Jeanne, Paul

PIERRE : Qu'est-ce que… Tiens donc, voilà le clochard de l'autre jour ! Jeanne, j'espère qu'il ne vous a pas trop importunée. Il ne vous a pas fait de suçons dans le cou au moins ? Les vagabonds sont souvent libidineux à partir d'un certain âge et on n'est jamais trop prudent avec ce genre d'énergumènes. Jeanne, encore une fois ne vous laissez pas impressionner et bottez lui le postérieur quand il vient forcer la porte !

JEANNE : Pierre, je veux dire Monsieur Pierre… Oh et puis ras le bol avec ce petit jeu à la con. D'abord comment l'as-tu reconnu au premier coup d'œil ? Il est aussi culotté que l'autre fois mais il n'a pas la même dégaine et puis… débrouille-toi avec lui !

PIERRE : Jeanne, calmez-vous s'il vous plaît !

JEANNE : Je me calmerai si ça me chante !

PIERRE (*s'adressant à Paul*) : Il faut l'excuser, elle est incorrigible. (*d'un air badin*) : Et qu'est-ce qu'il veut ce grand garçon ?

PAUL : Ce grand garçon s'appelle Paul.

PIERRE : Merveilleux ! Qu'est-ce qu'il nous veut à venir à tout bout de champ comme un cheveu navigant dans la soupe ?
PAUL (*il reste silencieux tout en regardant Jeanne avec insistance*).

PIERRE : Paul, vous pouvez parler, nous ne sommes ici que tous les deux.

PAUL (*craignant la réaction de Jeanne*) : Vous en êtes sûr ?

PIERRE : Ah oui, Jeanne mon chou, pouvez-vous sortir de mon sac le poulet que j'ai ramené, le préparer comme vous en avez le secret. J'ai une faim de loup.

JEANNE (*courroucée et dépitée à la fois*) : Toujours avec ton code secret à la noix. Je vais vous traduire, Paul, ce qu'il vient de me réclamer. Jeanne ma poulette, prépare-toi, on va sortir au restaurant. Vous comprenez, il ne lui viendrait jamais à l'idée de cuisiner un bon repas. C'est toujours à moi de m'y mettre, sauf aujourd'hui à ce que je crois comprendre.

PIERRE : Jeanne, vous dévoilez notre intimité. Ce n'est pas correct.

PAUL : Je ne suis pas venu pour entendre une scène de ménage. Gardez vos secrets bien au chaud, cela m'est égal. Je suis venu pour discuter avec vous.

PIERRE : Mais nous, on ne vous a rien demandé. Si nos disputes vous dérangent, la porte vous tend ses bras. N'est-ce pas, Jeanne ?

JEANNE : Ne me prends pas à témoin. En tout cas, vu le besoin irrésistible qu'a Paul de t'entretenir, je ne suis pas certaine que nous pourrons sortir au restaurant ce soir.

PAUL : Les nourritures spirituelles sont souvent plus appétissantes que la malbouffe.

JEANNE : C'est sans regret que de ce pas je m'en vais mettre une tenue négligée pour aller me coucher avec un bon bouquin. Ne m'accompagnez pas, je connais la sortie.

Ni Dieu ni Maître !

(*on entend s'ouvrir une porte intérieure et des pas légers s'évanouir sur le parquet.*)

Scène V
Pierre, Paul

PIERRE : Elle est contrariée et je n'aime pas ça. Dites-moi rapidement le but de votre visite. Je n'ai pas beaucoup de temps à vous consacrer surtout si vous n'avez rien d'intéressant à me suggérer. Car je suppose que vous avez quelque chose à me proposer.

PAUL : C'est étonnant de voir une bibliothèque aussi chauve. Vous ne lisez jamais, c'est dommage. Ça vous est arrivé quand cet abandon de la lecture ?

PIERRE : Cet entretien débute mal, je crains de devoir en rester là.

PAUL : L'imagination en face !

PIERRE : Pardon ? C'est une devinette, un slogan politique ?

PAUL : C'était le nom de ma librairie.

PIERRE : Et vous voulez maintenant devenir bibliothécaire ?

PAUL : Je vous ai connu plus spirituel quand vous veniez dévorer mes livres du regard pour en repartir les yeux brillants de rêves et les bras chargés de mes meilleurs bouquins.

PIERRE : Reprenez votre souffle. Vous avez une imagination débordante. Votre librairie aurait dû s'appeler la réalité en face. Je ne suis jamais venu chez vous.

PAUL : Ce n'est pas bien de renier le passé et de vouloir être le contraire de ce qu'on a été. Je plains la pauvre Jeanne.

PIERRE : Elle n'est pas à plaindre. Elle est très heureuse avec moi.

PAUL : J'en doute, camarade !

PIERRE : Plaît-il ?

PAUL : Je vais te rafraîchir la mémoire. L'abolition du salariat, ça te parle ?

PIERRE (*éberlué*) : Ce n'est même pas de l'histoire ancienne. C'est un non-sens absolu. Je ne sais pas où vous avez été chercher ça. Je n'ai pas cru un seul instant que ce machin chose pouvait devenir une réalité.

PAUL : Donc tu admets que tu en as entendu parler.

PIERRE : Oui, comme une idée parmi d'autres que tout un chacun a enfournée dans sa cervelle adolescente à un moment de déraison.

PAUL : Tout un chacun ? Tu es le roi de la rigolade, le prince de la farce burlesque, le bonimenteur d'illusions comiques, le…

PIERRE : Oh ça va ! Qui n'a pas entendu parler, au moins une fois dans sa vie, dans la rue, au boulot ou au bordel de cette expression jouissive au premier abord.

PAUL : Je crois rêver. Si tout le monde avait eu cette idée en tête, on n'en serait pas là où nous en sommes. Peu de gens en ont connaissance. À moins de l'avoir lue dans un livre, une brochure, un tract ou avoir été en contact avec des camarades qui l'ont lue dans un livre…

PIERRE (*moqueur*) :… Une brochure, un tract, ou dans le marc de café !

PAUL : D'abord ce n'est pas une idée. Comme l'a dit le camarade Mar…

PIERRE (*l'interrompt à nouveau*) :… Marc de café !

PAUL : Comme tu dois souffrir d'en être réduit à te moquer de toi-même.

PIERRE : Bon, où veux-tu en venir ? Qu'attends-tu de moi exactement ?

PAUL : Rejoins notre organisation révolutionnaire, je sais que tu as fait partie d'un groupe libertaire, et on m'a dit que quand tu te donnais comme objectif d'agir pour le bien de la révolution, tu te donnais à fond.

PIERRE : Foutaises ! Qui t'a dit ça ?

PAUL : Dans les milieux libertaires, tout se sait. Ton passage dans le groupe, je ne me souviens pas de son nom, a laissé une empreinte remarquable. Tu as beaucoup manqué à tes camarades. Ils ont gardé le souvenir d'un militant passionné et passionnant.

PIERRE : Je n'ai aucun souvenir d'aucun militantisme et ce seul qualificatif me donne envie de vomir. Militer c'est agir comme un militaire, on te donne des ordres et tu dois obéir à la hiérarchie.

PAUL : Ce n'est pas parce que deux mots ont la même racine qu'ils signifient la même chose. Ça t'arrange de les confondre. Dans notre groupe il n'y a pas de chef mais tu as trouvé une bonne excuse pour te défiler.

PIERRE : D'abord je fais ce que je veux, j'ai encore mon libre arbitre et si je n'ai pas envie de m'acoquiner avec des coquins libertaires eh bien je ne m'acoquine pas.

PAUL : Dis-moi, tu n'aurais pas été facho dans une autre vie par hasard, pour nous détester à ce point ? Je crois que j'ai frappé à la mauvaise porte. Je n'ai plus rien à faire ici.

PIERRE : Bravo, je te félicite, tu as passé avec succès l'examen !

PAUL : Ah tu me rends la monnaie de ma pièce !

PIERRE : Exactement Paul, tu as deviné. Je vais te dire une bonne chose. J'ai effectivement eu une activité révolutionnaire comme tu as cru bon de me le rappeler. Et mes positions étaient bien celles que tu as résumées dans ce mot d'ordre ou de désordre selon le point de vue sous lequel on se place.

Mais j'ai raccroché les gants.

Je me fais vieux et de toute façon il n'y a aucune perspective à court, moyen ou long terme qui pourrait faire croire que l'action militante révolutionnaire aurait un effet positif sur l'évolution de la société.

PAUL : Tu es trop pessimiste. Tant qu'il y a de la vie, il y a de l'espoir.

PIERRE : Tu n'as même pas un optimisme de façade. La preuve en est dans le numéro de cirque que tu as cru bon de nous représenter avec un pauvre talent de pauvre agressif.

PAUL : Tu es injuste. Mes talents de comédien n'étaient pas pires que les tiens. Tu as voulu me faire croire que tu étais riche mais ça ne tient pas la route une seule seconde.

PIERRE : Tu as tort. Je suis riche !

PAUL : Je n'en suis pas persuadé.

PIERRE : Ce que tu as vu de moi correspond parfaitement à la réalité. Tu l'as toi-même affirmé l'autre jour par ces mots provocants : je viens voir comment vivent les riches.

PAUL : C'était peut-être une façon maladroite de me présenter mais je n'ai pas osé te faire immédiatement ma proposition, ta glorieuse réputation m'intimidait.

PIERRE : Glorieuse pour qui ? Pour trois pelés et un tondu ? Je le dis sans mépris pour quiconque. Je faisais moi-même partie de cette armée confidentielle. Et j'étais plus dans la discrétion vis-à-vis de mes camarades que dans une fanfaronnade malvenue.

PAUL : Je ne t'en veux pas d'être riche.

PIERRE : Il ne manquerait plus que ça ! Être riche alors qu'on n'a rien fait pour le devenir ne mérite ni l'opprobre ni l'admiration.

PAUL : L'argent ne te manque pas parce que tu ne manques pas d'argent, tant mieux pour toi.

Tu n'étais pas vraiment riche d'après mes informations, comment as-tu fait pour le devenir ?

Jeux d'argent, héritage, hold-up, escroqueries ?

PIERRE : Ne le prends pas mal mais il est révélateur qu'étant venu quémander mon aide pour parvenir à une société sans argent, tu ne fasses rien d'autre à la fin que de m'en parler avec insistance.

PAUL : Bon, revenons à nos moutons tondus et pelés, je te l'accorde.

PIERRE : Cela vaut mieux car tu ne sauras rien d'autre à mon sujet.

PAUL : Te souviens-tu de tes visites à ma librairie ?

PIERRE : Comme si c'était hier.

PAUL : Tu m'y apportais des journaux, des revues, des tracts, concoctés par ton groupe dont le nom était, je l'ai sur le bout de la langue… ah oui, Révolution Idiopathique…

PIERRE : Mais non, bougre d'imbécile, Révolution Empathique…

PAUL : Curieux nom tout de même.

PIERRE : Mais non, pas du tout. Le moyen est la Révolution et le but l'Empathie.

PAUL : Si on veut. Figure-toi que notre revue » l'Avenir Libertaire » tourne un peu au ralenti. Nous avons besoin de plumes, brillantes, acerbes, qui font mouche à chaque ligne, forgées dans le feu de la réflexion et de l'éloquence. Et toi, tu étais la plume par excellence.

PIERRE : Et toi, tu serais l'épée.

PAUL : Entre autres. Nous manquons de bras d'ailleurs. Il y a une nouvelle recrue mais elle me semble peu fiable. Toi tu serais le fer de lance, le bouclier idéologique contre les réactionnaires de tout acabit.

PIERRE : Tu me demandes donc d'écrire dans ta revue ?

PAUL : Oui, ainsi que des tracts incendiaires, des slogans pourfendeurs de la bourgeoisie et de la bureaucratie. Je ne te demande pas la lune, tu serais la tête pensante, moi le bras armé de la révolution.

PIERRE : Rien que ça ! Et nous serions trois à tout casser ?

PAUL : Bien plus que ça ! Une dizaine. Et je ne demande à personne de casser quoi que ce soit. Nous ne sommes pas des casseurs. Nous sommes des semeurs. Nous voulons planter dans le terreau cérébral du prolétariat les graines de la liberté.

PIERRE : Quel programme ! Mais je pense que tu n'as pas besoin de moi. Tu viens de me prouver que le maître du lyrisme révolutionnaire, c'était toi.

PAUL : Non, ce n'était qu'un feu de paille de ma part, une braise qu'une petite brise éteint et ne propage pas. Moi, je ne sais pas écrire.

PIERRE : Tu sais parler en tout cas.

PAUL : Ça ne suffit pas. Tiens, je t'ai apporté les dernières publications de notre groupe. Jettes-y un coup d'œil, tu auras une idée de notre travail. Je compte sur toi pour apporter une pierre, ta pierre, notre Pierre à notre édifice. (*Il lui donne toute une pile de brochures.*)

PIERRE : Je vais y réfléchir. Je te donnerai ma réponse d'ici quelques jours.

PAUL : On compte tous sur toi. (*Il retire sa perruque.*) Te souviens-tu de nos années étudiantes ?

PIERRE (*déboussolé*) : Après la librairie, la faculté maintenant !

PAUL : Les livres que tu as écrits prouvent que tu n'es pas seulement une excellente plume mais un théoricien sans égal.

PIERRE : Je ne suis l'auteur d'aucun livre et je n'ai pas usé mes fesses sur les bancs de la faculté.

PAUL (*il remet sa perruque*) : Sacré Pierre ! À bientôt.
Et bonjour à Jeanne la plus belle !

Acte III

Scène I
Paul, Monsieur Prazoc, un barman

Dans l'arrière-salle d'un café du Quartier latin. Un barman est plongé dans la confection puis la contemplation de divers cocktails.

PAUL : Les tracts seront prêts demain à quatorze heures.

MONSIEUR PRAZOC : On se donne rendez-vous demain matin devant l'imprimerie ?

PAUL : Tu n'as pas écouté ce que je viens de dire !

MONSIEUR PRAZOC : Comment ça ?

PAUL : Rien !

MONSIEUR PRAZOC : Bon rendez-vous à....

PAUL : Ce n'est pas la peine. Il y aura assez de monde.

MONSIEUR PRAZOC : Mais moi, je veux bien venir et...

PAUL : Laisse-moi parler !

MONSIEUR PRAZOC (*enthousiaste*) : J'ai lu le dernier tract et la brochure que tu m'as prêtée.

C'est génial.

PAUL : Je n'ai pas trop le temps de t'écouter.

MONSIEUR PRAZOC : Oui, bien sûr... Le tract sur les syndicats qui aident à perpétuer l'exploitation capitaliste, j'ai jamais rien lu d'aussi percutant. Quand tu m'as appris que Pierre était avec nous, j'ai sauté de joie.

PAUL : C'est moi qui te l'ai fait connaître quand tu as voulu t'engager chez nous.

MONSIEUR PRAZOC : J'ai lu ses deux livres sur la révolution sociale. Ça m'a beaucoup marqué. J'ai hâte de le rencontrer.

PAUL : Je ne te conseille pas de distribuer son dernier tract devant ta pharmacie, tu vas perdre tous tes clients.

MONSIEUR PRAZOC : Figure-toi qu'il habite le quartier où se trouve ma pharmacie. Le monde est petit mais encore trop grand pour que je l'y rencontre.

PAUL : Ne m'as-tu pas dit que ta pharmacie avait des difficultés financières et que tu étais au bord du dépôt de bilan ?

MONSIEUR PRAZOC : On dirait que ça te fait plaisir.

PAUL : Pas du tout. Mais c'est vrai qu'un bourgeois ruiné en voie de prolétarisation peut se sentir enclin à la révolte et donc rejoindre le camp de la révolution.

MONSIEUR PRAZOC : Je n'ai pas attendu d'être ruiné pour avoir mes idées.

PAUL : Donc tu es ruiné ?

MONSIEUR PRAZOC : Pas du tout. Je crois que je vais m'en sortir.

PAUL : La banque t'accorde un prêt ?

MONSIEUR PRAZOC : Non, elle me l'a refusé.

PAUL : Tu as trouvé un riche oncle d'Amérique ?

MONSIEUR PRAZOC : Non.

PAUL : Un bienfaisant donateur ?

MONSIEUR PRAZOC : Si on veut.

PAUL (*intrigué*) : Je ne voudrais pas être indiscret mais tu n'es pas très bavard. C'est bizarre, je n'arrête pas de rencontrer des gens à qui il faut tirer les vers du nez. Je n'insiste pas.

MONSIEUR PRAZOC : C'est Pierre !

PAUL : Quoi, Pierre ?

MONSIEUR PRAZOC : Il va donner de l'argent à quelqu'un qui va m'en reverser une partie.

PAUL : Qu'est-ce que c'est que cette histoire ? Tu es un drôle de menteur. Tu l'as déjà rencontré ?

MONSIEUR PRAZOC : Je ne peux pas en dire plus !

PAUL : Si ça concerne aussi Pierre, il faut m'en parler.

MONSIEUR PRAZOC : Il faut… il faut ! Arrête de me dire ce que je dois faire ou ne pas faire. Ça suffit. Là effectivement je ne veux pas t'écouter.

PAUL : Je sais que je suis parfois un peu brusque avec toi, surtout en ce moment où tu es perturbé. Pardonne-moi !

Es-tu en phase avec cette transaction ? Je ne peux pas croire qu'on te remette cet argent gratuitement. Il y a toujours une contrepartie.

MONSIEUR PRAZOC : Si je te donne des détails, tu vas m'exclure. (*Il bredouille.*) Je suis pris entre deux feux… Malheur à moi.

PAUL : Qu'es-tu prêt à faire pour sauver ton officine ? Mettre Pierre dans l'embarras ? Le ruiner ?

MONSIEUR PRAZOC : Il veut que Pierre finance son projet de recherches médicales. Ce sont des choses atroces qu'il veut commettre.

PAUL : Qui ça ?

MONSIEUR PRAZOC : Monsieur Troudelassec !

PAUL : D'où il sort celui-là ? Tu le connais depuis longtemps ce Trouduculsec ?

MONSIEUR PRAZOC : Depuis des années. Il vient faire renouveler son ordonnance tous les mois.

PAUL : Quels genres de médicaments prend-il ?

MONSIEUR PRAZOC : Pour qui tu me prends ? Le secret professionnel, qu'en fais-tu ?

PAUL : Ton secret professionnel, tu peux te le mettre où je pense.

MONSIEUR PRAZOC : Paul, ne me demande pas ce genre d'indiscrétion !

PAUL : Tu es révolutionnaire, oui ou merde ?

MONSIEUR PRAZOC (*dans un souffle rauque*) : Antidépresseur, anxiolytique, neuroleptique, anabolisant.

PAUL : C'est un dérangé du ciboulot, ton ami !

MONSIEUR PRAZOC : Je regrette déjà de te l'avoir dit.

PAUL : Et quel est son fameux projet ?

MONSIEUR PRAZOC (*il murmure quelque chose à l'oreille de Paul*).

PAUL : Quoi ? Je n'ai rien compris. Parle plus fort.

MONSIEUR PRAZOC (*il colle sa bouche contre l'oreille de Paul et plus il murmure, plus la bouche se colle. Ce bourdonnement d'oreille dure bien une minute*).

PAUL : Des greffes de quoi ? Et cesse de me cracher dans l'oreille. C'est ta bouche qui s'est greffée à mon tympan. Je vais faire un rejet !

MONSIEUR PRAZOC (*se détachant du visage de Paul*) : Et je l'ai entendu lui proposer ça de mes propres oreilles. Une vraie boucherie. Jamais je n'aurais pensé qu'une telle opération puisse être proposée.

PAUL : Tu étais donc présent quand il a vu Pierre ?

MONSIEUR PRAZOC : Oui. Il est venu me chercher dans mon officine. Il m'a demandé de le suivre tout en m'expliquant comment il pourrait m'aider. Il va m'assassiner s'il apprend que j'ai tout révélé.

PAUL : Que t'a-t-il promis pour que tu acceptes de t'associer à un tel escroc ?

MONSIEUR PRAZOC : Il ne m'a rien promis !

PAUL : Menteur ! Tu m'as dit qu'il t'aidait pour la pharmacie.

MONSIEUR PRAZOC : Oui, mais c'est bien compromis.

PAUL : Faudrait savoir. Il t'aide où il ne t'aide pas ?

MONSIEUR PRAZOC (*dans un demi-murmure accolé qui semble une éternité aux oreilles de Paul*) :... Et puis...

PAUL : Arrête, j'ai compris !

MONSIEUR PRAZOC (*tête toujours siamoise à celle de Paul*) : Attends, j'ai pas fini.

PAUL : Si t'as fini.

MONSIEUR PRAZOC : Bon d'accord. Mais parle moins fort. Tu comprends, on pourrait nous écouter.

PAUL : Tu vois bien qu'il n'y a personne ! À part le barman. Pourquoi as-tu peur ? Je fais confiance à la droiture et à l'honnêteté de Pierre. Il n'entrera jamais dans cette machination. Zigouiller des pauvres pour assouvir des rêves de gloriole n'est pas dans ses gènes. Un révolutionnaire défend les pauvres, il ne les tue pas. C'est ce que vous pensez aussi ?

MONSIEUR PRAZOC : Pourquoi tu me vouvoies d'un seul coup ?

PAUL : Tu ne mérites pas d'être tutoyé.

J'ai confiance en Pierre qui a dû l'envoyer sur les roses, mais toi, je te soupçonne de t'être aplati lamentablement pour sauver les meubles. Ai-je tort, Monsieur le pharmacien ?

MONSIEUR PRAZOC : Ah, je suis heureux que tu me retutoies ! Je veux me racheter !

PAUL : Tu n'as pas honte de t'être présenté devant Pierre, un révolutionnaire que tu vénères, pour entendre déblatérer un individu qui va jusqu'à le menacer des pires représailles s'il ne finance pas une entreprise criminelle. Tu es à deux doigts de l'exclusion.

MONSIEUR PRAZOC : Comment aurai-je pu savoir que j'allais être présenté à Pierre ce jour-là ?

PAUL : Et tu acceptes de l'argent de la part de quelqu'un qui n'a pas l'air d'avoir toute sa tête ?

MONSIEUR PRAZOC : On peut être dérangé et faire des propositions intéressantes.

PAUL : Tu es exclu !

MONSIEUR PRAZOC : Je suis en train de réfléchir à ce qu'a raconté Monsieur Troudelassec. J'ai dû oublier des trucs à te dire.

PAUL : Tu ne m'as pas écouté. Qu'est-ce que je viens de te dire ?

MONSIEUR PRAZOC : J'en sais rien.

PAUL : Tu es un révolutionnaire de pacotille, mon pauvre Prazoc.

MONSIEUR PRAZOC : Je suis au bord de la pauvreté en effet.

PAUL : Et au bord de la contre-révolution !

MONSIEUR PRAZOC : Si tu le penses, c'est que ça doit être vrai…

PAUL : Une chose me chiffonne. Pourquoi ton Monsieur Trouduculsec pense qu'il a les moyens de faire plier Pierre ? Tu n'as pas une petite idée ?

MONSIEUR PRAZOC : J'en ai pas la moindre idée.

PAUL : En plus il est question d'un projet cynique que même l'hurluberlu le plus farfelu n'aurait pas osé suggérer au plus stupide capitaliste. Est-ce une menace en l'air d'un schizophrène patenté ou un avertissement sérieux que seul Pierre peut lire entre les lignes ? En tout cas ça pue le chantage. Est-ce une intimidation crapuleuse ou une bouffonnerie grotesque ? Quelles sont tes relations exactes avec ce triste énergumène ? Le vois-tu en dehors de ses visites mensuelles ?

MONSIEUR PRAZOC : Il ne fait pas partie de mes fréquentations. Mais je dois le voir cet après-midi dans ce même café.

PAUL : Lequel de vous deux veut voir l'autre ?

MONSIEUR PRAZOC : Il tient à me parler d'un sujet qui me tient à cœur m'a-t-il dit.

PAUL : Tiens, tiens, tiens… Le loup veut sortir du bois !

MONSIEUR PRAZOC : Tu crois que je dois annuler le rendez-vous ?

PAUL : Surtout pas ! On saura peut-être ce qu'il a dans le crâne. À condition que tu sois en état de rendre un compte-rendu fidèle de ses propos.

MONSIEUR PRAZOC : Tu peux compter sur moi.

PAUL : J'ai de sérieux doutes. À l'impossible nul n'est tenu.
À moins d'avoir un magnétophone discret.

MONSIEUR PRAZOC : Je préfère pas. J'aurais trop peur d'être découvert.

PAUL : Je n'insiste pas. Les tracts seront prêts demain à quatorze heures. Si tu veux nous rejoindre, ne te gêne pas. À demain !

MONSIEUR PRAZOC : Je savais que tu n'étais pas un mauvais bougre. Vive les lendemains qui chantent !

PAUL : Ou qui déchantent !

Scène II
Monsieur Troudelassec, Monsieur Prazoc, le barman

Dans l'arrière-salle du même café, à l'abri des regards. Le barman est plongé dans la confection puis la contemplation de divers cocktails.

MONSIEUR TROUDELASSEC (*emmitouflé jusqu'aux oreilles dans un duffle-coat dont la capuche ne laisse entrevoir que les yeux*) : Soyons discrets, cette affaire qui nous occupe ne doit pas s'ébruiter.

MONSIEUR PRAZOC : Ma foi, vous êtes dans le vrai. Il faut faire attention à ces choses-là.

MONSIEUR TROUDELASSEC : D'autant que j'ai ouï dire que des concurrents et non des moindres sont à l'affût de tout ce qui se fait en matière de greffes illégales.

MONSIEUR PRAZOC : Ça peut être dangereux ces interventions qui se font sous le manteau ?

MONSIEUR TROUDELASSEC : On ne sait jamais. On peut avoir affaire à des entreprises sérieuses comme à des officines clandestines qui ne reculeront devant aucun forfait pour accaparer la mise en œuvre d'une aventure scientifique hors du commun.

MONSIEUR PRAZOC : Avez-vous des nouvelles de Pierre…

MONSIEUR TROUDELASSEC : Chut, ne prononcez pas son nom. Si je vous ai fait venir, c'est parce que je suis mécontent, très mécontent de vous !

MONSIEUR PRAZOC : Qu'est-ce que j'ai encore fait de mal ?

MONSIEUR TROUDELASSEC : Ah vous avouez ! Vous savez très bien ce que j'ai à vous reprocher. Vous avez fait une si mauvaise impression lors de notre visite à qui vous savez que je crains une fin de non-recevoir de sa part. En tout cas, il ne m'a toujours pas donné sa réponse et c'est de votre faute.

MONSIEUR PRAZOC : Mais je n'ai pratiquement pas ouvert la bouche. Je vous ai laissé raconter votre macabre projet.

MONSIEUR TROUDELASSEC : Vous m'insultez, Monsieur, et je crois que je vais changer de pharmacie.

MONSIEUR PRAZOC : Est-ce que vous prenez correctement votre traitement ?

MONSIEUR TROUDELASSEC : Vous êtes bien placé pour le savoir.

MONSIEUR PRAZOC :
Je ne suis pas derrière vous à vérifier vos faits et gestes.

MONSIEUR TROUDELASSEC : Vous me prenez pour un fou ou pour un vilain petit canard ?

MONSIEUR PRAZOC (*prenant son courage à deux mains*) : Pourquoi tenez-vous tant à être financé par Pierre… ? Je ne me rappelle pas son nom de famille…

MONSIEUR TROUDELASSEC : Taisez-vous donc !

MONSIEUR PRAZOC : Il y aurait tant d'autres personnes qui pourraient vous prêter main-forte.

MONSIEUR TROUDELASSEC : Connaissez-vous bien qui vous savez ?

MONSIEUR PRAZOC : Pas plus que vous. Pourquoi devrais-je le connaître ?

MONSIEUR TROUDELASSEC : Vous ne l'avez jamais vu quelque part, par exemple dans votre officine qui est voisine de son domicile ?

MONSIEUR PRAZOC : Il l'a dit lui-même qu'il n'était jamais venu me voir. Et je le confirme.

MONSIEUR TROUDELASSEC : J'ai tendance à vous croire. Que ferait-il chez vous, vous ne savez pas soigner les gens. Vous ne connaissez rien à la science pharmaceutique.

MONSIEUR PRAZOC : Et vous, vous n'êtes qu'un ignorant de la simple psychologie. Lui faire croire qu'on a fait connaissance dans l'escalier de son immeuble.

MONSIEUR TROUDELASSEC : Et pourquoi pas ?

MONSIEUR PRAZOC : Et dans un laps de temps de deux minutes vous auriez pu me raconter votre histoire et m'acheter par un chèque que j'ai réellement eu entre les mains et que vous avez eu l'outrecuidance de me reprendre.

MONSIEUR TROUDELASSEC : La concision est mon point fort. Et vous n'étiez pas obligé d'accepter mon chèque. Au train où vont les choses je ne suis pas près de vous en faire un autre.

MONSIEUR PRAZOC : Et si je vous dénonçais ?

MONSIEUR TROUDELASSEC : Sous quel prétexte ?

MONSIEUR PRAZOC : Des tonnes de prétextes. Chantage, escroquerie, préparation à des actes criminels qui s'apparentent à des génocides…

MONSIEUR TROUDELASSEC : Je n'ai jamais eu l'intention d'accomplir ce que vous me reprochez.

MONSIEUR PRAZOC : J'ai un témoin digne de foi.

MONSIEUR TROUDELASSEC : Vous seriez accusé de complicité.

MONSIEUR PRAZOC : À part accepter un chèque, je n'ai rien à voir avec vos agissements. Vous êtes un scientifique débauché qui veut massacrer tous les pauvres de la planète. Vous faites un drôle de médecin.

MONSIEUR TROUDELASSEC (*tout bas*) : Premièrement je ne suis pas médecin. Deuxièmement je ne fais aucune recherche médicale. Troisièmement je n'ai rien contre les pauvres. Quatrièmement je veux prendre l'argent d'un riche pour qu'il ne l'utilise pas pour certaines activités et cinquièmement si vous répétez ce que je viens de vous dire vous ne serez plus qu'une ébauche de pharmacien. Me suis-je bien fait comprendre ?

MONSIEUR PRAZOC : Vous êtes pire qu'un demeuré. Demandez à votre psychiatre de modifier votre traitement. Quel est votre vrai métier ? Et pourquoi vous en prendre à un honnête citoyen ?

MONSIEUR TROUDELASSEC : Honnête, honnête… c'est vous qui le dites. Ce Monsieur a des activités condamnables.

MONSIEUR PRAZOC : Ce Monsieur comme vous dites est une personne formidable et je l'ai bien compris aux réponses qu'il vous a faites.

MONSIEUR TROUDELASSEC : Vous aviez l'air bien embarrassé quand nous sommes passés à son domicile. Je vous soupçonne de le connaître de longue date. (*Il lui souffle dans l'oreille.*) Peut-être êtes-vous l'un de ses partisans et prenez-vous à cœur sa volonté de revigorer la vieille chanson de la lutte des classes.

MONSIEUR PRAZOC : Vous n'avez rien contre les pauvres quand ça vous arrange et vous voulez les massacrer quand ils vous dérangent.

MONSIEUR TROUDELASSEC : Pierre Machin, je parie que vous avez oublié son vrai nom, ses deux livres étant signé d'un pseudonyme, est un dangereux révolutionnaire, d'autant plus effrayant qu'il peut mettre sa richesse et sa notoriété au service d'une idéologie extrémiste. Je vous demande donc de le contacter et de le persuader de s'appauvrir promptement.

MONSIEUR PRAZOC : Persuadez-le vous-mêmes !
Vous êtes soit un malade soit un agent du gouvernement soit les deux. Je sauverai ma pharmacie tout seul et je vais m'empresser de tout raconter à l'intéressé. (*Il se lève sans saluer et comme il va sortir, deux individus s'approchent, l'empoignent sans ménagement et l'entraînent hors de la salle.*)

MONSIEUR TROUDELASSEC : Tant pis pour vous, je vous avais prévenu !

Scène III
Paul, François, Monsieur Troudelassec, le barman

Dans l'arrière-salle d'un café qui tire son renom de son emplacement dans le Quartier latin. Un homme est attablé et attend patiemment. Il se lève pour saluer une personne qui vient d'entrer. Le barman est toujours plongé…

PAUL : Bonjour mon cher François. Je suis heureux que tu aies pu te libérer de tes nombreuses activités pour m'accorder un entretien.

FRANÇOIS : Tu sais bien que pour toi je suis toujours prêt à franchir le Rubicon s'il le fallait.

PAUL : Je ne t'en demande pas tant.
Encore que. Je m'explique.

FRANÇOIS : Tu m'intrigues, je t'écoute.

PAUL : Tu te souviens sans doute de Pierre Glousdon. Nous avons fréquenté tous les trois la même faculté à une époque où étudier était aussi facile que se la couler douce.

FRANÇOIS : Si je m'en souviens ! C'était le garçon le plus doué de la bande, nous étions cinq ou six à faire la nouba, un livre à la main, une fille sur les genoux. Nous sommes tous sortis diplômés. Dommage que Pierre ait mal tourné.

PAUL : Il n'a jamais tourné le dos à ses convictions, que je sache.

FRANÇOIS : Mais moi non plus. Sauf que je n'avais pas les mêmes convictions que vous autres.

PAUL : Chacun est libre de penser ce qu'il veut.

FRANÇOIS : Je te l'accorde. Je n'ai plus de nouvelles de lui depuis… une éternité et je ne sais pas ce qu'il est devenu.

PAUL : As-tu entendu parler de ses deux ouvrages qui avaient fait beaucoup de bruits parmi les intellectuels bourgeois et les milieux ouvriers cultivés ?

FRANÇOIS : Tu as la mémoire courte. Nous avons eu, toi et moi, une longue discussion à leur sujet et je t'avais dit mon effroi après les avoir lus. Il s'y dégageait une idéologie radicale effrayante.

PAUL : Toi qui connais beaucoup d'éditeurs pourrais-tu les sonder pour que l'un d'eux republie ses livres ?

FRANÇOIS : Tu crois que je suis assez masochiste pour redonner une seconde vie à ses deux livres ? Combien en a-t-il vendu ? Cent exemplaires de chaque peut-être ?

PAUL : Tu fais tout pour le rabaisser. Plusieurs dizaines de milliers d'exemplaires sont partis comme des petits pains en deux mois à peine.

L'éditeur était prêt à en remettre sous presse mais il est mort dans des conditions mystérieuses.

FRANÇOIS : Il y avait tant d'imbéciles heureux, qui l'eut cru ? Comment s'appelait cette maison d'édition déjà ? Ah oui, les éditions « du Sol en Jachère », si je ne m'abuse.

PAUL : Tu n'arrêtes pas de t'abuser !
Son nom était le « Terrain en Friche ». Quant aux lecteurs, les insulter m'étonne de toi et ne fait que rajouter de l'huile sur le feu. Ce ne sont pas des faibles d'esprit, ils sont pour la plupart d'une lucidité remarquable, d'une intelligence vive et sans doute ils ont du bonheur une opinion différente de la tienne.

FRANÇOIS : Je t'ai parlé d'eux au passé. Je pense qu'aujourd'hui ils sont rangés des voitures comme on dit, c'est à dire rentrés dans le rang, avec un bon salaire, un pavillon avec pelouse, une jolie femme qui leur a fait deux ou trois marmots. Ils sont contents de payer des impôts, de voter quand on leur dit de passer aux urnes, et si ça se trouve ils donnent des ordres vigoureux à leurs subordonnés. Des lecteurs naïfs ont toujours donné des électeurs confiants.

PAUL : Tu dresses un portrait idyllique de notre génération mais je ne peux pas m'empêcher de penser que tu as fait ton autoportrait. Monsieur l'homo sapiens domesticus a-t-il gardé présente à l'esprit la question que je lui ai posée ?

FRANÇOIS : Le domestiqué est bon prince. De quoi ça parle déjà ses bouquins ?

PAUL : Tu as la mémoire aussi courte que tes idées. Je vais te rafraîchir les neurones en friche. Le premier bouquin analyse la Révolution russe.

FRANÇOIS : Bien sûr, bien sûr. On est tous d'accord, les bolcheviks étaient des rustres fanatiques et comme tu devrais le savoir communisme rime avec fanatisme.

Un homme à une table voisine, qui s'était tenu tranquille, commence à gigoter en poussant de faibles grognements. La capuche de son manteau laisse à peine entrevoir des yeux sombres.

PAUL (*en jetant un coup d'œil agacé*) : Tu fais semblant d'être idiot ou ton idiotie est à géométrie variable ? Pierre montre que les rimes concernent capitalisme et fanatisme.

FRANÇOIS : Tu me feras toujours rire. La société communiste en URSS était une société totalitaire, policière, liberticide, concentrationnaire, dans laquelle les prolétaires n'avaient d'autres choix que marcher ou crever.

PAUL : Tu me feras toujours pleurer.

Tu fais semblant d'oublier nos discussions. Pierre montrait avec sa sagacité habituelle que la révolution russe était un coup d'État militaire des bolcheviks qui avait apporté sur un plateau de pacotille aux ouvriers et paysans russes un régime qui n'avait de socialiste que le nom et que cette contre-révolution avait accouché d'un avorton prénommé capitalisme d'État dont les vagissements s'étaient bientôt fait entendre dans une partie de l'Europe avant d'envahir la moitié de la planète.

FRANÇOIS : Oh, je te vois venir. On ne va pas refaire le monde. Ce n'est pas la faute des bourgeois si les prolétaires ne savent pas s'y prendre et créent des sociétés qui ne leur conviennent pas.

PAUL : C'est ce que tu me disais dans nos discussions d'antan et tu as mis du temps pour t'en souvenir. Maintenant que c'est fait, vas-tu me répondre au sujet de la réédition… mais attends, on nous écoute ! (*s'adressant à la table d'à côté)* : vous voulez notre photo ?

MONSIEUR TROUDELASSEC (*embarrassé) :* Je ne vous regarde pas.

PAUL : Mais vos feuilles de chou nous écoutent ! Alors, rangez-les dans vos poches ou décollez-les définitivement.

MONSIEUR TROUDELASSEC (*d'une voix rauque à peine audible*) : Je ne vous permets pas. J'ai payé ma consommation et ma table ne vous appartient pas. Je ne vous écoute pas. Est-ce ma faute si vous parlez comme si vous étiez à la foire ?

PAUL : Nous devisons sans élever la voix. Mettez votre nez au-dessus de votre café.

FRANÇOIS : Je vous conseille de lui obéir. Mon ami est stalinien et il ne supporte pas la contradiction.

PAUL (*tout bas*) : Arrête tes plaisanteries, François. On ne sait jamais à qui on a affaire.

FRANÇOIS : Parle-moi plutôt du second livre.

PAUL : C'est un livre sur les syndicats. Mais je n'ai pas envie d'en dire plus avec cet idiot dont les oreilles boivent nos paroles.

MONSIEUR TROUDELASSEC : Vous m'avez traité d'idiot. Vous ne savez pas à qui vous parlez, ça pourrait vous coûter cher.

FRANÇOIS (*rigolard,*) : Paul, cet homme est peut-être du Guépéou ou pire, du KGB. Finissons notre conversation dans un autre café.

Les deux hommes se lèvent et sortent.

Monsieur Troudelassec leur emboîte le pas à distance respectueuse.

Scène IV
Jeanne, Paul, le barman

Dans l'arrière-salle du même café. Un homme et une femme sont attablés. Une brochure est posée sur la table, à côté de deux chopes de bière. Le barman encore plongé…

JEANNE : *Elle porte une robe légère de teinte pastel en harmonie avec ses yeux bleu clair. L'homme est visiblement charmé.*
Je préfère vous parler en dehors de l'appartement. Pierre est tellement affairé qu'il ne sait même plus si j'existe encore. Son comportement m'inquiète au plus haut point.

PAUL : Quel homme stupide !
Oublier votre présence est d'une indélicatesse dont je ne le croyais pas capable.

JEANNE : Que je sois présente ou absente, c'est maintenant pour lui du pareil au même.

PAUL : Heureusement qu'il reste encore des hommes pour exalter votre féminité. Ce rendez-vous galant me met dans la plus exquise des confusions. J'en bégaierais presque.

JEANNE : Quel rendez-vous galant ? Vous n'y êtes pas, mon vieux !

PAUL : Oh, je ne suis plus très jeune il est vrai, mais contrairement à Pierre, j'y suis puisque je suis là à vos côtés, bien assis sur une chaise confortable qui vous fait face.

JEANNE : Vous ressemblez à Pierre, vous aimez jouer avec les mots. Mais moi, ça ne m'amuse pas. Depuis que vous êtes entré dans notre vie, je ne le reconnais plus. J'avais déjà du mal avant mais maintenant ça va de mal en pis. Ou plutôt ce que je lui reprochais c'est ce qu'à présent j'en viendrais presque à regretter. Il faut que vous m'aidiez, vous devez lui parler. Avant il hibernait. Du matin au soir je le voyais assis sur son fauteuil, un sourire béat aux lèvres. De temps en temps il se levait, allait piocher une nourriture ou une boisson, ou mettait en route ses musiques préférées, ou partait à la chasse à travers l'appartement pour me voler un baiser, toujours souriant, puis rejoignait son fauteuil, entamant une de ses discussions philosophiques dont il avait le secret. Et bien vite l'envie de la méditation le reprenait, conversant avec les bras de son fauteuil dans une muette extase. Quant à notre vie intime, je ne vous en parlerai pas, il n'y a rien à médire de lui et d'ailleurs ça ne vous regarde pas.

PAUL : Ma pauvre Jeanne, que s'est-il passé ?

JEANNE : Faites semblant de ne pas vous en douter. Depuis votre seconde visite, il marche sur des charbons ardents. Il ne tient plus en place. Il est pris d'une rage d'écrire insensée, il griffonne, il rature, il déchire les pages noircies en jurant, il recommence de plus belle, engueulant la corbeille qui déborde de ses pages torturées. Quand le soleil se couche, il en est encore à compter à voix haute le nombre de paquets de copies qu'il a réussi à remplir de son écriture d'écolier. Il en résulte des dizaines de tracts différents, des ébauches d'essais politiques, des carnets remplis à la hâte. Il prend ses repas le stylo à la main, graissant le papier, tâchant la table d'encre. La nuit il n'écrit pas, il ne dort pas non plus, il lit. Il dévore des bouquins, d'histoire, de sociologie, d'histoire sociale si vous voulez. Des essais, des pamphlets de révolutionnaires socialistes, anarchistes, voire d'auteurs bourgeois capitalistes. Il se plonge dans les écrits des meilleurs philosophes ou révolutionnaires, Kant, Spinoza, Machiavel, Clausewitz, Hegel, Feuerbach, Nietzsche, Bakounine, Marx, Engels…

PAUL : De grâce, arrêtez ! Je les connais aussi bien que lui.

JEANNE : Je n'ai pas fini. Il revoit les révoltes millénaristes et anarchistes des paysans des siècles passés, les révolutions de 1789, 1830, 1848, la Commune de Paris, la révolution d'octobre 1917, les révoltés de Kronstadt, l'armée anarchiste de Makhno, les journées de mai 1937 à Barcelone, les colonnes de Durutti.

PAUL : Tiens, vous ne parlez pas de la Conjuration des Égaux de Gracchus Babeuf !

JEANNE : Tiens, j'ai oublié ! C'est vraiment le chapitre le plus intéressant de la Révolution Française !

PAUL : Vous avez l'air aussi passionné que lui. Si on se tutoyait !

JEANNE : Pour quoi faire ?

PAUL : Pour oublier tout ça. Pour ne penser qu'à nous !

JEANNE : Vous vous foutez de ma gueule ?

PAUL : La vie est si courte et vos yeux si charmants !

JEANNE : Vous savez ce qu'ils vous disent mes yeux ?

PAUL : Ils me disent qu'ils n'en croient pas leurs yeux.

JEANNE : Ce que vous dites n'a ni queue ni tête.

PAUL : Les yeux de vos yeux ont la couleur de l'amour.

JEANNE : Vous êtes un vulgaire dragueur.

PAUL : Il n'y a pas plus romantique que moi.

JEANNE : Vous voulez m'aider, oui ou non ? Pierre est devenu ingérable. Je ne supporte plus son manège. Quand il relit ses notes il marche de long en large, à grandes enjambées, gesticulant comme un beau diable, il heurte tous les meubles qu'il rencontre, tantôt s'excusant avec des simagrées, tantôt les insultant comme s'il avait affaire à des personnes vivantes. Parfois quand il bouscule une chaise il s'écrie : « Jeanne, pardon je ne t'avais pas vue, mais pourquoi tu ne fais pas attention, tu es sans arrêt dans mes jambes ! » Comme je me trouve derrière lui pour limiter les dégâts, oserai-je dire pour sauver les meubles, je commence à le sermonner et il ne trouve rien de mieux qu'à faire l'étonné en me répondant : « ma chère Jeanne, comment fais-tu pour être à la fois devant moi et derrière moi ? »

PAUL : Je reconnais bien là Pierre et sa fantaisie légendaire. Mais je reconnais aussi qu'il peut être invivable. Je vais aller lui parler pour mettre des limites à sa frénésie d'agitation.

JEANNE : C'est tout ce que je te demande.

Scène V
Pierre, Jacques, François, Vanessa, Jeanne, le barman

Dans ce même café où décidément on bavarde à fleurets mouchetés entre gens de bonne compagnie, à l'ombre d'un barman toujours plongé dans la confection puis la contemplation de divers cocktails.

PIERRE : Quel plaisir vous me faites tous les trois d'avoir accepté mon invitation à discuter entre amis autour d'un verre.

JACQUES : Boire à ta santé en compagnie d'amis d'enfance est une volupté qui ne se refuse qu'à une condition.

FRANÇOIS (*un brin éméché*) : Je ne veux pas savoir laquelle, ce serait trop triste.

VANESSA (*qui a vu que François avait vidé un premier verre de whisky*) : Je crois que François est déjà dans les prémices de la volupté.

FRANÇOIS : Cela fait tellement longtemps que je n'ai pas eu le loisir de contempler Pierre dans toute sa grandeur (*s'adressant au garçon.*) J'ai un cadavre sur les bras, garçon, j'en veux un autre, vigoureux et sec...

Pierre, Pierre qui roule du haut de sa hauteur…

VANESSA : Tu as assez bu, François, tu as l'alcool arrogant.

FRANÇOIS : Je bois pour me donner une contenance vu que le contenu est en train de se vider à une allure folle et je n'ai pas entièrement mon content de cette belle humeur qu'on ne ressent que lorsqu'on n'est pas à jeun.

PIERRE : Bravo François, je vois que tu as gardé ton esprit franchouillard. Parlons peu, parlons bien comme on dit au café du commerce. J'avais envie de vous voir tous les trois même s'il y en a qui manquent à l'appel. Je voudrais mettre bien des choses au point.

FRANÇOIS : Ah non, si tu adoptes ce ton professoral, on ne va pas bien s'entendre. Vanessa à la rigueur peut s'en prévaloir puisqu'elle est prof. Prof de quoi au juste ?

VANESSA : Professeure de littérature anglo-saxonne.

FRANÇOIS : Rien que ça ! Tu es monté en grade si vite que ça ? Tu n'enseignais pas l'anglais dans une école maternelle l'année dernière ?

VANESSA : Et toi, n'es-tu pas journaleux dans un journal people ? People, n'est-ce pas un terme anglo-saxon ?

JACQUES : Ce sont des disputes de bas étage. N'êtes-vous pas tous les deux formés pour arrondir les angles ?

FRANÇOIS : Ah non, Jacques, je ne peux pas laisser passer sa provocation. J'ai quitté il y a plus de dix ans le journal mondain « Marie Chantal, Nous Voilà » pour le journal d'information et de réflexion « Valeurs Désuètes », journal de haute moralité où se mêlent politique et religion.

JACQUES : J'en reviens à ce que j'ai formulé tout à l'heure. La condition pour laquelle je n'envisage pas de rester parmi vous serait votre envie de parler politique. Et j'ai l'impression que vous voulez tous en passer par là.

PIERRE : Malheureusement pour toi, Jacques, après les présentations d'usage, je vais vite entrer dans le vif du sujet.

JACQUES : On n'est pas bien là tous les quatre comme de fameux mousquetaires, tu as vraiment besoin de faire ton d'Artagnan ?

FRANÇOIS : Quelle comparaison ! Un pour tous, tous pour un, c'est ça ?

PIERRE : C'est un mot d'ordre que les prolétaires feraient bien de reprendre à leur compte.

JACQUES : Tu aurais mieux fait de te taire. Voilà la voix du peuple qui est enclenchée.

PIERRE : Quelqu'un m'a déjà pris pour Lagardère, maintenant on me déguise en d'Artagnan.

VANESSA : Il ne manque plus que Mandrin et Cyrano.

PIERRE : Voilà qui me va à ravir. L'un plein de fougue et d'audace prenait aux riches pour donner aux pauvres, l'autre par sa vivacité d'esprit et son imagination poétique s'escrimait contre le conformisme de son temps.
Je veux bien être le mélange des deux.

VANESSA : Et comme a proclamé un des personnages de Cyrano : Pierre « que vas-tu faire dans cette galère » ?

PIERRE : Quelle galère ?

VANESSA : La galère de la révolution !

PIERRE : Ce n'est pas une galère mais un trois-mâts toutes voiles dehors.

VANESSA : Tu étais plutôt à fond de cale depuis un certain temps. C'est quand même Paul qui t'a remis le pied à l'étrier.

PIERRE : Après la marine, voilà la cavalerie. Il ne reste plus que l'infanterie.

VANESSA : Bon, on ne va pas tourner autour du pot plus longtemps. Je vois que tu piaffes d'impatience. Qu'as-tu l'intention de nous dire ?

PIERRE : D'après toi ?

VANESSA : C'est toi maintenant qui traînes des pieds.

PIERRE (*soudain indécis) :* Est-ce que ça vaut le coup de donner de la confiture aux cochons ?

FRANÇOIS : Nous avons accepté de te revoir après des années de silence et tu te donnes le droit de nous insulter ? Si tu te crois supérieur à cause de tes idées utopiques qui frisent le ridicule, tu te fourres le doigt dans l'œil.

PIERRE : Je pensais aux cochons de la ferme des animaux de Georges Orwell. Ils s'étaient révoltés et puis ils avaient fini par nous ressembler.

JACQUES : Si tu fais aussi partie de la cochonnaille, nous voulons bien te pardonner et nous sommes prêts à ingurgiter ta marmelade idéaliste.

FRANÇOIS : Sa bouillie écœurante tu veux dire !

VANESSA : Allez, gave-nous, doux rêveur, de ton utopie surgelée.

PIERRE : Que me reprochez-vous en fait ?

VANESSA : On ne te reproche rien. Tes idées nous font rire.

PIERRE : Paul partage les mêmes idées, vous n'avez pas l'air de lui en tenir rigueur.

FRANÇOIS : Il ne nous en parle pas. Il réserve ses opinions à son groupe qui, soit dit en passant, se compte sur les doigts d'une main.

VANESSA : Et encore !

PIERRE : Moi, je préfère réserver mes idées à ceux qui ne les partagent pas.

JACQUES : C'est à dire à tout le monde !

PIERRE : Eh oui, je suis la fragile réincarnation d'une idée qui a disparu.

FRANÇOIS (*en état d'ébriété*) : Tu avais d'ailleurs disparu avec elle.

VANESSA : Seul Jacques avait gardé le contact avec toi et faisait le lien entre nous et toi.

FRANÇOIS : Il a fallu que Paul revienne te chercher, quelle idée saugrenue…. (*au garçon*) : Siou plaît, please, aubergiste, mon whisky aussi a disparu… Eh gargotier est-ce utopique l'idée de vous réclamer à boire ? (à *Pierre, hilare*) : Ta soudaine apparition me fait l'effet d'une bombe. Pierre mon utopiste préféré, dans mes bras !

PIERRE (*soudain énervé frappe du poing sur la table*) : Je suis utopiste parce que je dis tout haut ce que personne ne pense tout bas !

FRANÇOIS (*en verve*) : Faut pas s'accrocher à ce genre d'idées sous peine de dépression nerveuse.

JACQUES : Tu peux laisser Pierre s'expliquer au lieu de faire le pitre ? D'ailleurs es-tu certain de ne pas l'avoir revu sans avoir voulu nous en parler ?

FRANÇOIS : Revoir un utopiste n'a jamais été dans mes préoccupations du moment.

PIERRE : Convaincre les gens de prendre fait et cause pour leur propre intérêt est un chemin tellement semé d'embûches qu'il n'y a pratiquement aucun espoir d'y parvenir.

JACQUES : Tu vois, tu n'y crois pas toi-même !

FRANÇOIS : Que sais-tu, Pierre, de mes intérêts ? Je suis un bourgeois et j'ai donc des intérêts de bourgeois. Je ne m'intéresse qu'aux intérêts boursiers. Va donc discuter avec des ouvriers, tu comprendras ta douleur, ils ne voudront même pas t'écouter. Comme ce barman qui fait la sourde oreille et auquel je ne donnerai aucune goutte de pourboire.

PIERRE : Le capitalisme peut dormir tranquille. La majorité des exploités est dans le camp des exploiteurs. Mais ce n'est pas une raison pour ne pas ouvrir sa gueule. Laissez-moi faire un état des lieux.

FRANÇOIS : Tu veux nous faire visiter ton appartement ?

PIERRE : L'appartement dont je veux parler a pour nom la Planète Terre et ses occupants qui n'en sont pas propriétaires forment depuis des milliers d'années l'humanité.

FRANÇOIS : Veux-tu nous parler de l'homme préhistorique ? Si c'est le cas, je suis ton homme.

(*Entre-temps Jacques est allé chercher au bar un verre de whisky qu'il tend à François lequel s'empresse de l'avaler cul sec.*) Jacques, tu es un amour !

PIERRE : On va se contenter d'évoquer la dernière période de la préhistoire avec la révolution néolithique qui voit peu à peu l'abandon de la chasse cueillette et l'introduction progressive de l'agriculture et avec elle l'apparition des classes sociales. Tout ça se produit sur quelques milliers d'années avant notre ère. François, tu n'es pas un homme préhistorique car tu n'appartiens pas au néolithique.

FRANÇOIS (*complètement bourré*) : Néolithique ! Tout est Néo ! Néo capitaliste, Néocommuniste, Néofasciste, Néonazi, Néoconservateur, NéoFeministe, Néolibéral, Néonatal, Néomycine, Néoprène, Néo-zélandaise. La révolution Néo est en marche ! Néo.... (*il s'étrangle presque.*)

VANESSA : François, on t'a laissé parler mais maintenant cuve tranquillement ton néo whisky et ferme là.

JACQUES : François a peur de ce que tu vas dire, Pierre, c'est pour ça qu'il se saoule et que j'ai accepté exceptionnellement de prêter la main à son vice passager.

FRANÇOIS (*reniflant, tout contrit.*) : Dis-moi Pierre, de quoi elle souffre l'humanité, est-elle ivre comme moi, un bourgeois dopé au whisky ou alcoolisé comme un prolo imbibé de gros rouge ?

VANESSA : Tais-toi François, ton whisky a l'aigreur de tes reniflements.

FRANÇOIS : Je te pardonne, Pierre, si tu me pardonnes la souffrance de mon humanité. Je t'écoute.

PIERRE : Écoute-moi bien !
L'humanité souffrante ressemble à s'y méprendre à une plaie suppurée causée par la présence dans sa chair d'un énorme clou rouillé.

FRANÇOIS : C'est dégoûtant !

VANESSA : Ne l'interromps pas ou je t'envoie un verre d'eau dans la figure.

PIERRE (*il parle avec toute la gravité dont il est capable*) : Des hordes grotesques de docteurs de toute obédience partisane, arborant des diplômes extravagants et n'ayant pas peur de leurs prétentions ridicules, viennent triomphalement se pencher à son chevet. Ces médecins droitistes ou gauchos s'invectivent, prennent des airs supérieurs, chacun croyant détenir le bon remède. Fiers de leurs pouvoirs sur la malade couchée depuis des siècles, ils aspergent l'infection à tour de rôle d'antiseptiques sophistiqués tous plus corrosifs les uns que les autres. Chacun y va de sa potion magique. Ce ballet vertigineux d'une harmonie tragique, s'il ne sombre pas toujours dans le ridicule, n'a pourtant aucun effet salvateur. Au contraire, à force de ne pas être soignée, la plaie infectée ne cesse de s'agrandir et les doctes médecins qui se disputent le droit d'être à son chevet, font tourner leurs langues de vipères, éclaboussant le pus avec une délectation morbide. Ils ne peuvent qu'amuser la galerie avec leurs palettes de désinfectants, bleus, rouges, verts, noirs, blancs, roussâtres, j'en passe et des meilleurs. Vous, Vanessa, qu'auriez-vous fait à leur place ?

VANESSA : Tu as parlé d'un clou. J'aurais donc d'abord enlevé the spike.

FRANÇOIS : Tu es obligée de speaker en anglais ?

VANESSA : Pardon, le clou. J'aurais ôté le clou !

PIERRE : Bravo ! Tu as compris l'essentiel !

VANESSA : Et donc d'après toi, aucun médecin, aucune sommité médicale n'a eu l'idée de l'ôter ?

PIERRE : Non, aucun médecin de n'importe quelle spécialité, apprenti sorcier en sociologie et économie, chercheur émérite en politologie aiguë et chronique ou démagogue objectif et subjectif bac plus dix !

VANESSA : Et pourquoi n'ont-ils fait preuve d'aucune efficacité ?

PIERRE : Parce que l'intérêt de tous ces bons docteurs face à ce maudit clou est de ne jamais penser même y toucher. Il y va de leur survie, de l'existence éternelle de leur pouvoir. La possibilité pour ces charlatans, quels que soient leurs camps, de faire semblant de s'occuper de l'infection, ça s'appelle le pouvoir. Tout en espérant le garder le plus longtemps possible, ils n'hésitent pas à se le repasser entre eux, non pas comme une patate chaude, mais bien comme un bonbon au miel.

FRANÇOIS (*à moitié assoupi*) : C'est quoi le clou ? Le clou du spectacle ?

JACQUES : Non, le clou c'est la cruauté des hommes. N'est-ce pas Pierre ?

FRANÇOIS (*à moitié réveillé*) : Si les hommes sont cruels par définition, pourquoi s'arracheraient-ils leur cruauté ?

JACQUES : Pour devenir bons !

FRANÇOIS : Est-ce que j'essaie, moi, de devenir sobre ?

PIERRE : Ah quelles belles âmes vous faites ! Non le clou n'est pas la cruauté des hommes mais ce qui les rend cruels.

FRANÇOIS : Tu ne vas pas prétendre que... (*il fait mine de vomir.*)

PIERRE : Eh bien quoi ?

FRANÇOIS : Le clou, ce n'est pas le capitalisme tout de même ? C'est trop drôle de prétendre ça de nos jours. (*il feint la surprise.*) Tu ne serais pas communiste, rassure-moi ? Tous les concepts en isme sont dépassés.

JACQUES : Sauf l'alcoolisme bien sûr !

FRANÇOIS (*vexé*) : C'est une exception qui confirme la règle. Pour en revenir à nos moutons, vaches, cochons, et tutti quanti, ils ne l'avaient pas arraché, le maudit clou dans les pays de l'Est, la Chine et tutti quanti ?

PIERRE : Ce clou, c'est-à-dire le capitalisme, non seulement n'a pas été enlevé, mais tel un poignard rougi au feu, a été enfoncé tout brûlant jusqu'à la garde. Provoquant une gangrène dont les stigmates ne sont pas près de disparaître.

VANESSA : Pierre a l'air d'être féru de métaphores.

FRANÇOIS : Ton histoire de clou, c'est du réchauffé. Tu nous ressers le supplice du Christ. C'est du christianisme où je ne m'y connais pas.

VANESSA : Ou du cloutisme !

PIERRE : D'une certaine façon, ce clou a voyagé à travers les âges. Il a pris bien des formes. Mais son but est toujours le même : faire mal ! C'est-à-dire, exploiter, opprimer, massacrer. Il a pris différents noms, d'abord esclavage, puis servage, enfin salariat à l'heure actuelle. L'esclavage salarié étant ce qui définit le mieux le capitalisme.

VANESSA : Tu es un utopiste mâtiné de naïveté mais tu as une qualité qui ne court pas les rues, une qualité que ceux qui ne la possèdent pas prennent pour un vilain défaut.

FRANÇOIS : Tu es trop gentille avec lui, Vanessa, je me demande bien laquelle. L'orgueil, la vanité, l'ambition, l'intransigeance ?

VANESSA : Mais non, la gentillesse.

FRANÇOIS : Quel vilain défaut. J'ai la faiblesse de croire que tu restes insensible à ce sentiment qui mène tout droit au pire de tous, l'empathie.

VANESSA : Pierre, si les hommes pouvaient te ressembler, la société serait sans doute meilleure, à tous points de vue.

FRANÇOIS : Pierre, regarde-moi ! Si la société dont tu rêves est à l'image de ton caractère, il vaut peut-être mieux ne pas en changer.

JACQUES : Pierre, tu sais bien que je t'apprécie mais regarde les choses en face. Les riches, les puissants, les hommes politiques, les patrons, les militaires, toute la force armée de l'État seraient vent debout contre toi s'il te venait à l'idée de mettre à exécution tes projets utopiques.

PIERRE : Tu n'as rien compris. Ce n'est pas à moi de mettre à exécution quoi que ce soit. C'est à tout le monde ou plutôt à presque tout le monde. Sauf ceux justement que tu viens de citer.

FRANÇOIS : Tu peux donc attendre la Saint-Glinglin car nous autres les riches nous n'accepterons jamais que les pauvres se mêlent de nos affaires.

PIERRE : Les choses étant ce qu'elles sont, tu as sans doute raison. Mais sous prétexte qu'on ne peut pas changer le monde, ceux dont je fais partie qui veulent le critiquer comme il le mérite sont priés de se taire.

FRANÇOIS : Soit beau et tais-toi ! Voilà ce qui me convient. L'utopie n'a pas plus sa place dans ce monde que l'eau plate dans mon verre de whisky.

PIERRE : Je vais être franc et direct avec toi. Je ne te reproche pas de m'envoyer mon utopie à la figure mais de ne pas accepter que l'utopie dont je te parle mettant fin au capitalisme est l'utopie à laquelle j'aspire.

FRANÇOIS : Eh bien voilà, je valide ton souhait, ça ne mange pas de pain.

PIERRE : Peut-être qu'un jour tu seras obligé de manger ton pain noir. Si les pauvres ne se révoltent pas et trahissent plus facilement leur classe que les riches la leur, c'est parce que la contre-révolution stalino-maoïste les a dégoûtés de l'idée même de la révolution communiste.

JACQUES : Tu n'arrêtes pas d'avouer que tu es communiste. C'est un peu lassant à la longue.

PIERRE : Ce n'est pas de ma faute si la dictature capitaliste, mélange de capitalisme privé et de capitalisme d'État, fait des ravages aussi bien dans la chair que dans l'esprit des hommes.

FRANÇOIS : J'ai mon compte d'idéologie. Je vais m'abreuver à l'onde d'un courant beaucoup plus rafraîchissant. Je préfère le whisky à Trotsky.

PIERRE : Je n'ai aucun penchant pour ces deux idoles qui ne sont absolument pas ma tasse de thé.

VANESSA : Pierre, quelqu'un te cherche.

JEANNE (*elle apparaît à la fois souriante et étonnée*) : Pierre, que fais-tu là ? Je t'ai cherché partout. Tu es en bonne compagnie, c'est un fait. Ces deux derniers jours, tu joues la fille de l'air. Je t'ai peu vu mais ce n'est pas grave. Je suis ravie que tu veuilles prendre du bon temps.

PIERRE : J'en ai fini avec tout ce beau monde. Rentrons chez nous !

JACQUES : Ma chère Jeanne, comme je suis heureux de te voir. Contempler la plus belle fille de la création est un plaisir si rare que je dois marquer d'une pierre blanche chacune de tes apparitions. Je remarque au passage que tu n'hésites plus à tutoyer Pierre et cela me réjouit d'autant plus qu'il vient de nous faire l'apologie des classes laborieuses.

FRANÇOIS : Jeanne, je ne vous connais pas et je ne sais pas quelles sont vos relations avec ce triste individu qui, contrairement à ce que vient de dire mon camarade, n'en finit pas d'avouer son mépris pour lesdites classes.

VANESSA (*sur un ton enjoué*) : Êtes-vous sa pierre blanche ? Est-il votre Wasp ?

JEANNE : Vous êtes une dame aux énigmes bouffonnes. Êtes-vous une sphinge ou la reine du quand-dira-t-on ?

VANESSA : Ma culture anglo-saxonne me joue parfois des tours. Wasp ou white anglo-saxon protestants désigne une grande partie des Américains. Si l'élite américaine est encore à rechercher dans les Wasp, il y a parmi eux beaucoup de pauvres. Ça devrait t'intéresser, Pierre, ai-je tort ?

PIERRE : Je connais cet acronyme qui désigne les blancs américains en général et les protestants en particulier. Il y a parmi eux des misérables au sens de miséreux et parmi ces misérables on trouve une flopée de méprisables.

FRANÇOIS (*triomphant et flottant dans son alcool*) : Qu'est-ce que je disais, il les méprise, il les méprise, le fumier !

JEANNE : Tu as de drôles d'amis !

PIERRE : C'est tout moi !

VANESSA : Mais nous, on t'aime bien !

JACQUES : Je confirme tout le bien qu'on pense de toi.

FRANÇOIS : Et tout le mal que je pense de toi ne me fait pas du bien.

My kingdom for a drink !

(*Il s'évanouit dans les vapeurs d'alcool.*)

PIERRE : Viens, Jeanne, j'ai fait assez de dégâts chez ces braves gens !

Ils sortent du café bras dessus bras dessous.

Acte IV

Scène I
Paul, Jeanne, voix de Pierre

Jeanne ouvre la porte à Paul qui a sonné poliment, ce qui n'est pas dans ses habitudes.

PAUL : J'ai vécu ces derniers jours dans un état d'exaltation intense et c'est grâce à toi, Jeanne.

JEANNE : Qu'ai-je fait pour mériter ce compliment intempestif ?

PAUL : D'abord le seul fait de vouloir m'inviter ici en insistant bien pour que je ne refuse pas de venir. Comme si j'allais refuser !

JEANNE : Et ensuite ?

PAUL : Ensuite ? Me prévenir que je te verrai en l'absence de Pierre, cela m'a fait chaud au cœur.

JEANNE : Pierre n'est pas absent.

PAUL : Pourtant tu m'as indiqué dans ta lettre… Pourquoi ne pas m'avoir téléphoné, cela aurait été plus simple.

JEANNE : Pierre a confisqué le téléphone.

PAUL : Reprends-le-lui, ce n'est pas si compliqué.

JEANNE : Le téléphone est dans sa chambre, enfermé avec Pierre.

PAUL : C'est une histoire à dormir debout ce que tu me chantes là. Je ne veux pas me mêler de ce qui ne me regarde pas mais vous faites chambre à part ?

JEANNE : Pas du tout. Nous dormons tous les deux dans le même lit, si tu veux savoir. La nuit, le téléphone est aux abonnés absents.

PAUL : Il est débranché ?

JEANNE : Non, Pierre l'a sans doute caché quelque part. J'ai beau le réclamer, il ne veut rien entendre.

PAUL : Et dans la journée, il le sort de sa cachette ?

JEANNE : Je l'entends parfois téléphoner ou recevoir un coup de fil mais je n'ai pas accès à notre chambre qui est fermée à clef.

PAUL : Tu es séquestrée hors de votre chambre ?

JEANNE : C'est Pierre qui se séquestre tout seul.

PAUL : Il file un mauvais coton. Tu ne le vois pas de la journée ?

JEANNE : Il vient me rejoindre pour les repas puis il repart dans la chambre sans plus m'adresser la parole.

PAUL : C'est pour ça que tu m'as fait venir, pour que je tente de recoller les morceaux ?

JEANNE : C'est encore plus grave qu'il n'y paraît. Quand je le voyais s'affairer dans un emballement compulsif avec tous ses cahiers annotés et ses livres rangés dans le plus grand désordre, je pouvais me dire malgré toutes les inquiétudes dont je t'avais fait part qu'il travaillait pour la bonne cause. Maintenant, je le trouve apathique, replié dans de confuses pensées. Quand il me regarde, je ne lis que de la tristesse dans ses yeux transparents et ses paroles sont de vagues vibrations emportées vers le néant. Je t'avais demandé de réfréner son ardeur mais je crois que tu l'as complètement inhibé.

PAUL : Tu me fais un mauvais procès. J'ai rééquilibré son humeur et il m'a paru plus enthousiaste que jamais sans verser dans une mélancolie insolite. Ne serait-il pas après tout cyclothymique, oscillant entre le pôle nord et le pôle sud ?

JEANNE : Son tempérament a toujours été tempéré et son caractère espiègle et malicieux est d'une générosité éprouvée.

PAUL : Il a participé à plusieurs réunions de notre groupe libertaire et tout le monde lui a reconnu des qualités d'écoute et de proposition remarquables. Je ne vois pas ce qui a pu provoquer un tel changement. S'il te jouait la comédie, ce qui m'a l'air d'être dans ses gènes, t'en apercevrais-tu ?

JEANNE : J'ai toujours été complice de ses comédies, parfois bien malgré moi. Il ne jouait qu'avec les autres, le plus souvent à leurs dépens et quand c'était aux miens j'en avais une parfaite connaissance.

PAUL : Ce penchant pour la comédie qui m'est aussi imputable, il te l'a imposé que tu le reconnaisses ou non, et maintenant tu dis stop, le vase déborde et je m'y noie.

JEANNE : Que faut-il faire ?

PAUL : Je ne vois qu'une solution.

JEANNE : Laquelle ?

PAUL : Pour toi, il faut arrêter d'entrer dans son jeu.

JEANNE : J'aime bien jouer avec lui-même si c'est dangereux, cela fait vivre notre couple.

PAUL : Si tu y tiens, je ne vais pas te décourager.

JEANNE : Je tiens plus à son jeu qu'à la prunelle de mes yeux. Mais je vois bien qu'à présent il est hors-jeu.

PAUL : Il faut à tout prix qu'il s'interdise les entretiens avec des personnes qui n'ont pas les mêmes opinions que lui. Il en est si perturbé que l'usage de la farce ne lui permet plus de répliquer sans dommage.

JEANNE : Je ne comprends pas. Dans son entourage personne ne pense comme lui. Ça n'a jamais posé de problèmes.

PAUL : Il a revu dans un café d'anciens amis de jeunesse. La discussion a été assez mouvementée d'après tes propres dires.

JEANNE : Je t'ai vu dans ce café avant de l'y trouver quelques jours plus tard. Il était très énervé et je l'ai récupéré dans un état second. Il n'était pas le seul à chavirer comme une chaloupe à la mer. L'océan puait l'alcool fort et le marin furieux, un François que je n'avais jamais vu auparavant même si j'en avais entendu parler, apostrophait Pierre de sa colère partisane.

PAUL : Il a dû mal le vivre.

JEANNE : Ses autres amis étaient pourtant bienveillants.

PAUL : On se fait peut-être des idées après tout et il faut chercher dans le comportement de Pierre d'autres causes possibles.

JEANNE : Je compte sur ton aide.

PAUL (*il la regarde tendrement*) : Jeanne !

JEANNE : Oui, Paul ?

PAUL : Rien !

JEANNE : Rien, ce n'est pas une réponse.

PAUL (*hésitant*) : Je ne te questionnais pas. Je t'appelais comme on appelle une muse pour trouver l'inspiration.

JEANNE : Tu l'as trouvée ?

PAUL : Ça se pourrait. J'aimerais frapper à la porte de la chambre.

JEANNE : Je serais étonnée qu'il te réponde autrement que par un silence glacial. Et si tu insistes, tu risques bien d'essuyer un refus, une engueulade en bonne et due forme, voire une sortie agressive.

PAUL : C'est moi qui suis venu le chercher, c'est à moi de réparer les dégâts. (*Il s'approche de la porte et frappe deux coups secs. Pas de réponse*) : Pierre, ouvre-moi, c'est Paul, il n'est plus l'heure de dormir ! (*Pas de réponse. Il élève la voix.*) Tu sais bien que les portes ne me résistent pas et que je connais tous les sésames à force de les étudier. Je compte jusqu'à… (*voix énervée de Pierre*) : tu peux compter jusqu'à perdre ta voix, ça ne changera rien à l'affaire. Quand je lis, je n'aime pas qu'on me dérange !

PAUL : Tu n'es pas obligé de t'enfermer pour lire. À quoi ça rime de mettre Jeanne hors circuit, elle n'a pas mérité que tu la délaisses à ce point même pour te plonger dans la lecture. Tu lis quoi, des revues pornos, des livres libertins que tu mets hors de portée des yeux de

Jeanne ? Connaissant ton intérêt pour les poètes libidineux je ne serais pas très surpris que tu sois en train de lire les Onze mille verges d'Apollinaire ou Sexus de Henry Miller.

Pierre ouvre la porte et apparaît, la mine fatiguée et l'air renfrogné.

Scène II
Pierre, Paul, Jeanne

PIERRE : Tu me fais injure de me prendre pour un adolescent boutonneux qui lit sous ses draps en cachette de ses parents, des livres pour adultes, une lampe de poche à la main. Il y a belle lurette que ces récits pour emblématiques qu'ils soient ne font plus partie de ma panoplie littéraire.

PAUL : C'est pourtant l'impression que tu donnes. Pourquoi te cacher de Jeanne comme si tu lui faisais la gueule. Je ne te connaissais pas si boudeur.

PIERRE : Est-ce que tu me connais vraiment ? Je ne boude pas. J'évite à Jeanne des tourments qui ne la concernent pas. Je vis avec elle sans retenue, je respire avec elle, je mange avec elle, je plaisante avec elle, je ris avec elle, je dors avec elle, je baise avec elle. Mais je ne peux pas lire avec elle. La lecture est un plaisir solitaire.

PAUL : Comme la masturbation. Tu te masturbes avec le téléphone dont tu prives l'usage à Jeanne sans motif valable. Tu n'as pas une vie de couple, tu vis en colocation avec Jeanne et tu la prends pour ta bonne. Tes petits jeux de comédie bourgeoise ne trompent personne.

PIERRE : Pourquoi es-tu venu m'enlever à ma petite vie bourgeoise ? Je ne t'avais rien demandé !

PAUL : Parce que je savais ou croyais savoir que tu valais mieux que l'image que tu veux donner en ce moment.

PIERRE : Que sais-tu de mon image, de l'image de mon image, sans parler de la chair réelle dans laquelle je m'enveloppe et que j'ai l'air de cacher ?

PAUL : Je n'ai pas à te juger, je n'en ai pas le droit, je ne suis pas un moralisateur. Mais je vois bien parce qu'elle a voulu m'en parler que tu fais souffrir Jeanne. Est-ce vraiment nécessaire ? Partager tes tourments est la moindre des choses et cela diminuerait d'autant les siens. Se réfugier toute la journée dans le silence c'est lui infliger un bruit de fond permanent et douloureux.

PIERRE : Je ne voyais pas les choses comme ça.

JEANNE : Tu as rompu la confiance réciproque dans nos jeux amoureux. Même s'ils finissaient par me peser je m'y étais habituée.

PAUL : Il serait peut-être temps d'y mettre un terme. Je crois d'ailleurs que Pierre pour une raison inconnue a pris le parti, unilatéralement, de les interrompre. Sans vouloir jouer au thérapeute de couple il s'est passé un événement qui tombe sous le sens et que j'ai provoqué : ton entrée dans un groupe révolutionnaire a perturbé le fragile équilibre que vous aviez patiemment tissé.

PIERRE : Si vous ne voyez pas d'inconvénients, tous les deux, j'aimerais retourner à mes lectures.

JEANNE : Il n'y a pas si longtemps, tu m'as avoué que tu n'avais jamais cessé de lire. Mais je n'avais jamais vu aucun livre avant que tu reprennes ta bougeotte révolutionnaire. Les livres sont venus en pagaille alimenter ton nouveau mode de vie. Et à nouveau plus rien, ni dans la chambre quand j'y suis, ni dans le reste de l'appartement.

Tous les livres ont disparu comme par enchantement. Est-ce que tu les mets sous clef quelque part ? Soit tu mens et tu ne lis plus, soit tu lis en cachant des livres que tu fais venir par l'opération du Saint-Esprit.

PAUL : Ta bibliothèque ressemble à un caveau vide et c'est d'une tristesse à faire pleurer un illettré.

PIERRE : Tu ne crois pas si bien dire. Je range mes livres à la cave dans une grande malle fermée par un solide cadenas. Du caveau à la cave, il n'y a qu'un pas qu'on franchit par l'escalier de l'immeuble. Tous mes livres sont rangés soigneusement par ordre de lecture.

JEANNE (*ébahie*) : Qui te les apporte ? Je ne t'ai jamais vu descendre ou remonter quoi que ce soit.

PIERRE : Je donne un coup de fil et on m'apporte ce que je veux par l'escalier de service.

JEANNE (*dont l'ébahissement s'intensifie*) : Quel escalier de service ? Où as-tu vu un escalier de service ?

PIERRE (*fier et penaud à la fois*) : Il débouche sur la trappe encastrée dans le parquet de la chambre, de mon côté.

JEANNE : Tu m'as dit bien des fois que cette trappe était condamnée depuis qu'on avait fait des travaux au début du siècle.

PIERRE : Ce sont ces travaux qui ont permis de libérer la trappe et de consolider cet escalier qui existe depuis l'origine de l'immeuble. Tous les appartements sont reliés à cet escalier mais très peu de locataires l'empruntent.

JEANNE : Je tombe des nues. Tu es un cachottier retors. Que gagnes-tu à me dissimuler une telle information ?

PIERRE : Je ne gagne rien d'autre que l'attrait de la comédie. Ça fait partie de ma nature profonde d'inventer ou de cacher des choses, tu fais l'étonnée mais tu le sais très bien.

PAUL : Comment croire à la sincérité d'un révolutionnaire qui n'est pas franc du collier ?

PIERRE : Sur les choses essentielles, je suis d'une sincérité à toute épreuve.

JEANNE : Qui monte l'escalier de service pour te rendre ce service non essentiel ? Il n'y a ni concierge ni gardien d'immeuble.

PIERRE : Le dévoiler c'est trahir un secret de polichinelle.

JEANNE : Je le connais donc ?

PIERRE : Tu pourrais le connaître.

JEANNE : C'est encore une devinette de ton invention.

PIERRE : C'est mon frère ! Un frère faux jumeau qui vit à deux pas d'ici. Notre mère avait deux polichinelles dans son tiroir et je t'ai déjà parlé de lui. Tu l'as rencontré une fois juste avant son départ pour le nouveau monde. Il en est revenu dans tous les sens du terme et depuis je le vois régulièrement dans l'escalier.

JEANNE : La prochaine fois que tu l'appelles, je veux le guetter dans l'escalier.

PIERRE : Ce sera pas plus tard que demain après-midi. Je voudrais commencer un nouveau livre.

PAUL : J'aimerais être de la fête. Inscris-moi comme second guetteur.

PIERRE : Vous exagérez, vous êtes une bande de voyeurs.

PAUL : En tant que voyeur, j'exprime le souhait de voir le livre que tu es en train de lire.

PIERRE : Souhait non exaucé, je l'ai rendu cet après-midi.

PAUL : Ton frère a de l'endurance, tu le déranges tous les jours ou je me trompe ?

PIERRE : Rassure-toi. Il m'apporte deux ou trois livres à la fois. Je lui laisse le temps d'attendre que le dernier arrivage soit complètement consommé.

PAUL : Tu en parles comme de vulgaires marchandises. Ce n'était pas le cas quand tu me rendais visite à la librairie.

PIERRE : C'est une façon de parler dont le caractère paradoxal me réjouit

JEANNE (*perplexe*) : Quels livres ont réjoui ton cœur dernièrement ?

PIERRE : Je viens de relire « Les fainéants dans la vallée fertile » d'Albert Cossery. La sagesse et la philosophie des paysans du Nil sont indémodables. Ça m'a donné envie de paresser à mon rythme.

JEANNE : Je te fais confiance. Ça, tu sais faire.

PIERRE : Le livre précédent, dont la relecture m'a tordu les tripes, t'avait aussi bouleversée si je me souviens bien. « Le talon de fer » de Jacques London.

PAUL : C'est une dystopie remarquablement décrite et qui préfigure ce qui risque de nous arriver si d'aventure une tentative de révolution socialiste embrasait le monde.

PIERRE : Ce livre magnifique dépeint avec justesse la misère du prolétariat et la férocité de l'oligarchie capitaliste qu'il nomme « le talon de fer », quand elle se sent menacée dans sa chair.

JEANNE : C'est malsain de rester seul dans ta chambre à macérer des pensées qui t'apporteront au mieux une exaltation stérile et au pire un tourment insupportable.

PIERRE : Mon exaltation est exaltante et mon tourment si tourment il y a, ne provient pas de la lecture d'écrivains socialistes.

JEANNE : Tu es donc sujet à des tourments ? Quelqu'un ou quelque chose te tourmente et tu ne veux pas m'en parler, je sers à quoi, à te repasser les chemises ?

PIERRE : Première nouvelle ! Tu as une table de repassage !

JEANNE : Ne te fais pas plus bête que tu ne l'es. Tu as très bien compris ce que je te reproche.

PIERRE : Passer du Talon de Fer au fer à repasser, c'est un manque de panache auquel tu ne m'as pas habitué.

PAUL : Tes jeux de mots ne t'éviteront pas de te mettre à table une bonne fois pour toutes.

PIERRE : Ce n'est pas l'heure de manger. Je n'ai faim que de livres. Et d'ailleurs à ce propos, avez-vous lu le livre de Henry Miller « lire aux cabinets » ? Il a de profondes réflexions contre l'envie d'y emporter un livre aussi je ne vous en parlerai pas même si la faim vient en mangeant.

PAUL : Tu ferais aussi bien de nous épargner tes divagations et de nous dire enfin ce qui te tracasse.

PIERRE : À propos avez-vous lu « l'âme humaine sous le socialisme » d'Oscar Wilde ? Si ce n'est pas le cas, dépêchez-vous de vous procurer ce petit bijou. Qu'un dandy toujours tiré à quatre épingles ressente avec une telle acuité et une telle profondeur ce qu'une société communiste apporterait de libération et de joie de vivre au genre humain peut sembler tenir du miracle. Il n'en est rien.

JEANNE : Apporte déjà de la joie de vivre dans ta propre maison et un peu d'amour à ceux qui t'aiment, ce serait déjà pas si mal.

PIERRE : Il n'y a pas d'amour heureux dans un monde malheureux.

PAUL : La comédie a assez duré. Tu noircis le décor avec un plaisir masochiste tout à fait artificiel. Si tu es malheureux en entrant côté cour, sors côté jardin. Tu entendras peut-être les petits oiseaux.

PIERRE : C'est toi qui oses me dire ça, toi qui te noircissais le visage pour noircir le tableau.

PAUL : Je n'étais pas blanc comme neige dans cette histoire mais je me suis assez longuement expliqué à ce sujet pour ne pas avoir besoin d'y revenir.

PIERRE (*comme s'il n'avait pas entendu*) : Il faudrait citer toutes les phrases d'Oscar Wilde tant elles sont toutes importantes et font mouche à chaque mot. Par exemple sur la pauvreté : « on prétend résoudre le problème de la pauvreté en donnant aux pauvres de quoi vivre ou bien d'après une école très avancée en amusant les pauvres. Mais par là on ne résout point la difficulté, on l'aggrave. Le but véritable consiste à s'efforcer de reconstruire la société sur une base telle que la pauvreté soit impossible ».

JEANNE : Tu ne vas pas nous réciter tout le catéchisme wildien. On connaît ça par cœur et en plus on est d'accord avec lui.

PIERRE : Raison de plus pour m'écouter jusqu'au bout. « Quant à l'individu s'il est pauvre, il n'a pas la moindre importance, il fait partie, atome infinitésimal, d'une force qui, bien loin de l'apercevoir, l'écrase, et d'ailleurs préfère le voir écrasé, car cela le rend bien plus obéissant ». Vous n'allez pas me dire que cet essai écrit à la fin du XIXe siècle n'est plus d'actualité ?

JEANNE : Ce qui serait d'actualité c'est de passer à table. Paul, tu manges avec nous ?

PAUL : Volontiers. Toutes ces idées libertaires quoique utopistes et auxquelles j'adhère à cent vingt pour cent m'ont ouvert l'appétit. La dernière fois, j'avais raffolé de ton couscous maison. Cette fois-ci…

PIERRE : Je n'ai pas fini. Il y a tant d'autres choses à dire.

Passons à l'utopie. « Une carte du monde, où l'utopie ne serait pas marquée, ne vaudrait pas la peine d'être regardée car il y manquerait le pays où l'humanité atterrit chaque jour. Progresser, c'est réaliser des Utopies ».

PAUL : Progresser c'est aussi donner à son estomac la nourriture qu'il demande.

PIERRE : Aurais-tu oublié que beaucoup de pauvres ont l'estomac vide et qu'ils aimeraient bien être à notre place ?

PAUL : Je n'oublie rien du tout, arrête de me culpabiliser.

PIERRE : Une foule de phrases toutes plus belles les unes que les autres m'envahissent le cerveau. Écoute celles-là : » en organisant le travail des machines, la société fournira les choses utiles pendant que les belles choses seront faites par l'individu. Actuellement la machine fait concurrence à l'homme. Dans les conditions normales, la machine sera pour l'homme un serviteur ».

JEANNE : En attendant, c'est moi qui fais le service. Je n'ai pas de robots à ma disposition. Aide-nous plutôt au lieu de marcher de long en large.

PIERRE (*Il met le couvert*) : Je ne peux qu'aider une femme qui a fait de l'activité culinaire tout un Art de vivre. Oscar Wilde a éclairé de fulgurances poétiques sa conception de l'Art et des Artistes. Il en a écrit tant de pages qu'il m'est impossible d'en faire un résumé succinct. Aussi je m'abstiendrai d'en dire plus que l'essentiel.

JEANNE : Tant mieux. L'essence de toute chose étant impossible à saisir, il vaut mieux s'abstenir d'en respirer le parfum. Ce n'est pas poétique ce que je viens de dire ?

PAUL : La métaphore allégorique est du meilleur aloi. Tu m'as servi deux verres et trois couteaux. Question pratique, Oscar Wilde est de mauvais conseil.

PIERRE : J'ai voulu mettre à l'Art de la table une touche personnelle. Pour résumer en une phrase ce que pensait Oscar de l'Art et des Artistes je ne dirais que celle-ci « La forme de gouvernement la plus avantageuse à l'artiste est l'absence totale de gouvernement. Car toute autorité est profondément dégradante. Elle dégrade ceux qui l'exercent. Elle dégrade ceux qui en subissent l'exercice ».

Quant aux rapports entre les artistes et le peuple, je vous laisse le soin d'en découvrir l'analyse savoureuse qu'en fait notre ami irlandais.

JEANNE : On va te répéter combien de fois qu'on l'a déjà lu le Soul of the Man written by the Irish Man ?

PIERRE : Et alors, ça me fait plaisir d'en parler. J'ai aussi mon mot à dire sur l'Art, la seule activité où l'homme peut se sentir lui-même si tant est qu'on puisse l'être dans cette société basée sur l'argent, la propriété privée et l'État.

PAUL : Je suis en accord total avec toi. Quand tous les hommes pourront faire de leur vie une œuvre d'art, on aura fait un grand pas vers l'harmonie universelle. J'ai le souvenir que tu écrivais des poèmes, des nouvelles ou des réflexions philosophiques. Est-ce toujours le cas et te sens-tu un artiste dans l'âme ou un dilettante qui poétise sa vie pour passer le temps ?

PIERRE : J'ai beaucoup de choses à dire sur l'Art tel qu'il est vécu dans notre société.

Il y a deux sortes d'artistes.

Ceux qui ressentent leur mal être dans la beauté tourmentée de ce qu'ils créent et ceux qui ressentent leur bien être dans la laideur ridicule de ce qu'ils croient créer. Les premiers aspirent à une amélioration voire un changement profond de la société, les seconds sont fiers de leur statut officiel et n'aspirent qu'à leur propre gloire dans une société immuable et sont donc des réactionnaires.

PAUL : Les premiers sont donc révolutionnaires ?

PIERRE : Pas forcément, mais ils sont au moins réformistes et de vrais créateurs. Ils remettent en cause les normes étriquées de la société. Tout véritable artiste est anticonformiste.

PAUL : Les seconds sont donc de piètres poètes, des écrivains de seconde zone, des peintres du dimanche ou des musiciens de fanfare ?

PIERRE : Pas forcément. Il peut même y avoir parmi eux des génies mais des génies conformes au canon de leur époque.

PAUL : C'est confus tout ça. J'admire peut-être des artistes pleins aux as qui ont créé des chefs-d'œuvre ou des brouillons infâmes et des crève-la-faim qui ont pondu des merveilles ou des monstruosités.

PIERRE : Les deux catégories ne se définissent pas fatalement par l'abondance ou la pénurie de biens matériels.

PAUL : Peux-tu me citer des exemples concrets, des noms d'artistes, authentiques ou factices ?

PIERRE : Tu les connais aussi bien que moi. Les deux listes seraient trop longues à dresser. Je ne peux te citer que ceux que j'aime. Parmi les poètes on peut citer Rimbaud, Baudelaire, Mallarmé mais il y en a tant d'autres auxquels la postérité a su ou n'a pas su rendre justice. Je te parle des poètes parce que la poésie est mon violon d'Ingres. Je te parle de Rimbaud parce que ce génie précoce a admiré la Commune de Paris avant de devenir l'homme aux semelles de vent puis trafiquant d'armes. Je te parle de Baudelaire parce que ce poète maudit a révolutionné la musique de la poésie. Je te parle de Mallarmé parce que..

JEANNE : Stop, mon Dieu ! De grâce ! J'ai presque fini de manger et vous n'avez pas avalé la moindre bouchée. Le gratin est tout froid et on ne peut pas le réchauffer sinon il devient indigeste, voire toxique.

PIERRE : Penses-tu ! On va le réchauffer, ça va le regratiner et il sera encore meilleur.

JEANNE : C'est vous qui êtes gratinés. Je vais faire une sieste. Je n'invite personne. Vous êtes persona non-gratin !

PAUL : C'est fou ce que les jeux de mots peuvent être poétiques.

PIERRE : Les jeux avec les mots, avec les phrases, avec les concepts, avec l'imaginaire, avec les situations absurdes ou sérieuses m'ont toujours charmé. De grands courants de littérature s'y sont adonnés sans retenue. Les calembours de la pataphysique, les jeux d'écriture contrainte de l'oulipo, et d'écriture automatique des surréalistes sont autant d'inventions qui renouvellent le langage. Qui n'a pas lu Raymond Queneau, Boris Vian, Italo Calvino, Georges Pérec, André Breton, Alfred Jarry, s'en mordra les doigts plus d'une fois.

JEANNE : Et toi, Pierre, tu vas t'en mordre les doigts si tu continues à m'empêcher de me réfugier dans mon lit. Rien que de t'entendre parler comme un moulin à paroles qui n'arrête pas de louer le gratin de la littérature, ça me donne envie de bayer aux corneilles. (*Elle quitte la pièce et part faire la sieste*).

PIERRE (*qui ne l'a pas vue partir*) : Magnifique ! Tu rebondis sur mes paroles.

PAUL : J'ai réchauffé le gratin, prends en une part avant qu'il se liquéfie sous tes postillons.

PIERRE : Je voudrais terminer ma tirade en évoquant un poète attachant, chantre de la révolution sociale et de la poésie surréaliste.

PAUL : Laisse-moi deviner. Je parie qu'il s'agit de Louis Aragon.

PIERRE : Si tu me provoques, tu vas me trouver.

PAUL : Tu montes sur tes grands chevaux au quart de tour. Je vais vite te rassurer. Tu penses bien sûr à Benjamin Perret, l'auteur de « Je ne mange pas de ce pain-là et du Déshonneur des poètes ».

PIERRE : Le seul poète surréaliste qui ne s'est pas fâché avec André Breton. Le pamphlet le déshonneur des poètes est une réponse à » l'honneur des poètes » brochure publiée pendant la guerre par des poètes nationalistes ou mystiques.

PAUL : Moi aussi je rebondis sur tes paroles. Benjamin Perret règle son compte en particulier au stalinien Louis Aragon et à son « Jeanne qui vint à Vaucouleurs » qui à défaut d'être un poème est un texte écrit-il à faire pâlir d'envie l'auteur de la rengaine radiophonique française « un meuble signé Lévitan est garanti pour longtemps ».

PIERRE : Quant à Paul Eluard qu'il qualifie le seul poète de cette brochure, il en prend aussi pour son grade avec son poème « J'écris ton nom Liberté ». Car de quelle liberté s'agit-il ? « De la liberté pour un petit nombre de pressurer la population ou de la liberté pour cette population de mettre à la raison ce petit nombre de privilégiés ? » Fin de la citation. Les auteurs de cette brochure sont nationalistes car sous prétexte de dénoncer la tyrannie nazie ils exaltent la patrie et défendent une liberté volontairement indéfinie. Ce ne sont pas des poètes car et là je récite Benjamin Perret, « pour paraphraser Marx, la poésie n'a pas de patrie puisqu'elle est de tous les temps et de tous les lieux ».

Mais où est Jeanne ?

PAUL : Contrairement à Jeanne d'Arc, elle n'est pas partie à Vaucouleurs mais dans la chambre à coucher.

PIERRE : Où est le gratin ?

PAUL : Sur la table.

Scène III
Pierre, Monsieur Troudelassec

On entend le timbre d'une sonnette fermement appuyée.

PIERRE : Qui peut bien venir me déranger ? Sans doute le guetteur Paul et sa guetteuse Jeanne, ils devaient se rejoindre pour surprendre mon frère dans la rue plutôt que dans l'escalier. Ils en seront pour leurs frais. Je parle tout seul maintenant.

La sonnette refait parler d'elle.

Ça va, j'arrive ! Quelle étourdie cette Jeanne, elle a oublié ses clefs.

La sonnette redouble d'efforts.

Je croyais que Paul savait crocheter une serrure. Il faiblit le pauvre vieux.

Pierre qui n'a toujours pas fait un pas en direction de la porte.

Eh, les deux tourtereaux, tirez la chevillette et la bobinette cherra !

On frappe à la porte à coups redoublés.

Je ne sais pas ce qui me retient d'ouvrir, ils n'ont qu'à dormir sur le palier.

VOIX DE MONSIEUR TROUDELASSEC *:* Vous allez m'ouvrir oui ou non, je sais que vous êtes là, je vous entends parler dans votre jargon inimitable.

PIERRE (*Il ouvre, dépité et se retrouve nez à nez avec Monsieur Troudelassec*) : Ah non pas vous, je vous ai assez regardé la dernière fois !

MONSIEUR TROUDELASSEC : C'est votre bobine en chair et en os qui va tomber sur le plancher si vous persistez à me traiter de la sorte.

PIERRE : Menace à peine déguisée, c'est une habitude chez vous de me menacer chez moi.

MONSIEUR TROUDELASSEC : Vous pensiez que j'allais vous oublier, mon bon Monsieur, eh bien vous vous trompâtes comme vous risquez de vous tromper à l'avenir si vous croyez que je vais lâcher le morceau aussi facilement que ça.

PIERRE : Non content de me passer des appels téléphoniques auxquels je ne réponds plus d'ailleurs, vous avez le toupet de venir me relancer avec votre histoire sordide et stupide que pas même un demeuré mental, un détraqué de la cervelle, n'oserait mettre au jour du tréfonds de ses neurones. Puisqu'il en est ainsi, je vais appeler la police.

MONSIEUR TROUDELASSEC : Eh bien, vous l'avez devant vous, la police !

PIERRE : N'importe quoi. Vous n'avez aucune retenue dans la diffusion de vos divagations farfelues.

MONSIEUR TROUDELASSEC : Vous ne me remettez pas ?

PIERRE : Bien sûr que si. On n'oublie pas un visage aussi ignoble que le vôtre. Et je veux bien vous mettre mon poing dans la figure.

MONSIEUR TROUDELASSEC : Vous êtes fiché mon garçon.

PIERRE : Et vous, vous êtes fichu !

MONSIEUR TROUDELASSEC : Vous commencez à paniquer, c'est bon signe.

PIERRE : Ficher un militant révolutionnaire, puisque vous m'avez repéré, ne vous amènera pas à grand-chose. Si vous êtes un flic, qu'est-ce que vous voulez que ça me fasse ? Buvez votre petit lait et débarrassez-moi le plancher.

MONSIEUR TROUDELASSEC : Mes coups de fil ne vous ont donc rien appris ?

PIERRE : Ils m'ont appris à vous raccrocher au nez. Vous ânonniez toujours les mêmes slogans pseudomédicaux à la mords-moi-le-nœud.

MONSIEUR TROUDELASSEC : C'est tout ce qu'ils vous suggèrent ? Vous n'avez pas su déceler les messages subliminaux dans mes propos téléphoniques ?

PIERRE : Vos déjections phoniques sont aussi peu sublimes qu'elles sont bassement minables et je suis encore loin de la réalité.

MONSIEUR TROUDELASSEC : Plus vous m'insultez plus je reste persuadé que j'ai appuyé là où ça fait mal, là où le bât blesse et je viens vous trouver pour remuer le couteau dans la plaie, qui à l'heure présente doit saigner abondamment sans que j'aie même besoin de faire usage de ce noble instrument.

PIERRE : Je vais vous dire ma façon de penser une bonne fois pour toutes. Je vais même vous révéler quel était le fond de celle-ci les deux ou trois fois où j'ai accepté de vous écouter deux minutes. Je vous ai vu admissible à l'enfermement définitif dans un quartier de haute sécurité d'un asile psychiatrique. Je vous ai vu partager une chambre aux murs capitonnés avec une camisole de force qui sera une fidèle compagne pourvu qu'elle soit sanglée par des lanières qui vous feront des liens conjugaux indénouables. Il va de soi que des séances quotidiennes d'électrochoc vous feront le plus grand bien.

MONSIEUR TROUDELASSEC : Quelle omniscience, quelle perspicacité d'envisager votre futur avec une telle prescience !

PIERRE : Vous ne me faites pas peur, je vous vois venir avec vos gros sabots. Des flics j'en ai connu toute une flopée, ça grouille partout, ça fouille partout, ça peut parfois être dangereux, ça peut parfois rendre service mais vous, vous gargouillez comme une gargouille éventrée qui peine à évacuer ses eaux usées vers les caniveaux.

MONSIEUR TROUDELASSEC : J'accepte le compliment si moi je suis l'eau et vous le caniveau. Mais vous feriez mieux de m'écouter au lieu de faire le fanfaron. Faites semblant de ne pas me comprendre, ça vous regarde. D'abord je voudrais vous apporter des précisions au sujet de mon projet qui tient toujours la route.

PIERRE : Ne recommencez pas avec ces idioties qui me sortent par les trous de nez quand mes oreilles ne veulent plus les entendre.

MONSIEUR TROUDELASSEC : Ce sont vos yeux qui vont les voir de très près, dans mes notes bleues et mes notes roses, vous voyez ce que je veux dire ?

PIERRE : Si vous voyez des girafes bleues et des éléphants roses, vous auriez tort de ne pas consulter au plus vite la faculté de médecine.

MONSIEUR TROUDELASSEC : Je poursuis. Écoutez-moi attentivement. Nous allons sélectionner les pauvres à prélever. Quels cobayes allons-nous choisir ? (*Pierre qui ne l'écoute plus s'est assis dans son fauteuil, la tête inclinée sur le dossier, les yeux dans le vague.*) Avec quels pauvres aurons-nous l'honneur de faire avancer la médecine, quels pauvres vivront dans le soulagement et le déshonneur d'être laissés à leur inutilité proverbiale ? Un certain nombre de pauvres seront donc intouchables. Cela devrait vous faire plaisir. Nos critères de sélection sont faciles à deviner. Tous les pauvres, opposants manifestes ou potentiels aux gouvernements du tiers-monde subiront les foudres médicales du bistouri ou du scalpel. (*Pierre s'est endormi avec un doux ronflement*) Citons les travailleurs harassés, les chômeurs angoissés, les organisateurs et acteurs de grèves sauvages ou autorisées, les éléments perturbateurs et fauteurs de troubles, tels que sauvageons calamiteux, casseurs refoulés, sans-abris en début ou en fin de survie, migrants avec ou sans permis de migrer, basanés partisans du viol de femmes blanches, pickpockets aux poches trouées, délinquants juvéniles à peine sortis de l'œuf, assassins d'honnêtes racistes, harceleurs de climatosceptiques, indigents voleurs, indigènes volages, indiens amers, autochtones ecolonisés, gavroches impécunieux, homosexuels congénitaux, beatniks débraillés, voyous suspects de marginalité, mendiants multirécidivistes, athées virtuels et croyants perplexes, défenseurs décharnés et acharnés de l'évolution darwinienne des espèces, enfants illégitimes ou bâtards dès la première génération, socialistes indécrottables, intellos laissés-pour-compte, mâles déconstruits, femelles dénaturées, transgenres déstructurés. Vous voyez, il y a malgré tout de la marge pour laisser des pauvres en paix avec leur conscience avachie et en harmonie avec leur carcasse hors de danger.

J'attends le feu vert des autorités compétentes et toutes les populations admises au dépeçage prégreffier seront appelées dans l'ordre établi par nos fiches dans des centres de soustraction organisés à cet effet. Vous voyez, on a fait des progrès depuis notre dernière rencontre. Eh vous, écoutez-moi quand je vous parle. Mais quel malpoli, il s'est endormi cet enfoiré ! (*il crie comme un putois.*) Eh réveillez-vous, je vous cause, c'est pas du chinois c'est du….

PIERRE (*réveillé en sursaut*) : Ça va pas, non ! Vous êtes encore là ?

MONSIEUR TROUDELASSEC : Qu'est-ce que je disais, ah oui, tous ces gens sont fichés. Nous avons établi des notes bleues pour les éléments mâles, des notes roses pour les éléments femelles, des notes blanches pour les éléments transgéniques. Nous avons subdivisé ces notes en fonction de la couleur de la peau. Notes soulignées en rose chair pour les blancs (les moins nombreux), notes soulignées en marron pour les basanés, notes soulignées en jaune pour les asiatiques, notes soulignées en noir charbon pour les noirs, bien entendu. Ça ne vous dit toujours rien toutes ces notes ?

PIERRE : Ça me dit que si vous n'êtes pas parti dans les trois secondes je vous fais avaler toutes vos notes par gavage gastrique et fermeture définitive de tous vos orifices. Est-ce que c'est assez clair Monsieur Trousec ?

MONSIEUR TROUDELASSEC : Je vais compléter la feuille blanche qui est à votre nom par des qualificatifs diantrement corsés et elle vous mènera directement à la case prison. Je suis un agent des Renseignements Généreux section analyse et tout le bazar. Vous pouvez faire semblant d'ignorer ce qu'est une note blanche, hein mon ex-collègue, mais ça ne vous évitera pas la perte de votre liberté, à moins que…

PIERRE : À moins que quoi, sale charogne !

MONSIEUR TROUDELASSEC (*triomphant*) : À moins que vous ne me versiez la modique somme d'un million… (*à voix basse à l'oreille de Pierre qui se recule vivement*) sinon je révèle à vos nouveaux camarades que vous avez fait partie de notre grandiose maison.

PIERRE : Faites donc, Monsieur l'agent pathogène ! Votre mode de fonctionnement est à l'image d'une société qui n'a qu'un dieu, l'argent, qu'un prêtre, le marchand et pour fidèles une foule d'esclaves dont vous êtes le plus zélé représentant.

MONSIEUR TROUDELASSEC : Vous pouvez faire le bravache et prendre des airs de justicier outragé, vous n'en êtes pas moins à ma merci. Refusez de me payer, ça m'est bien égal. La cupidité n'est pas mon plat principal. Je vous dénoncerai gratuitement, juste pour le plaisir de vous savoir mis au banc des accusés par vos acolytes.

PIERRE : Vous n'avez pas l'air de savoir à qui vous parlez. Croire que je ne saurai pas déjouer vos insinuations est une preuve accablante de votre stupidité. Dites à qui veut l'entendre, à vos chefs, à mes camarades, que j'ai occupé un poste précaire aux Grandes Esgourdes, je vous encourage même à le faire. Les premiers sont au courant et vous riront au nez quand ils apprendront que vous avez perdu votre temps à inventer des histoires absurdes. Votre lettre de licenciement sera aussi copieuse que votre feuille de brouillon blanchie par votre salive. Les seconds s'empresseront de remplir votre boîte aux lettres de lisier malodorant.

MONSIEUR TROUDELASSEC : On voit que vous n'avez pas terminé vos classes chez nous. Chez nous plus on donne de renseignements et plus nos chefs et les chefs de nos chefs sont contents. Et tous les moyens sont bons pour en obtenir, y compris des inventions grossières. Si j'arrive à déstabiliser votre groupe, j'obtiendrai une promotion et pour vous une punition. Parlez-en à ce Monsieur Prazoc, ou plutôt ne lui en parlez pas, là où il est, il n'osera pas vous dire le contraire.

PIERRE : Encore une de vos inventions ! Pourquoi lui en parlerai-je, je ne vais jamais dans sa pharmacie.

MONSIEUR TROUDELASSEC : Vous manquez d'assiduité révolutionnaire. Vous n'allez jamais à vos réunions, vous distribuez encore moins souvent vos tracts pourtant écrits par vous, je le sais.

Alors je me permets de vous donner cette information. Monsieur Prazoc est un fervent admirateur de votre action, je dirai plutôt de vos écrits et en particulier de vos livres. Il a rejoint votre groupe grâce aux bons soins de votre ami commun Paul que vous semblez connaître de longue date. Et grâce à moi il a pu vous rencontrer chez vous.

PIERRE : À quoi rime cette comédie ? Quand vous êtes venus tous les deux à mon domicile, il n'avait pas l'air de me connaître. S'il avait lu mes livres, il me l'aurait dit.

MONSIEUR TROUDELASSEC : C'est bien là où réside l'ironie de cette histoire. Il mourait sans doute de l'envie pressante de se prosterner à vos genoux quand il a eu la surprise angoissante de vous rencontrer alors qu'il ne s'y attendait pas. Approcher un auteur en chair et en os après avoir dévoré ses livres doit susciter d'ineffables émotions. Mais la plaisanterie des greffes que je lui ai fait avaler ainsi que son besoin vital d'argent ont étouffé dans l'œuf son mouvement naturel et sa naïveté a fait le reste. Comme il a dû souffrir de se plier à ma comédie.

PIERRE : Paul ne m'a jamais parlé de lui. C'est une âme fragile que j'ai mal accueillie et je vous conseille de le laisser tranquille. Qu'il ait les mêmes aspirations que les miennes me le rend fraternel et si vous touchez à un seul de ses cheveux….

MONSIEUR TROUDELASSEC : Trop tard ! Son sort n'est plus entre mes mains. Quelqu'un qui ne me sert pas, je le jette aux orties. D'autres que moi se sont fait un plaisir de lui faire regretter son insolente idolâtrie. C'était une proie facile à capturer.

PIERRE (*le saisissant par le col de sa chemise*) : Je ne me suis pas bien fait comprendre. Relâchez-le ou je vous balance par la fenêtre.

MONSIEUR TROUDELASSEC : Aïe… aïe… aïe. Vous me faites mal ! Il est aux mains du CABA ! aïe !

PIERRE : Vous êtes une mauviette. Le caba, connais pas, inventez autre chose !

MONSIEUR TROUDELASSEC (*frottant sa gorge*) : Si vous vous intéressiez un peu plus à la vie en société, vous sauriez…

PIERRE : Le caba, c'est quoi ?

MONSIEUR TROUDELASSEC : C'est l'acronyme de Centre Actif de Bienfaisance de l'Administration. Un service d'ordre au service du gouvernement. Tout en attendant la réception de ma note salée le concernant, des agents du caba ont soumis Monsieur Prazoc à l'épreuve d'ingurgitation forcée de maints alcools exotiques dans le but de lui faire avouer ses forfaits. Il est actuellement aux arrêts de rigueur, en cellule de dégrisement. Il est notamment accusé sous prétexte d'avoir voulu sauver sa pharmacie d'officine d'une faillite frauduleuse, de… laissez-moi réfléchir, de… malversations financières, détournements de fonds, fausses factures illisibles, fuites vers l'étranger de capitaux fictifs faisant craindre un enrichissement personnel.

PIERRE : Même la plus naïve des oies blanches ne donnerait pas corps à vos divagations.

MONSIEUR TROUDELASSEC : Il se peut en effet que je vous raconte des salades.

PIERRE : Je voudrais vous montrer quelque chose dans ma chambre. Suivez-moi.

Il entraîne sans ménagement Monsieur Troudelassec qui n'a pas le temps de protester. Une porte s'ouvre, on entend le fracas d'une chute, le grincement d'une trappe qui s'ouvre et un hurlement étouffé dans les profondeurs d'un escalier.

Scène IV
Jeanne, Paul

La porte de l'appartement s'ouvre brusquement. Jeanne et Paul apparaissent dans l'entrebâillement. Ils sont essoufflés, se poussent du coude et ont l'air d'avoir bien rigolé. Paul pose sur une table trois livres écornés.

JEANNE (*encore secouée par un joyeux gloussement*) : Si on m'avait dit, Paul… arrête de me toucher, tu me chatouilles, oh qu'il est coquin… *gloussement…* si on m'avait dit qu'on trouverait son frère un pied en bas de l'escalier et l'autre sur le trottoir, assommé près d'une pile de bouquins…. *Gloussements.*

PAUL : Il avait l'air bien arrangé le frangin, complètement dans les vapes, enfin c'est ce qu'on croyait. Quand on l'a relevé, il s'est mis en colère et je l'ai entendu bafouiller : « ce Pierre est un salaud, il m'a poussé dans l'escalier et j'ai trébuché sur ses bouquins. Qu'il aille au diable avec tous ses livres ».

JEANNE : Il s'est frotté les fesses et alors là… *gloussements…* on s'est aperçu qu'ils les avaient à l'air libre et que son pantalon était mouillé. Il a pris ses jambes à son cou et a failli se le rompre… *gloussements…* vu que son pantalon entravait ses chevilles.

PAUL : Mais Jeanne cesse de faire la dinde, on dirait que tu n'as jamais vu un zizi qui pendouille la goutte au nez.

JEANNE : Tais-toi, tu m'écœures ! Je n'ai vu que son postérieur.

PAUL : Tu n'es pas la seule. On était une dizaine à vouloir le réconforter. Mais il n'a pas demandé son reste. Sitôt rhabillé il s'est enfui en braillant des insanités. Pas sûr qu'il revienne voir son frère.

JEANNE : On a bien fait de l'attendre en bas devant la porte de service. Au milieu de l'escalier, il nous serait aussi bien tombé dessus.

PAUL : On a bien failli monter. Si on avait moins traîné, on l'aurait vu arriver.

JEANNE : Ce n'est pas agréable de flâner dans les rues en ma compagnie ? Je t'ai fait connaître mes boutiques préférées, la petite librairie qui t'a vu sourdre une larme de nostalgie et dans laquelle Pierre ne met jamais les pieds, le cinéma d'art et d'essai qui passe des films de Ken Loach, de Robert Guédiguian, d'Albert Dupontel, des films romantiques de la grande époque de Hollywood, la pâtisserie orientale avec ses baklavas, ses cornes de gazelles, ses halvas au sésame parfumé, ses pommes d'amour, ses gâteaux moule bouche…

PAUL : Je crois que tu t'égares un peu. Ma bouche n'est pas sucrée mais elle est prête à recevoir ta bouchée de chair groseille. (*Il s'assoit dans le fauteuil de Pierre, Jeanne s'assoit sur ses genoux et ils échangent un baiser passionné.*)

JEANNE (*se reprenant*) : On est fou tous les deux. Si Pierre nous surprenait, on serait dans de beaux draps.

PAUL : Je ne demande pas mieux que d'être dans tes draps.

JEANNE : Levons-nous, je n'aurais jamais dû céder à la tentation.

PAUL : Je vais te citer la célèbre phrase d'Oscar Wilde « le seul moyen de se délivrer d'une tentation, c'est d'y céder. Résistez et votre âme se rend malade à force de languir ce qu'elle s'interdit ».

JEANNE : Oui, mais Pierre n'est pas Oscar Wilde et s'il apprend ce qu'il s'est passé il va être malheureux.

PAUL : Il n'y a pas de jalousie entre révolutionnaires et la femme d'un camarade peut devenir la femme d'un autre…

JEANNE *(outrée) :* Attention à ce que tu vas dire. On ne partage pas les femmes comme les brosses à dents même dans une société de camarades.

PAUL : Il n'est pas recommandé de se partager les brosses à dents.

JEANNE : Et les femmes vous pouvez vous les passer comme bon vous semble ? Tu n'es qu'un phallocrate éhonté. Moi je suis féministe et pas seulement socialiste.

PAUL : Tu prêches un converti. Voilà ce qu'écrit Friedrich Engels dans son ouvrage L'origine de la famille, de la propriété et de l'État : « Dans la famille, l'homme est le bourgeois ; la femme joue le rôle du prolétariat ». Paraphrasant Georges Orwell je dirai : tous les hommes sont phallocrates mais certains sont plus phallocrates que d'autres.

JEANNE : Tu es comme Pierre, un vrai dictionnaire de citations que tu débites en tranches à la moindre occasion.

PAUL : Pour qui sait s'en servir, les citations sont des armes de guerre redoutables. Il ne se passe pas une journée sans que je veuille éprouver au moins une fois la jouissance de ferrailler à la pointe de leur mordante ironie.

JEANNE : Tu te mets donc en ordre de bataille s'il me vient l'impudence de défendre la cause des femmes.

PAUL : Il est des combats qui s'apparentent plus à des bagarres d'amoureux qu'à des luttes sans merci. On en tire parfois des plaisirs ineffables.

JEANNE : Quand votre virilité est en jeu, il est significatif que vous mêliez au mot guerre le mot jouissance. Vous vous exprimez aussi bien par le bout de votre épée que par le bout de votre queue.

PAUL : Tu as le sens de la formule. Tu n'as besoin de l'aide de personne pour t'exprimer avec bonheur. Ce compliment mérite bien un bisou fou dans le cou (*il veut l'embrasser, elle le repousse en rigolant*).

JEANNE : Ce n'est pas le moment. Nous jouons avec le feu. Je ne sais pas où est Pierre mais il ne va plus tarder. (*elle aperçoit les livres posés sur la table*) D'où sortent ces bouquins ?

PAUL : Ce sont les livres que son frère a donnés à Pierre. Je ne sais pas pourquoi ils se sont disputés dans l'escalier, en tout cas Pierre lui a bel et bien fait mordre la poussière et les livres n'ont pas trouvé preneur puisqu'ils ont fini sur le pavé. Je les ai ramassés, je préfère les voir attablés que crottés par des chiens.

JEANNE : C'est insensé cette histoire. Pierre sera bien obligé de fréquenter ma librairie s'il veut continuer à enrichir son esprit. (*Elle prend et feuillette un livre*) Hommage à la Catalogne (*elle en saisit un autre*) La Ferme des Animaux (*puis le troisième*) 1984. Que de bonnes lectures. Georges Orwell que tu as cité tout à l'heure est un grand écrivain et un socialiste courageux. Mais ce n'est pas une raison pour qu'ils s'entretuent à son sujet.

PAUL : Ne faisons pas de conclusions hâtives. Nous ne connaissons pas l'origine de leur dispute.

JEANNE (*affolé*) : J'entends Pierre qui monte. Où est-il allé ? Peut-être faire une déposition au commissariat ?

PAUL : Porter plainte contre son frère ? Ça m'étonnerait beaucoup. Ne t'affole pas, nous ne faisons rien de mal. Nous allons enfin avoir une explication.

JEANNE : Non, sortons, mes vêtements sont froissés et tu m'as décoiffée, il va se douter de quelque chose.

PAUL : Tu cherches le grand frisson de la femme prise en flagrant délit d'adultère. Tu as des réflexes de bourgeoise.

JEANNE : Pense ce que tu veux, sortons !

PAUL : Mais par où ?

JEANNE : Viens ! (*Elle pose les livres, le prend par la main et l'entraîne dans la chambre. On entend la trappe se soulever pendant que la porte de l'appartement s'ouvre. Les bruits de pas feutrés qui descendent un escalier sont vite couverts par la voix de Pierre qui apparaît.*)

Scène V
Pierre

PIERRE : Ouh là là je suis éreinté ! Je suis parti à sa recherche dans toutes les rues du quartier et au bout de deux heures je reviens bredouille. Où est-il passé ? Il ne travaillait pas aujourd'hui, il m'a donné rendez-vous dans un bistrot du coin. J'ai attendu, attendu et il n'est jamais venu. J'ai eu beau lui téléphoner plusieurs fois, personne au bout du fil. Tiens, tiens ? Les livres sont sur la table mais quand me les a-t-il apportés ? Ce n'était pas prévu. Et qui les a posés là ? Est-ce qu'il serait monté sans ma permission ? Jeanne a dû lui ouvrir. Jeanne, es-tu là ? Jeanne ?

Il ouvre la porte de la chambre.

Personne !

Le téléphone prend sur lui de sonner. Pierre se précipite sur le combiné.

Allô oui, ah c'est vous ! Oui, je vous écoute. On l'a emmené ? … Qui ça ? … Où ? Vous ne savez pas ? Tâchez d'en savoir davantage. En tout cas merci de votre appel. Oui, vous pouvez me joindre à toute heure du jour et de la nuit. (*il raccroche*) : Il ne manquait plus que ça. Ça ne va pas être facile avec ces gars-là. Bon, je devrais être en train de préparer la réunion avec Paul. Mais où est-il ce chameau ? Avec ma chamelle sans doute.

Perclus de fatigue, il se traîne jusqu'à son fauteuil et s'endort. On n'entend aucune mouche voler ni bêler aucun mouton.

Scène VI
Pierre, Vanessa, Jacques, François, Jeanne, Paul

Dans l'appartement de Pierre et Jeanne.

On frappe à la porte. Pierre tiré de son sommeil va ouvrir d'un mouvement las et se trouve nez à nez avec un trio composé de Vanessa, Jacques et François.

VANESSA : Surprise ! Tu ne t'y attendais pas hein ! Paul nous a dit que ça te ferait plaisir que nous passions à l'improviste tous les trois.

JACQUES : On s'est dit pourquoi pas aujourd'hui, je sais que tu restes à la maison la plupart du temps et comme je connais ton adresse pour être souvent venu sans crier gare, je suis passé chercher les deux autres et nous voilà.

Les amis, voilà où crèche notre bon vieux Pierre. N'est-ce pas joliment arrangé son bel appartement ?

VANESSA : Home sweet home !

FRANÇOIS : On a amené une bouteille de champagne pour fêter l'événement. Tu connais ma propension pour…

PIERRE : C'est que je ne vous attendais pas.

VANESSA : Mais on le sait gros nigaud !

FRANÇOIS : Tu ne vas pas commencer à faire ta tête de révolutionnaire à la noix.

PIERRE (*toujours contrarié*) : Par contre c'est Paul que j'attendais…

JACQUES : Mais il va venir ton Paul, il nous l'a promis. Il est parti chercher Jeanne qui avait rendez-vous chez son coiffeur.

PIERRE : Ouai, on se demande avec qui elle vit !

VANESSA : Mais tu es jaloux !
Si, si, ne dis pas le contraire. Mais il n'y a pas de honte à l'être. C'est humain.

PIERRE (*renfrogné*) : Sais-tu bien ce qui est humain ?

FRANÇOIS : Ah non, tu ne vas pas recommencer ?

On entend une clef tourner dans la serrure, la porte s'ouvre et Paul apparaît, laissant galamment le passage à Jeanne qui virevolte sur elle-même pour laisser découvrir sa nouvelle coiffure. Elle s'approche de Pierre et se frotte contre lui.

JEANNE : Regarde, Pierre, comme je suis belle. Tu ne me fais jamais de compliments. Au moins avec Paul je suis gâtée, je vois dans ses yeux qu'il me trouve belle.

PIERRE : Ta coiffure est moche. On dirait qu'un paysan du moyen-âge a posé sur ta tête un toit de chaume.

VANESSA : Quel goujat macho ! Tu es pire que le plus vulgaire des misogynes d'extrême droite.

JACQUES : Il déteste tout autant les hommes.

FRANÇOIS : Il méprise la grande majorité de ses concitoyens. Cela doit cacher une grande souffrance. Y a-t-il une blessure cachée dans ce petit crâne de piaf déplumé ?

Il lui gratte le menton et souffle dans son cou.

Bois une petite coupe de champagne, ça te fera du bien.

PAUL : Vous avez tort. Pierre aime le genre humain. Les femmes comme les hommes sont pour lui des bijoux de vie à aimer et à défendre.

FRANÇOIS (*une deuxième coupe de champagne à la main*) : Non, c'est un misanthrope qui n'aime que les oiseaux !

N'est-ce pas mon petit moineau duveteux ?

PIERRE : Le misanthrope n'est souvent qu'un humaniste en quête d'une humanité qu'il désespère de jamais rencontrer.

FRANÇOIS (*qui a déjà un coup dans le nez*) : Tu es mon anthropie préférée. Tu es misanthrope, philanthrope, pithécanthrope, lycanthrope… hou. hou… le vilain loup-garou !

PIERRE : Un hibou qui a trop bu avant même d'avoir commencé à hululer, ça donne ça, ce n'est pas très beau à voir et je crois que Paul se fera un malin plaisir à moins que je ne prenne les choses en main de lui faire vider les lieux comme on se débarrasse des moutons de poussière avec un ramasse-miettes.

JEANNE : On va tous se calmer. Je ne connais personne ici qui ne soit pas civilisé. Je vais sortir des verres pour que François ne soit pas le seul à se champagniser tout en devisant sobrement.

PIERRE : Paul, tu n'es pas un camarade fiable. On devait tenir ici une réunion avec les militants du groupe et tu suggères à tes amis de venir à la même heure. À quel jeu retors joues-tu ?

PAUL : J'ai complètement oublié de te prévenir. La réunion est reportée à demain.

PIERRE : Et celui qui accueille la réunion n'est même pas averti ! Bonjour la politesse !
Qui a décidé ce changement sans même daigner m'en parler ?

PAUL (*rougissant de confusion*) : C'est moi ! J'ai prévenu les autres et je devais te passer le message mais tu ne réponds plus au téléphone. Alors j'ai préféré oublier.

PIERRE : Tu aggraves ton cas. Tu as la tête ailleurs, on dirait. Peut-être voudrais-tu te la faire raser chez le coiffeur où Jeanne tient tant à s'enlaidir ?

JEANNE : Tu es méchant et injuste. Paul est un être délicat qui t'aime et te respecte beaucoup. Tu as une énorme valeur à ses yeux.

PIERRE : Une valeur marchande surtout ! Les brochures que j'ai rédigées se vendent comme des petits pains.

FRANÇOIS : Tiens donc, tu trouves preneurs à tes petits pâtés boursouflés d'encre rouge ?
Le rouge c'est bien ta couleur préférée ?

PIERRE : Je crois que le rouge gorge, puisque oiseau je suis à tes yeux, va te chanter un air qui va te rabattre ton caquet définitivement.

VANESSA : On ne peut pas vous laisser ensemble une minute sans que vous sentiez le besoin de déterrer la hache de guerre.

PAUL : Je ne veux pas me fâcher avec toi, Pierre. Et toi, François, ferme là un peu !

Tes jeux de mots mal placés, car placés au service d'une idéologie réactionnaire, ne feraient même pas rire un troupeau de hyènes. Quant à la couleur rouge, je crois que Pierre et moi nous la revendiquons pour la même raison. C'est la couleur du sang et de la révolte. Ce n'est pas pour rien que l'expression voir rouge signifie se mettre en colère. Si les exploités voyaient rouge plus souvent et à bon escient, les exploiteurs finiraient par broyer du noir et à s'abstenir de rire d'eux à tort et à travers.

FRANÇOIS : Misère, je suis vert de peur et je m'en vais cultiver ma couleur dans un verre de champagne qui aura peut-être le goût de l'absinthe.

JEANNE (*qui veut apaiser l'atmosphère*) : À propos de rouge, on va revoir Paul et moi un film que tu as déjà vu et apprécié Pierre, le film Reds de Warren Beatty inspiré de la vie de John Reed et Louise Bryant journalistes et militants communistes américains, témoins et admirateurs de la révolution bolchevique de 1917.

JACQUES : Ah oui, ce coco-là a écrit un ouvrage sur la révolution russe. Il était aux premières loges pour la décrire. Son livre « Dix jours qui ébranlèrent le monde » raconte la prise du pouvoir par les bolcheviks sous la direction de Lénine.

PAUL : Il avait auparavant écrit un livre sur la révolution mexicaine « le Mexique insurgé ». Il a suivi l'armée de Pancho Villa.

JEANNE : Louise Bryant était une ardente féministe. Elle a écrit un livre sur la révolution russe intitulé « six mois rouges en Russie ».

VANESSA : Ils ont vécu une vie de bohème artistique et politique à Greenwich Village, fréquentant entre autres le dramaturge Eugène O'Neill qui aura d'ailleurs une relation romantique avec Louise.

C'était un peu l'amour libre dans ces milieux-là et ils rejetaient l'institution du mariage.

PAUL : Ils ont bien connu l'anarchiste Emma Goldman qu'ils ont fréquentée aux États-Unis puis en URSS.

John Reed était un fervent socialiste qui soutenait par ses articles les grèves des ouvriers américains C'était un pacifiste convaincu qui militait contre l'entrée en guerre des USA lors la Première Guerre mondiale.

PIERRE : Je tiens à rendre un hommage appuyé à Emma Goldman qui expulsée d'Amérique vers la Russie en 1919 a d'abord soutenu la révolution russe puis s'apercevant de la nature réelle du pouvoir bolchevique a mis toute son énergie pour faire comprendre aux masses que les bolcheviks étaient une caste dictatoriale agissant par la terreur et l'oppression la plus éhontée. Je vous recommande la lecture de son texte « il n'y a pas de communisme en Russie ».

Il faudrait pouvoir en retenir des passages entiers tellement sa démonstration est percutante et sensée. De mémoire j'en dirai quelques phrases, celle-là par exemple : « il y a davantage de classes dans la Russie soviétique d'aujourd'hui que dans celle de 1917 et que dans la plupart des autres pays du monde ».

FRANÇOIS : Ah c'qu'on s'emmerde ici ! Il n'y a que de grandes phrases qui ne veulent pas dire grand-chose…

PIERRE : Et celle-là : « un système économique basé sur le salariat ne peut être considéré comme ayant le moindre lien avec le communisme. Il en constitue son antithèse ».

FRANÇOIS : Y a-t-il une antichambre pour se réfugier hors de cette pièce ?

PIERRE : Et pour conclure : « il est désormais indéniable que la Russie soviétique est politiquement un régime de despotisme absolu, et économiquement la forme la plus crasseuse du capitalisme d'État ».

FRANÇOIS : À mon tour je vous recommande la lecture du communisme pour les nuls, du socialisme pour les nuls, du capitalisme pour les nuls, du sadomasochisme pour les nuls, de l'onanisme pour les nuls, de l'anévrisme pour les nuls, du sophisme pour les nuls, les malheurs de Sophie étant toujours intéressant à relire et du traumatisme pour les nuls car je viens de subir un trauma important.

VANESSA : Pauvre vieux ! À ton âge, tu devrais prendre des cachets antinullissimes. C'est à base de graisse de saindoux et de semoule de blé dur.

FRANÇOIS : Tu es une parfaite cuisinière mais je me contenterai d'une mixture composée d'une bouillie de vos matières grises en plein fonctionnement idéologique. Ça me vaccinera contre les futures réunions.

PIERRE : Paul, te considères-tu le Eugène O'Neill de mon couple ?

VANESSA : C'est la jalousie qui parle.

FRANÇOIS : Attention, ça va barder les gars.

PAUL : Une invitation au cinéma n'est ni une demande en mariage ni une incitation à coucher.

FRANÇOIS : Qu'est-ce qui est le plus grave, je vous le demande ?

JACQUES : Ne soyons pas soupe au lait. Je pense que Pierre est vexé de n'être pas associé à cette sortie cinématographique.

PIERRE : Paul est mon ami. Il fait ce que bon lui semble. J'ai juste besoin de savoir où j'en suis avec Jeanne.

JEANNE : Mais tu en es au même point qu'avant que je rencontre Paul.

FRANÇOIS : Les bons comptes font les bons amis. Paul, doit-on te compter parmi les amants de Jeanne, et je dirai même plus, comptes-tu pour elle ? Non mathématiquement, s'entend.

PIERRE : Ça suffit, François ! Si Paul est un ami, toi, tu peux t'estimer être un ennemi.

FRANÇOIS : Suis-je plus un ennemi que Lénine est un ami ?

PIERRE : Je dirai que tu as l'honnêteté de ne pas cacher le camp auquel tu appartiens. Celui des réactionnaires. Bien qu'à mon avis tu n'aies jamais fait de mal à une mouche.

Ce qui n'est pas le cas de Lénine qui a fait massacrer des centaines de milliers de Russes qui ont juste eu le malheur de ne pas plaire à Sa Majesté le soi-disant révolutionnaire. Les rois supportaient leurs fous. Lui n'a supporté que le fantôme de Marx qui le hantait sur les remparts du Kremlin. À Marx qui parlait de dictature du prolétariat il a préféré son ego qui prônait la dictature sur le prolétariat. Cette clique qui a pris le pouvoir et instauré le capitalisme d'État a trahi d'une manière inexcusable la pensée de Marx. (*Il regarde bizarrement Paul*) : Pas de pitié pour les traîtres !

JACQUES : Marx est donc blanc comme neige ?

PIERRE (*en regardant Paul*) : Personne n'est absolument blanc comme neige. Sans entrer dans les détails, le conflit entre Marx et Bakounine et leurs partisans respectifs a fait beaucoup de mal à la 1re Internationale qui a fini dans la scission avant de disparaître.

L'écrasement de la Commune de Paris n'a pas arrangé les choses.

Le but des uns et des autres était le même. Mais les moyens d'y parvenir étaient différents. Faut-il opposer l'intelligence de Marx, sa puissance de réflexion et son dévouement sincère à la cause du socialisme à la clairvoyance, à la lucidité et au même dévouement de Bakounine, je ne crois pas. À la lumière de tout ce qui s'est passé, il faut les réunir en gommant tout ce qui chez l'un et l'autre apparaît entaché d'erreurs et en précisant bien que nul ne détient la vérité.

Quant aux successeurs et disciples…

FRANÇOIS : Ne parlons pas des disciples. Je suis moi-même un disciple, le disciple de Crésus. Quand je ne bois pas de riches liqueurs aux couleurs dorées, je m'abreuve à la rivière Pactole. C'est une sorte de baptême mille fois répété et je n'ai scissionné qu'une seule fois dans ma vie quand le Pactole s'est coupé malencontreusement en deux. Ne pouvant pas être à la fois au four et au moulin, j'ai choisi dans un premier temps le moulin qui charriait l'or de la rivière et dans un deuxième temps le four qui le fondait. Le plus dur n'est pas de se scinder en deux mais de réussir après coup la fusion. Ce que n'ont pas réussi à faire si je comprends bien, marxistes et anarchistes.

PAUL : Ton don manqué d'ubiquité est une preuve flagrante d'un manque regrettable d'humilité.

PIERRE : Votre humour à deux balles qui se rejoignent dans un même barillet ne peut pas me laisser indifférent aussi c'est avec un plaisir renouvelé que je vais terminer mon propos.

FRANÇOIS : Et si on parlait d'amour. Je connais une chanson qui raconte l'histoire d'un vieil homme délaissé par sa jeune épouse et qui pour la reconquérir lui offre un jeune amant…

VANESSA : Laisse parler Pierre. Tu raconteras ta vie amoureuse après.

JACQUES : La politique et le pouvoir, l'amour et le sexe, la propriété et l'argent, l'homme et la femme. Voilà quatre couples siamois qu'on ne peut désunir sous peine de mort foudroyante.

PAUL : Le deuxième et le quatrième sont inhérents l'un à l'autre et sont bien sûr immuables. Le premier et le troisième sont justement les objets de notre détestation.

PIERRE : Et de notre volonté de suppression.

JACQUES : Voilà, c'est reparti.

PIERRE : Il existe un couple dont on doit supprimer un seul élément. Le capitalisme choie ce couple, il tient à lui comme à la prunelle de ses yeux. Le premier élément lui est indispensable pour se perpétuer : c'est la valeur d'échange. Le deuxième élément caractérise le genre humain : c'est la valeur d'usage. Il n'est pas question de s'en débarrasser à moins de faire des hommes des larves qui ne pensent plus et n'agissent plus.

La valeur d'échange qui caractérise le capitalisme comme société marchande basée sur le salariat, nous n'en laisserons pas une miette. On ne reviendra pas au troc bien entendu.

FRANÇOIS : Oh, que vous êtes barbants tous les deux quand vous vous y mettez. Vous avez sûrement des valeurs en commun et peut-être même des choses à vous reprocher mais le besoin et l'envie d'endormir vos contemporains ne vous quittent ni l'un ni l'autre.

PAUL (*soucieux*) : Qu'avons-nous à nous reprocher ? Je n'ai rien à reprocher à Pierre.

FRANÇOIS : Je ne sais pas, à vous de voir. J'essaie de mettre de la zizanie dans votre couple, comme entre marxistes et anarchistes. Qu'en penses-tu, Pierre ?

PIERRE : Il n'est pas facile de penser en ta présence.

FRANÇOIS : Je pensais qu'en présence des sots, les imbéciles étaient intelligents. Bon, j'en ai assez entendu pour la semaine. Je vous quitte en bons termes avec moi-même et j'ai l'impression que votre plaisir de vivre est en berne. J'ai peur que ce ne soit contagieux. Avant qu'il ne soit trop tard, je rebrousse chemin et vous claque la porte aux nez. Je vous laisse en charmante compagnie, il reste un fond de champagne. (*Il sort.*)

Scène VII
Jacques, Pierre, Jeanne, Vanessa, Paul

Même lieu.

JACQUES : Va courir après lui, Pierre. C'est la première fois que je le vois fâché à ce point. Tu ne te rends même plus compte de ce que tu dis aux gens. Vite, rattrape-le avant qu'il n'atteigne la rue. Mais qu'est-ce que tu attends ?

PIERRE : Je n'attends rien ni personne. Et je n'aime pas qu'on me donne des ordres !

JEANNE : Comme tu peux être désagréable et autoritaire. Tu files un mauvais coton.

Tu m'as fait peur quand tu nous as assené : « pas de pitié pour les traîtres ! »

JACQUES : Jeanne a raison. Si par malheur un jour tu arrivais au pouvoir, je crains fort que tu te comportes comme un Lénine bis. Ce serait une affreuse mascarade.

PIERRE : Je n'ai pas du tout l'intention de prendre un jour le pouvoir.

JACQUES : C'est ce que disent tous ceux qui veulent y accéder.

VANESSA : Il n'y a que le premier pas qui coûte.

PIERRE : Arrêtez tous avec vos procès d'intention. Lénine attribuait tous les pouvoirs à un parti qui savait mieux que les prolétaires ce qu'il fallait pour les prolétaires.

Sa conception du centralisme démocratique qui accordait tous les pouvoirs de décision à un parti qu'il nommait prolétarien est aux antipodes de mes idées. Si j'en arrivais à l'imiter, ce serait évidemment une sinistre farce. Vous auriez alors le droit de me combattre.

JACQUES : Le droit oui, mais pas le pouvoir. Ceux qui ont tenté de s'opposer à Lénine, tels les socialistes révolutionnaires ou les anarchistes ont été liquidés. Trotsky et son armée dite rouge ont été diablement efficaces. Les marins de Kronstadt en savent quelque chose. Tu vois, Pierre, j'ai révisé tes classiques.

JEANNE : Qu'en penses-tu Paul ? Tu ne dis rien. Je te trouve bien songeur.

PAUL : Que voulez-vous que je vous dise ? Je pense à une phrase de Hegel reprise par Marx.

VANESSA : Dis-nous quelque chose de concret. Ne t'envole pas dans des brumes philosophiques.

PAUL : Ce ne sera pas long. Voici sa phrase : « Tous les grands événements et personnages historiques se répètent pour ainsi dire deux fois ». Phrase que complète Marx : « il a omis de préciser que la première fois est toujours une tragédie, et la seconde fois, une farce. » Il mettait en relation le coup d'État du 18 Brumaire du général Bonaparte, Napoléon de son prénom, et le coup d'État de son neveu le 2 décembre 1851, qui deviendra plus tard, Napoléon Ill et qu'il considère être une fausse révolution.

VANESSA (*elle lève son verre de champagne en s'adressant à Pierre*) : Longue vie à toi, Lénine II !

PIERRE : Merci encore une fois pour la comparaison. Mais le Lénine II s'est appelé Staline. Et il est la conséquence logique du Lénine I, Vladimir Illitch Oulianov.

VANESSA : Arrêtez avec vos savantes digressions.

JEANNE : Quand je pense que je baise avec le petit fils de Lénine, ça me donne la nausée !

VANESSA : Ma pauvre Janivira Illusionievna Nausieva !

PIERRE : C'est d'un comique à se taper le ventre par terre et la farce sera alors jouée. Je pense d'ailleurs que l'on peut inverser le raisonnement. « La première fois est toujours une farce et la seconde fois une tragédie ».

JEANNE : C'est renversant ! À quoi ou à qui tu penses ?

PIERRE : Je ne sais pas si l'exemple est bien choisi mais je n'en trouve pas d'autres qui me viennent à l'esprit. Les accords de Munich en septembre 38 sont une piteuse et cynique farce qui amènera un an plus tard au déclenchement de la Seconde Guerre mondiale.

PAUL : Cet exemple me convient. Piteuse farce pour le camp allié et cynique farce pour le camp germano-italien auquel on doit rajouter le 3e larron soviétique. Je n'entrerai pas dans les détails.

VANESSA : On préfère pas, hein ma Nausilov ?

JEANNE : Comment retenir les leçons de l'histoire ?

JACQUES : Eh bien pour te répondre je vais à mon tour apporter ma touche érudite, je vais citer un aphorisme célèbre de l'écrivain et philosophe américain George Santayana : « Ceux qui ne peuvent se souvenir du passé sont condamnés à le répéter. »

VANESSA : Bien dit ! Good Fellow ! Vivons l'instant présent, après nous le déluge.

JEANNE : C'est égoïste ce que tu dis, il faut penser aux générations futures.

VANESSA : Est-ce que les générations futures pensent à nous ? Non ! Est-ce que nos ancêtres pensent à nous ? Non !

JEANNE : C'est absurde ce que tu dis. Tu as perdu la raison. Tu ferais un beau couple avec Pierre.

VANESSA : Je ne dis pas non. Pierre, es-tu prêt à vivre avec moi une histoire qui finira en farce ou en tragédie ?

PIERRE : Comme on dit chez Hegel les couples heureux n'ont pas d'histoire. Donc, ne vivons pas d'histoire !

VANESSA : Ah bon, il a dit ça Hegel ! Poor little silly man !

PIERRE : Non, il n'a pas dit ça exactement. Il a dit que les peuples heureux n'ont pas d'histoire. Mais il sait que ces peuples-là n'existent pas car le conflit est le moteur de l'histoire des peuples qui n'ont connu que le malheur. J'ajouterai que bien des peuples dépossédés de leur histoire en ont perdu la mémoire.

JEANNE : Il y a donc des limites à la puissance du moteur.

PIERRE : Tout dépend de qui tient le volant. L'histoire de toute société jusqu'à nos jours n'a été que l'histoire de luttes de classes. Dixit le Maure.

VANESSA : C'est qui le Maure ?

PIERRE : C'est le surnom que ses proches donnaient à Karl Marx à cause de son teint basané et de sa judéité.

VANESSA : J'ai bien connu la lutte des classes quand j'ai commencé ma carrière d'enseignante dans une banlieue difficile de Manchester.

PAUL : Manchester, c'est la ville dont parle Engels dans son fameux livre « la situation de la classe ouvrière en Angleterre ». Il y décrit la vie laborieuse et misérable des prolétaires.

VANESSA : My God ! Il faut toujours que vous vous réfugiiez dans des références livresques tous les deux. Toutes ces histoires sordides m'emplissent d'un spleen abyssal. L'histoire de tous ces mouvements sociaux ne vous lasse donc jamais ?

PAUL : Toi qui es professeur de littérature anglo-saxonne, tu devrais jeter de temps en temps un coup d'œil à l'histoire sociale des pays de langue anglaise.

VANESSA : Tu me prends pour une inculte ? Si c'est le cas, raconte-moi des histoires de cul.

JEANNE : Eh bien, Vanessa, tu te crois dans le boudoir du marquis de Sade ?

VANESSA : Tu crois que ce petit homme mérite sa place dans la grande Histoire ?

JACQUES : La grande Histoire, la grande Affaire ! On peut faire dire à l'Histoire tout ce que l'on veut.

PIERRE : Il y a la conception matérialiste de l'Histoire.

VANESSA : The Story is not finished ?

PIERRE : Et il y a la conception des Grands Hommes de Thomas Carlyle.

VANESSA : I read his Book. « Les héros, le culte des Héros et l'héroïque dans l'histoire ». Avec un titre comme ça, il nous prend pour des zozos. La société, écrit-il, est travaillée d'une métamorphose éternelle et les héros sont les agents de cette transformation. Cette affirmation m'avait tellement pris la grosse tête que je me suis prise pour une héroïne.

PAUL : Don't worry ! Dans son délire un héros adulé par la foule finit par être remplacé par un autre héros adulé par une autre foule. Il y a un cycle des héros comme il y a un cycle des cheveux.

JEANNE : Pensait-il que des dictateurs tels qu'on en a vu au XXe siècle pourraient se retrouver dans ce cycle des héros ?

PAUL : Carlyle, esprit iconoclaste et ennemi des Lumières, rejetait aussi bien la démocratie qui remplaçait l'ancien régime que le capitalisme qui exploite les prolétaires. Sa vision des choses est assez paradoxale. Il veut à la fois des dirigeants charismatiques et des peuples qui ne soient pas exposés aux rigueurs du monde capitaliste.

Il n'aimait pas son époque car il attendait un cycle qui engendrerait un nouveau héros.

JACQUES : Et ses héros sont…

PIERRE : Odin, Mahomet, Luther, Cromwell, Frédéric II de Prusse, Napoléon, Shakespeare.

VANESSA : Shakespeare le seul qui m'inspire de l'admiration.

JEANNE : Il se mord la queue, quoi.
Il veut un nouveau messie qui apparaîtrait tous les 36 du mois ?

PIERRE : Je dirais qu'il refuse aussi bien l'avènement du capitalisme que son remplacement par le socialisme.

VANESSA : Tu veux dire qu'il avait le cul entre deux chaises ?

PIERRE : Qui ne l'a pas ?

JEANNE : Tu as toujours préféré le fauteuil car tes fesses sont ambiguës et réclament une assise très large.

VANESSA : Qui connaît cet artiste anglais du XIXe siècle qui savait si bien sur quel siège poser ses fesses ? Si je vous donne deux indices : initiateur des mouvements Arts and Crafts et auteur de l'utopie socialiste News from Nowhere, vous me dites….

JACQUES : Laissez-moi répondre, vous les deux érudits. Je le connais, j'ai son nom sur le bout de la langue… il s'appelle… il s'appelle… Norris quelque chose… ça y est, je l'ai.. Malcolm Norris…

PIERRE : Ta mémoire te joue des tours. Ton cerveau est trop rempli d'articles de lois. Tu as une vague réminiscence et c'est déjà beaucoup.

JACQUES : Ne sois pas condescendant. Je connais la vie artistique bien mieux que tu ne le supposes. Il a embelli l'intérieur des riches mais il ne demandait pas mieux que les belles choses profitent à tout le monde.

Il a œuvré en ce sens une bonne partie de sa vie. Il détestait l'art victorien. Il voulait que l'utile soit beau et que la vie soit poétique.

VANESSA : Mais oui, Pierre, Jacques peut t'en apprendre plus que tu ne penses. Tu te moques d'un oubli de nom, ce n'est pas bien grave. William Morris a inspiré aussi bien les arts picturaux et architecturaux que la poésie et les récits de fantasy. Tolkien a reconnu qu'il lui devait beaucoup. C'était un ami des peintres préraphaélites. Tu vois j'en connais aussi un rayon. Ow, je commence à avoir chaud.

I am starting to get hot.

PAUL : Et je ne laisse pas, Pierre, reprendre la parole. William Morris était un socialiste libertaire infatigable. Dans ses discours et conférences, il prône l'amélioration des conditions de vie des travailleurs et tout bien considéré la lutte des classes. Son amour de la nature et son écœurement devant sa beauté saccagée en font un écologiste avant l'heure. Il faut lire Nouvelles de Nulle Part qui est une évocation, certes rêvée, d'un communisme bucolique

qui pourrait devenir réelle si on appliquait le souhait de Karl Marx « de chacun selon ses capacités, à chacun selon ses besoins ».

PIERRE : Je crois qu'il vaut mieux que je me taise. (*Sonnerie du téléphone.*) Excusez-moi !

(*Il baisse la voix et s'éloigne.*)

Acte V

Scène I
Professeur Harro, Monsieur Prazoc, Tubar

Une salle aux murs tout blancs, deux chaises, un lit, une table, une armoire, une fenêtre grillagée où passe une lumière blafarde.

Les deux chaises sont occupées par deux hommes qui se font face.

PROFESSEUR HARRO : Bien... Bien... Bien...

Récapitulons. Vous êtes né un 28... de quel mois déjà ?

Monsieur Prazoc veut répondre mais le Professeur l'en empêche.

Non... Non... Non... Ce n'est pas la peine et ce n'est pas le sujet. Je me fiche complètement de connaître votre pedigree de naissance.

On vous a remis entre mes mains après une longue séance de rééducation alcoolique et je vois que ça ne vous a pas trop réussi. C'était pourtant bien simple à réussir cette épreuve. On vous a fait goûter différentes boissons diverses et variées à base de whiskies américains et de vodkas russes. Ce n'était pourtant pas la mer à boire.

MONSIEUR PRAZOC : Je ne bois en temps ordinaire que de l'eau ou...

PROFESSEUR HARRO : Aïe... aïe... aïe... si c'est pas malheureux.

MONSIEUR PRAZOC : Ou des vins rouges, Bordeaux, Bourgogne, Anjou, des vins blancs quelquefois. Mais seulement à certaines occasions festives.

PROFESSEUR HARRO : Ces breuvages sont faits pour des femmelettes. Ici nous préférons, le whisky, la vodka, à défaut le saké.

MONSIEUR PRAZOC : Je me demande ce que je fais dans cette salle de torture au lieu d'être dans ma pharmacie. Mon personnel et mes clients doivent s'inquiéter de ma disparition et je suppose que mes proches ne sont pas restés inactifs et ont dû alerter la police qui a sûrement déclenché des recherches.

PROFESSEUR HARRO : La police ! Nous y voilà. Elle n'a rien déclenché du tout. Quant à votre officine, elle fonctionne à merveille, elle n'a jamais aussi bien fonctionné. On vous a trouvé un remplaçant en attendant… (*silence. Le Professeur pousse un soupir amusé*).

MONSIEUR PRAZOC (*anxieux*) : En attendant…

PROFESSEUR HARRO : Pas Godot… ni Godefroy de Bouillon… Peut-être Prazoc de Whisky.

MONSIEUR PRAZOC : Je ne comprends rien à vos élucubrations. Vous êtes cinglé !

PROFESSEUR HARRO : Ah pas de ça chez moi. Car vous êtes chez moi, vous m'entendez, ou c'est tout comme.

MONSIEUR PRAZOC : On m'a enlevé et si vous n'y êtes pas pour quelque chose je veux bien qu'on m'appelle godemiché et compagnie. Vous êtes un barbouze et si vous ne me libérez pas immédiatement il va vous arriver un grand malheur. Les gens qui me soutiennent ne sont pas des enfants de chœur et si…

PROFESSEUR HARRO : Et si.. et si… et si… Et si ma mère était mon père je ne serais pas né et je ne serais pas là à vous parler.

MONSIEUR PRAZOC : Et ça n'aurait pas été une grande perte. Vous me séquestrez illégalement. Même dans la société capitaliste il y a des lois à respecter.

PROFESSEUR HARRO : Nous y voilà. J'attendais votre envolée idéologique et je vais enfin savoir ce que vous avez dans le ventre.

MONSIEUR PRAZOC : Vous n'allez rien savoir du tout car je ne vais rien vous dire.

PROFESSEUR HARRO : Vous ne pourrez pas vous empêcher de me dire ce que vous avez sur le cœur.

MONSIEUR PRAZOC : Si vous me faites boire de force vos élixirs de lente agonie, je finirai par m'assoupir et vous en serez pour vos frais.

PROFESSEUR HARRO : Savez-vous bien qui je suis et vous doutez-vous de quel bois je me chauffe quand je veux parvenir à mes fins ?

MONSIEUR PRAZOC : Vous voulez faire l'important mais vous cesserez de m'importuner dès que vous aurez connaissance de la qualité de mes soutiens.

PROFESSEUR HARRO : Je suis le professeur Harro, diplômé universitaire de psychologie politique et pharmacologique.

MONSIEUR PRAZOC : Ça me fait une belle jambe.
Harro sur le baudet !

PROFESSEUR HARRO : Arrow en anglais signifie flèche et la mienne est empoisonnée. Vous êtes actuellement en rétention administrative dans le centre de rééducation sociale et de redressement civique. Mes collègues du CABA vous ont fait passer des tests dits tests aux liqueurs qui n'ont pas été concluants. Ces tests de mon invention que j'ai pris la peine de faire breveter sont d'une rare innovation. Ils ont pour but de connaître vos opinions politiques. Si vos préférences vont au whisky, vous êtes capitaliste, si vos préférences vont à la vodka vous êtes communiste, si vous préférez le saké vous êtes tiers-mondiste. Ces tests sont infaillibles mais malheureusement pour vous, vous n'aimez pas les alcools forts. Je vais être obligé de sévir.

MONSIEUR PRAZOC : Vous êtes un novateur profondément nouveau et votre magasin des nouveautés est si achalandé que j'en reste comme deux ronds de flan.

PROFESSEUR HARRO : Vos moqueries vont vous rester dans la gorge car je vais vous injecter pas plus tard que maintenant une dose d'A.G.B.A.G.A. Quel est votre poids ?

MONSIEUR PRAZOC : C'est quoi cette plaisanterie ?

PROFESSEUR HARRO : Je répète ma question. Quel est votre poids ?

MONSIEUR PRAZOC : Je ne vous répondrai pas. Je ne suis pas une balance.

PROFESSEUR HARRO : Si vous voulez jouer au plus fin avec moi, vous risquez de perdre jusqu'au souvenir de votre existence.

MONSIEUR PRAZOC : Jouer au plus fin avec vous est un jeu d'enfant. Vous êtes deux fois plus gros qu'une vessie de porc même si votre tête contient peu de cervelle.

PROFESSEUR HARRO : Tant pis pour vous. Au jugé je dirai que vous êtes en début d'obésité. Un bon 90 kgs. À raison d'1 mg/kg, je vais vous administrer 90 mg d'A.G.B.A.G.A.

MONSIEUR PRAZOC : Pas touche ! Je ne me laisserai pas faire par un pharmacologue de quincaillerie. Je suis pharmacien et je ne connais pas votre substance agbaba. Vous êtes un dangereux personnage plein de fiel. Vous êtes le deuxième charlatan que je rencontre en quelques jours.

PROFESSEUR HARRO : Vous avez tort de me traiter de charlatan. Je vais vous prouver le contraire. Cette substance découverte par hasard par des chimistes du département de recherche de sociologie moléculaire est un I.S.R.E. Je vais traduire car je sens que vous êtes un néophyte en pharmacologie.
C'est un inhibiteur spécifique de la recapture d'esclavagine.

MONSIEUR PRAZOC : Voyez-vous ça ! Il y a un médiateur biochimique de la soumission maintenant. Vous avez trouvé ce concept tout seul ?

PROFESSEUR HARRO : Je ne peux pas tout trouver moi-même. Je vous confirme le mode d'action et les effets secondaires. L'agbaga augmente le taux d'esclavagine dans le cerveau.

MONSIEUR PRAZOC : Votre esclavagine c'est tout simplement le bourrage de crâne.

PROFESSEUR HARRO : Je ne vous le fais pas dire. L'agbaga bourre le cerveau d'esclavagine mais attention au surdosage. À doses trop élevées le cerveau se réveille, se révolte, se révulse, et l'implosion est inévitable.

MONSIEUR PRAZOC : C'est beaucoup mieux que les antidépresseurs. Quelle est la formule de votre abgaga ?

PROFESSEUR HARRO : Je vois que votre curiosité scientifique n'est pas morte. Je prends acte de votre bonne volonté. Mais ne déformez pas son nom. C'est de l'agbaga. Sa formule complète est la suivante : Acide GammaButyroAspartoGlutamoAphasique.

MONSIEUR PRAZOC : Vous voulez me rendre aphasique ? Avec quoi ? Avec une molécule qui n'existe pas ?

PROFESSEUR HARRO : Je ne veux surtout pas vous rendre aphasique puisque je veux vous faire parler. Je veux vous rendre obéissant.

MONSIEUR PRAZOC : Parlons peu, parlons bien. Parler de quoi ?

PROFESSEUR HARRO : Attendez, je vous fais l'injection et on en reparle après. Quel poids déjà ? À vue d'œil 60 kgs, à vue de nez, disons 21 grammes. Vous avez mis quel parfum ?

MONSIEUR PRAZOC : C'est une odeur de vomi. Vos barbouzes m'ont fait boire trop d'alcools. Même avec l'entonnoir, je ne gardais plus rien.

PROFESSEUR HARRO : Ce sont parfois des brutes. J'en parlerai à mon indic.

MONSIEUR PRAZOC : C'est qui votre indic ?

PROFESSEUR HARRO : C'est moi qui pose les questions. Je vais d'ailleurs commencer par vous en poser quelques-unes, le temps que l'odeur se dissipe. Du vomi ! J'aurai pourtant parié pour un mélange de musc naturel, de rose trémière, de valériane et de patchouli.

Bon, on va commencer doucement. Vous répondez uniquement par oui ou par non. Où sont mes feuilles, les voilà… Je commence.

Êtes-vous adepte des idées de… Clovis ?

MONSIEUR PRAZOC : Qu'est-ce qui cloche chez vous ?

PROFESSEUR HARRO : Répondez !

MONSIEUR PRAZOC : On lui a cassé un vase à Soissons.

PROFESSEUR HARRO : Et donc ?

MONSIEUR PRAZOC : Et donc rien !

PROFESSEUR HARRO : Pour ou contre ?

MONSIEUR PRAZOC : Contre quoi ? Le vase ? Clovis ?

PROFESSEUR HARRO : Préparez votre bras !

MONSIEUR PRAZOC : Non !

PROFESSEUR HARRO : Non, vous n'êtes pas adepte alors ?

MONSIEUR PRAZOC : Non, je ne veux pas d'injection !

PROFESSEUR HARRO : Bon, je mets non pour Clovis. Êtes-vous adepte des idées de Charlemagne ?

MONSIEUR PRAZOC : J'espère qu'on ne vous paie pas avec nos impôts. Vous n'allez pas faire défiler tous les rois de France ? C'est qu'il y en a un paquet. Je réponds non à l'avance à toutes vos questions.

PROFESSEUR HARRO : Êtes-vous…

MONSIEUR PRAZOC : Non… Non… et Non !

PROFESSEUR HARRO : Non, ma question est, êtes-vous droitier ou gaucher ?

MONSIEUR PRAZOC : C'est pour savoir si je suis de droite ou de gauche ?

PROFESSEUR HARRO : Non, c'est pour le choix du bras !

MONSIEUR PRAZOC : Vous n'allez pas me faire le coup de l'injection à chaque fois que ma réponse ne vous satisfera pas. De toute façon votre produit est inopérant. Mon cerveau sécrète une enzyme naturelle, l'esclavaginase, qui pour parler en langage publicitaire a une action 2 en 1. Cette enzyme s'oppose à la synthèse de l'esclavagine et accélère sa dégradation.

PROFESSEUR HARRO : C'est quoi cette histoire ? Votre enzyme ne peut pas fonctionner. La formule de l'esclavagine est tenue secrète dans un coffre-fort assermenté. Votre cerveau ne peut pas sécréter une enzyme en vue de la détruire alors qu'il ne connaît pas sa formule. Les autorités compétentes se garderont bien de la dévoiler.

MONSIEUR PRAZOC : Votre esprit non scientifique vient d'être mis à jour. Les organismes vivants font leur tambouille tout seuls, ils n'ont pas besoin de connaître les formules des substances qu'ils fabriquent ou détruisent. Une molécule biochimique, quelle qu'elle soit, ne pense pas par elle-même. Vous faites un anthropomorphisme déplacé.

PROFESSEUR HARRO : Vous êtes un affreux gauchiste et votre langage ésotérique ne réussira pas à me donner le change. Quel est le nom de votre groupe subversif ? Vous êtes quoi, trotskyste, maoïste, castriste, sandiniste, anarchiste, nihiliste ? Répondez par oui ou par non à chacune de mes questions.

MONSIEUR PRAZOC : Vous êtes un drôle d'inquisiteur, une pâle copie de Fouquier Tinville et vous ne méritez qu'un opprobre modéré. Ressaisissez-vous et je passerai l'éponge.

PROFESSEUR HARRO : Remontez votre manche et ne faites pas d'histoires. Ça va brûler un peu mais tant pis pour vous. Je compte jusqu'à trois.

MONSIEUR PRAZOC : Que voulez-vous savoir au juste ? Vous tournez toujours autour du pot, vous posez des questions qui ne veulent rien dire d'après un questionnaire farfelu. Je ne pourrai pas vous en dire plus après votre injection si vous ne savez pas où vous voulez en venir.

PROFESSEUR HARRO : Êtes-vous prêt à vous soumettre à toutes les lois de la société ?

MONSIEUR PRAZOC : Êtes-vous prêt à admettre que je n'ai enfreint aucune loi ?

PROFESSEUR HARRO : Que pensez-vous de l'organisation de la société, de son régime politique, de ses institutions tant civiles que militaires, de ses médias, de sa vie culturelle et scientifique et des petites gonzesses qui font les gros titres des journaux ?

MONSIEUR PRAZOC : Ah, vous voulez une interview, il fallait le dire.

Eh bien je vais vous dire ce que j'en pense. Nous vivons dans une société sans foi ni loi. Une société où l'État est tout et l'individu n'est rien. Alors qu'il faudrait que ce soit le contraire. L'État est fort parce qu'avant même de montrer ses muscles, il est déjà dans la tête de tout le monde. Dès notre plus jeune âge nous sommes sous son influence. Son matraquage idéologique provient d'innombrables sources, familiale, scolaire, politique, publicitaire, médiatique, professionnelle et même artistique.

PROFESSEUR HARRO : Hum… hum… Dès le plus jeune âge… Eh bien dites donc… Un bambin sait à peine marcher qu'il se dit déjà dans sa petite tête : l'État c'est moi. Celle-là on ne me l'avait jamais faite. Je suis scié, cassé en deux, plié en quatre. Il faut que je récupère.

MONSIEUR PRAZOC : Bien sûr que non, il ne se dit pas ça. D'abord il gazouille, fait des monosyllabes, et ne se préoccupe que de lui et de son environnement immédiat. Mais déjà l'État s'occupe de lui par l'intermédiaire de ses parents. Mais gare à lui si ses parents pour une raison ou une autre, bonne ou mauvaise, sont jugés indignes aux yeux de l'État. Dans ce cas, l'État devient parents par procuration et il sera transbahuté de familles d'accueil en centres d'hébergement.

PROFESSEUR HARRO : Et quand il pourra dire, excusez l'expression, merde à ses parents, il pourra dire merde à l'État ?

MONSIEUR PRAZOC : Pas du tout. La famille est ou devrait être le premier havre de paix. L'État est la première forteresse de discorde. L'évolution de la jeunesse varie en fonction de facteurs sociaux, économiques et bien sûr familiaux. Pour reprendre une phrase de Georges Orwell et l'adapter à notre exemple : tous les jeunes sont égaux mais il y en a qui sont plus égaux que d'autres. On peut remplacer le mot jeune par beaucoup d'autres mots : vieux, femmes, enfants, etc..

Pauvres et riches ne rentrent pas dans cette phrase. Mais pauvres ou riches ont dans leurs yeux les yeux de l'État qui les observe avec plus ou moins de bienveillance. Suivez mon regard.

PROFESSEUR HARRO : Big Brother nous regarde !

J'ai réussi à vous faire dire que vous êtes un adepte des idées de Georges Orwell.

MONSIEUR PRAZOC : L'idée de l'État étant dans la tête de tout le monde, chacun regarde l'autre avec les yeux de l'État, avec plus ou moins d'intensité.

PROFESSEUR HARRO : Vous êtes anarchiste, je m'en doutais !

MONSIEUR PRAZOC : Non, je suis communiste.

PROFESSEUR HARRO : Elle est bien bonne celle-là, c'est la meilleure ! Que faites-vous là, vous devriez être au Goulag, en tant que prisonnier ou surveillant.

MONSIEUR PRAZOC : Bien sûr, bien sûr ! Faites-moi votre piqûre, que j'oublie ce que vous venez de me dire.

PROFESSEUR HARRO : Avec plaisir. Où ai-je mis ma seringue, nom d'une pipe, saperlipopette et crotte de cancrelat !

À ce moment la porte de la salle s'ouvre, un homme franchit le seuil à pas rapides, se saisit du Professeur Harro, lui plaque un tampon imbibé d'éther, et lui fait une prise qui l'envoie valdinguer au sol.

TUBAR : Dépêche-toi, on n'a pas beaucoup de temps. Ils vont vite nous tomber sur le paletot.

MONSIEUR PRAZOC : Mais… Vous, je vous ai déjà vu quelque part. Qui êtes-vous ?

TUBAR : Appelle-moi Tubar. On bavardera mieux dans un endroit plus tranquille.

Scène II
Paul, Pierre

Dans l'appartement de Pierre.

PAUL : Je suis satisfait de la dernière réunion. Tu as créé les conditions favorables à un essor inespéré de notre groupe et à un accroissement prodigieux de notre influence.

PIERRE : Tu rigoles, je n'ai rien créé du tout. L'essor n'est pas pour demain ni pour après-demain et notre influence est aussi influente que le cri d'un escargot dans le désert de Gobi.

PAUL : Je reconnais bien là ton caractère pessimiste. Je ne dis pas, loin de moi cette pensée, que le grand Soir est pour demain. Mais il faut bien que les choses avancent d'une manière ou d'une autre sinon il n'y a plus qu'à se tirer une balle dans la tête. Et je préfère voir la tête de mes ennemis éclater sous la salve punitive plutôt que la mienne.

PIERRE : Qui va désigner la tête ennemie ? Toi ? Notre groupuscule ? Un conseil ouvrier ? Un tribunal révolutionnaire ? Un parti communiste ? Une foule en délire assoiffée de vengeance ?

PAUL : Pierre, que t'arrive-t-il ? Je ne te reconnais plus. Ni les uns ni les autres ne feront le sale boulot. Ce sont les événements qui se chargeront de régler la question.

PIERRE : Les bolcheviks qui se débarrassent des mencheviks en les emprisonnant ou en les fusillant.

PAUL : Les montagnards qui s'entretuent, Robespierre se débarrassant de Danton et de Camille Desmoulins.

PIERRE : Les bolcheviks qui s'entretuent, Staline se débarrassant de Zinoviev, Kamenev, et Trotsky.

PAUL : Cette partie de ping-pong est ma fois assez agréable.

PIERRE : Je ne prendrai pas parti pour les Girondins ou les Montagnards. Ce sont des bourgeois qui ont la même vision libérale de l'économie.
Les Girondins sont pour un droit de propriété illimité. Les Montagnards sont pour un accès facilité aux denrées de première nécessité.

PAUL : La fameuse loi du Maximum qui limite le prix du pain et lutte contre les accapareurs.

PIERRE : Mais qui limite les salaires et fait baisser le salaire journalier des ouvriers.

PAUL : Il faut rendre à Robespierre ce qui appartient à Robespierre. Il plaide pour le droit à l'existence des nécessiteux et la nécessité de leur accorder des biens de première nécessité.

PIERRE : La belle âme !

PAUL : Et puis il y a les pauvres, les sans-culottes, les paysans en proie aux disettes, parfois aux famines.

PIERRE : Pourquoi ne veulent-ils pas porter la culotte ? Le féminisme était-il d'actualité ?

PAUL : Petit malin ! Est-ce toi ou Jeanne qui porte la culotte, je voudrais bien le savoir ?

Ne me fais pas croire que tu ignores les belles figures féministes de la Révolution Française.

PIERRE : Charlotte Corday, Olympe de Gouges, Théroigne de Méricourt. En voilà trois qui me plaisent. Charlotte Corday, anti montagnarde et girondine convaincue. Voilà ce qu'elle écrit dans sa lettre au peuple avant de partir assassiner Marat : « Toujours indépendante et toujours citoyen, mon devoir me suffit, tout le reste n'est rien. Allez, ne songez plus qu'à sortir d'esclavage ».

Olympe de Gouges, humaniste et féministe. « La femme naît libre et demeure égale à l'homme en droit ». Voilà ce que déclare Olympe de Gouges dans la déclaration des droits de la femme et de la citoyenne. Et voilà ce qu'elle écrit encore : « La femme a le droit de monter sur l'échafaud, elle doit avoir également celui de monter à la tribune ». Théroigne de Méricourt, la belle Liégeoise, amazone vêtue de blanc, de rouge ou de noir. Féministe guerrière, elle proclame : « Brisons nos fers, il est temps enfin que les femmes sortent de leur honteuse nullité où l'ignorance, l'orgueil et l'injustice des hommes les tiennent asservies depuis si longtemps ». Internée à la demande de son frère, elle passera les 23 dernières années de sa vie à l'asile où elle sombre dans la folie. Elle sera incomprise par les femmes de son époque.

PAUL : Tu vas bientôt me battre dans l'art de la citation. Je vais t'en citer une qui est bien bonne. « Il est dans l'ordre de la nature que la femme obéisse à l'homme. » Qui a écrit ce petit bijou phallocrate ?

PIERRE : C'est notre Jean-Jacques national qui est tombé par terre le nez dans le ruisseau, mais c'est la faute à Rousseau.

Est-ce la faute aux sans-culottes s'ils ne portent pas la culotte ?

PAUL : Les sans-culottes portaient des pantalons à rayures et non des culottes, symbole vestimentaire des aristocrates de l'Ancien Régime. Ce sont de petits artisans, des boutiquiers, des ouvriers, des petits rentiers. Ils veulent l'égalité politique et économique. Ils adorent lire la presse radicale qui dénonce les nouveaux riches. Citons le journal l'Ami du Peuple de Marat ou le Père Duchesne d'Hébert.

PIERRE : Ah Marat et Hébert, de solides gaillards ! Marat prend parti contre l'esclavage des noirs et l'aristocratie des nouveaux riches. Mais il réclame beaucoup trop de têtes à décapiter. Charlotte Corday met fin à ses appels au meurtre.

PAUL : Hou ! Elle a fait mal au médecin eczémateux. Mais ne nous moquons pas de ceux qui veulent défendre la veuve et l'orphelin. Le sans-culotte Jacques Roux surnommé le curé rouge car faisant partie des enragés a apostrophé la Convention en ces termes : « la République n'est qu'un vain fantôme quand la contre-révolution s'opère de jour en jour par le prix des denrées auquel les trois-quarts des citoyens ne peuvent atteindre sans verser de larmes ».

PIERRE : Pauvre enragé, prêtre interdit d'exercer, accusé d'anarchisme par Robespierre, Marat, Hebert et compagnie, il sera arrêté et se suicidera en prison. Celui qui a écrit « les lois ont été cruelles à l'égard du pauvre parce qu'elles n'ont été faites que par les riches et pour les riches » mérite bien plus notre considération que tous les montagnards et girondins réunis.

PAUL : Plus tard, le grand théoricien du Directoire, Boissy d'Anglas rêve d'une réconciliation entre les riches et les pauvres en stigmatisant « les mauvais citoyens qui ne possédant rien et ne voulant point travailler pour acquérir ne vivent que dans le désordre et ne subsistent que de rapines ».

PIERRE : C'est bien envoyé et c'est normal qu'il parle comme ça. La Révolution française a aboli les privilèges et les droits féodaux mais pour les bourgeois radicaux qui ont pris le pouvoir, la propriété privée est sacrée.

PAUL : C'est la conclusion à laquelle aboutiront les bolcheviks après qu'ils auront fait semblant de la supprimer.

PIERRE : On est en phase tous les deux. On continue ou on fait semblant de faire une pause ?

PAUL : J'ai faim. Je mangerais bien quelque chose.

PIERRE : Je vais voir ce qu'il reste dans le frigo. Jeanne joue à la femme invisible. Elle a disparu depuis 48 heures. A-t-elle laissé un plat en capacité d'être avalé, je l'ignore. Elle découche de plus en plus souvent et je dois me contenter de paquets de chips et de tranches de jambon emballées. As-tu une idée de l'endroit où elle pourrait se cacher ?

PAUL : Femme qui découche est souvent femme qui couche.

PIERRE : Qui couche avec qui ? Veux-tu insinuer qu'elle me trompe ?

PAUL : Bien sûr que non. Elle est bien trop amoureuse de toi.

PIERRE : Ça, c'est à voir. Je n'en donnerais pas ma main à couper. Ni ma tête d'ailleurs.

PAUL : Tu ne risques rien. La guillotine n'est plus fonctionnelle. Par contre il y a chez moi quelque chose qui ne demande qu'à fonctionner, c'est mon estomac. Tu es sûr qu'il n'y a pas quelque part quelque chose de substantiel à ingurgiter ? Le jambon et les chips ce n'est pas ma tasse de thé.

PIERRE : Je vais regarder. (*il ouvre le frigo.*) On est sauvé. Jeanne avait fait avant de disparaître un bœuf quelque chose. Du bœuf mironton ou du bœuf bourguignon. Les noms attachés aux recettes de cuisine, je les oublie avant même d'avoir commencé à les savourer.

PAUL : Si je comprends bien la situation, ton bœuf tartempion stagne dans son jus depuis plusieurs jours. Je doute que la pauvre bête soit encore mangeable. (*il regarde à l'intérieur du frigo*) Ce n'est plus du bœuf, c'est un magma de moisissures. Je vois les microbes qui se chamaillent dans les tissus faisandés. Quand la femme n'est pas là, les pourris dansent.

PIERRE : Je veux bien sourire à tes jeux de mots mais tu n'es pas obligé de me rentrer dans le lard à tout bout de champ. Je vais jeter ce morceau de bœuf qui m'a l'air aussi bien conservé que toi. Si tu veux, je te fais un plat de nouilles gratinées.

PAUL : Ne te fatigue pas pour moi. Je vais manger ton jambon. Le porc est aussi nourrissant que le bœuf. Je profite de l'occasion pour évoquer une figure marquante de la Révolution française. Puisqu'on quitte le bœuf, je vais te parler de Gracchus Babeuf. Ce n'est pas un bas morceau. Son nom est lié à tout jamais à la Conjuration des Égaux. Ce soutien des sans-culottes, des ouvriers, des paysans affamés a voulu transformer l'égalité proclamée en égalité dans les faits. Il critique la politique de terreur des montagnards et surnomme Robespierre « Maximilien l'exterminateur ». Ne pouvant pas parvenir à une insurrection pacifique il crée le réseau des Égaux et un directoire secret chargé de coordonner la lutte. Dans son journal le tribun du peuple il écrit : « les gouvernants ne font des révolutions que pour gouverner. Nous en voulons enfin une pour assurer à jamais le bonheur du peuple, par la vraie démocratie ». Il veut aboutir à la collectivisation des terres et des moyens de production et à la parfaite égalité en vue du bonheur commun. Il est pour l'abolition de l'esclavage et l'égalité entre les hommes et les femmes. Dans leurs pamphlets les Égaux annoncent l'abolition de la monnaie, le logement des riches pour les pauvres et la distribution gratuite de nourriture. Les conjurés seront arrêtés sur dénonciation. Babœuf et Darthé seront guillotinés. (*il enfourne une tranche entière de jambon dans sa bouche.*)

PIERRE : Tu parles trop, tu vas t'étrangler. Comment peux-tu apprécier la nourriture dans ces conditions ? Je vais poursuivre à ta place. Comment ne pas parler du Manifeste des Égaux de Sylvain Maréchal ? Ce manifeste est un texte admirable à faire lire dans toutes les écoles de France, de Navarre et par extension de pays en pays, de continent en continent, d'îles en montagnes, de villes en campagnes, à toute la planète. Tout le texte est à acclamer et à s'en imprégner. Je n'en citerai qu'une phrase « Disparaissez enfin, révoltantes distinctions, de riches et de pauvres, de grands et de petits, de maîtres et de valets, de gouvernants et de gouvernés ». Mais son appel de révolte au peuple de France est resté lettre morte. Le peuple ne lui a pas répondu : Maréchal nous voilà !

PAUL : Je n'ai jamais pu résister à la tentation de le lire et relire ni à celle de joindre mes larmes à chaque lecture.

PIERRE : Tu es un grand sensible. Pour la peine, je vais t'offrir les Confessions de Rousseau, lui qui a écrit : « je sentis avant de penser : c'est le sort commun de l'humanité. Je l'éprouvais plus qu'un autre ».

PAUL : Non merci. Rousseau est bien gentil mais au bout de deux pages, il commence à me taper sur les nerfs. Surtout quand il dénie aux femmes le droit à l'éducation. Est-ce qu'on en a fini avec cette sacrée Révolution Française ?

PIERRE : Reprends une tranche. Je ne veux pas que tu penses que je te laisse mourir de faim. Du moins volontairement.

PAUL : Tu es un amour de gastronome. Seuls les pauvres pensent qu'on les laisse mourir de faim. Quel toupet. Si tu as encore une pensée à extraire de notre glorieuse Révolution, ne te gêne pas.

PIERRE : Eh bien je voudrais d'abord parler du peuple. Qu'a-t-il fait en ces années troublées.

Il a pris la Bastille. Le prix du pain est à son maximum. Les émeutiers sont des artisans, commis de boutique, salariés des faubourgs. Avant et après la prise de la Bastille, les gens incendient des postes d'octroi pour supprimer les droits d'entrée dans Paris. Il y aura un millier de morts parmi les émeutiers et quelques têtes coupées parmi les défenseurs de la Bastille, dont le gouverneur.

PAUL : C'est un bon début. N'est-il pas allé à Versailles, sous la forme de milliers de femmes réclamant du pain, chercher le boulanger, la boulangère et le petit mitron ?

PIERRE : Il les a ramenés aux Tuileries, escortés par des voitures de grains et de farines et par des têtes de gardes royaux au bout de piques d'émeutiers.

PAUL : Je vois la scène d'ici. Tu vois, quand le peuple veut, il peut. Tu n'aurais pas un morceau de baguette pour accompagner le jambon ?

PIERRE : J'ai du pain de mie. Si tu veux de la margarine, il y'en a derrière le bocal de cornichons.

PAUL : Si tu ne fais jamais les courses quand Jeanne n'est pas là, tu risques la famine comme le peuple souverain.

PIERRE : Je fais une grève de la faim jusqu'à ce que ma belle Jeanne revienne.

PAUL : Il y a des claques qui mériteraient d'atteindre leur destinataire. Comme le soufflet du peuple sur les joues de Louis XVI. Qu'en est-il du bon peuple ?

PIERRE : La suite n'est qu'une longue lutte entre les représentants du peuple et le peuple, par le moyen de pétitions rédigées dans les clubs, les sections, les assemblées populaires. Quand la Constituante ou la Convention fait la sourde oreille, le peuple a l'option de l'émeute voire de l'insurrection. Une simple manifestation avec demande de signatures de pétition finit par une fusillade meurtrière au champ de Mars perpétrée par la garde nationale bourgeoise. Que faut-il en conclure : le peuple n'a pas son mot à dire dans la conduite des affaires de la Révolution. Quand le peuple est trop impatient ou se sent menacé, il se réserve le droit de conduire une émeute qui va aboutir à la prise des Tuileries. Le 10 août 1792 fut l'insurrection de la multitude contre la classe moyenne et le trône constitutionnel selon les dires de l'historien Mignet.

PAUL : Ton érudition me laisse pantois. Qu'en est-il des massacres de septembre ?

Je viens de repérer deux bananes bien mûres dans un saladier. Elles ont l'air d'être au bord de la déliquescence.

Si tu veux, on les coupe en rondelles, on ajoute du sucre, un petit suisse, ah tu n'en as pas. Dommage. Les Suisses ont beaucoup souffert durant cette révolution. Ç'aurait été une manière de leur rendre hommage. Allons-y pour des rondelles molles et sucrées. Donc les fameux massacres ? Ne me dis pas que le peuple n'a pas été incité par les autorités de tutelle.

PIERRE : Les massacres dans les prisons de Paris en septembre 92 sont un parfait exemple d'insurrection populaire spontanée. Le peuple a peur. Il a peur du péril extérieur. Le manifeste du duc de Brunswick proclamant que les armées prussiennes livreraient Paris à une exécution militaire et une subversion totale, ne laisse guère de doute sur le sort qui attend le peuple. Le peuple n'aime pas qu'une armée étrangère vienne piétiner ses plates-bandes. Et toi tu es en train de piétiner les rondelles avec ta cuillère. Le peuple a peur d'un complot royaliste médité du fond des prisons. Le peuple veut se venger des gardes suisses, tu es sûr de ne pas avoir de petit-suisse, qui ont tué beaucoup de sans-culottes lors de la prise des Tuileries.

PAUL : Devinette : à quoi reconnaît-on un sans-culotte ?

PIERRE : Tu m'en as déjà parlé.
Ils portent des pantalons à rayures…

PAUL : Pas seulement.

PIERRE : Des bonnets phrygiens.

PAUL : Rouges, les bonnets. Ils arborent une carmagnole, je te verrais bien avec ce genre de veste.

PIERRE : Une carmagnole c'est aussi une danse et un chant. « Dansons la carmagnole, vive le son, vive le son, dansons la carmagnole, vive le son du canon ». Une petite danse ?

PAUL : Je te vois venir avec tes gros sabots. Mais par pitié ne chante pas, tu chantes faux.

PIERRE : Si tu veux ressembler à un sans culotte, il te faudra chausser des sabots.

PAUL : Les sans-culottes chantent aussi : ah ! ça ira, ça ira, ça ira ! sur un air du Carillon National que Marie Antoinette jouait souvent sur son clavecin.

PIERRE : Si elle avait su, elle ne serait pas venue. Ah ! ça ira, ça ira, ça ira ! les aristocrates à la lanterne, Ah ! ça ira, ça ira, ça ira, les aristocrates on les pendra !

PAUL : Il vaut mieux mourir pendu que t'écouter chanter.

PIERRE : Alors tu m'écouteras parler.

Les sans-culottes ont peur. Peur d'être abandonnés par une partie de leurs représentants à l'Assemblée même si Danton s'écrie « de l'audace, encore de l'audace, toujours de l'audace ». Peur d'être entourés de traîtres. Des journaux comme l'Ami du Peuple de Marat ou l'Orateur du Peuple de Fréron poussent le Peuple à la purge des prisons. Les victimes sont pêle-mêle des nobles, des prêtres, des prostituées, des prisonniers de droit commun, des bagnards, des malades mentaux, des enfants. Le peuple aimant les rumeurs, rumeurs de trahisons, de conspirations, fondées ou infondées, finit par perdre ses nerfs. Le peuple devient foule, la foule devient populace, la populace a dans ses rangs des massacreurs, des égorgeurs qui s'en donnent à cœur joie. Quand le peuple ne sait plus sur quels pieds danser soit parce qu'il est terrorisé soit parce qu'il devient haineux, il se fait terroriste.

PAUL : Il ne faut pas exagérer.

Parfois il se croit utile en commettant de tels actes. Sachons séparer le bon grain de l'ivraie. Ces massacreurs qui n'hésitaient pas à utiliser, haches, couteaux, piques, massues étaient quelques centaines, les autres de simples spectateurs. Ces septembriseurs comme on les a appelés sont des petits bourgeois, commerçants, artisans. Mais on trouve surtout des fédérés, des gardes nationaux, des militaires en route vers les zones de combats. Les viols et les meurtres font partie de leur hygiène de vie. Les brigands et les mendiants, le petit peuple n'est pas présent.

PIERRE : Parlons de gros sous. Je ne peux pas passer sous silence les vols de vêtements et de bijoux commis sur les victimes et le paiement d'un salaire à certains massacreurs. Les diverses autorités ont laissé faire et les journaux approuvent les massacres.

PAUL : Une voix féminine va te réconcilier avec le Peuple, celle d'Olympe de Gouges.

« Le sang, même celui des coupables, versé avec cruauté et profusion, souille éternellement les révolutions ».

PIERRE : Belle réflexion. Elle mérite ma reconnaissance éternelle. Mais les pauvres dans tout ça, où sont-ils ?

PAUL : Où sont-ils ? Mais on n'a pas arrêté d'en dire pis que pendre.

PIERRE : Pas du tout. On a parlé du peuple.

PAUL : Ce n'est pas la même chose ?

PIERRE : Le peuple, c'est tout le monde.

PAUL : Et les pauvres ?

PIERRE : Ce sont les gens qui parmi le peuple ne peuvent compter que sur leur bras ou leur esprit pour atteindre au mieux des conditions de survie aléatoire et misérable.

Individuellement ils n'ont aucune influence sur le déroulement de leur vie ou de celle de leurs proches. Quant au poids qu'ils pourraient avoir sur la gestion de la société, il ne pèse pas plus qu'une plume écrasée par la masse d'un rouleau compresseur. Imagine combien il faudrait de plumes pour contrebalancer la lourdeur d'un rouleau. C'est à ce prix que l'action collective des pauvres peut prendre une réelle valeur. Quand on dit que l'union fait la force, c'est ma foi une vérité qu'on n'a même plus besoin de démontrer.

PAUL : Prolétaires de tous les pays, unissez-vous, c'est bien comme ça qu'il faut l'entendre. Le pauvre c'est donc le prolétaire ?

PIERRE : C'est inexact et tu le sais très bien. Ne fais pas l'âne pour avoir du foin. Le prolétaire est quelqu'un qui pour subvenir à ses besoins doit vendre sa force de travail contre un salaire. Le chômeur étant un prolétaire à la recherche d'un emploi.

Le prolétaire qui touche un salaire élevé ou moyen n'est pas un pauvre. Le chômeur non indemnisé qui n'a pas de ressources financières est un prolétaire pauvre. S'il est indemnisé à hauteur d'un salaire élevé ou moyen, il n'est pas pauvre tant qu'il touche cette indemnité ou s'il retrouve un emploi de salaire équivalent. Le prolétaire qui reçoit un salaire faible est un pauvre. L'artisan ou le commerçant qui n'arrive pas à vivre de son travail est à la frontière de la pauvreté. Le mendiant, le sans-abri, le marginal, l'artiste qui tire le diable par la queue, l'étudiant dans le besoin sans aides sociales ou familiales sont des pauvres. Je ne parle pas des héritages ou des faillites qui peuvent faire franchir la frontière socio-économique dans un sens ou dans l'autre.

PAUL : Tu as fait un tour complet de la pauvreté. Presque complet. On parle de la sécurité de l'emploi pour ceux qui ont un contrat à durée indéterminée. Ceux qui ont un contrat à durée déterminée sont menacés dans leur train de vie.

PIERRE : C'est un doux euphémisme. Tout dépend de la situation des uns et des autres. Les travailleurs qui ont un emploi stable peuvent aussi se retrouver du jour au lendemain allongés sur le carreau, licenciés avec des indemnités de moineaux. Les salariés employés du privé sont en première ligne pour gonfler l'outre puante de la pauvreté.

PAUL : Allons-nous faire un petit tour dans l'outre chatoyante des riches ? C'est moi qui commence : les possesseurs des moyens de production, les hauts serviteurs choyés et salariés dédits possesseurs dont le nombre culmine dans les conseils d'administration, les hauts fonctionnaires, les administrateurs importants, les maîtres du pouvoir exécutif, législatif, judiciaire, médiatique, la fine fleur des artistes, sportifs, écrivains, hommes politiques, les militaires haut gradés qui font la gloire de la patrie. Les possédants des patrimoines immobiliers, boursiers, financiers, industriels, agricoles… Sans oublier tous ceux qui tiennent dans les fonctions les plus diverses le haut du pavé…

PIERRE : Arrête-toi, tu me donnes le vertige. Tu es en train de citer tout ce que le peuple riche ayant horreur du vide accumule de bectance en son sein, rejetant ses déjections dans une déchetterie qui recycle ses pauvres. (*Il ouvre le pot de margarine et y plonge un doigt fureteur.*) As-tu lu tous les poèmes de Baudelaire ?

PAUL : Oui j'ai dévoré tous ses poèmes. Pourquoi joues-tu avec la margarine ? Tu la rends impropre à la consommation.
Quand je reverrai Jeanne, je lui dirai que tu es pire qu'un enfant livré à lui-même ou qu'un chat qui enfonce ses pattes sales dans le premier dépotoir venu.

PIERRE : Arrête de m'assommer avec tes réflexions de premier de la classe. As-tu lu son poème « Assommons les pauvres » ?

PAUL : Ça me dit quelque chose. C'est un poème en prose, je crois. Rappelle-m'en les grandes lignes.

PIERRE : C'est l'histoire d'un personnage, Baudelaire en l'occurrence, qui se voyant accoster à l'entrée d'un cabaret par un vieux mendiant qui lui demande l'aumône, se met à le rouer de coups avec force empoignades et ô surprise, le sexagénaire, tout affaibli qu'il est, se rebelle et lui rend les coups de manière si convaincante que l'agresseur partage son argent. Baudelaire veut sans doute nous suggérer que la meilleure façon de réveiller les pauvres c'est de les brusquer. Ils seront alors plus enclins à se révolter contre les riches qui veulent les assommer pour leur bien en leur demandant d'accepter des sacrifices tout en ne partageant pas le gâteau. Baudelaire qui avait partagé les espérances de la Révolution de 1848 fut lui-même assommé par les journées de juin qui virent l'armée de la 2e République massacrer les ouvriers. Il est désabusé et dépolitisé. Il ne croit plus aux marchands d'illusions des deux bords « de ceux qui conseillent à tous les pauvres de se faire esclaves et de ceux qui les persuadent qu'ils sont tous des rois détrônés ». Comme le dit l'historien Paul Garrigou, » le mendiant et le narrateur à peine moins pauvre ont été tous les deux abusés. Ils partagent une même violence dans la misère, énième illustration de l'adage populaire qui veut que les miséreux se battent entre eux au lieu de s'en prendre aux riches ».

PAUL : Je crois qu'on va en rester là. Je vais rentrer chez moi, il se fait tard.

PIERRE : Je n'ai pas terminé mon histoire de la Révolution Française. Après avoir parlé du peuple, de ses actions libératrices et de ses errements, il me faut à présent dénoncer les crimes des dirigeants révolutionnaires.

PAUL : Une autre fois. On m'attend pour dîner, je suis déjà en retard et puis j'ai le ventre creux. Ce n'est pas pour te critiquer mais le repas chez toi était frugal et mon organisme a besoin de plus de calories pour rester en éveil.

PIERRE : Alors, sortons au restaurant, je t'invite.

PAUL : Ce serait avec plaisir, mais je viens de te dire qu'on m'attend chez moi.

PIERRE : Oh le petit cachottier ! Qui est l'heureuse élue ? Car je suppose que c'est une de tes nombreuses conquêtes, tu ne me parles jamais de ta vie privée. Serais-je indiscret si je te demandais de m'en dire plus, au moins son prénom ?

PAUL : Tu ne la connais pas, c'est une copine de passage. Demain elle sera déjà loin.

PIERRE : Mon œil, tu as l'air bien pressé d'aller la retrouver.

PAUL : C'est la moindre des politesses de ne pas faire attendre les gens, même quand ils me sont inconnus.

PIERRE (*dépité*) : Okay, je ne te retiens pas.

PAUL : Ah si, j'ai quelque chose à te dire avant de filer. J'ai rencontré ton frère avant de venir.

PIERRE : Tiens donc !

PAUL : Il entrait à la pharmacie de notre nouveau camarade Monsieur Prazoc dont je ne connais pas le prénom.

PIERRE : Tu es sûr que c'était mon frère ?

PAUL : Aussi sûr que si c'était le mien. Quoique je n'en aie pas. Je l'ai assez vu qui pestait contre toi et tes satanés bouquins.

PIERRE : Ah ! Ah !

PAUL : C'est tout ce que tu as à me dire ? Tu as l'air bizarre. Vous avez l'air compliqué, les deux frères. Je croyais que vous vous entendiez comme larrons en foire surtout avec votre complicité de livraisons livresques. Je vois que ça a dérapé quelque part. J'en saurais peut-être un peu plus avec notre camarade pharmacien.

PIERRE : Ne t'en occupe pas, je vais régler ça facilement.

PAUL : J'avais d'ailleurs posé les bouquins sur ta table.

PIERRE : Ah ! Ah !

PAUL : Jeanne ne t'en a pas parlé ?

PIERRE : Ah ! Ah !

PAUL : Ah ! Ah ! C'est le cri de quel animal ?

PIERRE : C'est la réaction réflexe d'un cheval entravé dans son box et qui en poussant son hennissement décoche une ruade au palefrenier qui s'obstine à le panser.

Scène III
Jacques, François, Tubar

Dans l'arrière-salle obscure du même café cossu d'un quartier parisien.

JACQUES : Cela fait du bien de se retrouver entre nous après une journée de travail harassante.

FRANÇOIS : Est-ce que tu penses à ce que je pense ? Garçon, le même whisky que d'habitude ! Il est chouette ce barman. Il connaît par cœur les goûts de ses clients. Qu'est-ce que je disais ?

JACQUES : Tu t'entendais penser.

FRANÇOIS : Écoute ce silence, cette harmonie, ce ronronnement de l'air mélangé aux effluves des liqueurs parfumées.

JACQUES : Tu ne changeras jamais. Tu fais ton poète avant de sortir de tes gonds.

FRANÇOIS : Rien ne sert de sortir, il faut entrer à point. Je sens mijoter dans mon cerveau un plat de résistance dans lequel je voudrais que tu plonges ta bouche de fin connaisseur.

JACQUES : Je ne sais pas ce que tu manigances mais si tu ne me mets pas rapidement sur la voie tu vas finir par dérailler.

FRANÇOIS : Je vais préciser ma pensée.

Dans cette arrière-salle on est tranquille, à l'abri des regards furtifs et des oreilles indiscrètes.

JACQUES : Excepté le barman qui boit tes paroles.

TUBAR : Je n'écoute jamais aux portes sauf si j'y suis invité.

FRANÇOIS : Entre gens policés on peut se comprendre. Tâchez de vous tenir à distance respectable de notre table de jeu.

TUBAR : Je vous fais respectueusement remarquer que je n'ai pas cherché à me cacher de vos coups d'œil inquisiteurs.

FRANÇOIS : C'est bien. Vous jouez franc-jeu. Alors, cher Jacques, jouons cartes sur table. Je te propose un jeu de société qui aura des qualités indéniables de commedia dell'arte et de tragédie grecque.

JACQUES : Tu prends exemple sur Pierre et Paul. Tu fais de la surenchère comportementale.

FRANÇOIS : As-tu déjà fait du théâtre ?

JACQUES : Où veux-tu en venir ?

FRANÇOIS : Durant tes années de jeunesse as-tu pris des cours de théâtre ou fait partie d'une troupe de théâtre amateur ?

JACQUES : Le métier d'avocat nécessite de posséder des dons avérés d'éloquence. Pendant mes études de droit, je me suis préparé à acquérir une diction et un art oratoire. J'ai donc pris des cours de théâtre dans le cadre des activités culturelles de la faculté. J'en garde un bon souvenir même si je ne suis resté que 2 ans pour me consacrer ensuite exclusivement à mes études. J'ai…

FRANÇOIS : Super ! N'en dis pas plus.

On va bien se marrer. Voici ce que je te propose. On va jouer une pièce à deux personnages. Tout du moins un dialogue impromptu. On va improviser. Tu es partant, j'en suis sûr, ça va te rappeler tes meilleures années.

JACQUES : Tu crois vraiment que c'est l'endroit approprié pour faire une joute oratoire. On va nous entendre déblatérer comme deux vieux fous échappés d'asile et on va nous demander de mettre une sourdine ou de débarrasser le plancher.

FRANÇOIS : Penses-tu ! On n'est pas obligé de crier. Si d'aventure il nous venait l'envie de hausser le ton, ce serait la preuve d'un manque évident de repères artistiques. Et puis on a un public tout acquis à notre cause. L'homme au bar est notre homme. Il aura même le droit d'applaudir ou de siffler comme le ferait tout auditoire intelligent et concentré.

TUBAR (*qui écoute depuis le début*) : Vous pouvez compter sur moi pour être à la fois indulgent et implacable dans mes jugements. Je vous sers un autre drink pour vous chauffer la voix ? N'hésitez pas à me demander, je suis là pour ça.

FRANÇOIS (*qui n'est pas le dernier à accepter n'importe quel spiritueux quand il s'agit de s'en jeter un derrière la cravate*) : Excellente proposition. Un verre pour moi et un verre pour mon ami. Moi je vais faire Paul et toi tu vas faire Pierre.

JACQUES : Faire Paul, faire Pierre, de quoi tu parles ?

FRANÇOIS : Nous allons faire de l'imitation. Je vais entrer dans la peau de Paul, tu vas entrer dans celle de Pierre. Nous allons philosopher comme si nous étions l'un et l'autre, nous allons devenir automatiquement aussi intelligents qu'eux, sinon plus. Qui commence ?

JACQUES : Tu es complètement fou. Si tu crois que je vais accepter de me moquer de nos amis, tu peux te mettre mon doigt outré dans ton œil de cyclope.

FRANÇOIS : Jacques, la vulgarité n'est pas de mise dans ce coin de haute culture.

TUBAR : Je confirme ! Nous n'acceptons pas, François et moi, des expressions de vulgarité excessive. Je travaille dans un lieu huppé et je n'accepte pas qu'on me dise d'aller au petit coin.

JACQUES : Mais que vont penser nos amis s'ils apprennent qu'on joue une farce à leurs dépens ?

FRANÇOIS : Je dois faire un rectificatif.
Ce sont tes amis, ce ne sont pas les miens.

JACQUES : Tu oublies qu'à une époque nous sortions tous les quatre dans des virées qui pouvaient durer toute la nuit.

FRANÇOIS : Cette époque est révolue mais je veux bien qu'en souvenir des jours heureux et des nuits donc, nous fêtions nos retrouvailles en nous glissant dans la peau de ces sympathiques personnages. Nous allons nous enrôler avec modestie, bienveillance, sincérité sans oublier une pointe d'humour, de dérision voire d'ironie non agressive.

JACQUES : Avec toi, le dérapage est inéluctable. Et puis je ne connais pas vraiment l'esprit profond de Pierre, il reste pour moi un mystère et dans ma bouche ses paroles mal imitées risquent de sonner creux et de tomber à terre avec un bruit de dents cariées.

TUBAR : Ne vous inquiétez pas, je récolterai le tout-venant. J'ai un balai ventouse qui n'a pas son égal pour aspirer les débris de verres de toute nature, les fragments d'assiettes, de tasses et de bouteilles, les coupes brisées de champagne dans leurs vomis d'ivrognes. Vous pouvez donner à votre happening toute l'énergie dont vous vous sentez capables, je serai là pour ramasser les pots cassés.

FRANÇOIS : Ce qu'il est chou, ce barman, si j'étais de la jaquette flottante je n'en ferais qu'une bouchée.

TUBAR : Gardez-vous bien de me provoquer. Je suis plutôt de la claquette frottante et comme on dit chez moi qui s'y frotte s'y pique.

FRANÇOIS : Bien envoyé aubergiste. Je me le tiens pour dit. Réagis mon cher Jacques. Commence en tant que Pierre.

JACQUES : Commence, commence… Tu en as de bonnes, toi. Je ne sais pas quoi dire. C'est plutôt à toi de commencer, c'est toi qui as eu l'idée saugrenue…

TUBAR : Si vous voulez, je peux vous suggérer un thème de conversation, une idée de débat. Les sujets de dispute, ce n'est pas ça qui manque. Il n'y a qu'à piocher dans le répertoire des engueulades humaines.

FRANÇOIS : Génial ! Vous n'êtes pas dépourvus de ressources. Proposez, proposez, et surtout n'hésitez pas à nous pousser dans nos derniers retranchements. Nous n'avons pas peur de la difficulté et les grands obstacles font les grands sauteurs. Apportez-nous pendant que vous y êtes deux autres cocktails de votre cru. J'ai oublié son nom.

TUBAR (*un sourire aux lèvres*) : Voilà, voilà… La compagne des hommes c'est la valse des drogues consommées sur le zinc. Les hommes politiques.

FRANÇOIS : Les hommes politiques, drôle de nom pour une boisson !

TUBAR : Tu parles trop vite, Charles.
Je vous propose les hommes politiques comme thème à débattre.

JACQUES : C'est un thème casse-gueule et le mettre dans la tête de mon ami Pierre, même par l'entremise de la mienne, je ne puis m'y résoudre et pour parler prosaïquement c'est niet, nein, no, non. Je ferme les guillemets et mon clapet par la même occasion.

Changement de ton dans la voix à chaque fois que François et Jacques entrent dans la peau de leur personnage. Les répliques des personnages sont mises entre des astérisques *.

FRANÇOIS/Paul : Allez, je me lance. Sinon demain on y est encore. (*Il se racle la gorge.*) : *Les hommes politiques ne se cachent plus. Ils sont bien ce qu'ils paraissent être. Malheureusement la majorité silencieuse ne comprend pas la signification de leur apparence.* Quelle splendeur de phrases ! Je ne suis pas mécontent de celles-ci. Je te mets au défi de répondre par une réplique mieux ficelée.

JACQUES : Tu es un vilain tricheur. Un acteur ne doit pas commenter les répliques de son personnage. Du coup j'ai complètement oublié ce que tu viens de me dire.

FRANÇOIS : Excuse-moi ! Je parlais de l'apparence des hommes politiques.

JACQUES/Pierre : C'est trop facile de t'excuser après coup.* Pour ceux qui savent lire les évidences, les hommes qui nous gouvernent paraissent vraiment ce qu'ils sont.* Prends celle-ci dans les gencives.

TUBAR : Du calme tous les deux ou je fais évacuer la salle !

FRANÇOIS : L'arbitre des élégances donne de la voix. Merci barman de nous remettre à notre place. Mais quand la passion exalte nos émotions, elle ne recule devant aucun stratagème pour nous emporter au-delà des frontières de la conscience. Je crois que j'ai un coup dans le nez.

JACQUES : Ce n'est même pas la peine de continuer. Je rends mon costume de comédien du dimanche et tu ferais bien d'en faire autant.

FRANÇOIS/Paul : Non, non, on n'abandonne pas quand la partie est si bien entamée.*Les masques ont donc disparu de leurs panoplies de parfaits menteurs ? *

JACQUES/Pierre (*avec un soupir qui en dit long sur son agacement*) : *Au contraire, ils sont de plus en plus nombreux.*

FRANÇOIS/Paul : *Alors comment expliques-tu…*

JACQUES/Pierre : *Mais ces masques disent de plus en plus souvent la vérité sur les hommes qui les portent.*

FRANÇOIS (*décontenancé*) : Voyez-vous ça !

JACQUES/Pierre (*triomphant*) : *C'est ce que j'appelle les évidences.*

FRANÇOIS/Paul : *Moi qui croyais que ces masques étaient de purs objets de sournoiserie.*

JACQUES/Pierre : *Si les gens ne savent pas lire la vérité dans les yeux cernés des masques c'est bien parce qu'ils veulent croire aux mensonges que ces masques se tuent à dénoncer.*

FRANÇOIS/Paul : *Dans ce cas, à quoi bon vouloir les ôter de tous ces visages conquérants ?*

JACQUES/Pierre : *Il n'y a rien à ôter, seulement lire par transparence.*

FRANÇOIS/Paul : *Et que peut-on y voir ?*

JACQUES/Pierre : *L'avant-dernier stade avant l'être humain !*

FRANÇOIS/Paul : *Nous pouvons nous entendre. Que ses masques disent la vérité ou de gros mensonges, qu'importe ! Il faut qu'ils tombent !*

JACQUES/Pierre : *À quoi bon ! Les gens n'y voient que du feu. Masques ou chairs réelles sont pour eux semblables hallucinations.*

FRANÇOIS/Paul : *Un homme politique qui fait un beau discours n'est-il pas comme un pauvre qui s'extasie de sa misère ? Il porte sa saleté morale sur son visage.*Bon sang où vais-je chercher tout ça ?

JACQUES/Pierre : *Tu veux dire que l'homme politique se révèle par ses discours au commun des mortels comme le pauvre se révèle au riche en se mettant du goudron sur la figure ?* Eh oui, Pierre m'a tout raconté.

FRANÇOIS : C'est toi Pierre, pauvre gourde !

JACQUES/Pierre : *Crado Paul des Pauvres, ce n'est pas du goudron que tu utilises en fait mais du résidu nauséabond de fond de poubelle.*

FRANÇOIS/Paul : *Ma purulence te prie de t'enduire de cire fondue avec le masque mortuaire arraché à la tombe de l'homme politique inconnu.*

TUBAR : Intéressant, intéressant !

Vous vous disputez comme des chiffonniers. J'en conclus que les personnages de Pierre et de Paul se détestent. Qu'en est-il de la réalité ? Ou alors… Vous les deux-là, est-ce que vous arrivez à vous entendre ?

FRANÇOIS : Il n'y a pas plus amical que mon brave Jacques.

JACQUES : Je n'ai jamais eu de soucis notoires à converser même avec ardeur avec le beau François.

TUBAR : Vous vous emportez facilement pour des copains qui ont l'air de s'avoir à la bonne. Il y a un problème entre vous. Je vous conseille de consulter un psychologue. Non, les psychologues n'y connaissent rien. Un psychanalyste peut-être ou un dérivé du même genre. Un adepte de Freud ou de Jung ? Je vous vois bien tous les deux, allongés sur un canapé. Ou un sexologue pourquoi pas ? Un sexologue devrait faire l'affaire. Ou un psychiatre ! Il pourrait vous prescrire neuroleptiques, antidépresseurs, et tout le toutim, qu'en dites-vous ?

FRANÇOIS : Eh vous le tenancier de bouche pas close, fermez-la. Nous allons achever notre pièce de théâtre, que ça vous plaise ou non.

JACQUES : Le thème que vous nous avez proposé ne pouvait que nous conduire au bord du précipice. Les hommes politiques, quel sujet casse-gueule !

TUBAR : J'ai mal réfléchi. J'aurais dû vous proposer la vie périlleuse des bonobos sur la banquise.

FRANÇOIS/Paul : Vous êtes un barbant de bar. Servez-moi plutôt un whisky avec des glaçons.* Mon cher Pierre, tu dois en convenir, les hommes politiques et les pauvres, j'en ai par-dessus la tête.*

JACQUES/Pierre : Nous voilà repartis. Paul n'aurait jamais dit une chose pareille.* N'as-tu pas une préférence dans la détestation ?*

FRANÇOIS/Paul : *Bien sûr que si. Devine laquelle.*

JACQUES/Pierre : *Tu n'aimes pas les hommes politiques ou les pauvres ?*

FRANÇOIS/Paul : *Je n'aime pas que les premiers engendrent les seconds.*

JACQUES/Pierre : *Et si c'était l'inverse ?*

FRANÇOIS/Paul : *L'inverse ? Il y a du vrai dans ce que tu dis. Si les pauvres ne se laissaient pas berner il n'y aurait pas d'hommes politiques.*Est-ce moi qui parle ou un vieux sage au sommet d'une montagne ?

JACQUES/Pierre : *Ce seraient des pauvres intelligents alors ?*

FRANÇOIS/Paul : *Ils n'existeraient tout simplement pas en tant que pauvres.* Il faut que je redescende sur terre. J'ai beau me pincer, je plane toujours dans les nuages.

JACQUES/Pierre : Cesse de faire des commentaires ! *Et les hommes politiques en tant qu'hommes politiques non plus !*

FRANÇOIS/Paul : *Exactement ! Les uns doivent leur existence aux autres et vice-versa.*

JACQUES/Pierre : *C'est un couple indissociable donc ? *

FRANÇOIS/Paul : *J'attends que les pauvres demandent le divorce.* Ouf, c'est sorti. (*Il boit une longue rasade.*)

JACQUES/Pierre : *Que se passerait-il alors ?*

FRANÇOIS/Paul : *La mariée, donc les pauvres, n'ayant jamais été belle, il naîtrait de cette brisure la vraie Beauté.*

JACQUES/Pierre : *Je m'en doutais un peu, tu es un vrai poète.*

FRANÇOIS/Paul (*minaudant*) : *Je l'ai toujours su.*

JACQUES/Pierre : *Une autre question cependant.*

FRANÇOIS/Paul : *Faites donc mon brave, je suis tout ouïe.*

JACQUES/Pierre : Arrête tes singeries ! Je reprends.* Que manque-t-il aux pauvres pour avoir la force de divorcer ? *

FRANÇOIS/Paul : *Il leur manque un don précieux. Savoir lire les évidences.*

JACQUES/Pierre : *Ça, je l'ai déjà dit.*

FRANÇOIS/Paul : *Et alors, ça ne coûte rien de le répéter. Quoi, ils n'ont pas cette évidente sagesse ?*

JACQUES/Pierre (*en état de souffrance*) : *Malheureusement non. Personne n'est prêt à les aider à acquérir cette facilité de lecture. Et moi non plus je ne m'en sens pas le courage.*

FRANÇOIS/Paul : *Et si on les aidait, toi ou un autre, aurait-on fait le plus difficile ?*

JACQUES/Pierre : *Ce serait un pas décisif vers la révolution sociale ! * Pouce, je dois faire une pause, je suis au maximum de mes possibilités morales et intellectuelles. Qu'est-ce qui me pousse à sortir ce genre d'âneries ?

TUBAR : Oseriez-vous insinuer que Pierre est un âne ?

JACQUES : Je me garderai bien de me cacher dans la peau d'un âne.

TUBAR : Tant mieux. Au terme de vos échanges fructueux, vous êtes parvenu à un moment charnière du raisonnement.

Pierre et Paul vous n'apportez aucun élément de réponse sur la fonction et l'essence profonde des hommes politiques. Vous les critiquez mais vous n'en donnez aucune définition. Ont-ils des qualités, des défauts, on n'en sait rien. Vous me décevez beaucoup Pierre et Paul, je tiens à vous le dire franchement.

FRANÇOIS : Vous avez le don de souffler le froid en faisant mine d'attiser les braises. On a dit ce qu'on avait à dire. Vous n'êtes qu'un empêcheur de tourner en rond mais nous avons plus d'un tour dans notre sac et nous allons le vider sur votre comptoir. N'est-ce pas Pierre ?

JACQUES : Je m'appelle Jacques et je mets Pierre au clou.

TUBAR : Ne vous débarrassez pas de vos personnages, vous risqueriez de le regretter. Qui a décidé de faire cette démonstration théâtrale ? Qui a décidé d'endosser ces costumes de qualité supérieure ? Moi ou vous ?

JACQUES : François a décidé. Il se croit toujours plus malin que les autres. Les idées révolutionnaires n'ont pour lui aucun attrait et s'il a voulu me faire partager cette petite expérience surréaliste c'est seulement pour me faire enrager.

TUBAR : Il faut aller au bout de vos envies même si elles n'apparaissent pas toujours clairement. Jacques, je vais t'aider à retrouver le chemin détourné qui t'amènera à bon port. Je m'adresse donc à Pierre et je lui pose cette question toute simple : les hommes politiques sont-ils honnêtes ?

JACQUES/Pierre : On trouve de tout dans n'importe quelle profession. Il y a des avocats véreux, des journalistes bidon, des hommes politiques malhonnêtes. Parmi ceux-ci il s'en trouve forcément quelques-uns qui ne voudraient pas voler un seul centime à la veuve et l'orphelin. Mais les journalistes sont les valets de la plupart d'entre eux. (*Le contenu d'un demi-verre de whisky est projeté sur le visage de Jacques.*) François, tu vas me le payer. Bon, puisque c'est comme ça attends-toi au pire de ma part. Ça va saigner. * Les hommes politiques veulent nous faire croire que leur honnêteté, cette haute qualité morale définie selon leurs critères légaux, doit suffire à notre bonheur. Grossière erreur !

Qu'ils soient honnêtes ou non, ils portent en eux une tare originelle. Une honteuse prétention de vouloir organiser notre survie. Ils forment une oligarchie grotesque qui m'a toujours donné la nausée* (*il a des hauts de cœur et se penche sur son verre. François se penche vers lui et lui essuie le visage avec sa serviette.*)

FRANÇOIS/Paul : Quel bonheur de te retrouver mon Jacquot. * Pierre, tu veux les remplacer par quelle institution ? *

JACQUES/Pierre : *Par rien !*

FRANÇOIS/Paul : *La nature a horreur du vide, la société a horreur de l'anarchie et l'homme a horreur du néant.*

JACQUES/Pierre : *Belle fausse découverte !

Ils appartiennent à une catégorie qui n'a rien à voir avec la nature. C'est une invention artificielle de la société qu'il convient de jeter définitivement à la corbeille. Il est temps de remplacer le gouvernement des hommes par l'administration des choses.* Est-ce Marx ou Saint-Simon qui ont dit une phrase de ce genre ? Je donne ma langue au chat. La langue de Pierre me donnera certainement la réponse.

FRANÇOIS/Paul : * Langue de Pierre égale langue de vipère. * Je plaisante naturellement. Essuie ta bouche. On dirait un escargot qui a bavé sur sa coquille. * Même si ta coquille n'est pas vide, ton idée ne tient pas la route. Elle est pompeuse et abstraite, voire idéaliste. Quelles seront ces choses à administrer, comment pourra-t-on les administrer, qui décidera ce qu'il y a à administrer et qui désignera ceux qui devront les administrer ? *

JACQUES/Pierre : Qui, quoi, comment. Mon pauvre François, tu n'as même pas de coquille pour envelopper des idées qui n'appartiennent qu'à toi et certainement pas à Paul. *Nous serons tous autant que nous sommes, les administrateurs de nous-mêmes et des choses à administrer. Nous n'avons pas besoin de spécialistes qui jouent les singes savants sous le nom d'hommes politiques, pour accomplir toutes ces tâches. *

FRANÇOIS/Paul (*mi-vexé, mi-réjoui*) : * Et donc cher administrateur, que fais-tu des hommes politiques, tu les fourres dans ta coquille baveuse ? *

JACQUES/Pierre (*mi-réjoui, mi-vexé*) : * Les hommes politiques, qu'est-ce que j'en ferai ? Ils seront partis, évaporés dans l'air du temps, fondus comme neige au soleil, remisés au musée des antiquités, couverts de poussières, puis poussières balayées par le vent. *

FRANÇOIS/Paul (*l'œil mauvais*) : *Tu veux donc les assassiner, faire un massacre comme lors des précédentes révolutions ? *

JACQUES/Pierre : *Certainement pas, je ne suis pas un terroriste.*

FRANÇOIS/Paul (*l'œil toujours aussi mauvais*) : *Comment comptes-tu t'y prendre ? Tu les fais disparaître à l'aide d'une baguette magique ? *

JACQUES/Pierre : Ce n'est pas Paul qui parle, n'est-ce pas ? François a pris le dessus sur Paul. Tu luttes pour ne pas t'en affranchir mais ton méchant regard ne trompe pas. *Comment m'y prendre ? Mais avec l'aide de tout le monde ou presque. Les hommes politiques sont parmi bien d'autres mercenaires, au service du Capitalisme. La grande majorité du monde humain doit participer à ce balayage intégral.*

TUBAR : Ça fait plaisir à entendre. Jacques s'est approprié la peau de son personnage et a rejeté la sienne un peu comme un serpent qui effectue sa mue. Pour la peine je t'offre le cocktail maison que j'ai appelé Borshepor, mélange de bordeaux rouge, de sherry et de porto, alcools qu'affectionnait tout particulièrement le camarade non marxiste Karl Marx.

FRANÇOIS : J'ai bien fait de garder une emprise totale sur mon personnage. C'est un véritable crime de lèse-majesté que de confectionner un tel pot-pourri. Cette mixture contre nature doit être infecte et si l'idole des prolétaires buvait cette bouillabaisse impropre à la beuverie, je comprends mieux les dégâts intellectuels qui ont marqué toute son œuvre.

TUBAR : Vous n'y êtes pas cher consommateur ! Il ne mélangeait pas les trois vins dans un même verre. Il les buvait séparément. Cette préparation trivalente, cette trinité liquoreuse est de mon invention. C'est un cocktail à trois étages dans un verre à cloisons semi-étanches. On déguste d'abord le bordeaux qui garde toute sa saveur. Sitôt le bordeaux bu, le sherry blanc andalou apparaît sur le palais enchanté. Le dernier étage s'ouvre sur un porto aux arômes de fruits rouges.

Les papilles gustatives sont tout émoustillées de ces flux successifs.

FRANÇOIS : Vous vous entendez peut-être en cocktails mais pourquoi vouloir nous enivrer de breuvages politiques ?

TUBAR : Enfin ! On va pouvoir terminer avec les brèves de comptoir. François-Paul, citez-moi trois défauts communs à tous les hommes politiques.

FRANÇOIS/Paul : Mais... Finissons-en ! Trois défauts, d'accord. *Ridicule... Prétentieux... Incompétent...* C'est bon, on peut passer à autre chose ?

TUBAR (*il apporte le cocktail à trois étages à Jacques*) : Jacques-Pierre, citez-moi trois défauts. Je vous signale que le cocktail trois vins n'en a pas, de défauts.

JACQUES/Pierre (*amusé*) : * Hypocrite... Arrogant... Rusé...*

TUBAR : Pas mal ! François-Paul, trois qualités maintenant à leur trouver.

FRANÇOIS/Paul : *Je n'en vois pas !*

TUBAR : Si, si, cherchez bien !

FRANÇOIS/Paul : *Opportuniste... Hâbleur... Charlatan... Je n'en vois pas beaucoup d'autres. *

TUBAR : Bravo Francois-Paul. Vous n'êtes pas le mauvais bougre au fond. Mais il faut parfois vous chatouiller la langue. Je vais vous faire un cocktail trois vins. Il n'y aura pas de jaloux chez les saouls. Jacques-Pierre, trois qualités chez les politiques.

JACQUES/Pierre : Voyons, voyons, oui pourquoi pas ? *Menteur... Sournois... Cupide...*

TUBAR : Vous êtes magnifiques tous les quatre. Je vais rebondir sur une image que vous avez fait surgir lors de vos cabotinages, celle du masque. Quand un homme politique porte un masque, on voit ses qualités. Quand il n'en porte pas, on voit ses défauts. Or ses qualités sont aussi des défauts, vous l'avez subtilement proclamé. Encore bravo ! Néanmoins peut-on faire des distinctions entre eux, comme entre ceux de gauche et ceux de droite ? Buvez avant que les trois phases ne s'accouplent.

JACQUES : Comment peut-on différencier les hommes politiques de droite et les hommes politiques de gauche ?

TUBAR : Il faut s'attarder sur cette question. Que voit un homme politique de droite quand il se regarde dans un miroir ? Vous pouvez reprendre vos identités.

JACQUES (*jetant un coup d'œil à François*) : Il voit son reflet.

TUBAR : Non !

FRANÇOIS (*jetant un coup d'œil à Jacques*) : Fastoche. Il voit son masque.

TUBAR : Non.

JACQUES (*ayant fait décoller le troisième étage de son cocktail*) : Il voit ses pieds.

TUBAR : Non.

FRANÇOIS (*sirotant le deuxième étage*) : Il voit ses yeux sournois.

TUBAR : Non. Il voit un homme politique de gauche.

François et Jacques se regardent et éclatent de rire.

TUBAR : C'est marrant hein ? Je n'ai pas besoin de vous demander ce que voit un homme politique de gauche quand il se regarde dans une glace.

JACQUES : Il voit le reflet, le masque, les pieds, les yeux sournois de l'homme politique de droite. Je crois que j'en ai trop dit ou pas assez.

TUBAR : Vous êtes tous les deux des as de la devinette. Mais il ne faut pas être devin pour pénétrer l'esprit fallacieux de ces conteurs de sornettes.

À leur décharge, ils disposent sans se fatiguer outre mesure de larges attroupements de naïfs enthousiastes et de fanatiques décervelés. Mais peut-on demander à des serfs de ne pas être volés ?

FRANÇOIS : Vous êtes un joyeux blagueur, monsieur le barman. Vous avez plus d'un tour dans votre sac. Une parfaite connaissance des vins, une culture politique sans égal, un bagout de comédien chevronné. Vous devez être bardé de diplômes et de savoir-faire extravagants.

TUBAR : Vous me faites trop d'honneur. Je suis un authentique autodidacte et je ne suis diplômé de rien d'autre que de ma curiosité d'esprit.

JACQUES : Seuls les hommes cultivés devraient avoir le droit de diriger leurs semblables. Cultivés et truffés d'espiègleries. Je ne sais même plus si je parle en mon nom ou au nom de quelqu'un d'autre.

TUBAR : Il faut autant se méfier des gens cultivés que des gens incultes. Il suffit qu'un clown pédant justifie avec grandiloquence l'existence scabreuse d'une société injuste pour que ça le rende intéressant aux yeux du plus grand nombre.

FRANÇOIS : Je ne suis pas sûr de vous suivre. Venez-vous de faire votre autoportrait ? Avez-vous toujours été barman ou est-ce un job d'appoint ?

TUBAR : Je ne veux pas vous raconter ma vie. Elle est encombrée de trop de mystères.

JACQUES : Êtes-vous un ersatz de Pierre, un succédané de Paul, un hybride des deux, un métissé de pauvre et de riche, un mâtiné d'exploiteur et d'exploité, une bouture d'homme politique ?

TUBAR : Que de compliments aboutis en si peu de mots. Je vois que vous avez repris du poil de la bête. Eh bien je vais vous brosser dans le sens du poil. Vous ne savez plus qui vous êtes car plus personne ne le sait. Naguère les exploiteurs se passaient le relais de père en fils, de roi à roi, de seigneur à seigneur, d'aristocrate à aristocrate. Ils détenaient à la fois le pouvoir économique et le pouvoir politique. Avec l'avènement du capitalisme, le relais s'est fait de bourgeois à bourgeois, de propriétaires d'usines à propriétaires d'usines, de conseils d'administration à conseils d'administration, le pouvoir politique étant toujours très intriqué avec le pouvoir économique. Le relais se passe maintenant de bandes organisées à bandes organisées par l'intermédiaire des partis politiques. Le parti vainqueur des élections prend le pouvoir politique et par la même occasion devient le maître de l'économie capitaliste d'État et laisse le capitalisme privé aux mains des groupes privés.

Les populations sont aujourd'hui prises dans une toile d'araignée à capitaux mixtes. Les rois recevaient la couronne dans leur berceau, la plupart des chefs d'État actuels la reçoivent dans l'isoloir grâce au bon peuple qui est trop heureux de croire qu'il a son destin en main. Selon les pays, le pouvoir est soit aux mains d'un seul bonhomme, un autocrate dont les appellations contrôlées sont selon les terroirs, dictateur, tyran, despote, petit père des peuples, soit aux mains d'un groupe oligarchique, ou encore d'un parti dont le chef élu démocratiquement par le peuple, en contrat à durée déterminée, s'installera dans les dorures de la République. Quant au peuple, il ne sait pas trop où il doit aller, il vadrouille, ballotté par les promesses des uns et des autres, accomplissant son devoir électoral au petit bonheur la chance.

FRANÇOIS : Buvez un coup, vous avez la gorge sèche, on ne comprend plus très bien ce que vous baragouinez. J'ai un grand coup de fatigue, je vais rentrer chez moi et me reposer dans mon isoloir. Je serai maître chez moi. Ici je ne suis qu'un valet.

TUBAR : Ne montez pas ainsi sur vos grands chevaux ! Ce que vous avez dit des hommes politiques je ne vous ai pas demandé de le dire. Je vous ai parfois tiré les vers du nez mais ces vermisseaux sont sortis de votre peau et non de la mienne.

JACQUES (*venant au secours de François*) : Mais pourquoi avez-vous choisi ce thème politique ? Les partis ont existé à toutes les époques comme l'air que nous respirons et même si certains sont peu recommandables, il ne faut pas tous les mettre dans le même sac.

TUBAR : C'est là où le bât blesse. Les partis ne sont pas un oxygène vivifiant qui nous tient chacun éveillé et actif pour le bonheur de tous. Il y a en eux un monoxyde de carbone qui nous étouffe à petit feu. Vous voulez renier maintenant ce que vous avez défendu il y a seulement quelques instants. Ne vous sentez pas coupables. Vos belles reparties sont autant de vous que de vos personnages. Vous avez cru imiter Pierre et Paul, vous avez en fait laissé échapper ce qui était enfoui dans le secret de votre âme. Je vous ai un peu charrié, c'est plus fort que moi, il faut toujours que je fasse le malin.

FRANÇOIS : Je ne vais pas me laisser tourmenter plus longtemps. J'ai mes opinions que mes appels aventureux à la fantaisie théâtrale n'ont pas modifiées d'un iota.

TUBAR : Je ne vous demande rien d'autre qu'un peu de considération pour vous-même. Vos dialogues ont le mérite de poser des questions. Quant aux réponses, elles ne réclament qu'un peu de réflexion qu'on peut enrichir par exemple en fréquentant la pensée de Hannah Arendt pour qui le pouvoir est la plus noble des aspirations quand celui-ci n'est pas le pouvoir d'hommes sur d'autres hommes mais le pouvoir en commun.

JACQUES : Philosophe, utopiste, libertaire, amoureux des bons vins et des belles femmes, je suppose !

FRANÇOIS : Le soir, il doit troquer sa veste de barman pour une nuisette psychédélique. Il va rejoindre sa communauté hippy et profiter de la mise en commun des femmes pour forniquer dans son harem où le pouvoir est au bout du phallus.

TUBAR : Lâchez votre venin, ça vous soulagera le cœur et tout ce qui croupit en vous se dissipera dans les limbes du néant. Je vous sers un dernier Borshepor à tous deux ?

FRANÇOIS (*la mine renfrognée*) : Servez plutôt les autres clients. Vous faites vraiment mal votre service.

TUBAR : Le café est fermé depuis bientôt une heure.

JACQUES : Nous sommes alors des clients privilégiés !

TUBAR : On peut le dire. Pendant que je prépare le Borshepor, méditez cette pensée d'Aristote qui souhaite la mise en commun des paroles et des actes. Quant à faire ses courses dans le rayon des femmes offertes, ce n'est qu'un vieux fantasme de prédateurs prépubères.

Les lumières du café s'atténuent pendant que le barman prépare le Borshepor.

Scène IV
Pierre

Dans l'appartement plongé dans l'obscurité, volets fermés, lumière éteinte.

PIERRE (*le téléphone collé à son oreille. Précédé de... quand l'interlocuteur parle*) :... Il a demandé à me voir ?

Il n'est pas prudent. L'euphémisme est toujours de rigueur avec lui... Pourquoi est-il retourné à ses petites boîtes ? Il sait bien qu'on le recherche et j'ai cru comprendre qu'on l'avait retrouvé. Vous n'êtes pas mon seul informateur... Mais non, c'est juste une petite taquinerie de ma part. Heureusement que vous avez l'œil... Il fait quoi ? Il est dans ses flacons, ses éprouvettes, ses fioles et ses tubes à essai ! Vous racontez n'importe quoi, ça fait longtemps qu'il a abandonné ce genre d'ustensiles... Qui l'a vu faire de telles expériences ? Il vous l'a dit de vive voix ? Il est venu vous voir ? Chez vous ?

Normal, il vous rend la politesse. Vous remercier était la moindre des choses. Quel est son vrai prénom ? Je ne savais pas qu'il en avait un faux. Notre mère l'a toujours appelé Métadon... Ça vous évoque un stupéfiant ? Ça ne m'étonne pas, il nous a toujours stupéfiés... Mais vous n'y êtes pas du tout, elle l'appelait tantôt mon petit dinosaure tantôt mon petit mammifère, allez savoir pourquoi, et passant en revue la liste de ces charmantes bestioles elle s'est arrêtée sur le terme Dimetrodon que nous avons abrégé en Métadon... Est-ce son prénom officiel ? Je n'en connais pas d'autres... Sur sa carte d'identité, il y a écrit Métro ? Comme métronome ? Vous avez fait des recherches, c'est bien un prénom, tant mieux ! Après tout, c'est un prénom comme un autre… Masculin de surcroît ! Ça vous étonne ? … Et sur son permis de conduire, son prénom est Metha… Pourquoi ? je n'en sais rien ! Vous dites que c'est un prénom féminin ? Quelle importance, le genre, ça va, ça vient. Nous avons tous un côté masculin et un côté féminin. En tout cas je vois que, déformation professionnelle oblige, vous vous êtes informé sur des détails que moi-même j'ignorais… Non, je n'ai jamais passé en revue ses papiers d'identité. Être un sans-papiers est un peu mon idéal d'être humain. Je dois reconnaître que j'ai toujours eu tendance à lui créer par esprit facétieux des variations de prénom, meudon, comédon, amidon, mirmidon. Quant à son nom d'emprunt, je ne l'ai jamais trouvé très heureux. Son vrai nom rime avec son prénom et c'est aussi bien comme ça… Que voulez-vous, j'ai une âme de rimailleur… de poète si vous préférez. Passez me voir dès que vous avez un moment… C'est entendu.

Il raccroche, la lumière envahit la pièce et éclaire Pierre qui retourne s'installer dans son fauteuil.

Scène V
Monsieur Prazoc

Revêtu d'une blouse blanche
Monsieur Prazoc s'affaire au-dessus d'une paillasse.
Plusieurs mortiers y sont posés dans lesquels un pilon
apparaît, dégoulinant de pâte onctueuse.

MONSIEUR PRAZOC : Mes nouveaux amis, mes camarades, mes frères, vous allez être épatés quand vous apprendrez ce que je suis en train d'entreprendre pour faire triompher notre admirable cause. Mais je suis encore loin d'aboutir à un résultat probant de mes recherches. Pouah, pour l'instant ça sent fort mauvais, une odeur d'eau stagnante qui s'évapore en rejetant ses miasmes d'œufs pourris partout dans la pièce. Ce sont les odeurs du capitalisme qui demandent à sortir. Eh bien mes petites chéries vous allez être accueillies avec tous les honneurs que mérite votre infection. Pouah, en attendant c'est moi qui déguste.

Il approche son visage des mortiers et les contemple avec une langoureuse détestation.

Ce n'était qu'un essai. Je dois maintenant faire les choses à l'échelle de mes ambitions. J'ai hâte de mettre mes compagnons au courant de mes travaux. Notre petit groupe a vraiment fière allure.

Il s'éloigne de la paillasse et se met à rêvasser.

Comment s'appelle-t-il notre groupe déjà ? À chaque fois que j'y pense, c'est pour m'apercevoir que son nom m'échappe. C'est idiot d'être oublieux à ce point. C'est sans doute la perte d'énergie due à mon extrême concentration. Déconcentrons-nous pour mieux nous reconcentrer. L'acronyme est FOR. Il n'y a pas le moindre doute à ce sujet. Je n'en démordrais pas. Fe... quelque chose suivi d'Organisation Révolutionnaire. Ça pourrait être dans ce style-là. Mais le F c'est quoi, c'est un adjectif mais lequel ? Cherchons.

Fanatique ? Ça m'étonnerait. Si c'était le cas, ça se saurait. Est-ce que j'ai l'air d'un fanatique ? Voyons, ben non. Je n'ai rien à voir ni de près ni de loin avec le fanatique Netchaiev. Et je me porte garant des autres.

Frénétique ? Pfuit... Nous ne vivons pas sur les nerfs du matin au soir à nous agiter dans tous les sens. Ça ne va pas, non ?

Fantasmagorique ? Bof... Non, bien sûr. Nous existons réellement, nous ne sommes pas une vue de l'esprit. Et puis quoi encore !

Fantomatique ? Il ne manquerait plus que ça. Marchons-nous comme des ombres furtives sur les pas de nos ennemis ? Même si c'était le cas, ils finiraient bien par nous apercevoir. Nous ne sommes pas plus furtifs qu'eux sont ostentatoires.

Ferment ? Mais non, c'est un adjectif qu'il faut chercher.

Fanfaron ? Quand bien même nous porterions des chapeaux ronds, on ne pourrait nous taxer d'être friands de fanfaronnades. Nous ne sommes pas des coqs excités criant sur tous les toits des appels à la révolution sociale.

Furibond ? Combien d'épithètes sont prêtes à se vêtir d'un bond avec un falbala décoratif ? Eh bien non, qu'on se le dise, la furibonderie n'orne pas nos visages expressifs. La violence est parfois nécessaire aux actions révolutionnaires. Cependant nous ne nous mettons pas en colère pour un oui ou pour un non. Non ? Et pour deux oui et pour deux non ? Pas plus !

Féerique ? C'est là le hic !

Nous aimerions vivre un conte de fées mais l'irruption du grand Soir risque de se faire attendre. Le père Noël ne sera pas notre guide.

Fabuleux ? Ce serait miraculeux que n'étant pas affabulateurs nous soyons pourtant sujets de merveilleuses fables.

Fasciste ? Quoi, qu'est-ce je dis ? Voilà le fâcheux mot qui est lancé ! Jetons-le à la poubelle avec l'affreuse marionnette, le pantin ridicule de la tragedia del arte, Mussolini, qu'il vaut mieux musser je veux dire cacher dans les cercles profonds de l'enfer de Dante. Fascistes, nous ? Ça ne va pas la tête ! Plutôt antifasciste ! Mais la lettre A ce n'est pas la lettre F.

Essayons Fertile. Fertile organisation révolutionnaire, ça a de la gueule. Nous ne demandons pas mieux que de voir notre semence révolutionnaire fertiliser le champ social. Mais je n'ai pas souvenir qu'un tel mot ait pu nous caractériser. Tant pis.

Farouche ? Sommes-nous sauvages, sommes-nous timides, sommes-nous violents ? Je réponds non à toutes vos questions Monsieur Moi-même. Il ne reste que…. La folie ! Avons-nous un grain de folie ? Ou bien sommes-nous tous fous à lier au point qu'il faille nous attacher les uns aux autres ou à notre propre figure ? Je parle au figuré naturellement. Je donne ma langue au premier qui voudra la délier par la parole ou par l'écrit. Suis-je bête ?

Il doit bien me rester un tract ou deux avec le nom de l'organisation. Non j'ai tout distribué et Paul n'a pas voulu m'en redonner. Il exagère celui-là. Bon, le plus important est de me remettre à mes travaux préparatoires.

Il aligne les trois mortiers et les contemple avec ravissement.

Récapitulons !

La molécule à synthétiser est l'acide :

GammaButyroAspartoGlutamoAphasique.

Dans le premier mortier, j'ai mis 200 grammes de beurre rance, un assortiment de fromages en décomposition pour environ 150 grammes, 25 grammes de poudre de craie blanche et j'ai mélangé le tout avec force tournoiements. La fermentation butyrique battant son plein, ça sent bon la transpiration.

Dans le 2e mortier, j'ai écrasé au pilon 1000 comprimés d'aspartame. À sa poudre blanche, j'ai ajouté 400 ml de jus d'asperge provenant d'une belle botte d'asperges fraîches. J'ai malaxé le tout à une vitesse hallucinante jusqu'à avoir une crème onctueuse. Il faut avoir le tour de main pour ne pas se faire de tour de rein. C'est bien le diable si je ne récupère pas de l'acide aspartique là-dedans. Hum… ça ne sent pas si mauvais que ça !

Dans le 3e mortier j'ai concassé des amandes, des graines de courge, des pois cassés, des lentilles corail et comme liant j'ai ajouté du parmesan et beaucoup d'eau pour faire du mélange une succulente pâte molle.

Il renifle et fait la moue.

Succulente, succulente, moi je veux bien mais je ne m'en ferai pas une tartine. Si après dégustation on n'a pas les neurones excités grâce à la présence lancinante d'acide glutamique, je veux bien rendre mon tablier.

Me voici presque au terme de ma formulation. Il reste un dernier compartiment pour lequel je n'ai pas préparé de mortier. Dans mon métier je veux bien être préparateur. Prévoir toutes les combinaisons possibles est une tâche exaltante. Les acides butyrique, aspartique, glutamique m'observent avec sympathie depuis leur repaire grassouillet. Mais les accrocher à un acide inconnu nommé pompeusement aphasique, et de plus dans le positionnement gamma d'un de ses atomes de carbone, c'est vouloir résoudre la quadrature du cercle dans une géométrie qui n'a pas encore vu le jour. Est-ce que le professeur Harro a voulu se payer ma tête ? Si c'est le cas, il a réussi. L'acide aphasique n'existe que dans son imagination trompeuse. Eh bien, je relève le défi. Cherchons, cherchons, cherchons ! Aphasique ! Est-ce un code secret, un symbole ésotérique, une clef pour entrer dans un monde parallèle ? Ou bien tout simplement le nom farfelu d'un neuromédiateur méconnu ? Le professeur Harro a voulu me faire parler avec son produit et me faire avouer tout ce qui pourrait me passer par la tête. C'est le contraire de l'aphasie. Ou alors ou alors… Un système homogène est constitué d'une seule phase. Au contraire, un mélange d'huile et d'eau à l'équilibre est constitué de deux phases distinctes. Qu'est-ce qui pourrait être composé d'aucune phase ? Le vide bien sûr ! Le vide est en phase avec lui-même. Ma conclusion est absurde. Il y a plein de matières dans mes mortiers. À moins que, à moins que… Si je mélange le contenu des trois mortiers comme j'en avais d'ailleurs l'intention, peut-être obtiendrai-je de l'antimatière auquel cas les trois phases s'annihileront et un résidu aphasique apparaîtra inévitablement. Quand son nom glorieux claquera avec orgueil à mes oreilles enchantées : agbaga ! agbaga ! agbaga !, je n'aurai plus qu'à m'attaquer à la maudite molécule qui provoque l'esprit de soumission dans le cerveau détraqué de l'espèce humaine : l'esclavagine. Car j'en suis persuadé, l'esclavagine existe bel et bien, je l'ai vue dans les yeux du Professeur Harro. L'agbaga faisant monter sa concentration je dois trouver le contrepoison, une enzyme qui empêchera l'agbaga d'agir et qui détruira à marche forcée l'esclavagine en allant la chercher au cœur de ses méfaits. Verrai-je les exploits de l'esclavaginase au cours de mon existence, verrai-je les foules réclamer à corps et à cris la fin du capitalisme ? Si l'action concertée des révolutionnaires et des masses laborieuses ne suffit pas à provoquer la libération tant espérée des uns et tant redoutée des autres, je veux parler des capitalistes, alors il ne restera que la chimie pour nous sauver de nous-mêmes.

Monsieur Prazoc essuie son front imprégné de sueur.

Esclavagine, qui es-tu, où es-tu, par quels maléfices inavouables paralyses-tu les systèmes nerveux les plus sophistiqués de la création ?

Réfléchissons ! L'esclavagine est un neuromédiateur qui est stocké dans les neurones et qui s'y promène au gré de son humeur fantasque. Est-elle inconnue des services d'espionnage neurologique ou correspond-elle à un neuromédiateur archi connu ? Je ne suis pas pharmacologue mais je connais ces colocataires des neurones *(il parle de plus en plus fort et de plus en plus vite en comptant sur ses doigts)* : sérotonine, dopamine, acétylcholine, adrénaline, noradrénaline, sudadrénaline.

(*il s'interrompt un instant, la bouche ouverte.*) Voilà que je perds le nord, je suis complètement à l'ouest. Quand l'émotion me gagne, ma boussole s'affole, je suis ballotté par la tempête et je suis prêt à sortir les pires clichés. Reprenons nos esprits. Je vais partir d'un postulat. L'esclavagine est la somme de tous les neuromédiateurs présents dans l'organisme. Pourquoi pas ? Il n'y a plus qu'à la remettre dans le droit chemin. Mais comment ? En la maîtrisant, en la régulant, en la subjuguant, en la supprimant ? Plus facile à dire qu'à faire. L'ignorer serait sans doute la solution de facilité. C'est inenvisageable. Pour connaître son vrai visage, je dois l'attaquer de front. Sus à elle ! Harponnons cette maudite harpie, ce monstrueux succube qui suce les cervelles depuis l'aube des temps. Anéantissons ce furieux désir, ce besoin et cette envie irrésistibles qu'ont les êtres humains de se sentir esclaves.

Pour produire l'esclavaginase je dois m'en donner les moyens. Je dois faire agir au plus vite pendant qu'ils sont encore chauds bouillants les contenus de mes trois mortiers sur des cellules nerveuses. Je suis nerveux, je suis nerveux, je suis nerveux. J'ai envie de m'arracher la tête. Mais où ai-je la tête ? J'ai complètement oublié d'aller à la cave lui servir un repas. Il doit avoir faim.

Scène VI
Tubar, Jeanne, Vanessa

Dans un café où il fait bon vivre pourvu qu'un excellent café soit servi par un aimable barman.

TUBAR : *S'approchant avec déférence et servant deux cafés chauds fumants.*
Vous êtes sûres, Mesdames, que vous ne voulez pas consommer ensuite une dive bacbuc d'ale anglaise. Plus blonde et plus savoureuse que celle servie par votre serviteur ça n'existe pas.

JEANNE : Ne parlez pas avec des mots alambiqués, jeune homme. Nous ne sommes pas des spécialistes du vocabulaire de comptoir.

VANESSA : Ale, je sais que c'est de la bière anglaise. À Londres j'avais pris l'habitude en sortant de la fac de me réunir avec des collègues dans un pub tout ce qu'il y a de british. Mais barbaque, quésaco ? Je n'ose imaginer ce que vous ajoutez dans votre bière.

TUBAR : *Sur le ton de la plaisanterie*
Voulez-vous un rab de lait dans votre café ?

JEANNE : Je sais que vous avez l'esprit vif. Pierre m'a parlé de vous en termes élogieux. À moins que ce ne soit Paul. Je ne sais plus trop bien. Mais votre question n'a aucun sens, mon pauvre ami. Nous ne vous avons jamais demandé d'éclaircir notre café avec du lait. N'est-ce pas Vanessa ?

VANESSA : Et même si cela avait été le cas, je ne vois pas bien le rapport avec de la bière, toute blonde qu'elle puisse être.

TUBAR : *Plus souriant que jamais.*
C'était un jeu de mots, bien mauvais, j'en conviens, qui voulait mettre en scène l'illustre Rabelais dont je suis persuadé que ses récits, contenant les aventures de Gargantua et de son fils Pantagruel, ne vous sont pas étrangers. Et que dire de la pauvre Bacdebec, la mère de Pantagruel qui meurt en accouchant ? Dans son cinquième livre, Rabelais conte le voyage de Pantagruel à la recherche de la dive bouteille qu'il nomme bacbuc. Bien qu'aimant la bonne chère sont-ils friands de barbaque, je vous laisse le soin de déguster cette question ?

VANESSA : On peut dire qu'on ne s'ennuie pas avec vous.

JEANNE : Ne le prenez pas mal mais il arrive un moment où on a envie de s'ennuyer entre nous, rien que nous deux.

TUBAR : Mais bien sûr. L'ennui est la chose la mieux partagée avec soi-même. Comme le dit si bien Baudelaire « dans la ménagerie infâme de nos vices, il en est un plus laid, plus méchant, plus immonde et dans un bâillement avalerait le monde, c'est l'Ennui.

JEANNE : Et comme le dit si bien Verlaine, vous vous en allez au vent mauvais qui vous emporte pareil à la feuille morte.

TUBAR (*qui paraît vexé*) : Si vous voulez, avant de partir, vous pourrez me demander un balai avec lequel vous me balaierez le vent devant la porte du café.

VANESSA : Ne vous vexez pas. Les femmes, vous savez ce que c'est. Elles ont leur humeur et parfois des vapeurs qui leur tapent sur les nerfs. Ne cherchez pas. Ce sont les hormones qui nous travaillent au corps, c'est la faculté qui le dit. Je suis bien placée pour le savoir, étant femme moi-même à mes moments perdus.

JEANNE : Parle pour toi. Mes hormones me dérangent bien moins que celles de ces messieurs qui se croient tout permis.

TUBAR : Eh bien, je crois que je vais vous laisser à vos pensées féministes qui n'en sont pas moins, je veux l'espérer humanistes.

Il s'éloigne et retourne à son comptoir. On l'entend chantonner » Amis, il nous faut faire pause. J'aperçois l'ombre d'un bouchon. Buvons à l'aimable Fanchon. Pour elle, faisons quelque chose.

JEANNE (*sur le ton de la confidence*) : Vanessa, peut-on aimer deux hommes en même temps ?

VANESSA : Tu veux dire faire un plan à trois ?

JEANNE : Mais non, je veux dire les aimer séparément.

VANESSA : Donc alternativement.

JEANNE : J'ai l'impression que tu crois que je veux me les envoyer à tour de rôle. Je te parle de sentiments amoureux, pas de sexe.

VANESSA : Tu veux vivre deux relations platoniques ? Ma pauvre Jeanne, tu vas mourir de langueur.

JEANNE : Tu ne comprends vraiment rien à mes problèmes sentimentaux.

VANESSA : Notre barman a vu juste. Tu n'es pas à prendre avec des pincettes aujourd'hui.

JEANNE : N'es-tu jamais tombée amoureuse de deux personnes sans savoir vers qui penchera ton cœur finalement ? T'es-tu résolue à sacrifier l'un pour garder l'autre au risque de te tromper ou as-tu préféré vivre une relation compliquée avec deux êtres dont tu savais qu'ils finiraient par apprendre qu'ils étaient les deux côtés sans doute inégaux d'un triangle amoureux prêt à s'effondrer sur sa base au moindre souffle de jalousie ?

VANESSA : Eh bien ma chérie, comme tu emberlificotes les choses les plus simples à propos de gens qui ne demandent qu'à te croire. Boileau disait « ce que l'on conçoit bien s'énonce clairement et les mots pour le dire arrivent aisément ». Boileau parlait vrai et sa franchise aurait dû t'aider. Je te conseille de boire pour avoir les idées claires un pichet d'un bon vin à la robe chatoyante.

Je vais appeler le barman.

Garçon, vous qui avez l'esprit rabelaisien, apportez-nous une bouteille du meilleur vin de votre cave.

TUBAR (*qui arrive sans se faire prier*) : Tout de suite Mesdames !

Je m'en vais de ce pas vous apporter un bacbuc de Borshepor. Il n'y a rien de meilleur des monts d'Arrée aux monts d'Oural.

VANESSA (*mi-admirative, mi-ironique*) : Vous avez l'air de vous y connaître en vignobles, ça fait plaisir.

TUBAR (*plus que flatté*) : Je suis tombé dedans quand j'étais petit. Par mégarde alors qu'elle changeait ma couche, ma mère m'a culbuté dans un résidu de distillation de liqueurs alcooliques. Suite à cet incident, on m'a surnommé le bambin de la vinasse. J'ai grandi avec cette réputation d'as des vins.

JEANNE (*agacée*) : Ne nous racontez pas votre vie. La nôtre est assez compliquée comme ça.

VANESSA : Parle pour toi. La mienne est d'une simplicité enfantine. J'ai bon pied, bon œil, bon appétit, bon goût, bon caractère, bonne haleine, bon…

JEANNE (*l'interrompant*) : Barman, servez-lui plutôt une bière avec faux col. Elle aime bien se faire mousser.

TUBAR : Eh bien, quand ce ne sont pas les bonhommes qui s'engueulent, ce sont les bonnes femmes qui prennent le relais. La vantardise n'est pas l'apanage du sexe fort.

JEANNE : Si ce n'est pas se vanter que de croire à la supériorité de votre sexe, je veux bien qu'on m'accuse de vantardise quand il me viendra à l'esprit d'acclamer la faiblesse du sexe féminin.

VANESSA : Bien parlé, Jeanne. Nous pouvons nous retrouver quand il s'agit de défendre la cause des femmes.

JEANNE : Je n'ai pas besoin de ta bénédiction pour mettre en valeur mes convictions profondes. Je voulais ton avis sur un problème qui me tourmente et toi tu m'envoies dans les cordes avec des digressions dont je n'ai que faire.

VANESSA : Détrompe-toi ! Le questionnement sur ta situation amoureuse montre bien que la place de la femme dans les relations avec les hommes est souvent mal définie et qu'elle n'a pas le droit de revendiquer une liberté amoureuse qui échoit naturellement au plus stupide des hommes.

JEANNE : Détrompe-toi ! Si j'avais été un homme, je me serais posé la même question.

VANESSA : En es-tu si sûre ? Tu es amoureuse de deux hommes, soit. Profite de la chance que tu as d'avoir à donner plein d'amour. Le vrai problème est le suivant : es-tu aimée en retour ? Si c'est le cas, fonce ! Aime-les tous les deux. S'ils sont conscients de leur chance, ils s'arrangeront pour trouver un modus vivendi qui réglera vos relations.

JEANNE : Ils n'arrangeront rien du tout. Je ne suis pas une marchandise qui doit faire l'objet d'une transaction entre deux commerçants.

TUBAR (*arrivant avec un plateau dans les mains*) : Vanessa, j'ai l'impression que votre féminisme a pris un coup dans l'aile. Je peux vous appeler Vanessa ? Voici deux verres de Borshepor aux goûts triples et deux assiettes en bois de kapokier ayant à leur bord du foufou d'igname, plat africain dont les hommes aussi bien que les femmes raffolent en ces contrées raffinées.

JEANNE : Vous avez le chic pour mettre tout le monde dans votre poche.

TUBAR : Vous aimez Pierre et Paul. Écoutez votre cœur et leurs réponses quand ils connaîtront vos sentiments pour l'un et pour l'autre. Peut-être que Pierre vous aime plus que Paul, peut-être que Paul vous aime plus que Pierre, peut-être que vous aimez plus l'un que l'autre. C'est à vous de choisir, pas à eux. Si l'un des deux sait mieux que l'autre vous aimer alors, n'hésitez plus. Vous n'êtes pas à plaindre. André Breton a écrit dans son livre l'Amour fou : « Je vous souhaite d'être follement aimée ».

JEANNE : Je ne pensais pas qu'un jour ma vie intime serait dévoilée sur la place publique. Vous n'ignorez pas le couple que je forme avec Pierre. Comment savez-vous que Paul est entré dans ma vie ?

TUBAR : Un barman entre dans la vie de tous ceux qui entrent dans son bar.

VANESSA (*qui trempe un doigt dans le plat*) : Tu vis avec Pierre depuis de nombreuses années. Tu connais tout de lui à moins qu'il n'y ait des secrets entre vous. Tu as eu tout le temps d'apprécier sa manière de vivre, de découvrir ses qualités et ses défauts. Vous avez eu tout le loisir d'éprouver la profondeur de votre amour. Avec le temps la routine s'installe dans un couple et la passion des premières années fait place à une tendresse amoureuse non démentie par le temps et les épreuves. Parfois la flamme s'éteint naturellement sans que les amants y soient pour quelque chose. Ce que je dis n'a rien d'original. Ce qui te séduit peut-être chez Paul c'est la nouveauté. Encore que rien de neuf n'apparaît sous le ciel encombré de la politique. Ils ont les mêmes idées farfelues et pensent avec la même passion détenir la vérité.

TUBAR : Si je peux mettre mon grain de sel, les idées ne font pas l'homme. Mangez le foufou avant que l'idée ne me vienne de plonger mes mains dans vos assiettes.

JEANNE : Pas touche ! C'est succulent. J'ai trempé une boule dans la soupe que vous avez amenée. C'est comme ça qu'on fait ? Vous ne nous avez donné aucune marche à suivre.

TUBAR : Il faut suivre son instinct. Vous avez trempé vos doigts. Vous avez bien fait. Vous n'avez pas le choix, je n'ai pas mis de couverts. Sentez-vous le goût des gombos, des tomates, des aubergines, du poulet qui gigote dans la sauce aux piments ?

VANESSA : Il y a tout ça ? Ça demande du travail. Vous l'avez fait vous-même votre foufou ou vous avez une esclave africaine qui fait vos quatre volontés ?

TUBAR : Mon esclave est un robot mixeur qui m'obéit au doigt et à l'œil. La révolte des robots n'aura pas lieu si les hommes se révoltent à temps.

VANESSA : Vous oubliez les femmes. De grandes figures féminines ont sonné la révolte pour mettre fin à la société patriarcale. J'ai dans ma bibliothèque quelques livres des plus grandes féministes américaines.

JEANNE (*intéressée*) : Ah oui, lesquelles ?

VANESSA : Je n'ai malheureusement pas eu le temps de les lire. Mon métier d'enseignante m'oblige à suivre les programmes et en tant que professeure de lettres anglo-saxonnes je suis tenue d'aborder les auteurs qui figurent dans la liste officielle. En ce moment j'étudie avec mes élèves de 2e année de faculté les deux grands poètes britanniques du XIXe siècle, George Byron et Percy Shelley.

JEANNE : Et sa femme Mary Shelley, l'auteure de Frankenstein, tu as l'air de l'oublier.

VANESSA : Pas du tout. C'est un grand écrivain qui fait partie de mon enseignement auquel j'ai ajouté pour bien faire comprendre la filiation l'étude de l'œuvre et de la vie de ses parents. Sa mère, Mary Wollstonecraft est une des pionnières de la philosophie féministe. Son père William Godwin est l'un des précurseurs de la pensée anarchiste.

JEANNE : Je vois qu'elle a de qui tenir. J'ai lu son Frankenstein. Ça m'a fait frissonner et réfléchir à la fois.

VANESSA : Réfléchir à quoi ?

JEANNE : À tout. À la place de l'homme dans l'univers et dans la société.

VANESSA : Et la place de Mary Shelley est entre ses parents et son mari. Dans son roman the Last Man aussi bien que dans son Frankenstein elle veut montrer le manque de contrôle de l'homme sur l'histoire. Ce sont des récits d'anticipation qui appartiennent au romantisme le plus noir.

JEANNE : Pour moi Frankenstein est un roman gothique, philosophique, horrifique. C'est de la science-fiction avant l'heure.

VANESSA : On peut dire que Mary Shelley a suivi la ligne de pensée de sa mère morte onze jours après sa naissance, cette mère qui avait écrit, l'année de la proclamation de la République en France, son fameux livre « Défense des droits de la femme ».

JEANNE : Elle a vécu un amour fou avec le poète Percy Shelley. J'aimerais vivre le même amour.

VANESSA : Après la mort tragique de Percy, elle a conservé son cœur dans une page de poésie qu'elle a gardée jusqu'à la fin de ses jours. La lecture de son journal paru sous le titre « Que les étoiles contemplent mes larmes » m'a fait pleurer. Elle consacre le reste de sa vie à faire connaître l'œuvre poétique de son mari et à écrire des ouvrages qui défendent la cause des femmes. (*Elle essuie une larme.*)

TUBAR : Mesdames, je vous conseille de reprendre du Borshepor, sinon vous allez fondre dans une mélancolie proche d'un spleen Baudelairien.

JEANNE (*les yeux embués*) : C'est votre eau-de-vie ou plutôt votre eau de mort qui nous a mis dans cet état.

TUBAR : Votre appellation reflète assez bien la force de mon breuvage. Mais je vais plutôt vous apporter un autre cocktail de mon cru que j'ai baptisé « le dernier homme » en référence au livre de Mary Shelley. Car ceux qui survivent à cette boisson peuvent se compter sur les doigts d'une seule main.

VANESSA : Quelle horreur. Vous voulez donc nous empoisonner ?

TUBAR : Vous avez plus de chance de survie que n'en a eue le genre humain dans le livre de Mary où les guerres et la peste transforment le monde en désert.

JEANNE : Si votre bar devient un désert, vous allez faire faillite.

TUBAR : Si après avoir bu mon cocktail vous croyez plus en Dieu qu'au diable, je veux bien me faire moine. Percy Shelley qui doit être couché au ciel dans un hamac m'en voudra sûrement, lui qui a écrit le Pamphlet « la nécessité de l'athéisme ».

VANESSA : C'est à base de quoi votre tord-boyaux ?

TUBAR : Écoutez bien ! Il y a dans mon jus de la vodka, du whisky, du cognac, de l'absinthe, du pastis et une liqueur dont je tairai le nom eu égard à votre crainte des alcools.

JEANNE : Je n'en veux pas. Votre mixture n'a pas de contrepoison. Vous êtes bien un homme pour vouloir étourdir les femmes qui ne répondent pas à vos avances.

TUBAR : Votre imagination vous joue un sale tour. Même Lord Byron, le romantique Lord Byron qui accumula les conquêtes féminines, désespérant de trouver l'âme sœur, n'a pas accompli ce que vous voulez me reprocher. Quand je veux enivrer une femme, c'est avec la finesse de mon esprit et non pas avec l'ivresse des eaux-de-vie.

VANESSA : Voilà notre barman qui sort de ses gonds. Apportez-nous votre « dernier homme » et buvons à la santé du révolutionnaire athée Percy Shelley, de la révolutionnaire féministe Mary Shelley et du révolutionnaire séducteur Gorge Byron. Ils étaient tous les trois romantiques, libérés des conventions sociales de leur temps, amoureux de la littérature et des voyages, follement épris de la vie et accablés par les deuils. Excusez-moi, on dirait que je viens de faire un cours à mes étudiants.

TUBAR : Voilà un brillant exposé. Si je dois ajouter quelque chose, je dirai que ces trois-là s'entendaient comme larrons en foire.

Ils avaient une vie agitée en dehors des sentiers de la bienséance. Ils prônaient un mode de vie naturel et libertaire. J'ai failli appeler un autre cocktail de mon invention Devil's Walk du nom d'une œuvre poétique de Shelley, critique satirique du gouvernement britannique. J'ai aussi en préparation un drink explosif que je nommerai « luddites drink » en hommage au mouvement social des ouvriers anglais du textile qui s'organisèrent pour détruire les machines accusées de provoquer le chômage. Notre ami Shelley les a soutenus.

JEANNE : Vous êtes barman ou révolutionnaire ?

TUBAR : Devinez ! Si je vous dis qui je suis, vous ne me croirez pas.

VANESSA : Dites toujours !

TUBAR : Je suis votre chevalier servant, prêt à vous servir une flopée de cocktails extravagants.

JEANNE : Vous êtes Shelley ou Byron ?

TUBAR : Bonne question. Mais à poser à Pierre et à Paul. Lequel est Shelley, lequel est Byron ?

VANESSA : Ces éventualités n'ont aucune raison d'être envisagées.

JEANNE : Tout bien pesées, elles vont m'aider à choisir. Pierre est Percy Shelley. Paul est Lord Byron.

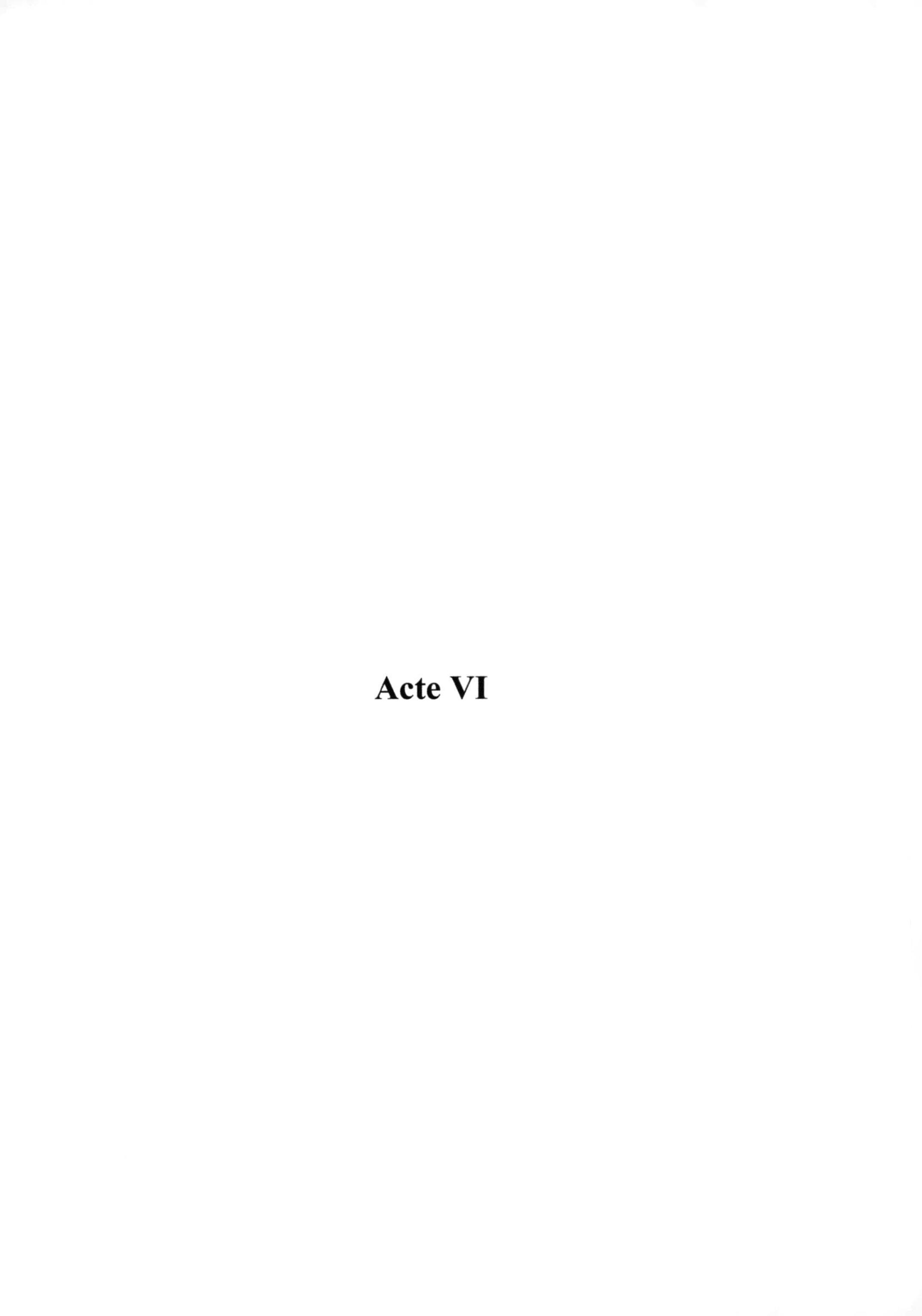

Acte VI

Scène I
Monsieur Prazoc, Monsieur Troudelassec, Tubar, Professeur Harro

Une cave bien aménagée. Une table, deux chaises, un lit de camp, une lampe de chevet, une petite fenêtre par où la lumière du ciel a bien du mal à passer.

Monsieur Prazoc est penché vers un homme allongé sur le lit. En le voyant, il se lève brusquement en grognant.

MONSIEUR PRAZOC : Tout doux, mon agneau. Je savais que vous m'attendiez pour avaler votre pitance. Mais des travaux de la plus haute importance ne peuvent pas attendre non plus.

MONSIEUR TROUDELASSEC : Je n'ai même plus assez d'eau pour me faire un café.

MONSIEUR PRAZOC : Alors là, je me donnerais des gifles ! Écoutez, je vais refaire mon entrée. (*Il fait quelques pas en arrière et revient.*) Comment allons-nous aujourd'hui, Monsieur Mou du Bec ?

MONSIEUR TROUDELASSEC : Je ne vous permets pas d'écorcher mon nom !

MONSIEUR PRAZOC : Je me permets d'écorcher ce que je veux. Je m'en vais vous écorcher la cervelle, vous m'en direz des nouvelles.

MONSIEUR TROUDELASSEC : Je ne vous permets pas…

MONSIEUR PRAZOC : Vous qui aimez tant faire des greffes, vous devriez être comblé. Je vais greffer votre système morveux à la crème de mes mortiers.

MONSIEUR TROUDELASSEC : Vous et votre camarade barman, vous allez entendre parler du pays.

MONSIEUR PRAZOC : Je comprends, vous êtes énervé. L'estomac vide donne toujours des idées noires. On va remédier à cette infortune immédiatement. Je vous ai apporté de la cervelle d'agneau. Vous allez pouvoir faire bombance et remplir votre tirelire à comestibles.

MONSIEUR TROUDELASSEC : Votre langage est aussi grossier que votre nourriture est infecte. Je ne vous reconnais plus. Vous étiez si humble, si respectueux, presque mielleux, à la limite de la servilité.

MONSIEUR PRAZOC : Vous n'êtes pas sans savoir que grâce à vos bons soins j'ai fait un petit tour dans un endroit interdit aux âmes sensibles.

MONSIEUR TROUDELASSEC : N'en faites pas toute une histoire. On vous a délivré au bout de quelques heures alors que moi je moisis ici depuis des jours. C'est de la séquestration. Mais pour qui vous prenez-vous ?

MONSIEUR PRAZOC : Je me prends pour ce que je suis, pour un révolutionnaire qui a été bridé trop longtemps.

MONSIEUR TROUDELASSEC : Ne me faites pas rire. Au premier jet de gaz lacrymogène, vous irez courir comme un lapin vous cacher derrière un tronc d'arbre.

MONSIEUR PRAZOC : Pensez ce que vous voulez. Je ne suis pas partisan de la violence. Vous ai-je fait du mal ? Non ! Vous ai-je attaché à un radiateur avec des menottes aux poignets et enchaîné aux pieds à des boulets. Non !

MONSIEUR TROUDELASSEC : Alors, libérez-moi, je n'ai rien à faire ici. Gardez vos mignardises à donner aux cochons et laissez-moi respirer un air que n'empesteront plus vos sueurs malsaines.

MONSIEUR PRAZOC : Pourquoi vous donnerais-je satisfaction ? Vous avez fait chanter mon frère, vous l'avez menacé des pires représailles s'il ne finançait pas vos manigances pseudo médicales. Je vous retourne la question. Vous vous prenez pour qui ?

MONSIEUR TROUDELASSEC : Ça, c'est la meilleure. Il est votre frère maintenant. Et moi je suis le frère de la reine d'Angleterre et le fils caché d'Alexandre le Grand.

MONSIEUR PRAZOC : Libre à vous de ne pas me croire. En tout cas, mangez votre cervelle avant qu'elle ne devienne une gelée blafarde.

MONSIEUR TROUDELASSEC : Je ne sais pas ce qui me retient de vous en coller une.

Sans doute la faiblesse musculaire qui m'étreint depuis que je suis retenu ici.

Vous devez me droguer à chaque fois que je consomme une de vos foutues bouillabaisses. Je n'ai même pas la force de me tenir debout plus d'un quart d'heure. Votre salade, hier soir, avait un drôle de goût. Cette nuit je ne sentais plus mes membres et je pouvais à peine remuer mes orteils. Vous êtes en train de m'empoisonner avec un de vos médicaments dénaturés.

MONSIEUR PRAZOC : Hum… j'ai peut-être un peu trop forcé sur la dose. Vous m'en voyez navré.

MONSIEUR TROUDELASSEC : Ah… vous avouez votre sombre dessein. Vous voulez me tuer. (*Il se met à crier*) Au secours, à l'aide, à l'assassin, on veut me tuer ! (*Gémissements.*)

MONSIEUR PRAZOC : Calmez-vous, reprenez vos esprits. Vous ne risquez rien, il n'y a pas mort d'homme tout de même. J'ai assaisonné votre salade avec un produit expérimental. Vous aimez bien les expériences, il me semble.

MONSIEUR TROUDELASSEC : Quel produit ? Vous n'avez pas le droit de faire de moi un cobaye de laboratoire.

MONSIEUR PRAZOC : Vous avez un fameux toupet. Vous êtes le premier à vouloir faire des peuples du tiers-monde des objets de chirurgie expérimentale. Alors un peu de décence s'il vous plaît.

MONSIEUR TROUDELASSEC : Je suis un paisible plaisantin, ce qui n'a pas l'air d'être votre cas. Dites-moi avec quelle drogue vous comptez m'exécuter et il en sera tenu compte lors de votre procès.

MONSIEUR PRAZOC : Vous voulez parler du vôtre. Eh bien, soit. Je vais vous dire à quelle sauce vous êtes en train d'être mangé. C'est un mélange de curare, de têtfréquentine, et de piésporadiquol.

MONSIEUR TROUDELASSEC : Du curare ! Mais c'est extrêmement dangereux ce produit. Je vous demande d'arrêter d'introduire cette merde dans mon espace intime. Les deux autres produits n'existent que dans votre imagination maladive.

MONSIEUR PRAZOC : Je mets très peu de curare. Quant aux deux autres produits, ils sont nés de mon inventivité et de mon inspiration spontanée. Je vais vous rassurer, tout est parfaitement naturel. J'assaisonne mes salades avec du cumin kaki, de la tarte aux fraises, des piments rouges et des spores de champignons. Je termine avec du vinaigre de méthanol.

MONSIEUR TROUDELASSEC : De méthanol ? Mais vous voulez me rendre aveugle !

MONSIEUR PRAZOC : C'est le méthanol qui rend aveugle. Le vinaigre de méthanol, lui, il rend sourd. Mais ne vous inquiétez pas, tout est parfaitement dosé et maîtrisé. Je ne vous donnerai pas les concentrations exactes de chaque élément, c'est un secret de fabrication et je n'ai pas encore déposé une demande de brevet.

MONSIEUR TROUDELASSEC : Vous m'aviez promis des salades composées de laitue fraîche, de rondelles de tomate, de morceaux de gruyère et de crème fraîche.

MONSIEUR PRAZOC : Oui, eh bien c'est à peu près ça. J'ai rajouté de la crème fouettée triphasique riche en agbaga saupoudrée de cervelle fraîche d'agneau dans le lait de sa mère.

MONSIEUR TROUDELASSEC : C'est ce que vous m'avez donné à manger hier dans ma salade ?

MONSIEUR PRAZOC : Oui et dans les salades précédentes.

MONSIEUR TROUDELASSEC : Apportez-moi un sac vomitoire. Je ne vais pas supporter plus longtemps la description de vos ingrédients. C'est quoi le bagbaba ?

MONSIEUR PRAZOC : L'agbaga, s'il vous plaît. Justement je venais pour ça. Pendant que vous dégusterez la cervelle d'agneau je vais faire une incantation au-dessus de votre tête pour voir si vous sécrétez de l'esclavagine et éventuellement de l'esclavaginase mais ça j'en doute fortement.

MONSIEUR TROUDELASSEC : Mon pauvre Prazoc vous travaillez du chapeau. Je suis aux mains d'un fou furieux. C'est la pire punition que je pouvais subir dans mon existence. Être livré aux caprices d'un détraqué du ciboulot, c'est bien ma chance. Esclavagine maintenant, j'aurai tout entendu. Vous sortez ce mot de votre cloaque à canulars et vous croyez que je vais le gober comme on avale une mouche par inadvertance.

MONSIEUR PRAZOC : Dans votre cas je m'inquiéterais pour la mouche. Mais je n'invente rien. C'est le docteur Harro qui détient la paternité de ces composés biochimiques. Le docteur Harro, c'est bien votre collègue du CABA, Monsieur Coup d'Échec des Renseignements Généreux ?

MONSIEUR TROUDELASSEC : Le professeur Harro, rendez-lui son titre de professeur, n'est pas du Caba mais du centre de rééducation sociale. C'est le Caba, Centre Actif de Bienfaisance de l'Administration qui vous a fait passer les tests aux alcools. Je ne suis pas au courant des travaux du Professeur.

MONSIEUR PRAZOC : Je vais vous mettre au parfum. Vous pouvez être le premier homme à bénéficier des progrès de la science. Je ne vous fais pas l'article. Vous êtes passé maître dans l'art de vendre du vent.

MONSIEUR TROUDELASSEC : Je ne vous demande qu'une seule chose. Vous me laissez sortir et on n'en parle plus. Vous n'entendrez plus jamais parler de moi.

MONSIEUR PRAZOC : J'accepte à la condition de mener à son terme mon expérience. Mangez votre cervelle et je vous incante pendant ce temps.

MONSIEUR TROUDELASSEC : Incanter ? Vous voulez faire quoi ? M'incendier, me rendre incandescent ?

MONSIEUR PRAZOC : Vous ne comprenez pas le français ou vous vous affolez au point de perdre la raison ? Je prononce des phrases de manière incantatoire tandis que vous vous régalez avec mon bout de gras. Goûtez une bouchée pour voir.

MONSIEUR TROUDELASSEC (*il met dans sa bouche une cuillerée de cervelle et recrache d'un air dégoûté*) : C'est fade et graisseux.

MONSIEUR PRAZOC : Je m'en doutais. Je n'ai pas mis assez de beurre pour obtenir une cervelle croustillante. Faites un effort, pensez à l'air du large, au ciel bleu, aux murmures des oiseaux dans les arbres, aux proches qui vous attendent avec impatience, à tout ce dont vous serez privé si vous n'aimez pas ma nourriture.

MONSIEUR TROUDELASSEC : On ne va pas tourner en rond. Je vais bouffer votre machin mais je vous demande de ne pas me casser les oreilles avec votre oraison funèbre. Soyez bref et mettez une sourdine à vos cordes vocales.

MONSIEUR PRAZOC : À la bonne heure. Je vais attendre une minute après le début de votre festin pour entamer ma profession de foi.

Pendant que l'un commence à manger en grimaçant, l'autre retire de sa poche un petit cylindre qui ressemble à une minuscule lampe de poche et le pose sur la tempe du mangeur.

MONSIEUR TROUDELASSEC (*avec un mouvement de recul*) : Qu'est-ce que vous faites ?

C'est quoi votre bidule, un pistolet, un taser, une seringue ?

MONSIEUR PRAZOC : C'est un objet de mon invention. Qu'est-ce que vous croyez ? Pendant que Monsieur se prélasse sur son lit en lisant des albums de Tintin, moi je travaille.

MONSIEUR TROUDELASSEC : J'ai bien le droit de lire ce qui me plaît.

MONSIEUR PRAZOC : Je vous avais conseillé de grands auteurs de la littérature mondiale, Dostoïevski, Shakespeare, Balzac, Kafka. Vous auriez dû en profiter. Je peux vous obtenir tous les livres existants. Mangez, ne vous interrompez pas !

MONSIEUR TROUDELASSEC (*qui a cessé de manger*) : Si vous croyez que j'ai la tête à consommer des livres comme une oie qu'on gave jusqu'à regorgement.

MONSIEUR PRAZOC : Si au moins vous m'aviez demandé des albums des pieds nickelés. Ribouldingue, Croquignol, Filochard, ça ne vous dit rien ?

MONSIEUR TROUDELASSEC (*qui n'a toujours pas repris sa collation*) : J'ai le droit de préférer Tintin, Milou, le Capitaine Haddock, le Professeur Tournesol, les Dupond-Dupont et la Castafiore.

MONSIEUR PRAZOC : Pourquoi alors ne pas vous faire lire les aventures de Bibi Fricotin et Razibus Zouzou ?

MONSIEUR TROUDELASSEC : En bandes dessinées je n'aime que le personnage de Tintin. Et je ne veux pas me casser la tête à lire des ouvrages qui donnent à réfléchir. En tout cas pas dans votre cave.

MONSIEUR PRAZOC : Vous avez tout de même évoqué le souhait d'avoir à votre disposition une biographie élogieuse de l'homme d'acier Djougachvili, le pamphlet Mon Combat du peintre raté moustachu Adolph, le Petit Livre Rouge de l'homme au col Mao, et le recueil d'articles le Temps du Bâton et de la Carotte du Duc de

Benito. Vous avez de drôles de lectures. Vous êtes stalinonazofachomaoiste ou quoi ?

MONSIEUR TROUDELASSEC : Vous affabulez, je n'ai jamais demandé tout ça.

MONSIEUR PRAZOC : Vous ne vous en souvenez plus ? J'ai dû surdoser le piésporadiquol, à mon avis. C'est-à-dire j'ai mis trop de piments rouges et de spores de champignons. La cervelle d'agneau je gère mais les salades sont ni faites ni à faire.

MONSIEUR TROUDELASSEC : Pourquoi tenez-vous tant à me faire avaler de la cervelle d'agneau ?

MONSIEUR PRAZOC : Parce que l'agneau, donc le mouton, est l'animal le plus proche de l'homme. Tous les hommes sont des moutons, c'est bien connu. Ils ne demandent qu'à être conduits à l'abattoir. La cervelle d'agneau est riche en esclavagine et sert donc de catalyseur dans mon expérience. Mangez, ça va être froid. Pour la petite histoire, après avoir refusé de vous apporter les pensées de ces quatre dictateurs, je vous ai conseillé de lire Le Prince de Machiavel, ou De la Guerre de Clausewitz ou à défaut le Dialogue entre un Prêtre et un Moribond du Marquis de Sade. Mais vous avez tout refusé en bloc. Mangez, ça va être froid.

MONSIEUR TROUDELASSEC : Je n'avalerai aucune bouchée tant que vous persisterez à appuyer sur ma tempe votre tube laser.

MONSIEUR PRAZOC : Au temps pour moi !

Ce tube comme vous dites est un appareil que j'ai nommé esclavomètre. Comprenez-vous le bien-fondé de cette dénomination ? Il mesure deux paramètres à la fois qui se contrebalancent. Quand l'un augmente, l'autre diminue. Et vice-versa. Vous voyez à quoi je fais allusion? Non ? Eh bien, vous n'êtes pas futé. Mon esclavomètre mesure simultanément et en temps réel les concentrations d'esclavagine et d'esclavaginase.

MONSIEUR TROUDELASSEC : Cessez de radoter. Je mange, vous chantez. Passé ce contretemps, vous me libérez.

MONSIEUR PRAZOC : Allons-y gaiement. Mangez, ça va être froid. (*Il bouge l'esclavomètre d'une tempe à l'autre et tandis que Monsieur Troudelassec s'étrangle à moitié, à bouchées redoublées, il commence sa proclamation*) : « Je sais bien qu'on ne peut se passer de dominer ou d'être servi. Chaque homme a besoin d'esclaves comme d'air pur. Commander c'est respirer. Et même les plus déshérités arrivent à respirer. Le dernier dans l'échelle sociale a encore son conjoint, ou son enfant. S'il est célibataire un chien. L'essentiel, en somme, est de pouvoir se fâcher sans que l'autre ait le droit de répondre. » Je ne me lasse pas de rabâcher cette magnifique phrase d'Albert Camus extraite de son livre La Chute. Elle est trop juste. Recommençons !

MONSIEUR TROUDELASSEC (*qui a fini de s'étrangler*) : Ce n'est pas la peine, j'ai fini.

MONSIEUR PRAZOC : Ah non, mon esclavomètre a à peine eu le temps de commencer à fonctionner. J'ai du rab de cervelle. Un peu plus gratiné. Je vais aller vous en chercher.

MONSIEUR TROUDELASSEC : Ah non, plutôt crever !

MONSIEUR PRAZOC : J'ai une meilleure idée. Il me reste une once de poudre blanche d'agbaga. Je vais la dissoudre dans un verre d'eau. Le goût est des plus agréables. Sucré salé avec un arrière-goût de cannelle.

MONSIEUR TROUDELASSEC : Oui, donnez-moi ça pour éliminer le goût rance de votre pudding.

MONSIEUR PRAZOC : *Il s'éloigne, va prendre sur la table un verre d'eau dans lequel il fait semblant de faire tomber quelque chose et revient vers le lit où s'est allongé Monsieur Troudelassec.*
Buvez-moi ça !

MONSIEUR TROUDELASSEC : Je ne me sens pas bien, je me sens bizarre, c'est votre cochonnerie qui remonte à la surface.

MONSIEUR PRAZOC (*un peu inquiet*) : Buvez-moi ça. Je vais reprendre votre température esclavatrice. (*Il promène son tube sur le crâne qui se dérobe à la mesure*) : Bougez pas ! C'est bien ce que je pensais. Votre esclavagine est au zénith. Il faut que je perfectionne encore mon compteur esclaveiger. Il ne mesure pas les dixièmes quand le taux est à son maximum. L'esclavaginase ne décolle pas, c'est pour ça que vous faites un malaise. Vous êtes un individu particulièrement servile et esclavagiste. Je ne peux rien faire pour vous.

MONSIEUR TROUDELASSEC : J'ai mal aux jambes et quand je veux les bouger, ils craquent.

MONSIEUR PRAZOC : Rien de plus normal. Les moutons de Panurge adorent se tirer dans les pattes. Je vais vous faire un cataplasme de…

MONSIEUR TROUDELASSEC : Ne me touchez plus !

MONSIEUR PRAZOC : Vous oubliez que je suis pharmacien.

MONSIEUR TROUDELASSEC : Je ne veux pas le savoir !

MONSIEUR PRAZOC : Allez donner de la confiture aux cochons et ils vous frottent leur groin en plein visage.

Monsieur Troudelassec ne l'entend pas, endormi par ses ronflements.

MONSIEUR PRAZOC : Qu'est-ce que je vais faire d'un type aussi peu coopératif ?

Des coups brefs sont frappés à la porte. Monsieur Prazoc va ouvrir et se trouve en face d'un individu masqué qui porte à bras-le-corps une forme affaissée.

MONSIEUR PRAZOC : Qui êtes-vous ? C'est quoi ce masque ? Un masque vierge de toute expression, à part un point d'interrogation au beau milieu de la figure !

Il ne manquait plus que ça !

Êtes-vous Zorro supportant Bernardo ?

TUBAR : Faut-il que je retire mon masque pour que tu me reconnaisses ?

MONSIEUR PRAZOC (*emporté par l'émotion*) : Mon sauveur, mon sauveteur, mon libérateur, comment avez-vous trouvé le chemin de la cave ?

TUBAR : Les victimes oublient très vite le bref passage dans leur vie de ceux qui les ont secourus. Mais toi, tu as tout de suite reconnu ma voix.

MONSIEUR PRAZOC : Comment l'aurai-je oubliée ? Elle est tellement chaude et vivante. Comment dire ? La première fois que je vous ai vu, je vous ai dit que je vous avais déjà vu quelque part. C'était dans votre bistrot où vous m'aviez vu avec le triste sire, ici présent, allongé comme une loque. Sur votre conseil je me suis caché quelque temps dans mon labo avant de vous rendre une petite visite de courtoisie. J'ai capturé Monsieur Troudelassec lors de sa visite mensuelle à la pharmacie, aidé de mes préparateurs, trop contents de me retrouver. C'est un honneur pour moi de vous recevoir dans ma cachette mais enlevez votre masque et laissez tomber votre bonhomme par terre.

TUBAR : Je n'en ferai rien, Monsieur Glousdon. Ce qui fait mon charme c'est ce que je dis et non pas ce que je suis susceptible de montrer.

MONSIEUR PRAZOC : Vous connaissez mon nom ?

TUBAR : La pharmacie Prazoc c'est pour tes clients, Monsieur Prazoc c'est ton nom à la ville, Monsieur Glousdon c'est le nom que j'ai vu sur ton extrait d'acte de naissance. Car sur tes papiers d'identité tes références sont de la plus haute fantaisie. Je ne te le reproche pas du tout.

MONSIEUR PRAZOC : Avez-vous vu mon frère ?

TUBAR : Je l'ai déjà vu mais lui ne m'a jamais vu.

MONSIEUR PRAZOC : C'est possible ça ? Vous êtes invisible, masqué, cagoulé ou vous portez votre tête sous le bras ?

TUBAR : Je le contacte par téléphone et il me voit au café. Mais il ne fait pas le lien entre les deux événements.

MONSIEUR PRAZOC : Vous déguisez votre voix ? Ça rime à quoi de ne pas vous dévoiler ? Vous vous méfiez de lui ?

TUBAR : Je n'ai pas besoin de me méfier des gens. Je les prends comme ils sont. Je les regarde, je les écoute, je les aide quand j'en suis capable et selon mon humeur. Parfois je laisse entrevoir une facette de mon personnage. D'ailleurs j'ai promis à ton frère d'aller le voir.

MONSIEUR PRAZOC : Le laisserez-vous vous reconnaître ?

TUBAR : Bien sûr. C'est pour ça que j'ai hâte de le rencontrer.

MONSIEUR PRAZOC : Avec un déguisement de Superman ? Posez le monsieur quelque part, vous allez avoir des contractures musculaires.

TUBAR : Tu connais ce monsieur. Il a voulu te faire des misères dans une autre vie. Je le dépose à tes pieds. Il t'a fait découvrir des expériences qu'il a voulu mener sur toi. À toi de lui rendre la pareille. Tu as deux cochons d'Inde à ta disposition. (*Il le mène jusqu'au lit et l'allonge à côté de Monsieur Troudelassec.*) Monsieur Troudelassec, réveillez-vous, vous avez un partenaire de literie, le Professeur Harro en chair et en os. Il ne demande qu'à engager la conversation. Qu'as-tu fait à ce gentil bureaucrate ? Il n'est même pas capable d'ouvrir un œil.

MONSIEUR PRAZOC : Je vous en ai parlé au café. Je cherche à produire de l'esclavagine. C'est ce Professeur Harro qui m'en a fait tout un cours magistral. Il a voulu me jouer un tour de cochon avec son interrogatoire politique et sa manie d'injecter des substances illicites. À présent, je tiens en mon pouvoir les deux pourvoyeurs de mes déboires. Votre Harro n'a pas l'air non plus de pouvoir tenir debout. Que lui avez-vous fait ?

TUBAR : Je n'ai rien fait d'illégal ou de dangereux. Je l'ai suivi sur le chemin de ses turpitudes et tous les chemins menant à Rome, j'ai trouvé celui qui s'enfonce jusqu'à ta cave.

MONSIEUR PRAZOC : Je n'y vois goutte dans vos explications. Ôtez votre masque, je connais votre visage. Votre accoutrement ne sert à rien.

TUBAR : Je vais satisfaire ta curiosité. Mais avant de me démasquer, je dois te dire une chose qui va te contrarier.

MONSIEUR PRAZOC : Je suis prêt à tout entendre.

TUBAR : L'esclavagine, ça n'existe pas !

MONSIEUR PRAZOC : Bien sûr que si, le Professeur, tout écervelé qu'il est, a raison. J'ai déclenché la production de ce médiateur enfoui dans les profondeurs de notre esprit et son taux explique le comportement rampant pour ne pas dire lèche-cul des hommes qui se laissent maltraiter.

TUBAR : Mon petit Métadon, je peux t'appeler Métadon, mon petit ? Tu te fourvoies gravement. C'est la conscience des hommes et les circonstances socio-économiques qui les animent et les dirigent dans un sens ou un autre comme un aimant fait osciller l'aiguille d'une boussole, qui expliquent le comportement des hommes.

MONSIEUR PRAZOC : Un aimant, dis-donc. J'ai fabriqué un esclavomètre. Si j'avais su, je me serais contenté d'une boussole. Sacré Tubar. Je peux vous appeler Tubar ? Masqué ou nu vous m'apportez de la joie, moi qui ai une tendance à la dépression.

TUBAR : Je ne t'ai pas amené le Professeur Harro pour lui faire produire une magique esclavagine que lui-même a voulu produire sur toi. Vous êtes tous les trois, en comptant le Sieur Troudelassec, des rêveurs de science-fiction et vous n'apportez aucune solution à la question sociale, bien au contraire.

MONSIEUR PRAZOC : Mes deux compères n'ont jamais eu l'intention de libérer les hommes du carcan oppressif. Ils veulent les contraindre par tous les moyens à une vie d'esclaves. Ce n'est pas ma façon de penser. J'expérimente ce que les ennemis proposent pour retourner leurs armes contre eux. C'est de bonne guerre, non ?

TUBAR : Si le raisonnement est juste dans son principe, le moyen que tu as choisi pour parvenir à tes fins est d'une alarmante stupidité. Tu perds ton temps.

MONSIEUR PRAZOC (*dépité*) : Que dois-je faire alors ?

TUBAR : Tu comprendras mieux quand j'aurai retiré mon masque.

MONSIEUR PRAZOC : Depuis le temps que je vous le demande !

TUBAR : Eh bien, voilà ! (*Il enlève son masque.*)

MONSIEUR PRAZOC (*tremblant d'émotion*) : Oh, vous avez la tête de… !

TUBAR : Chut ! Pour l'instant ça reste entre toi et moi.

MONSIEUR PRAZOC : Oh ce n'est pas possible, mon Dieu !

TUBAR : Ne parle pas de lui !

MONSIEUR PRAZOC : Je vais me réveiller ! Si je m'attendais à ça !

TUBAR : Tu as peur des barbus ?

MONSIEUR PRAZOC : Vous aviez une peau si lisse, si fraîche, si juvénile, si diaphane. Et là je vois un visage poilu et sombre !

TUBAR : C'est ça le plus important pour toi ?

MONSIEUR PRAZOC : Bien sûr que non. Mais je n'en crois pas mes yeux. On dirait qu'une lumière éblouissante a frappé mon système nerveux.

TUBAR : Et tu n'as encore rien vu. Je remets mon masque.

MONSIEUR PRAZOC : Et je vais retrouver mon barman ?

TUBAR (*il remet son masque et le retire dans la foulée*) : Que la lumière soit !

MONSIEUR PRAZOC (*éberlué*) : Mon Dieu, vous avez encore changé de tête !

TUBAR : Oui, mais j'ai gardé la barbe.

MONSIEUR PRAZOC : Ce n'est plus la même. Elle est moins fournie. Vous êtes… Oh, c'est à peine croyable. On dirait que la lumière a changé de sens. Vous êtes lévogyre et dextrogyre. Vous êtes un ectoplasme qui dévie la lumière dans un sens ou dans l'autre selon que vous êtes…

TUBAR : Tais-toi !

MONSIEUR PRAZOC : L'un…

TUBAR : Tais-toi !

MONSIEUR PRAZOC : Ou l'autre…

TUBAR : Tais-toi, on pourrait nous entendre !

MONSIEUR PRAZOC : Ils arrivent à cohabiter sans trop de frictions ?

TUBAR : Ça dépend des moments.

MONSIEUR PRAZOC : Comment font-ils pour se supporter ?

TUBAR : Depuis leur première rencontre, ils ont eu largement le temps de débattre l'un avec l'autre. Ils ont relativisé leur divergence d'autant plus facilement qu'ils se sont rendu compte qu'aucun des deux ne connaissait bien les positions de l'autre.

MONSIEUR PRAZOC : Je crois bien que je suis victime d'une hallucination collective.

TUBAR : Pourquoi collective ?

MONSIEUR PRAZOC : Eh bien, vous êtes deux, non trois.

TUBAR : On parle d'hallucination collective quand l'objet hallucinatoire observé est vu par plusieurs observateurs et non pas quand un observateur voit plusieurs objets observés. Tu es un halluciné unique.

MONSIEUR PRAZOC : Je me suis mal exprimé. Je suis victime d'une hallucination collectiviste.

TUBAR : La, je te comprends mieux. Moi-même, j'hallucine quand je repense à la controverse de La Haye.

MONSIEUR PRAZOC : Vous faites du saut d'obstacles ?

TUBAR : Pourquoi du saut d'obstacles ?

MONSIEUR PRAZOC : Vous faites des courses de haies ?

TUBAR : Triple buse ! Je parle de la ville de La Haye, aux Pays-Bas.

MONSIEUR PRAZOC : Ah, fallait le dire ! Mais ne faisons pas d'amalgame. La triple buse, c'est vous ! Connaissez-vous les paroles de la chanson Cadet Roussel ?

TUBAR : Vaguement, pourquoi ?

MONSIEUR PRAZOC : Je vais vous rafraîchir la mémoire. Cadet Roussel a trois maisons, etc. Eh bien, vous, vous avez trois raisons, trois raisons d'exister. Vous êtes schizophrène. Entendez-vous des voix ?

TUBAR : Non, je n'entends pas de voix. Si c'était le cas, qu'est-ce que ça changerait ?
Un psychiatre ne peut voir les visages correspondant aux voix que son patient entend à moins d'être lui-même schizophrène.

MONSIEUR PRAZOC : Si je vous comprends bien, vous ne pouvez être schizophrène que si je le suis également. C'est une schizophrénie de groupe ?

TUBAR : C'est à peu près ça.

MONSIEUR PRAZOC : Bon, alors vous n'êtes pas hallucinant et je ne suis pas halluciné !

TUBAR : Si tu veux !

MONSIEUR PRAZOC : Et donc ?

TUBAR : Donc, rien ! Pense ce que tu veux !

MONSIEUR PRAZOC : Vous êtes un phénomène incompréhensible !

TUBAR : Tu gardes les deux olibrius ou je les reprends ?

MONSIEUR PRAZOC (*il réfléchit un long moment*) : Emportez le Professeur Harro, je garde Monsieur Fou de La Mec.

TUBAR (*mettant péniblement le professeur Harro sur pieds*) : Je crois que c'est l'attitude la plus sensée. (*Au professeur Harro.*) Avancez ! Faites attention où vous mettez les pieds ! (*Ils sortent et la porte se referme.*)

MONSIEUR PRAZOC : Attendez ! Avez-vous lu le journal d'un fou de Nicolas Gogol ?

Scène II
Pierre, Paul

Dans l'appartement de Pierre. On frappe à la porte.

PIERRE : Entre ! Je sais que tu as les clefs. Jeanne t'en a donné un trousseau.

PAUL (*qui a ouvert la porte*) : Je n'entre pas sans ta permission. Je n'ai pas envie que tu m'accuses de vouloir détrousser le bourgeois.

PIERRE : Sympa l'allusion ! Entre bourgeois on doit se serrer les coudes.

PAUL : Enterrons la hache de guerre puisqu'entre nous il n'y a pas de guerre.

PIERRE : Tu as raison. Fumons le calumet de la paix et dansons autour d'un feu de camp.

PAUL : Il n'y a pas de raison de ne pas suspendre nos tomahawks au sommet de notre tepee. Nous n'avons aucune squaw en commun et nous ne cherchons pas à en avoir.

PIERRE : Ne dit-on pas dans un proverbe que « qui va à la chasse perd sa place. » ?

PAUL : Seuls les égoïstes et les cupides suivent ce dicton à la lettre. Nous ne sommes ni égopides ni cupoistes, étant affiliés au meilleur groupe révolutionnaire qui soit.

PIERRE : Tu es devenu un as de la métaphore et de la contrepèterie.

PAUL : Et toi le roi de la vérole où sont menus kystes. C'est très mauvais, j'en conviens mais la révolution communiste n'attend pas et demain il y a une réunion de tout le groupe. T'en souviens-tu ?

PIERRE : Y aura-t-il de belles révolutionnaires pour le repos du guerrier que tu es ?

PAUL : Comment va Jeanne ?

PIERRE : Elle chemine sur le sentier de la guerre ou sur le sentier de l'amour, qui sait ?

PAUL : Je ne l'ai pas vue depuis une éternité. J'espère qu'on la verra à la réunion, qu'en dis-tu ?

PIERRE : Est-ce l'amoureux transi ou le militant transfuge qui parle ? Elle n'a jamais voulu adhérer à notre organisation.

PAUL : Pourquoi transfuge ? Je n'ai jamais changé de comportement ni d'opinion. Je pourrai te retourner le compliment mais je n'en ferai rien puisque c'est moi qui suis venu te chercher. Jeanne, tu la vois en ce moment ou tu la laisses chevaucher par monts et par vaux ?

PIERRE : Elle est rentrée au bercail mais tu auras plus de chance de la rencontrer si tu la cherches là-haut sur la colline.

PAUL : Est-ce très féministe ce que tu viens de dire ? Veux-tu signifier par-là que Jeanne est une brebis égarée que seuls des chiens de garde sont susceptibles de ramener à la bergerie ?

PIERRE : Es-tu un chien de garde ou un loup ?

PAUL : Je te pardonne ta jalousie qui est le signe, certes négatif, de ton amour sincère pour la belle Jeanne. Elle a bien de la chance d'être aimée si follement. Et toi aussi tu as de la chance de ne pas avoir de concurrents sérieux. Sache Pierre à fendre cœur que je ne suis ni son amoureux, ni son amant, ni son fiancé caché, ni le bourreau de son cœur, ni un timide prétendant en recherche d'un mariage. Je suis un séducteur invétéré qui picore çà et là mais qui ne cherche aucunement à becqueter la graine nommée Jeanne.

PIERRE : Si tu le dis. J'ai cru pourtant…

PAUL : Quelques bécots à la russe ne font pas un assaut violent ni un siège prémédité.

PIERRE : Tout homme galant a le droit de montrer ses talents donjuanesques.

PAUL : Seuls ses talents de supportrice et tes talents de combattant m'importent. Tu n'as pas l'air de savoir pourquoi le groupe doit réunir tous ses membres demain.

PIERRE : Tu es plus au courant que moi des affaires courantes du groupe.

PAUL : Rien ne sert de courir… Bon, je m'égare. On a reçu en poste restante un colis indiquant sur une lettre accolée qu'il devait être ouvert en présence des douze membres du groupe.

Je crois qu'il vaut mieux d'après le ton de la lettre, obtempérer. Il est bien stipulé qu'aucun membre ne doit faire défaut.

PIERRE (*intrigué*) : Et alors on va accepter une provocation qui prétend nous dénombrer ? Sinon quoi ? On ne pourra pas ouvrir le colis ? Il va nous péter à la gueule ? Ou il va s'autodétruire ? Le colis a une caméra qui nous regarde et qui nous nargue en disant à l'instar de Big Brother : « mettez-vous à tour de rôle en face du carton et souriez, vous êtes filmés ? » Ah ça me met de bonne humeur tellement votre crédulité me rend incrédule !

PAUL : Sur la lettre jointe au colis, il y a douze codes-barres dont chacun porte en dessous l'un de nos douze prénoms. Chaque membre du groupe est sommé de valider son code, après quoi le colis pourra être ouvert. Pas avant en tout cas !

PIERRE (*dépité*) : Sinon quoi ? On va subir les foudres du colis ? On n'a qu'à ouvrir le colis sans obéir aux ordres d'un petit plaisantin. Ou mieux encore le jeter à la poubelle et ne plus s'en occuper. Je ne comprends pas ton côté précautionneux pour un paquet insignifiant. Les révolutionnaires sont en butte à toutes sortes de menaces d'individus haineux, aigris ou fanatiques mais il ne faut pas y prêter plus d'attention qu'elles ne méritent. Demain à la réunion nous réfléchirons à l'attitude à adopter pour solutionner ce rébus intrigant. N'y pense plus.

PAUL : Ce n'est pas aussi simple que tu l'imagines. Si nous jetons ce colis, un double de son contenu sera envoyé à la presse et un scandale éclatera, éclaboussant tout notre groupe. C'est signé d'un collectif d'épuration.

PIERRE (*exaspéré*) : Quel scandale ? Nous n'avons rien à cacher ! Et comment sauront-ils ces comploteurs ridicules que nous n'aurons pas fait plus de cas de leur colis que d'une vulgaire boîte de conserve périmée. Ils ne pourront guère épurer que leur dérisoire vacuité. Tu as l'air d'accorder beaucoup trop d'importance au chantage de cette lettre. Ouvrons le colis et on verra bien.

PAUL : Si les codes ne sont pas activés, l'un d'entre nous aura maille à partir avec la justice.

PIERRE (*angoissé*) : C'est ce qu'ils disent ? Eh bien forçons la, cette foutue boîte et mettons y le feu !

PAUL : Une ouverture non autorisée provoquera d'après ce qui est écrit la diffusion dans l'environnement immédiat d'un gaz riche en particules concentrées de protéines de bovidés, tels que bisons, vaches, bœufs, taureaux, buffles, zébus. Et nous serons asphyxiés en moins de temps qu'il ne faut pour dire « quel est le bougre de salaud qui dans notre groupe a fait des conneries ou des vacheries au point de mettre ses camarades dans une mélasse calamiteuse ? »

PIERRE (*déconcerté*) : C'est quoi cette ménagerie d'étable ? A-t-on jamais entendu parler d'une maladie causée par la sueur d'un bœuf, par le pet d'une vache, ou la dégustation d'un rôti de veau ?

PAUL : Tu n'es pas un gars de la campagne. Moi non plus. Tu as entendu parler comme tout le monde de la maladie de la vache folle. Eh bien figure-toi qu'une nouvelle maladie, très contagieuse, pointe le bout de son nez à l'horizon. Elle commence à faire des ravages dans les élevages intensifs de bovins. Elle ne touche pas ces animaux mais les éleveurs, les fermiers, les vachers qui amènent de nombreux troupeaux paître dans les verts pâturages. Les bouchers commencent à se méfier même si la consommation de leurs viandes ne présente pas a priori de danger. C'est respirer une atmosphère emplie abondamment de l'animal qui fait tout le péril de la maladie. Les vétérinaires ont dénombré 19 espèces de bovidés susceptibles de transmettre l'infection. Ils l'ont dénommée le Bovid 19. Nos ennemis anonymes profitent de la situation pour nous menacer. Ils doivent avoir des alliés dans les milieux zoophiles.

PIERRE (*abasourdi*) : Appelons les services vétérinaires.

PAUL : Non, il faut régler ce problème entre nous. La première chose à faire est de faire une chose que je n'aime pas faire. Il faut éplucher l'histoire de chacun d'entre nous. J'ai ma petite idée.

PIERRE : Tu soupçonnes quelqu'un ?

PAUL : Oui et non. Commençons par nommer les membres du groupe. Il y a Gérard. Il est assez discret. Il y a François, ce n'est pas le François journaleux qui aime tant la boisson et qui est franchouillard. Que dire de ce second François sinon qu'il a un air sérieux et intellectuel. Il y a Marc, tu l'as invité chez toi, non ? J'avais cru. C'est vrai qu'il ne marque pas les esprits malgré sa bouille franche et joviale. Il y a Pierre ton homonyme dans le groupe. Vous avez fait d'une pierre deux coups. Il est plutôt sympa et passionné comme toi mais il prend la vie d'un air détaché ce qui n'est pas ton cas. Je te laisse la parole.

PIERRE : Il y a Eulogio, le boute-en-train cultivé. Il connaît l'histoire de l'Espagne sur le bout des ongles et les événements révolutionnaires qui ont bouleversé la Catalogne dans les années 36-37 n'ont pas de secrets pour lui. Son père Jaime qui fait partie du groupe a connu les geôles franquistes et les turpitudes ignobles des staliniens espagnols et russes. Il y a Grandizo, l'illustre révolutionnaire qui a vécu les événements de Barcelone, avant de rompre avec le trotskysme. Il a connu les geôles stalinienne et franquiste. Il a décortiqué la guerre civile et la révolution espagnole dans son livre « Jalones de derrota, promesa de victoria » Malheureusement je ne comprends pas l'espagnol. Muy simpatico.

Il y a Salah le kabyle, ténébreux et volubile, animé par la passion politique, révolutionnaire authentique mais ombrageux et susceptible. Il y a son cousin Chérif plus souriant et plus facile à cerner. Rien à dire contre eux.

PAUL : Et puis il y a nous deux. Lequel de nous deux connaît mieux l'autre ? Sommes-nous un duo qui dialogue à cœur ouvert ou à fleuret moucheté, sommes-nous, l'un un rempart assailli par l'autre, un bélier, ou deux catapultes prenant d'assaut le vieux monde ?

PIERRE : Peut-être un peu tout ça !

PAUL : Et puis il y a le douzième homme qui pour moi est un boulet. Le dénommé Prazoc !

PIERRE (*interloqué*) : Comment ça un boulet ?
Il a vécu un enlèvement, une séquestration avec interrogatoire musclé. Heureusement un ami proche l'a libéré. Un ami qui n'a pas cessé de me téléphoner pour me tenir informé de ses faits et gestes. Il vient me voir après notre réunion. J'en saurai un peu plus sur l'état actuel de mon frère.

PAUL : Pourquoi me parles-tu de ton frère ? Je croyais qu'il était en froid avec toi, vu comment ça avait eu l'air de chauffer en bas de l'escalier à propos de bouquins. Moi, je ne te parle pas de lui, je te parle du douzième homme, le pharmacien qui a voulu intégrer un groupe qui ne correspond pas à sa position sociale. C'est un gros benêt naïf et exalté qui se fait appeler Prazoc et qui à mon avis est un espion à la solde de l'État. Il a participé à un chantage qui devait si j'ai bien compris t'extorquer de l'argent en vue d'expériences criminelles. Le maître chanteur est client de la pharmacie que
le titulaire Prazoc voulait renflouer. Si je le rencontre cet escroc, il va passer un sale quart d'heure. Qu'est-ce que c'est que cette histoire avec l'infâme Proue de Lazec et le dilettante Prazoc ? Ils ont l'outrecuidance de venir chez toi pour te faire chanter. Et en outre, qui se réclame du communisme et fait de l'entrisme dans notre groupe ? Le fameux douzième homme !
Qu'as-tu à te reprocher pour faire l'objet de pareilles manigances ?

PIERRE : Eh bien voilà, c'est là que tu voulais en venir. Tu y as mis le temps. Je n'ai rien, absolument rien à me reprocher. Et le dilettante Prazoc, le douzième homme affidé au maître chanteur Troudelassec, c'est mon frère.

PAUL : Si tu crois que tu vas t'en tirer par une pirouette aussi grossière, tu te trompes lourdement. Tu n'as jamais exprimé le souhait de rencontrer ce Monsieur Prazoc. Lors de nos réunions, on ne vous a jamais vu ensemble. Quand l'un était présent, l'autre était absent. On aurait dit que vous vous évitiez comme deux personnes qui s'accusent mutuellement en silence d'être atteint de la peste. Qui plus est, un frangin ne vient pas accompagné d'une crapule faire du chantage chez son alter ego sans que celui-ci ne s'en offusque bruyamment et ne maudisse les liens de fraternité. Était-ce le cas ? Non ! Tout simplement parce qu'il n'est pas ton frère !

PIERRE : Ce n'est pas ce que tu crois.

PAUL : Je ne crois rien, je constate. Lors d'un entretien avec Prazoc, il m'a parlé de leur projet que j'ai dénoncé à sa grande honte. Mais il ne m'a jamais dit, malgré l'admiration qu'il éprouvait pour toi, qu'il renonçait à ce projet. Il n'a jamais prétendu qu'il te connaissait autrement que par tes livres et encore moins qu'il était ton frère.

PIERRE : Ne t'ai-je pas révélé le feeling particulier qui me liait à mon jumeau, les livraisons de livres par l'escalier secret ? Ce n'est pas ma faute si tu ne sais pas faire le guet devant l'immeuble pour le repérer, le surprendre et éventuellement réceptionner les livres qu'il m'apporte. Soit dit en passant, il est bien passé puisque j'ai trouvé trois livres sur la table. Si notre rendez-vous dans l'escalier a fait long feu, c'est tout simplement parce que mon frère a été enlevé.

PAUL : Qui as-tu balancé dans l'escalier si ce n'est point celui qui a partagé 9 mois de colocation dans le ventre maternel ? Un cousin caché, un ami si peu respectable qu'on le rencontre en secret dans un escalier de service ? Un pharmacien qui ne dit pas son nom et que tu prends pour ton frère ?

PIERRE : Tu persistes à contester ma parole. Celui qui, après que je l'ai poussé, a dégringolé l'escalier en atterrissant sur les livres que mon frère Métadon Glousdon, alias monsieur Prazoc, avait déposés est le maître chanteur Troudelassec, revenu à la charge pour m'extorquer de l'argent.

Ce monsieur est un agent des Renseignements Généreux. Il veut faire savoir à tout le petit monde des révolutionnaires qui m'entourent que j'ai fait jadis partie des Renseignements Généreux.

Ça te convient comme explication ?

PAUL : Tu ne m'apprends rien. Quand je suis venu te débaucher de ton état de rentier, je venais d'être mis au courant de ta carrière policière et je savais que tu y avais mis un terme assez rapidement.

Tout cela m'est bien égal. Un ancien policier peut très bien devenir un authentique révolutionnaire. Émil Eichhorn, fugace préfet de police de Berlin en 1919 n'en est pas moins resté fidèle à la révolution spartakiste.

PIERRE : Je ne te le fais pas dire. Pourquoi un modeste pharmacien ne pourrait-il pas lui emboîter le pas ? Monsieur Prazoc trouvera-t-il grâce à tes yeux maintenant que tu es au courant de nos liens fraternels ? Je m'interroge. Pourquoi une telle animosité de ta part ? Sa naïveté te dérange ? En quoi est-il plus naïf que nous autres qui croyons à l'Utopie comme les enfants croient dur comme fer au père Noël ? Parce qu'il appartient à une couche sociale dite favorisée, il devrait bénir le capitalisme ? Il était au bord de la faillite ! Mais l'essentiel est ailleurs. Il faisait semblant avec ma bénédiction de s'acoquiner à ce pseudoscientifique pour lui soutirer de l'argent sans pour autant que je verse un seul centime à cette œuvre de malfaisance. Nous jouions la comédie tous les deux. Nous nous sommes pris au jeu mais avoir affaire aux Renseignements Généreux est un sport qui peut s'avérer dangereux.

PAUL : Combien de temps es-tu resté aux Renseignements Généreux ?

PIERRE : Neuf mois, pourquoi ?

PAUL : Pour quelle raison es-tu parti ?

PIERRE : Pour la même raison qui a fait quitter George Orwell son poste de sergent dans la police britannique en Birmanie. Dans son livre Une histoire birmane il fait dire à son antihéros « le fonctionnaire maintient le birman à terre pendant que l'homme d'affaires lui fait les poches. » Eh bien moi je ne voulais plus faire les poches des cerveaux d'opprimés pendant qu'un collègue d'un autre service les maintenait sous le joug du salariat.

PAUL : Tu n'avais qu'à pas y entrer.

PIERRE : Parfois on a envie de savoir ce qui se passe dans le camp ennemi.

PAUL : Drôle de curiosité !

PIERRE : Je n'ai jamais dit à personne, pas même à Jeanne que j'avais revêtu le costume d'espion policier. Comment l'as-tu su ?

PAUL : Certains milieux révolutionnaires ont leur propre service de renseignement. Neuf mois d'engagement au service de l'État, ce n'est pas rédhibitoire, j'ai fait comme si je n'avais rien su, je ne t'en ai pas voulu, la preuve je suis venu te chercher. Mais il doit y avoir autre chose.

PIERRE : De quoi tu parles ?

PAUL : Le Trouduculsec doit savoir autre chose sur toi ou sur ton frère et ça doit être précisé dans le fameux colis. Qu'en dis-tu ?

PIERRE : Tu joues les Sherlock Holmes mâtinés de Fouquier Tinville. Si tu m'accuses de double jeu, on n'a plus rien à faire ensemble.

PAUL : Pourquoi caches-tu ton lien de parenté, pourquoi ne vois-tu pratiquement jamais celui que tu appelles mon frère, pourquoi le reçois-tu dans un escalier dérobé et non pas dans ton appartement en le faisant entrer par la grande porte, pourquoi jouez-vous à cache-cache, pourquoi n'ai-je jamais su que tu avais un frère ?

PIERRE : Parce que tu n'es pas si bien renseigné que ça. Si j'ai demandé à mon frère de vivre à l'abri de mes faits et gestes, c'est parce que je dois le protéger contre lui-même.

PAUL : Je veux bien te croire.

PIERRE : Tu as une prévention irrationnelle contre mon frère. Il ne mérite pas ce jugement péremptoire qui ne repose sur rien de concret.

PAUL : Je n'aime pas son caractère. C'est plus fort que moi. Quand je le vois, j'ai envie de lui retourner une belle paire de gifles.

PIERRE : Ton tempérament sanguin ressemble à s'y méprendre à celui de mon frère. Un proverbe dit : « qui se ressemble s'assemble ». Il faut croire qu'il y a des exceptions.

PAUL : Au jeu des 7 erreurs, j'ai au moins une vingtaine de dissemblances avec ton jumeau, un faux jumeau à n'en pas douter. En tout cas, moins je le vois, mieux je me porte. Tu m'expliques ?

PIERRE : T'expliquer quoi ?

PAUL : Pourquoi l'enfermes-tu dans une bulle à son corps défendant ?

PIERRE : Il souffre d'addiction.

PAUL : Il se drogue ! Ça ne m'étonne pas. ! Étant pharmacien, il a toutes les drogues de la création à sa disposition.

PIERRE : Droguer les autres n'en fait pas un trafiquant ni un consommateur.

PAUL : Alors son addiction est de nature sexuelle. J'en suis fort étonné. Je ne le vois pas séduire la moindre porteuse d'appas féminins. J'y suis !

C'est une addiction à l'onanisme. Je le vois bien tourmenter sa fibre libidineuse. Il ne peut aimer que lui-même.

PIERRE : Quand tu arrêteras de lui prêter des carences affectives, tu me feras signe. Son addiction est tout à son honneur bien qu'elle l'expose à des dangers qu'il a bien du mal à repérer. Il a une obsession pour une idée qui lui fait suivre une ligne de conduite chaotique. Cette idée nous l'avons tous les deux mais alors qu'elle nous fait avancer dans nos paroles et dans nos actes, lui, il la prend de plein fouet, la renvoyant avec une telle violence qu'elle lui revient comme un boomerang et le laisse à la limite de la folie.

PAUL : Tu veux parler de…

PIERRE : Oui je veux parler de l'idée du communisme et de sa concrétisation par la révolution qui aboutira à la société sans classe.

PAUL : Ça le travaille peut-être dans sa petite tête mais il ne fait preuve d'aucune activité en rapport avec sa fièvre révolutionnaire. Distribuer des tracts, peut-être. Il me l'a demandé à plusieurs reprises.

Sinon ce qu'il apporte à notre groupe… macache bono pas bezef ! Nada !

PIERRE : Détrompe-toi, il agit. Mais parfois en dépit du bon sens. Ses idées embrouillées par l'impatience partent dans tous les sens jusqu'à ce que sa tête explose et qu'il commette des actions inconsidérées.

PAUL : Ah bon, lesquelles ?

PIERRE (*hésitant*) : Eh bien… Pourquoi crois-tu que sa pharmacie va à vau-l'eau ?

PAUL : Je n'en sais rien et je m'en fiche !

PIERRE : Parce que pris d'une idée subite, d'une lubie, il laisse sa pharmacie en plan et s'en va prêcher la bonne parole par monts et par vaux à des gugusses qui s'en foutent comme de l'an quarante. Il revient à chaque fois dans un état d'excitation et d'exaspération épouvantables et la seule façon de le calmer c'est de… c'est de… je ne trouve pas les mots…

PAUL : C'est de quoi ?

PIERRE : C'est de l'envoyer dans un groupe de paroles.

PAUL : Un groupe de paroles, tiens donc ! Lequel, les excités du bulbe ?

PIERRE : Si tu n'éprouves pas d'empathie pour les camarades, tu en éprouves pour qui ? Pour les sadomasochistes, les pédophiles itinérants, les conspirationnistes new âge, les professionnels de la pornographie, les…

PAUL : Arrête-toi, j'ai compris ! Comment s'appelle cette assemblée de groupies ?

PIERRE : Eh bien pour ta gouverne, les révolutionnaires anonymes !

PAUL : Les révolutionnaires anonymes ! Tu veux me faire croire que les révolutionnaires anonymes existent à l'instar des alcooliques anonymes ? Tu me prends pour un zozo à peine éclos ou pour un gâteux aux méninges liquéfiées ?

PIERRE : Je te prends pour un révolutionnaire peut-être érudit mais dépourvu d'âme humaniste et qui se prend pour ce qu'il n'est pas, pour un être humain au cœur sensible. » Science sans conscience n'est que ruine de l'âme « disait Rabelais.

PAUL : Je n'ai rien à me reprocher, j'ai la conscience tranquille et je n'ai pas besoin de pointer aux révolutionnaires Anonymes. Ça dit quoi ce groupe de paroles ?

PIERRE : Enfin, une question pertinente. D'abord les personnes qui se réunissent dans ce groupe sont des révolutionnaires sincères, d'obédiences diverses certes, mais ils sont tous en souffrance. La tension permanente due au passage en boucle de leurs idées, provoque des effets délétères sur les organismes, ulcères gastriques, hypertension artérielle, crises d'asthme, dermatoses d'origine nerveuse, céphalées de tension, dépressions, angoisses existentielles, burn-out, tentatives de suicide avortées ou réussies. Il s'agit de rompre le cercle vicieux qui s'auto-entretient et se renforce dans le temps. Les idées révolutionnaires abondantes provoquent des pathologies de plus en plus étendues, des pathologies plurielles qui à leur tour engendrent des idées révolutionnaires paroxystiques… etc. il faut bloquer l'alimentation du désir obsessionnel de révolution. Les idées révolutionnaires doivent passer au second plan, voire disparaître au moins pour un certain temps. Chaque révolutionnaire prend la parole à tour de rôle comme dans n'importe quel groupe de paroles. Le soutien mutuel est indispensable pour avoir une chance d'obtenir une guérison. Chose extraordinaire à souligner, les divergences idéologiques ne sont jamais mises sur le tapis. L'entraide n'est pas un vain mot et ceux qui dirigent les débats sont d'anciens révolutionnaires guéris. Je ne dis pas qu'ils ne sont plus révolutionnaires, je dis que l'idée de la révolution enchante leur esprit et n'est plus source de souffrance. Ils en ont vu d'autres, ce sont en général de vieux militants qui connaissent leur affaire.

PAUL : Ceux qui n'ont pas raté leur suicide font-ils toujours partie du groupe de paroles ?

PIERRE : Tu as un goût prononcé pour la provocation, le cynisme le plus éhonté, et un humour qui frise le désamour du prochain.

PAUL : Cessons le combat. Où en est ton Prazoc de frère ? Le cacheras-tu de son prochain jusqu'à la fin des temps ? Je veux bien qu'il continue à militer à condition qu'il fasse preuve de retenue. Je ne connais rien de sa vie, cache-t-elle des zones d'ombre dont notre enquêteur généreux aurait eu vent ? A-t-il fait partie d'autres groupes révolutionnaires dans sa prime jeunesse ? Ses activités militantes ont-elles empiété sur ses études de pharmacie et ensuite sur l'exercice de sa profession ?

PIERRE : Tu tiens vraiment à décortiquer la vie compliquée de mon frère ?

PAUL : Je ne suis pas un inquisiteur. Si ton frère a du mal à réprimer ses mouvements d'humeur, il est normal que le groupe en sache un peu plus sur lui. Sur lui et sur toi.

PIERRE : Si tu me promets d'améliorer ta réflexion et de te comporter en camarade et non pas en concierge avide de potins de la commère, je te conterai certains faits.

PAUL : Je te le jure sur l'honneur.

PIERRE : Avant de raccrocher les gants et de vivre comme un rentier, libre de tout engagement et de tout acte militant j'ai vécu une vie trépidante de révolutionnaire patenté dans un milieu où les petits groupes libertaires se comptaient à foison. J'allais d'un groupe à l'autre cherchant toujours celui qui correspondrait le mieux à mes attentes révolutionnaires. Et mon frère me suivait comme un chien fidèle dans mon joyeux périple. Je quittais l'organisation X, lui reprochant d'être trop ceci et pas assez cela et mon frère, approuvant et louangeant mes arguments, abandonnait lui aussi l'escale X pour nous retrouver tous les deux sur l'appontement Y où la vague révolutionnaire semblait mieux agiter nos fièvres militantes. Et ainsi de fil en aiguille nous tissions la trame de notre vie aventureuse.

PAUL : Je connais tout cela. Ta vie militante ne m'est pas étrangère. Nos chemins se sont croisés plus d'une fois. Mais je n'ai jamais vu ton Prazoc, ni aucun individu présenté comme ton frère.

PIERRE : Il y a une bonne explication. Tu as vu mon frère parfois mais il n'a jamais voulu se dévoiler en tant que tel. Te souviens-tu de Jérôme, Barnabé ou Alexandre ?

PAUL : Pourquoi devrais-je m'en souvenir ?

PIERRE : Parce que c'était lui. Il changeait de prénom à chaque fois que nous changions de groupe.

PAUL : Je n'ai pas la mémoire des prénoms mais je photographie les visages dès le premier coup d'œil. Je n'ai jamais vu ton frère Prazoc dans aucun des groupes que j'ai fréquentés.

PIERRE : Il y a une bonne explication.

PAUL : Sans blague ! Tu es le roi des explications. Sont-elles explicites, implicites, impliquent-elles des vérités, des mensonges, des mystifications, des bonnes ou de mauvaises surprises ou tout simplement ton embarras à trouver la bonne réponse ?

PIERRE : Blablabla, blablabla…
Te souviens-tu de l'affaire des Landais de Mycènes ?

PAUL : Évidemment je m'en souviens. Cette histoire n'est pas passée inaperçue de ma légendaire curiosité.

PIERRE : Eh bien, quand cette affaire a éclaté, j'étais aux Renseignements Généreux depuis trois mois. J'avais laissé les clefs de la serrure révolutionnaire familiale à mon frère.

PAUL : Une première chose m'intrigue. Comment as-tu fait pour te faire accepter par un service central de renseignement étatique, toi dont les idées subversives ne devaient pas être ignorées par ce centre névralgique d'exquise répression et de renseignement tous azimuts ?

PIERRE : Ils m'ont accepté avec empressement sachant avec prescience que celui qui peut le mieux renseigner sur un milieu donné est celui qui en a fait partie.

PAUL : Veux-tu signifier par-là que tu étais un agent infiltré épiant les moindres faits et gestes des camarades pour ensuite les dénoncer à tes supérieurs ?

PIERRE : Tu me prends pour un sinistre délateur doublé d'un odieux traître ? Je ne mange pas de ce pain-là. J'avais publiquement tourné la page de cette partie de ma vie et je n'ai posé ma candidature pour un poste que je savais provisoire uniquement par envie de connaître un contraste saisissant et de relier l'obscurité à la lumière sans pour autant qu'il y ait une passerelle entre les deux. Je ne suis jamais retourné voir d'anciens camarades pendant le temps de mes nouvelles fonctions.

PAUL : Je ne te connaissais pas un esprit aussi tortueux. À quoi servais-tu si tu n'allais pas pêcher des renseignements ?

PIERRE : J'étais stagiaire et je faisais des fiches sur les différentes organisations sans donner d'éléments compromettants.

PAUL : Drôle de passe-temps ! Tu servais le capitalisme en dilettante sans rien apporter à la cause révolutionnaire. On a connu mieux !

PIERRE : Je n'ai rien dit ni rien fait qui puisse provoquer l'indignation de qui que ce soit. Et comme l'a écrit dans sa confession à Nicolas Ier le pauvre Bakounine enfermé dans les geôles de la forteresse Pierre-et-Paul « N'exigez pas que je vous confesse les péchés d'autrui. Je n'ai sauvé qu'un seul bien dans le naufrage : l'honneur et la conscience, de n'avoir jamais allégé mon sort par une trahison », j'affirme à mon tour : Je n'ai pas trahi l'honneur ni risqué la vie d'un seul camarade.

PAUL : Tu oses te comparer à Bakounine qui avait le mérite d'être un révolutionnaire actif et l'excuse d'être enfermé à vie dans une forteresse dont tu ne connaîtras jamais la glaciale monstruosité.

PIERRE : C'est une citation en passant pour faire passer la suite.

PAUL : La suite de quoi ?

PIERRE : La suite des événements. Je n'ai pas trahi jusqu'au jour où… où mon frère a décidé, n'étant plus à mes côtés, de rejoindre tout seul un groupe dont il avait entendu parler par une cliente de sa pharmacie. Une cliente landaise qui connaissait un groupe d'écolos libertaires qui venaient de Grèce.

PAUL : Aïe aïe aïe… Je crains le pire.

PIERRE : Je n'ai pas eu de nouvelles de mon frère pendant plusieurs mois. Il était parti rejoindre cette communauté et un beau jour il m'a téléphoné en proie à une panique dont il a le secret.

PAUL : Que lui est-il arrivé ?

PIERRE : Il a eu un cas de conscience qu'il ne pouvait pas résoudre. D'abord très enthousiaste d'avoir rejoint ce groupe de militants qui venait d'une région grecque près de Mycènes, il s'est vite rendu compte qu'ils avaient des idées pour le moins suspectes. Adeptes d'une démocratie directe que des cités grecques ont connue pendant l'Antiquité, leur discours était d'une violence extrême quant à la manière d'y parvenir. Il ne savait pas dans quelle catégorie idéologique, politique, et philosophique il pouvait bien les ranger. Étaient-ils anarchistes, communistes, nihilistes ? Ils tenaient plus d'une secte ayant le goût du secret et de la fureur que d'une organisation libertaire. Ils parlaient de faire exploser ce monde abject en commettant des attentats plus ou moins aveugles. Les prolétaires méritant d'être éclatés puisqu'ils étaient incapables de se révolter. Il a tenté en vain de les raisonner, ils étaient prêts à passer à l'action. Entendant un jour des bruits suspects provenant d'une cave, il a voulu y descendre et à son grand désarroi, arrivé en bas de l'escalier il a découvert tout un arsenal de fusils mitrailleurs, de grenades, de ceintures d'explosifs et de mécanismes de mise à feu. Il est vite remonté de peur de se faire surprendre, les comploteurs s'étant bien gardés de lui montrer leur attirail meurtrier.

PAUL : Il a appelé son frère bien aimé à la rescousse pour savoir comment se comporter vis-à-vis de ces crypto-terroristes. Que lui as-tu conseillé ?

PIERRE : Je l'ai d'abord réprimandé d'avoir foncé tête baissée sans savoir où il mettait les pieds. Puis je l'ai assuré de mon soutien et lui ai dit que je prenais l'affaire en main.

PAUL : Faisais-tu déjà partie de la Grande Cabane et si oui était-il au courant de ta nouvelle occupation ?

PIERRE : Bien sûr que oui pour ta première question et bien sûr que non pour ta seconde.

PAUL : Lui as-tu dit que tu pouvais l'aider mais sans dévoiler ton atout majeur ?

PIERRE : J'ai bien été obligé de lui dire que je ne pouvais l'aider que dans le cadre de mes nouvelles fonctions.

PAUL : Comment a-t-il réagi ?

PIERRE : Il est tombé des nues. Il m'a d'abord dit que dans ces conditions il se débrouillerait tout seul puis voyant que cette décision ne mènerait à rien il m'a donné carte blanche.

PAUL : Une deuxième chose m'intrigue. On se voyait encore à cette époque. Pourquoi m'as-tu caché que tu avais pris ta carte aux Renseignements Généreux ?

PIERRE : Je n'en voyais pas l'utilité. Je n'allais pas crier sur tous les toits que j'avais une activité dont le dogme du secret était le premier commandement. Sinon, autant faire des journées portes ouvertes.

PAUL : Mon porte-voix aurait été aussi muet qu'une tombe. Passons. Donc la police a donné l'assaut, je m'en souviens. Il y a eu des blessés et des morts des deux côtés. Mais ni ton nom ni celui de ton frère ne sont sortis de ce sac de nœuds. Fin de l'histoire.

PIERRE : C'est beaucoup plus compliqué que ça. Quelques minutes avant l'assaut mon frère a été pris de remords. Plus tard il m'a expliqué que la vie de révolutionnaires même fourvoyés avait plus de valeur que la vie de policiers. Je lui ai expliqué que les révolutionnaires ne s'attaquaient qu'aux institutions et qu'il fallait respecter la vie des serviteurs de l'ordre tant que ceux-ci n'attentaient pas à la vie des révolutionnaires et ne présentaient pas à un moment donné une menace directe. Et notre liberté foulée aux pieds, m'a-t-il répondu. Je lui ai rétorqué qu'il fallait donner une réponse proportionnée et que la propagande par le fait qui avait été employée par certains anarchistes n'était pas la bonne solution.

PAUL : Tu es le spécialiste de la propagande par la digression. Au fait… au fait !

PIERRE : Là-dessus les landistes alertés par mon frère ont pris les armes et ont accueilli le groupe d'intervention par des coups de feu nourris. Certains landistes retranchés derrière la porte ont crié que mon frère les avait trahis et l'ont ligoté pendant que certains parmi les policiers qui se protégeaient comme ils le pouvaient criaient à la trahison de ma part. Quelques morts et blessés plus tard, les survivants étaient neutralisés et faits prisonniers. Dans la confusion je libérai mon frère de ses liens, lui enfilai une cagoule de policier et criai plus fort que tout le monde pour bien faire comprendre aux rescapés qu'ils avaient perdu la partie.

PAUL : Et vous avez pu vous en tirer sans dommage, toi et ton frère ?

PIERRE : J'ai dit à mes collègues qu'on ferait un briefing plus tard que j'accompagnais un policier blessé, en l'occurrence mon frère, à l'infirmerie et que j'étais fier qu'on ait pu mettre hors d'état de nuire de dangereux terroristes.

PAUL : Et ensuite ?

PIERRE : Ensuite, caché deux jours chez moi puis muni d'un passeport tamponné par les R. G., embarqué par le premier avion pour les États-Unis sous l'identité d'un homme d'affaires directeur d'un laboratoire pharmaceutique.

PAUL : Pourquoi tant d'empressement ?

PIERRE : Pourquoi ? J'ai pu convaincre la bonne Maison de ma bonne foi mais il n'en a pas été de même pour mon frère qu'elle a accusé de trahison ayant causé la mort de deux policiers, sans compter les blessés. Ils n'ont pas trouvé mon frère ni parmi les morts ou blessés ni parmi les prisonniers et comme mon information avait quand même atteint son but, à savoir la neutralisation et le démantèlement de la section grecque d'une filière internationale de fous furieux, ils n'ont pas cherché à me trouver plus de poux dans la tête que ma chevelure pouvait en accueillir. Ils ont diffusé son portrait par l'intermédiaire de Mondiopol.

PAUL : Sans résultats ?

PIERRE : Sans résultats jusqu'à ce jour et j'espère que ça va durer longtemps.

PAUL : Par quel miracle ?

PIERRE : Le miracle ou plutôt les miracles, on les trouve parmi les chirurgiens du nouveau monde qui savent refaire un visage comme les lézards savent refaire leur queue perdue par inadvertance.

PAUL : Je comprends mieux pourquoi le visage de Monsieur Prazoc ne me dit rien qui vaille.

PIERRE : En tout cas tu ne l'as pas reconnu comme un visage déjà vu et c'est cela l'essentiel. Il est resté aux États-Unis pendant cinq bonnes années où il a perfectionné son anglais et sa pharmacologie puis il a retraversé l'océan pour s'acheter une officine dont nous connaissons tous les deux les vicissitudes financières.

PAUL : Amen ! On a intérêt à prendre possession sans tarder de ce colis. Il doit contenir des informations explosives.

PIERRE : Et les codes ?

PAUL : C'est le cadet de nos soucis !

Scène III
François, Jacques, Professeur Harro, Tubar

Dans l'arrière-salle d'un café que le lecteur-spectateur commence à bien connaître vu qu'il y règne une atmosphère dont la pression atmosphérique se mesure en millibars à l'aide bienvenue d'un baromètre.

Deux compères sont assis à une table et devisent calmement en ayant l'air de prendre leurs aises.

FRANÇOIS : J'adore venir ici. Le lieu me détend avec une facilité qui ne laisse pas de m'étonner.

JACQUES : J'acquiesce à ta remarque. On se croirait dans une salle de bibliothèque. Au lieu de livres, il y a une infinité de flacons de liqueur qui m'ont l'air d'ailleurs d'être classés par ordre alphabétique. Rien qu'à les regarder, il me vient une envie de les déguster les uns après les autres. Je vais appeler notre barman. Ah, on dirait qu'il y a un nouveau serveur. Garçon s'il vous plaît !

PROFESSEUR HARRO : Me voici. Je vous souhaite la bienvenue. Je vous ai entendu vous extasier devant notre cocktailothèque. Et vous avez bien raison. Puis-je vous donner la carte des liqueurs maison ? Je vous suggère 3 nouveaux cocktails que Monsieur Tubar est fier de préparer cette semaine pour nos clients connaisseurs.

FRANÇOIS : Bien volontiers. Vous êtes nouveau ici ? Eh bien je félicite notre Tubar national pour son choix d'un garçon dont le style le dispute en élégance à un zèle attentionné.

C'est fou le nombre de bouteilles de toutes les couleurs qui s'agglutinent sur vos étagères. Sont-elles toujours préparées avant ou y a-t-il des bouteilles remplies au dernier moment ?

JACQUES : On dirait que c'est la première fois que tu viens. N'as-tu jamais vu Tubar préparer un cocktail au comptoir ?

PROFESSEUR HARRO (*offusqué*) : Dites : Monsieur Tubar, s'il vous plaît !

FRANÇOIS : Oh, pas trop de zèle non plus ! On connaît Tubar depuis plus longtemps que vous !

PROFESSEUR HARRO (*tout penaud*) : Entendu Monsieur François !

FRANÇOIS : Vous connaissez mon prénom, c'est bien. Vous pouvez me donner du Monsieur.

PROFESSEUR HARRO : Avec plaisir Monsieur François. Puis-je vous proposer les 3 merveilles de cette semaine ? Elles ne sont pas encore préparées dans la cocktailothèque. Monsieur Tubar les compose extemporanément à la demande du client.

JACQUES : Extempo quoi ? Parlez français mon brave.

PROFESSEUR HARRO : Ça signifie : qui se fait à l'instant même à la demande du client.

FRANÇOIS : Ou plutôt à la tête du client !

Le Borshepor ma foi n'était pas mauvais mais je n'en prendrais pas tous les jours.

PROFESSEUR HARRO (*quelque peu impatienté*) : Messieurs, écoutez-moi ! J'ai moi-même dégusté ces trois liqueurs que Monsieur Tubar a eu la bonté de me faire goûter. Eh bien ce sont des petits Jésus en culotte de velours. Je ne vous dis que ça. Leurs noms vont déjà vous épater. Il y a par ordre alphabétique, le chamallow, le rouge-gorge et le tuyau de poêle.

JACQUES : C'est très imagé !

FRANÇOIS : Et même poétique !

JACQUES HARRO : Je ne vous le fais pas dire. Le chamallow vous donne l'impression d'avaler un chat qui ronronne au fond de la gorge. Avaler en anglais se traduit par swallow. On avale un chat d'où le nom chamallow. C'est bien trouvé, non ? Le rouge-gorge tire son nom de l'impression de feu qui brûle et incendie la gorge. Je le déconseille aux femmes et aux personnes sensibles. Le tuyau de poêle quand vous le gardez trop longtemps en bouche se transforme en goulets d'étranglement chauffés à blanc, qui s'emboîtent dans votre gorge. Le tuyau de poêle est réservé aux amateurs de sensations fortes. Je vous le conseille vivement, Messieurs.

JACQUES (*très impressionné*) : Je ne suis pas volontaire pour les descentes d'organes.

Quels ingrédients met-il, votre patron, dans ces élixirs empoisonnés ? Si vous ne me donnez pas des noms, je me contenterai d'un petit Borshepor de derrière les fagots.

PROFESSEUR HARRO : Ce n'est pas faute de le lui avoir demandé. Bien sûr quand j'insiste il me donne une liste de substances aromatiques qui, me dit-il, ne sont pas à mettre entre les mains de gens ignorants ou peu scrupuleux. Mais pour moi les termes employés sont une sorte de charabia qui s'apparente plus à un borborygme intestinal qu'à un langage articulé, cela dit sans vouloir le critiquer. Le plus extraordinaire dans ces 3 cocktails est le plaisir ineffable qu'on ressent quand on procède à leur mélange, cela dit sans vouloir l'encenser.

TUBAR (*qui a quitté son comptoir et s'est approché de la table*) : Je vous ai entendu, Harro. Ne me faites pas regretter ma décision de vous héberger pour une période indéterminée. Servez plutôt ces messieurs comme ils le méritent. Je vous conseille d'abord le chamallow, messieurs. Il fond dans la bouche en laissant des relents de valériane pas piqué des hannetons. En choisissant un cocktail, vous bénéficiez en outre d'un thème à discuter. Le professeur vous a-t-il parlé de la nouvelle formule qui a cours dans notre café et que j'ai intitulée cocktailerie-discussion ? À un cocktail donné est attribué un thème de discussion par tirage au sort préalable et chaque duo est valable pour la journée. Si vous choisissez le chamallow, le thème correspondant aujourd'hui est…

FRANÇOIS : Je ne veux pas discuter !

JACQUES : On a déjà donné !

FRANÇOIS : Vous allez rencontrer des problèmes. Si vos convives choisissent des cocktails différents, ils ne pourront pas discuter de trente-six sujets à la fois.

TUBAR : En dernier ressort, c'est moi qui choisis.

FRANÇOIS : Attendez-vous à des prises de bec et des bagarres. Je ne voudrais pas être à votre place. Vos sujets de société on les connaît. Politique, politique, politique…

il n'y a que ça qui vous intéresse. Je me demande ce que vous faites dans un bistrot à cocktails.

À moins que vous n'ayez des sujets de discussion consensuels, genre l'euthanasie des puces sur les cartes bancaires ou la culture des lasagnes dans les sables mouvants…

TUBAR : Bon, on ne va pas tergiverser cent sept ans. Choisissez le cocktail qui vous convient. Monsieur Harro dissertera sur le thème correspondant.

FRANÇOIS : Il s'en est fallu de peu que j'aille chercher mon bonheur dans une taverne plus accueillante. J'ai la langue aussi sèche qu'un os de seiche. Donnez-moi un rouge-gorge, un foufou à la banane et un grand verre d'eau.

PROFESSEUR HARRO : Et pour vous Monsieur François, ce sera… ?

JACQUES : Je m'appelle Jacques. Je vais prendre un tuyau de poêle, un os à moelle, une bière péruvienne et un foufou au manioc.

PROFESSEUR HARRO : Nous n'avons pas d'ossements moelleux ni de bière sud-américaine.

JACQUES : Ce n'est pas grave. Donnez-moi ce que vous avez de plus approchant. Et deux grands verres d'eau pour noyer le tuyau de poêle.

TUBAR : Je vous prépare tout ça pendant que le Professeur Harro discute avec vous. Le thème est : ce que veulent de nous les hommes politiques et vice-versa. Professeur apportez déjà les cocktails et les verres d'eau !

PROFESSEUR HARRO : Oui Chef ! (*Il apporte les rafraîchissements.*)

TUBAR : Oui Chef, je crois rêver. Vous savez bien qu'il n'est pas question de hiérarchie entre nous.

PROFESSEUR HARRO : Oui Chef !

TUBAR : Harro, vous commencez à m'énerver. Vous voyez bien qu'ils ont commencé à boire. Ne les faites pas attendre, lancez-vous une bonne fois pour toutes, je suis sûr que vous allez y arriver. Ce n'est pas possible d'être aussi timide.

PROFESSEUR HARRO : J'ai soif !

TUBAR : Prenez un verre et trinquez avec eux. Oui, le mélange des trois, je sais que vous aimez ça.

PROFESSEUR HARRO : (*Il boit cul sec puis se gargarise avec la dernière gorgée.*)

Ah, j'ai une pêche d'enfer !

Faisons un peu d'Histoire. Dans la salle du manège des Tuileries où se tient l'Assemblée constituante à partir d'octobre 1789 les députés prennent l'habitude de choisir leur place en fonction de leurs affinités politiques. Les députés peu ou pas favorables à la Révolution s'assoient sur le côté droit de la salle par rapport au président de l'Assemblée. Les autres plus ou moins favorables s'assoient à la gauche du président. De cette répartition des députés par affinités datent les clivages droite-gauche. Les députés de l'Assemblée législative de 1791 puis ceux de la Convention à partir de septembre 1792 situés à gauche sur les bancs les plus élevés des Assemblées se nommèrent Montagnards. Ceux de la Plaine ou Marais sur les bancs inférieurs étaient dits modérés. Les Girondins venaient de la région de Bordeaux.

FRANÇOIS : Abrège, abrège je n'ai pas envie de retourner sur les bancs de l'école.

PROFESSEUR HARRO : Les vins de Bordeaux font partie de mes vins préférés.

FRANÇOIS : J'ai les mêmes goûts. On peut s'entendre entre gens de bonne compagnie vinicole.

JACQUES : Et vous mon bon Professeur Harro, vous appartenez à quelle compagnie ? À la compagnie des gens de droite, à la compagnie des gens de gauche ? Regardez-vous les gens et les choses en prenant de la hauteur comme les Montagnards ou en faisant du rase-mottes comme les crapauds du Marais ? Avez-vous déjà eu envie de faire de la politique et de devenir député ?

FRANÇOIS : Comme disait Montaigne qui n'était pas Montagnard : « Si haut que l'on soit placé, on n'est jamais assis que sur son cul ». Vous voyez qu'un journaliste peut avoir de la culture. Le rouge-gorge ça décape ! Apportez-moi deux glaçons et un inhibiteur de la pompe à protons.

PROFESSEUR HARRO : Le seul inhibiteur que je connaisse est l'inhibiteur de la recapture d'esclavagine.

TUBAR : Harro, taisez-vous ! Si vous vous laissez distraire encore une fois, je vous coupe les vivres. Reprenez votre récit où vous l'avez laissé !

PROFESSEUR HARRO : Et si je n'en ai pas envie ? Vous êtes stalinien ou quoi ?

TUBAR : Vous oubliez de quel cloaque, je vous ai exhumé. Prenez vos cliques et vos claques et bon vent !

JACQUES : Tubar vous êtes fasciste en plus ? Laissez parler mon ami le professeur Harro ou je vous mets entre les mains de mes amis Pierre et Paul.

TUBAR : Laissez ces deux-là là où ils sont. Ils ont assez de problèmes à résoudre pour ne pas en rajouter. Professeur Harro, veuillez poursuivre pendant que j'apporte les plats de résistance. Si vous me faites défection, tant pis pour moi, je n'en ferai pas une maladie.

FRANÇOIS : Professeur Harro, pourquoi vous appelle-t-on Professeur ?

PROFESSEUR HARRO : Parce que je connais un tas de choses que le commun des mortels ne connaît pas. J'ai fait ma thèse sur l'endoctrinement des masses causé par le diéthylphtalate propionyl acetate.

JACQUES : Le tuyau de poêle me fait moins d'effets sur le langage que votre exposé n'en fait sur votre besoin de galimatias.

PROFESSEUR HARRO : Vous pouvez vous moquer de moi mais j'en sais plus que d'illustres savants sur la sociologie politique, psychologique et pharmacologique et je vais vous le prouver sur le champ.

FRANÇOIS : Des promesses, encore des promesses, toujours des promesses mais on ne voit rien venir à part des leçons d'histoire d'école primaire et de chimie psychédélique.

PROFESSEUR HARRO : Puisqu'on parle de promesses, j'en viens au cœur du sujet. Les hommes politiques font deux sortes de promesses. Des promesses qu'ils ne tiennent pas quand ils promettent d'améliorer le sort des gens et des promesses qu'ils tiennent quand ils promettent de les aggraver.

FRANÇOIS (*hilare*) : Hé, les amis, avez-vous déjà entendu un homme politique de droite ou de gauche promettre qu'il va aggraver le sort des gens ?

TUBAR (*tapotant affectueusement une joue du Professeur*) : Le Professeur a résumé avec sobriété le lien entre le dire et le faire des hommes politiques. Ils ne diront pas je vais empoisonner votre vie par telle ou telle mesure que le capitalisme m'oblige à faire. Ils vont dire je fais telle réforme sociale, sociétale, économique, financière, juridique et vous verrez que vous vous en porterez mieux. Car ils se prétendent réformateurs tous autant qu'ils sont. Il faut qu'il y ait un équilibre disent-ils entre ce qu'ils donnent et ce qu'ils prennent. Ils appellent ça les droits et les devoirs des citoyens. Mais étant donné que certains citoyens donnent plus que ce qu'ils reçoivent et ils sont les plus nombreux et que d'autres, les moins nombreux, reçoivent plus que ce qu'ils donnent, la tâche des hommes politiques est de maintenir ce déséquilibre indéfiniment, quel que soit le rôle beau ou mauvais qu'ils avoueront ou non se donner.

PROFESSEUR HARRO : Hein, je vous l'avais dit que j'étais un fin connaisseur des sociétés humaines. Et pour que ce château de cartes ne s'écroule pas, les châtelains doivent le fortifier par le mensonge. Hein, c'est bien ça mon Tubar ? (*cul sec un autre verre*).

FRANÇOIS : Je crains que votre protégé à force de se jeter du trio infernal derrière la cravate ne soit sur le point de faire rendre l'âme à son raisonnement.

PROFESSEUR HARRO : Mesurez vos paroles ! Je n'aime point qu'on insulte ma faculté de raisonnement.

TUBAR : Je crains que l'Histoire ne donne raison au Professeur Harro. Beaucoup de réformateurs se sont révélés de fieffés réactionnaires et beaucoup de révolutionnaires se sont révélés de fieffés contre-révolutionnaires. Je crains qu'ils n'aient été, tous autant qu'ils sont, à plus ou moins grande échelle de fieffés menteurs. Si certains se sont trompés ou ont été trompés par naïveté et se sont crus honnêtes dans leur sincérité, alors la naïveté a fait plus de ravages que les catastrophes naturelles. La naïveté a bon dos. Les menteurs l'ont été en toute connaissance de cause et ne sont rien d'autre que des imposteurs. Ils ont falsifié l'Histoire pour le bonheur des plus forts et le malheur des faibles. Il est l'heure de fermer boutique.

PROFESSEUR HARRO : Ah non, je n'ai pas fini mon speech. Écoutez bien, ça va décoiffer. Le capitalisme a gagné et a battu à plate couture les opprimés du monde. Il a écrit un roman international sur son histoire et sur celle du communisme. Ce roman raconte que le capitalisme sous sa forme dite démocratique est la meilleure forme d'organisation sociale que l'humanité puisse jamais se donner et que le communisme qui a cherché sans succès à le supplanter est la pire forme d'organisation sociale puisque les exploités qui ont voulu y goûter s'en sont mordu les doigts jusqu'au sang. Ce roman mondial s'abstient évidemment de dire que ce communisme n'a jamais été rien d'autre qu'une forme nauséabonde de capitalisme, le capitalisme d'État. Le capitalisme n'ayant pas le triomphe modeste crie tous les jours sur tous les toits que les prolétaires l'ont échappé belle.

FRANÇOIS : Alors là vous m'avez saoulé comme jamais on m'a saoulé. Même dans les soirées étudiantes je ne me suis jamais retrouvé dans un état pareil.

JACQUES : Professeur Harro, regardez vos yeux, ils sont tout rouges. Monsieur Tubar vous l'avez drogué n'est-ce pas ?

TUBAR : La vérité vous dérange à ce point que vous ne voulez pas l'entendre. Un proverbe africain dit : « Tant que les lions n'auront pas leur propre historien, l'histoire de la chasse glorifiera toujours le chasseur ».

PROFESSEUR HARRO : Et je termine mon histoire des hommes politiques. La raison d'être des hommes politiques, ce qui les pousse à agir, ce n'est pas une quelconque intention de faire le bonheur des peuples, c'est le goût du pouvoir. S'ils peuvent s'enrichir grâce aux moyens légaux, illégaux, voire criminels que leur confère ce pouvoir, ils ne vont pas s'en priver.

TUBAR : Vous venez de me donner une des plus grandes joies de mon existence. Entendre de la bouche d'un serviteur du mensonge une des vérités les plus capitales n'est pas donné à tout le monde. Messieurs François et Jacques, profitez bien du moment présent, videz votre verre et à la revoyure, maintenant on ferme.

PROFESSEUR HARRO : Je n'ai pas fini mon exposé. Je suis fier de dire leurs quatre vérités à ces deux politiciens ici présents !

FRANÇOIS (*excédé*) : Tubar, tenez mieux votre poulain. Il raconte n'importe quoi et je crois qu'il va recevoir immédiatement un faire-part de son décès.

PROFESSEUR HARRO : Je me suis un peu emballé. N'est pas un politicien qui veut. Vous n'avez ni l'envergure ni le poids pour vous réclamer d'une profession si illustre.

JACQUES : Je crois que votre protégé se contredit comme il respire. Faites-lui réviser vos leçons.

TUBAR : Mon pauvre Harro, je crois que tu ferais un excellent homme politique !

PROFESSEUR HARRO : Je ne vous le fais pas dire. Monsieur Tubar, je suis dans une forme resplendissante. Posez-moi une question, n'importe laquelle, je crois qu'aucun sujet historico-politique ne me trouvera bouche close. Allez-y, allez-y, je vous écoute.

TUBAR : Non, quand je dis extinction des feux ça ne signifie pas reprise des hostilités. On ferme.

PROFESSEUR HARRO : Je vous en supplie, je suis rempli de fougue intellectuelle, il faut que ça sorte !

FRANÇOIS : Posez-lui n'importe quelle question, sinon demain on y est encore.

TUBAR : Bon, une dernière colle. Si vous ne savez pas quoi répondre, je vous passe à la moulinette.

PROFESSEUR HARRO : Vous aurez droit à ma reconnaissance éternelle.

TUBAR : Je n'en demande pas tant.
Pouvez-vous me citer une guerre civile qui a opposé les partisans de l'esclavage salarié aux partisans de l'esclavage ?

PROFESSEUR HARRO : Oh, elle est difficile cette question.

TUBAR : François, Jacques, vous avez peut-être la réponse.

FRANÇOIS : Euh. Les soldats de la Révolution française contre l'armée royaliste des chouans et des Vendéens.

TUBAR : Quelle perspicacité ! Vous y êtes presque ! Pendant la Révolution Française, le tiers-état va chasser du pouvoir la noblesse et le clergé. Et donc supprimer la monarchie au profit de la république. Il est logique qu'avec l'avènement du capitalisme naissant le pouvoir économique qui va être détenu par la bourgeoisie veuille prendre aussi le pouvoir politique.

La noblesse c'est le régime de la féodalité qui fait travailler les paysans dans ses domaines par le servage.

La bourgeoisie révolutionnaire en abolissant les privilèges va généraliser le salariat et supprimer définitivement le servage.

En Vendée on assiste à une véritable guerre civile qui verra des colonnes infernales républicaines massacrer sans pitié toute une population favorable ou non à la monarchie. Babeuf a dénoncé le véritable génocide perpétré par la Convention contre le peuple vendéen dans son réquisitoire « La guerre de la Vendée et le système de dépopulation ».

FRANÇOIS : J'ai toujours bien aimé la brioche vendéenne.

TUBAR : Et vous, Jacques ?

JACQUES : Moi ? Je préfère la baguette parisienne.

TUBAR : Ne fuyez pas ma question ! Je vous demande un exemple de guerre civile.

JACQUES : C'est-à-dire... Une guerre civile, une guerre civile... Si vous croyez que ça se trouve au premier coin d'une réflexion arrosée de tuyau de poêle... J'ai un doctorat de droit, pas d'histoire.

FRANÇOIS : Passe ton tour, mon vieux. J'ai sommeil, je ne tiens plus debout.

JACQUES : Comment n'y ai-je pas pensé plus tôt ?
Les républicains espagnols contre les partisans du général Franco.

TUBAR : La guerre civile espagnole a opposé les staliniens espagnols aux fascistes espagnols, tous partisans forcenés du salariat. Les révolutionnaires pris entre ces deux feux réactionnaires et totalitaires étaient partisans de son abolition. Professeur Harro, vous n'avez pas ouvert la bouche !

PROFESSEUR HARRO : J'ai la bonne réponse sur le bout de la langue. Voilà, j'y viens. Les Indiens contre les cow-boys !

TUBAR : Pas si mal ! On peut parler en effet d'une guerre civile entre deux populations d'Amérique du Nord. Chez les Indiens, les premiers habitants de cette terre, il y avait appropriation collective de ce que la nature pouvait leur apporter. Ils avaient la viande avec les bisons et autres animaux, ils avaient les fruits, les racines et les herbes pour compléter leur nourriture et pour se soigner, les chevaux pour se déplacer et chasser. Ils vivaient en harmonie avec leur milieu et on peut parler à leur propos de communautés vivant un communisme primitif. Les wasp avaient une économie marchande déjà capitaliste et impérialiste. Ils avaient l'avantage du nombre et une technologie de destruction plus moderne. Ils ont donc décimé les Indiens et volé leurs terres. Mais ce n'est pas la bonne réponse. Je vais vous aider. Cette guerre civile a fait 600 000 morts et a opposé des militaires vêtus d'uniformes bleus à des militaires vêtus d'uniformes gris.

PROFESSEUR HARRO : Bien sûr, les militaires bleus c'était de la bleusaille, des conscrits qui n'ont jamais connu l'épreuve du feu, des bizuts qui ne savaient même pas comment tenir un fusil.

Les gris étaient des soldats chevronnés mais toujours bourrés, pendant et hors des combats. C'était donc la guerre civile entre les jeunes ados des beaux quartiers et les vieux poivrots des bas-fonds. Elle a eu lieu en… en…

TUBAR : En rien du tout. Mon pauvre Harro vous partez dans des délires qui ne font pas honneur à votre réputation.

JACQUES : Qu'on en finisse. Quelle est la bonne réponse ?

TUBAR : La guerre de Sécession entre les nordistes salariatophiles surnommés les Yankees et les sudistes, partisans du maintien de l'esclavage des noirs dans les plantations des États confédérés du Sud. Elle a donné lieu à de sanglantes batailles entre 1861 et 1865.

FRANÇOIS : J'ai toujours pensé que les gens du Nord et ceux du Sud ne pouvaient pas s'entendre. Ma mère qui était de Douai et mon père de Tarascon ne pouvaient pas se sentir. Je me suis toujours demandé comment ils avaient réussi à me concevoir.

Scène IV
Paul, Pierre, Monsieur Prazoc, Jeanne

Dans l'appartement vide de Pierre et Jeanne. On entend le cliquetis d'une clef dans la serrure. Pierre et Paul apparaissent, ils sont essoufflés et tendus. On voit qu'ils ont beaucoup discuté et qu'ils tiennent à retrouver leur souffle.

PAUL : Peux-tu m'expliquer ce qu'il nous arrive ? Notre groupe ne tient plus qu'à un fil.

PIERRE : Ne sois pas si pessimiste. Ce n'est ni la première ni la dernière fois qu'un groupe humain tel que le nôtre malgré les liens de profonde camaraderie connaît et connaîtra de semblables dissensions. Tu as d'ailleurs été l'étincelle qui a mis le feu aux poudres.

PAUL : Quelle étincelle ?
D'abord il y a eu cette disparition du colis. Tu ne trouves pas ça inquiétant ?

PIERRE (*à moitié soulagé*) : Peut-être mais ce n'est pas une raison de formuler des accusations à tort et à travers en traitant de voleurs la moitié du groupe et d'insouciants l'autre moitié.

PAUL : Ce qui pose problème ce n'est pas le colis mais son escamotage. Tout le monde a pu le voir quand je l'ai ramené de la poste et s'il n'est plus dans notre local alors qu'on devait l'ouvrir aujourd'hui c'est que quelqu'un du groupe l'a chouravé.

PIERRE : Et alors même si c'est le cas, le camarade chapardeur, quel qu'il soit a bien fait de nous en débarrasser.

PAUL : Ah, tu reconnais toi-même que l'un d'entre nous s'en est emparé.

PIERRE : Pas forcément. Il y a peut-être eu un cambriolage sans effraction. Pourquoi mettre en doute la parole de camarades qui ont tous nié être de près ou de loin responsables de la disparition du colis. Quel intérêt d'ailleurs auraient-ils eu à faire une chose pareille ? Au contraire, ils étaient tous impatients de connaître son contenu. Pourquoi as-tu accusé Gérard de négligence ?

PAUL : C'est lui qui a rangé le colis dans le placard où l'on met les tracts qui n'ont pas été distribués.

PIERRE : Il se souvient l'y avoir déposé en ta présence C'est toi qui a les clefs du local et personne d'autre. Alors à mon tour je te pose la question. Es-tu retourné prendre le colis à l'insu du groupe que tu vas ensuite accuser pour un motif qui m'échappe ? Quant à ton histoire de codes, personne ne se souvient en avoir entendu parler. Où veux-tu en venir ? Tu accuses mon frère, tu accuses Gérard, tu accuses tous les autres. Eh bien moi je t'accuse de semer la zizanie dans le groupe dans l'espoir de le faire exploser. On l'a bien vu. Tu as voulu exacerber les éventuelles divergences idéologiques en provoquant des querelles à n'en plus finir.

PAUL : Si j'ai inventé cette histoire de codes et de lettre de menaces, c'était pour que tu me parles de ce Monsieur Prazoc qui s'est révélé être ton frère.

PIERRE : Mon frère n'est pas et n'a jamais été un agent de l'État. Je ne vais pas te le répéter trente-six fois. Moi j'en ai été un et je te soupçonne d'en être un autre en parfait état de marche depuis fort longtemps. Les douze codes qui font évaporer un produit délétère s'ils ne sont pas bien activés, c'est bien une idée qui ne pouvait germer que dans la cervelle d'un agent des Renseignements Généreux.

PAUL : Je te jure qu'il n'en est rien.

PIERRE : Ne jure pas ! Je ne sais même plus à qui j'ai affaire. Tu es un caméléon qui prend les idées des gens qu'il côtoie.

PAUL : Et toi, crois-tu être à l'abri de tes missiles mensongers ? M'injecter l'idée que ton frère est addict aux idées révolutionnaires, qu'il a fait partie du réseau des Landais de Mycènes et qu'il s'est fait défigurer outre-Atlantique pour que personne ne le reconnaisse est une tentative désespérée pour m'engluer dans ta mythomanie.

PIERRE : Je vais changer la plaque de la porte d'entrée. Interdit aux menteurs, aux tricheurs et aux espions sera un credo plus apte à faire fuir les indésirables qui te ressemblent.

Il se dirige vers la porte qui s'ouvre au même instant. Monsieur Prazoc et Jeanne font une entrée remarquée. Monsieur Prazoc porte un paquet sous le bras.

MONSIEUR PRAZOC : Pierre, je suis ravi de te revoir. Paul est là aussi, la fête n'en sera que plus belle. Dans mes bras mon frère !

JEANNE : Ne m'en veux pas, Pierre ! Tu connais l'énergumène. Il est déjà venu t'importuner, je le sais bien. Ce pharmacien me colle aux basques depuis qu'il m'a surprise devant son officine. À peine avais-je mis un pied dans sa boutique qu'il s'est précipité sur moi pour m'embrasser, me bombardant de mots doux, ma petite belle-sœur, ma chère sœurette, ma frangine inconnue, crachotant et reniflant comme un porc qui cherche des glands.

MONSIEUR PRAZOC : Elle a une belle santé ta femme, ça fait plaisir à voir. Et moi je me sens tout revigoré par ces dernières journées qui m'ont fouetté les sangs et m'ont fait rencontrer des gens que jamais je n'aurais osé approcher. Il y a eu des hauts et des bas, mon frère, mais je m'en suis tiré grâce à l'aide d'un être exceptionnel.

JEANNE : Tu entends comme il te parle ? Il t'appelle mon frère alors qu'il y a quelques jours il voulait te faire les poches. S'il m'a suivi, c'est que je n'ai pas pu m'en débarrasser.

PAUL : Que tiens-tu dans tes mains ?

MONSIEUR PRAZOC : Ce petit paquet ? On me l'a donné contre une simple signature.

PAUL : Qui on ?

MONSIEUR PRAZOC : Qui on ? Mais le facteur pardi ! Il est venu dans mon officine et m'a dit c'est pour votre frère, alors je suis venu. Pas seul. Car le hasard faisant bien les choses je suis tombé sur ta charmante moitié qui m'a fait l'honneur de m'accompagner. Quelle beauté ! Si tu n'étais pas mon frère, je tenterais ma chance.

JEANNE (*offusquée*) : Il ne manquerait plus que ça ! Vous n'êtes pas mon genre et vous n'êtes pas son frère. Je l'ai rencontré son frère avant son départ pour les USA et il ne ressemblait pas à ça, il était nettement moins moche. Je suis très physionomiste, vous êtes un usurpateur, un simulateur, un escroc de peu d'envergure qui s'acoquine avec la pire engeance qui soit. Pierre ressaisis-toi, tu vois bien qu'il n'est pas ce qu'il prétend être. Quant à ce paquet, je vais le jeter par la fenêtre. (*Elle se précipite sur Monsieur Prazoc.*)

MONSIEUR PRAZOC : Surtout pas, je viens d'entendre un drôle de tic-tac. Attrape Pierre ! (*Il lance le paquet à Pierre qui pétrifié parvient de justesse à l'attraper au vol.*)

JEANNE : Ne te fie pas à ce qu'il te dit. Il veut te faire croire qu'il y a une bombe dedans, c'est une ruse grossière, un attrape-nigaud. Si le paquet t'était destiné, le facteur te l'aurait apporté directement.

PIERRE (*qui a recouvré ses esprits*) : Qu'y a-t-il de mal à l'ouvrir ce paquet ? Décidément il y a plein de ballots qui demandent à être ouverts ces temps-ci.

PAUL : Nous sommes, ici, tous des ballots dont Monsieur Prazoc est le représentant le plus original.

PIERRE : Voyons voir, ce paquet n'est pas bien lourd. Je l'ouvre. Des photos, quatre photos en tout, une notice de deux pages en français, deux factures d'intervention chirurgicale, l'une rédigée en anglais, l'autre en… peut-être en russe, ou en bulgare ou en ukrainien, en tout cas c'est de l'alphabet cyrillique. Ou alors c'est du grec ? Deux passeports, l'un en anglais l'autre en anglais et cyrillique ? Le premier passeport porte le nom de Peter Glandon, le second de Piotr… Piotr Michailovitch Gloudanov. En quoi ça nous concerne ces noms hautement dépaysants ?

Attends voir, il y a aussi deux cartes correspondant à ces deux noms, l'un avec le sigle CIA, l'autre avec le sigle KGB. Oh, sur deux photos on dirait bien que c'est toi. Avant et après.

MONSIEUR PRAZOC (*qui blêmit*) : Donne ça, c'est sans intérêt.

PAUL : Au contraire ça commence à nous intéresser. Avant et après quoi ?

PIERRE : Sur celle-là c'est ta bouille avant ton départ pour l'Amérique. L'autre photo te montre tel que tu es maintenant après ton opération de chirurgie inesthétique déformatrice. Les deux autres photos, tu peux m'expliquer à qui elles se réfèrent ?

PAUL (*qui a pris les photos et les deux cartes des mains de Pierre*) : Ce sont des cartes de service de renseignements étrangers avec des photos de visages patibulaires.

JEANNE : Eh bien Monsieur le pharmacien, on fait d'étranges découvertes à votre sujet.

MONSIEUR PRAZOC : J'ai commis une erreur, j'ai libéré Troudelassec. C'est cette vermine qui m'a adressé ce paquet pour faire du tort à mon frère. Je n'aurais jamais dû te l'apporter. Ne te laisse pas abuser, jette toutes ces photos à la poubelle.

PAUL (*fouillant dans le paquet resté aux mains de Pierre*) : Tiens… Tiens… Tiens…

Il y a un autre passeport que tu t'es bien gardé de nous montrer, Pierre. Un passeport avec la photo préopératoire de notre ami ici présent, tamponné par les RG, au nom de Pyrrhus Glaukos, directeur franco-grec des laboratoires pharmaceutiques Glaukos. En souvenir de tes copains grecs de Mycènes sans doute ? Quel que soit l'expéditeur de tous ces documents, il y a une chose qui est sûre : ton séjour américain n'a pas livré tous ses secrets.

PIERRE : Métadon… Métadon…

Combien de noms, combien de visages, combien de mensonges, combien de traîtrises, combien d'omissions se trouvent dans ta panoplie de faux frères ?

MONSIEUR PRAZOC : Tout ce que j'ai fait c'était pour pouvoir m'acheter une pharmacie sans casser mes liens fraternels ni abandonner mes idées révolutionnaires.

PIERRE : Tout ce que tu as fait… tout ce que tu as fait… Explique-toi. Paul est au courant de ton épisode landais, de ta fuite américaine et de ton changement d'aspect. Mais à quoi riment toutes ces photos et ces changements de noms ? Combien de fois as-tu goûté au bistouri ?

JEANNE : Oui, Monsieur Prazoc, à quoi riment vos grimages ? Vous n'êtes pas poète pour un sou et vous rimez comme un scribouilleur des strophes de vie qui ne sont ni des fomentations de remèdes pharmaceutiques ni des fomentations de troubles révolutionnaires mais des catastrophes naturelles.

MONSIEUR PRAZOC : Oh, ça va bien ! Je vais tout vous raconter. Mais arrêtez de faire des phrases emberlificotées d'intellectuels désœuvrés. Quand je suis arrivé en Amérique grâce à l'aide cruciale de mon frère, je me suis retrouvé confronté à des problèmes qui allaient me mettre dans l'obligation d'avoir deux comportements contradictoires : me cacher car mon portrait diffusé par Mondiopol pouvait me faire reconnaître par tous les flics de la planète et chercher du travail car mes moyens de subsistance me faisaient cruellement défaut. Je me suis souvenu des théories du neurobiologiste Henri Laborit, l'auteur de l'Éloge de la Fuite et l'inspirateur du film Mon Oncle d'Amérique. Nous avons trois cerveaux, le saviez-vous ? Le reptilien, le limbique, et le néocortex.

PAUL : Cadet Roussel a trois cerveaux, c'est bien connu.

MONSIEUR PRAZOC : Blague à part, je devais fuir pour ne pas me faire capturer et pour ne pas faire d'ulcère à l'estomac. Je devais lutter car la vie est un combat qui ne connaît que deux issues : la victoire sur soi-même et éventuellement sur les autres ou la défaite et la mort. Tout est enjeu de pouvoir et la lutte pour le pouvoir fait le malheur des hommes.

PIERRE : J'ai toujours su que mon frère était un philosophe.

MONSIEUR PRAZOC : Comme Henri Laborit !

N'a-t-il pas dit « Tant qu'on n'aura pas diffusé très largement à travers les hommes de cette planète, la façon dont fonctionne le cerveau, la façon dont ils l'utilisent, et tant que l'on n'aura pas dit que jusqu'ici cela a toujours été pour dominer l'autre, il n'y a pas de chance qu'il y ait quoi que ce soit qui change. »

PAUL : Cette phrase a de la gueule, je n'aurais pas dit mieux.

JEANNE : Monsieur Prazoc est le seul pharmacien qui a fait siennes les théories anarchistes.

MONSIEUR PRAZOC : Et communistes, n'oubliez pas communistes, mon ange.
Je ne sais plus où j'en suis.

PIERRE : Était-ce une fuite en avant, mon frère, une lutte en arrière, du sur-place ? Je te connais, la politique t'a toujours tourneboulé la cervelle.

MONSIEUR PRAZOC : Je ne prends plus tes remarques pour argent comptant. Les premiers mois je me suis réfugié au beau milieu de la nature luxuriante de l'État du Montana, subjugué par la beauté de ses forêts, de ses montagnes, de ses lacs et rivières. Je me suis nourri de baies sauvages, de crottes de grizzlys, de truites argentées, d'amas d'insectes grouillants, de feuilles craquantes de pins, de glands de chênes tombés à terre. Puis au bout du compte il a fallu que j'aille me chercher du travail.

JEANNE : Un instruit désargenté qui s'en remet aux truites argentées, quelle ironie du sort ! Es-tu allé chercher du travail sur les sommets du Montana, tel Moïse cueillant la parole de l'Éternel sur le mont Sinaï ?

MONSIEUR PRAZOC : Je suis flatté de te voir si curieuse de mon destin. Je suis descendu vers les plaines de Californie et, révélant ma science pharmaceutique dans les milieux bien informés, j'ai été engagé dans un laboratoire d'éthologie expérimentale.

JEANNE : D'éthologie ? Rien que ça ! C'est l'étude de l'Éthylisme ou l'étude de l'Éther ?

MONSIEUR PRAZOC : De l'Éther ? Quelle horreur !
Étant enfant on m'endormait à l'éther pour explorer mes oreilles, je m'en souviens comme si c'était hier.

JEANNE : Je pensais aux espaces célestes.

MONSIEUR PRAZOC : C'est l'étude du comportement des animaux dont nous, les humains, faisons partie. Et ce n'est pas beau à voir, du moins chez les habitants des branches dites évoluées.

PAUL : Comment peut-on engager quelqu'un qui n'a pas de diplômes à présenter ? On t'a cru sur parole ?

MONSIEUR PRAZOC : Je n'avais bien entendu aucun document. On m'a fait passer des tests.

PIERRE : Quel genre de tests ?

MONSIEUR PRAZOC : Des tests tout bêtes, s'agissant d'animaux. Combien de dents ont les souris, combien de nageoires ont les dauphins, combien de queues ont les gorilles, combien de têtes ont les humains. Voilà les questions auxquelles j'ai répondu victorieusement.

PAUL : N'importe qui aurait fait un sans-faute sur des questions aussi débiles. Ou plutôt toute personne un peu sensée aurait refusé de répondre.

PIERRE : On t'a posé d'autres questions du même genre ?

MONSIEUR PRAZOC : Bien entendu. Par exemple quel est le régime politique de la Russie actuelle, combien de régimes différents la Russie a-t-elle connus dans son histoire, quel est le poids d'un régime de bananes prêt à être cueilli, combien de temps faut-il attendre avant de le cueillir, quel est le meilleur régime alimentaire pour maigrir, quelles règles faut-il adopter pour ne pas reprendre du poids après un régime. Je peux vous fournir les preuves de l'existence de ces tests, les ayant gardés pour la postérité.

JEANNE (*émerveillée*) : Et on t'a embauché pour faire quoi ?

MONSIEUR PRAZOC : J'ai repris les expériences du Professeur Laborit avec des rats de laboratoire auxquels j'ai fait subir trois situations différentes.

PAUL : Cadet Ratssel a trois situations !

MONSIEUR PRAZOC : Toi Paul, tu me comprends.

Première situation : une cage à deux compartiments dans lesquels un rat peut aller d'un compartiment à l'autre. J'électrifie le plancher d'un compartiment, le rat fuit dans l'autre compartiment. Et vice-versa d'un compartiment à l'autre… Le rat ne présente pas de symptômes pathologiques car il peut aller et venir à sa guise pour éviter le courant électrique.

Deuxième situation : la porte entre les deux compartiments est fermée. Il ne peut pas éviter le courant qui est une douleur punition. Il est inhibé ! Perturbations biologiques, hypertension artérielle et autres symptômes sont au rendez-vous.

PIERRE : Tu ne t'es pas ennuyé, je t'en félicite.

MONSIEUR PRAZOC : Je vois que tout le monde est au diapason, je vous en félicite. Troisième situation : le rat restera dans la deuxième situation mais il sera en face d'un congénère qui lui servira d'adversaire. Dans ce cas, il va lutter. Il subira la même punition électrique dont il ne peut se défaire mais son système nerveux agissant dans la lutte contre un autre rat logé à la même enseigne lui permet de rester en bonne santé. Est-ce que vous voyez où je veux en venir avec mes trois situations ?

PIERRE : Aurais-tu adhéré à l'Internationale Situationniste sans me prévenir ?

MONSIEUR PRAZOC : Nullement fréro ! Écoute, écoute, écoutez tous ! Supposons que la cage soit une ville plutôt bien architecturée et organisée d'où les habitants peuvent entrer et sortir comme bon leur semble. Ce sont des rats heureux. Supposons qu'une armée, étrangère ou autochtone, arrive dans l'intention de s'emparer de la ville. Une armée ennemie donc. Plusieurs solutions s'offrent à cette armée. Bombarder la ville pour faire souffrir les habitants-rats et ses édifices. Faire pleuvoir des bombes, des grenades, des missiles et tous engins de destructions meurtrières c'est vouloir électrifier la cage. Les habitants vont vouloir faire des sorties à leurs risques et périls pour combattre soit à l'intérieur des murs de la ville soit à l'extérieur. C'est la lutte qui s'engage et se déroule et qui peut durer tout le temps qu'il faudra pour qu'un camp l'emporte sur l'autre. La cage s'électrifie ou se desélectrifie, ou finit par se briser. Des habitants vont vouloir fuir et quitter la ville. S'ils le peuvent sans se faire tuer, tant mieux. Si la ville tombe aux mains de l'ennemi, ça peut être le début d'un massacre en règle, les humains étant en général plus cruels que les rats. L'armée ennemie peut tout aussi bien faire le siège de la ville, empêcher les habitants de sortir, les affamer en interdisant tout approvisionnement de nourriture, de médicaments, couper les sources d'électricité bénéfique, le chauffage, l'arrivée d'eau.

Les habitants ne peuvent plus ni fuir ni lutter.

Ils sont faits comme des rats. Parmi eux, il y aura des morts, des blessés, des invalides, des désespérés, des suicidaires, des dépressifs, des affamés, des malades du choléra, du typhus, de la dysenterie, de toutes les maladies infectieuses qui touchent aussi bien le corps que l'esprit. La cage s'est refermée, les souris ou les rats souffrent et leurs geôliers qui dansent n'en sont pas forcément plus heureux. J'ai fait une thèse de mes travaux que j'ai intitulée « Des rats et des hommes. » Je donne d'innombrables exemples historiques. Il y a eu tellement de villes assiégées dans l'histoire de l'humanité qu'il n'est pas exagéré de dire que l'on compte presque autant de sièges qu'il y a de villes. Certaines ont même eu droit à des abonnements. La ville de Constantinople, cité très convoitée, a connu pas loin de trente sièges dont deux furent victorieux, celui des croisés et celui des Ottomans. Paris a connu plusieurs sièges dont celui des Vikings et celui des Prussiens.

PIERRE : Je t'ai rarement connu aussi grand historien. Tu as fait des recherches dans quel but ?

MONSIEUR PRAZOC : Dans quel but ? Voyons…

PAUL : Si je comprends bien tu as passé ton temps à chatouiller les rongeurs et à songer aux villes assiégées. C'est très dépaysant j'en conviens. Mais le dépaysement n'explique pas pourquoi tu as tenu à ce que la gent chirurgicale assiège avec tant d'ardeur les fondations de ton visage dans un but évident de carnage.

MONSIEUR PRAZOC : Mon exposé vient à peine de débuter…

PAUL : Tous les sièges ont une fin, tous les exposés aussi.

MONSIEUR PRAZOC : D'accord, Paulo ! J'en viens à l'essentiel. Un de mes collègues de laboratoire dont le beau-frère est policier au Féodal Bureau of Inaction m'a prévenu que mon portrait était signalé dans chaque comté américain. J'étais sur le point de m'évanouir d'affolement quand mon collègue a tenu à me rassurer. La Centrale Imbécile Agency voulait me contacter. Il m'a donné le numéro de téléphone de l'agence locale. Et à mon grand étonnement, on m'a proposé la chose suivante. Un espion russe porté disparu aux USA, membre éminent du KGB, le Klan de Gesticulation de la Bêtise, pouvait réapparaître si j'acceptais de subir une intervention chirurgicale pour prendre ses traits. Je deviendrais alors un agent double, espion russe espionnant le KGB pour le compte de la CIA. On me ferait des papiers d'identité sous le nom de Piotr Mikhaïlovitch Gloudanov. J'acceptai avec enthousiasme. L'opération fut un succès complet, je passais des heures entières à me contempler dans la glace, mon reflet étant visiblement ravi de m'admirer à son tour. J'accomplis ma mission avec un engouement qui m'étonna moi-même. Aux Américains je donnais des renseignements sur les Russes, aux Russes je donnais des renseignements sur les Américains.

PAUL : Je crois que tu n'as pas bien compris ta mission. Tu n'avais pas à donner des renseignements aux Russes sur les agissements des Américains. Ce n'est pas ce que la CIA t'a demandé de faire à moins que tu aies donné de faux renseignements aux Russes.

MONSIEUR PRAZOC : Je n'ai pas compris tout de suite tous les tenants et aboutissants de ma mission. Et c'est bien ce qui a posé problème. J'ai divulgué aux Russes des informations que les Américains avaient voulu tenir secrètes tant que les Russes n'en avaient pas pris connaissance. À la fin je ne savais plus qui j'espionnais et à qui je divulguais des informations. Quoi qu'il en soit, le KGB m'a proposé de m'infiltrer en tant qu'agent américain pour espionner la CIA. Il se trouve qu'un éminent espion américain avait disparu de la circulation, probablement séquestré ou tué par les Russes. Et alors excellente nouvelle pour les Américains, il n'était pas mort puisque je réapparaissais sous ses traits. Le chirurgien russe fit des merveilles pour me transformer en Peter Glandon, espion américain. Je partis espionner les Américains pour le compte des Russes comme j'avais été espion russe pour le compte des Américains.

Mais comme je vous l'ai dit, ce nouvel espionnage m'a entraîné dans un imbroglio qui a provoqué en moi des troubles de la personnalité.

JEANNE : C'est ce qu'on appelle être un agent trouble. Il aurait mieux valu que tu persistes à espionner pour le compte des rats. Tu aurais eu un salaire d'honnête homme.

MONSIEUR PRAZOC : Mes activités d'espions m'ont rapporté plus d'argent que dix années d'activités raticides. Les Américains plus roublards que jamais m'ont gratifié d'énormes primes payées en roubles. Les Russes qui ont de leur économie une image douloureuse m'ont salarié en dollars américains. Au bout de deux ans, j'avais de quoi m'offrir une pharmacie.

JEANNE : Pour un révolutionnaire avoir des attentes aussi vénales n'est pas très gratifiant. Tu devrais avoir honte !

MONSIEUR PRAZOC : Pourquoi donc ? J'ai foutu le bazar dans leurs échanges d'informations capitalistes tout en leur soutirant de l'argent. Je n'ai commis aucun péché mortel. Mes petits péchés sont aussi véniels que des parties de jambes en l'air avec des poupées gonflables. De plus, j'ai perdu les trois quarts de ma petite fortune en moins de temps qu'il ne faut pour s'en apercevoir.

PAUL : Tu as joué à la roulette russe avec tes abattis et si j'en crois la photo qui correspond à ton visage actuel tu as encore une fois fait appel à la chirurgie destructrice.

MONSIEUR PRAZOC : Je n'ai pas eu le choix. Mes activités d'espions commençaient à être dénoncées par les deux camps et ma vie était désormais menacée. J'ai pris la poudre d'escampette, désemparé, ne sachant plus très bien quel visage adopter. Je me suis caché dans les bas-fonds de Chicago et dans le sous-sol d'un squat mal famé j'ai rencontré un mafioso qui avait dû recourir à la chirurgie pour échapper à la vigilance des cops.

PIERRE : Et moi qui croyais que tu étais un pantouflard et que ta carcasse casanière n'était même plus capable de monter un escalier.

MONSIEUR PRAZOC : Mais je suis un sédentaire dans l'âme. Une petite pharmacie, une petite maison et quelques trottinements pour aller de l'une à l'autre, voilà tout ce qui me fait vibrer.

JEANNE : Et pas une petite femme dans tout ce petit univers ?

MONSIEUR PRAZOC : Avec la gueule que m'a faite le troisième chirurgien, les choses sont plutôt mal engagées. Sans révéler les dessous de l'affaire, j'ai demandé au truand le nom du chirurgien auquel il s'était adressé. Il m'a prévenu que ce chirurgien avait été mis au ban de sa profession pour des malversations financières. Pourtant, c'est un chirurgien hors pair, m'a-t-il assuré, le seul souci et non des moindres est qu'il monnaye chèrement ses services. Je suis allé le voir, le mafieux ne m'avait pas menti, j'y ai laissé tant de plumes que n'importe quelle volaille prête-à-cuire aurait pu se vanter d'être un parangon de bonne santé. Je lui ai tout expliqué de a à z. Pas de problèmes m'a-t-il dit. Je dois faire de vous une fusion d'espion américain et d'espion russe sans que vous ressembliez à l'un ou à l'autre. Je vais faire d'une moitié de votre visage une mixture slave mi-cosaque mi-caucasien, et de l'autre moitié un magma anglo-saxon protestant blanc type pèlerin du Myflower et chercheur d'or du Far West. Votre figure connaîtra l'aboutissement ultime de l'effigie du moujik et du cow-boy. J'avais peur des douleurs que ce chirurgien aux mœurs souterraines risquait de m'infliger. Mais je n'avais pas le choix. Je vais d'abord gonfler votre visage m'a-t-il dit puis le faire fondre. Une première injection de botox, la toxine botulique, une deuxième injection de détox, la toxine diphtérique, une troisième injection de Flytox, une toxine muscacide de premier choix. Ensuite le bistouri a taillé dans le vif et me voilà parmi vous avec une tête de Dimetrodon. Même mon frère ne m'a pas reconnu. J'ai dû faire un test ADN pour le convaincre.

JEANNE (*peu convaincue*) : Qui nous dit que vous êtes bien ce que vous prétendez être ?

MONSIEUR PRAZOC : Les souvenirs d'enfance en commun, ça ne trompe pas.

PAUL : Détrompe-toi. Les souvenirs on peut les capturer, par la force, la ruse, la séduction ou les confidences. Ensuite on zigouille celui à qui les souvenirs ne serviront plus à rien puisqu'on prend sa place n'est-ce pas Monsieur l'usurpateur ? Vos histoires sont très bien ficelées, je dirais même qu'elles sont un peu trop réalistes pour qu'on s'y laisse prendre.

PIERRE : Réaliste ? Tu rêves ! Mon frère a une imagination débordante qui ferait pâlir d'envie les auteurs de fantasy et il est incapable d'imaginer un récit où le réel prendrait toute la place. Sur la trame du réel, il brode une chaîne imaginaire qui ne débouche jamais sur un tissu de mensonges.

MONSIEUR PRAZOC : L'ADN a parlé. L'acide désoxyribonucléique, vous connaissez, Monsieur Sherlock Holmes ? Laissez-moi vous expliquer. Il y a les bases azotées, la guanine que j'ai réussi à extraire à partir du guano d'oiseaux marins et de chauves-souris…

PAUL : N'importe quoi !

MONSIEUR PRAZOC : Il y a l'adénine que j'ai réussi à extraire à partir d'adénome prostatique de rats âgés…

PIERRE : Ne contredis pas le compliment que j'ai cru bon de t'adresser il y a un instant !

MONSIEUR PRAZOC : Il y a la thymine que j'ai réussi à extraire à partir de thymus de souris…

JEANNE : Je crois que je vais aller faire un petit tour pour ne pas être contaminée !

MONSIEUR PRAZOC : Il y a la cytosine que j'ai réussi à extraire à partir de la cystite de chienne castrée…

PAUL : Arrête de nous faire prendre des vessies pour des lanternes !

MONSIEUR PRAZOC : Il y a le ribose que j'ai extrait de la gomme arabique d'acacias…

PIERRE : Il y a le Métadon qu'un obstétricien chevronné a extrait d'une double poche dans l'utérus gonflé de notre mère.

MONSIEUR PRAZOC : Mes travaux de recherche permettront de transformer le monde. Je suis un altier Transmondialiste.

PAUL : Je vois bien notre maison d'Édition Révolutionnaire publier tes écrits sous le titre Les fables de La Mondaine.

PIERRE : Tu as réussi à monter une maison d'édition ?

PAUL : Tu peux remercier François. Il a convaincu une maison d'édition réputée de publier tous nos écrits sauf les tracts. Tes deux livres vont être réédités, mon cher. Une collection spécifique va être créée. Elle s'intitulera « Révolution retrouvée ».

MONSIEUR PRAZOC : Quelle bonne nouvelle ! Tous mes travaux vont être publiés, je n'en espérais pas tant.

PAUL : Tu vas vite en besogne. Un comité de lecture s'attellera à la tâche d'évaluer tous nos écrits. Il sera composé uniquement des membres de notre groupe. Il se réunira une à deux fois par mois selon l'abondance de nos ruminations.

MONSIEUR PRAZOC (*enthousiaste*) : Je vais ruminer, je vais ruminer, je vais ruminer…

JEANNE : Pour l'instant, la vache doit rentrer à l'étable.

Trois coups vigoureux sont frappés à la porte d'entrée suivis du tintement continu d'une sonnette.

Scène V
Pierre, Paul, Monsieur Prazoc, Tubar, Jeanne

PIERRE : Ah, je sais qui vient me voir. C'est un ami de fraîche date qui ne m'a jamais fait l'honneur de sa présence. Je suis impatient de le rencontrer.

PAUL : Si tu as besoin d'être seul en tête à tête, on peut tous s'en aller sur la pointe des pieds dans la pièce voisine.

PIERRE : Mais non, restez tous au contraire. On va enfin savoir qui a arraché mon frère bien aimé des griffes des Renseignements Généreux.

MONSIEUR PRAZOC (*sur un ton exalté*) : Mon ami Tubar, c'est mon ami Tubar, je sais bien que c'est lui, je lui dois une fière chandelle, ouvre vite !

PIERRE (*interloqué*) : Tubar ? Qu'est-ce que tu me chantes là ?

MONSIEUR PRAZOC : Ouvre-lui vite, sinon il va partir.
Pierre ouvre la porte et se trouve nez à nez avec le barman Tubar qui le prend dans ses bras.

TUBAR : Mon ami Pierre, on se connaît pas vrai, Paul et Jeanne, vous êtes là aussi camarades ! Je vous salue fellows, genossen, camaradas, tovarisches, compagni, khaverim, rafik, soudruzi, tongzhi, doushi, xarit, uzakweni, j'en passe et des meilleurs.

MONSIEUR PRAZOC : Et moi, tu ne m'appelles pas par mon nom, tu m'ignores ou quoi ?

TUBAR : Mais non, voyons, je ne fais que ça, de ne pas t'ignorer. Crois-tu qu'on puisse ignorer un gars comme Dimetrodon à moins d'être soi-même un ignorant ?

JEANNE : Je confirme. Une fois qu'on se l'est mis dans la tête, il ne peut plus guère s'en échapper même par un trou de souris.

PIERRE : C'est vous le sauveur de mon frère ? Le barman qui sert des cocktails maison ? Vous déguisez votre voix au téléphone ?

TUBAR : Pas du tout ! Mais vous n'avez jamais fait attention à moi. Pour vous je ne suis
qu'un transporteur d'alcools. Quand votre frère m'a rendu visite, après m'avoir bien observé, il a reconnu en moi le barman qui offre des rafraîchissements originaux. Pour la peine je lui ai offert un Borshepor et lui ai promis des cocktails gratuits dans mon bar.

PIERRE : Vous lui avez offert quoi ? Un Borshepor ? Connais pas ! C'est du bortsch avec du porc ? Je doute qu'une soupe rouge aux lardons puisse devenir sa tasse de thé. Vous êtes barman ou cuisinier des Pays de l'Est ?

TUBAR : Vos amis Jacques, François et votre compagne Jeanne ne jurent plus que par lui.

PIERRE : Par lui, c'est à dire ?

TUBAR : Par le Borshepor.

PIERRE : S'ils ont aimé votre mixture, tant mieux !

On entend la sonnerie brève mais appuyée de la sonnette de la porte d'entrée.

TUBAR : Ne vous dérangez pas, je sais que c'est pour moi.

Il ouvre la porte et un colis passe d'une main invisible aux mains de Tubar.

PAUL (*éberlué*) : Mais c'est le fameux colis qui avait disparu de la circulation !

PIERRE (*qui n'en croit pas ses yeux*) : Je dirais même plus, c'est le colis fameux qui de la circulation avait disparu !

TUBAR : Quand on en vient au langage de bandes dessinées, c'est qu'on a quelque chose à se faire pardonner, ou à cacher ou bien parce qu'on éprouve un soulagement interrogateur.

PAUL : C'est à première vue le colis reçu en poste restante par notre groupe. Que fait-il ici ? C'est vous Tubar qui nous avez joué un tour pendable ?

TUBAR : Je veux bien être pendu si j'ai jamais songé à vous faire du tort. Si ce colis se trouve ici entre des mains amies, c'est pour que vous puissiez l'ouvrir en toute connaissance de cause.

PIERRE : Vous l'avez tout de même subtilisé malgré notre surveillance militante.

TUBAR : En l'ouvrant hors de ma présence, vous n'auriez fait que vous perdre en conjectures qui n'auraient abouti à rien de tangible.

PIERRE (*sur un ton naïf*) : Paul m'a pourtant affirmé qu'il suffisait d'effleurer des codes-barres inscrits sur le colis pour qu'il s'ouvre comme une fleur épanouie au printemps.

TUBAR : Voyez-vous des codes-barres quelque part sur le gazon cartonné de ce colis ?

PIERRE (*il approche son visage et regarde le colis sur toutes les coutures*) : Je ne vois rien à part le tampon de la poste, le nom du destinataire, c'est-à-dire de notre groupe. Qui est l'expéditeur, voyons, c'est illisible, on dirait un M suivi d'un B puis une sorte de signature sugar ou nibar, je donne ma langue au chat. Que doit-on lire ?

TUBAR : Je lis mon nom : Tubar, le barman préféré des révolutionnaires. C'est moi qui vous ai envoyé, à vous Pierre et Paul, et à tout le groupe, ce colis. Quand je me suis rendu compte que personne n'osait l'ouvrir, je suis parti le récupérer dans votre local. Qu'est-ce qui vous a pris, Paul d'inventer cette histoire de code-barre ?

PIERRE : Sans compter qu'il m'a servi l'histoire d'un rejet de substance mortelle au cas où nous aurions la mauvaise idée d'ouvrir ce paquet au débotté. Comment avez-vous fait pour entrer dans notre local ?

TUBAR : Paul, je ne vous connaissais pas mythomane.

PAUL : Je me suis déjà expliqué avec Pierre à ce sujet.
À mon tour j'ai une question à vous poser. Que fait un barman dans cette histoire de colis ?

TUBAR : On ouvre le colis ?

PIERRE : Pourquoi pas !

TUBAR : Chiche !

MONSIEUR PRAZOC : Laissez-moi faire ! Je n'ai pas mon pareil pour ouvrir les paquets. Souvent on recevait des rats par la poste.

(*Il arrache la bande collante qui commandait la fermeture, ouvre le dessus et sort un objet bombé*) : Une amphore ! Ou une gourde ! Ou une bombe de crème chantilly ! Il y en a trois en tout.

JEANNE : On dirait plutôt une urne funéraire.

TUBAR : Jeanne est physionomiste. Il y a trois urnes dans ce colis.

PAUL : Cadet Missel a trois Ciboires ! Ça ne vous fait pas rire ?

JEANNE : Un peu de sérieux ne pourrait pas vous faire de mal. Y a-t-il des cendres dans ces urnes ?

MONSIEUR PRAZOC : Puis-je soulager le colis de ses deux autres poids morts ?

(*Sans attendre de réponse, il sort les deux autres urnes qu'il place sur la table à côté de la première.*) : Trois urnes toutes rouges ! Pourquoi cette couleur ?

PIERRE : C'est la couleur de la vie,

du sang qui coule dans nos veines, de la colère des révoltés qui perdent la vie quand la mitraille capitaliste transperce les corps et détruit les âmes.

TUBAR : Vous ne croyez pas si bien dire. Ces trois urnes ont la couleur du sang versé lors de trois semaines sanglantes. La Première Semaine Sanglante du 21 au 28 mai 1871 a vu l'écrasement de la Commune de Paris par les troupes versaillaises d'Adolphe Thiers, du parti de l'Ordre, l'auteur républicain d'une histoire de la Révolution Française.

PIERRE : Je répugne à mentionner les noms de généraux versaillais.

Je ferai une exception pour l'un d'entre eux. Le Général Galliffet, un des massacreurs des Communards, surnommé « le Marquis aux talons rouges » aimait choisir ses victimes parmi les blessés et les vieillards.

Il prélevait sur les convois de prisonniers la dîme du sang. Un jour il sélectionne les prisonniers à exécuter de la manière suivante : il ordonne « Que ceux qui ont des cheveux gris sortent des rangs ».

À ceux des captifs qui s'avancent : « Vous, leur dit-il, vous avez vu juin 1848, vous êtes plus coupables que les autres » ; il les fait mitrailler dans les fossés des fortifications.

PAUL : Je connais une autre anecdote à son sujet. Il était d'un cynisme provocant. Aux députés de gauche qui l'apostrophent dans l'hémicycle en criant : « Assassin ! », il répond « Assassin ? Présent ! »

PIERRE : À Henri Rochefort, le journaliste qui un jour lui a dit : « Je suis le seul Communard que vous n'ayez pas fait fusiller »

il a répondu : « Ce sera le regret de toute ma vie ! »

JEANNE : Regardez quelle peine infinie vous faites à notre ami Tubar. Il n'en peut plus de vous voir concourir à qui sortira la meilleure citation.

Vos simagrées verbales à l'emporte-pièce commencent à lasser.

Cette semaine sanglante a fait combien de morts ?

TUBAR : Je n'entrerai pas dans la controverse des chiffres. Au moins dix mille en tout cas.

Une chose capitale à signaler. Quand la caste capitaliste, quelle que soit sa couleur du moment, voit son pouvoir et ses privilèges lui échapper par une insurrection radicale, il réagit avec une cruauté inouïe qui ne laisse place à aucune mansuétude. Dans le livre La Guerre Civile en France je rends.... Karl Marx rend hommage aux ouvriers parisiens. Il précise « que ce ne fut pas une lutte contre telle ou telle forme de pouvoir d'État, impérial, monarchique, ou républicain mais une lutte contre l'État lui-même cet avorton surnaturel de la société. Ce fut la reprise par le peuple et pour le peuple de sa propre vie sociale. »

MONSIEUR PRAZOC : Faites attention avec votre masque, on va vous reconnaître !

JEANNE : Ça y est, ton frère est encore parti dans ses délires d'espion. Remets-lui ses idées en place, Pierre, sinon c'est moi qui vais lui secouer le cocotier.

MONSIEUR PRAZOC : Jeanne, vous vous conduisez comme le général Galliffet, éliminer les faibles et les personnes âgées, vous devriez avoir honte. (*Il s'approche de la première urne*) Quelles cendres avez-vous mises dans cette urne ? Celles de Monsieur Thiers ?

TUBAR (*d'un air dégoûté*) : Et puis quoi encore ! Ce Thiers était un parvenu qui ne s'intéressait qu'au pouvoir et à l'argent qu'il pouvait en retirer. Thiers, cet infect individu qui a lancé contre le Paris ouvrier les prisonniers français de Metz et Sedan avec la bénédiction de Bismarck. Voilà comment… (*il retient sa respiration)…* Marx le décrit : « Thiers, ce nabot monstrueux a tenu sous le charme la bourgeoisie française pendant plus d'un demi-siècle, parce qu'il est l'expression intellectuelle la plus achevée de sa propre corruption de classe. »

PIERRE : Vous avez une solide culture marxienne cher ami.

MONSIEUR PRAZOC : Mais c'est lui…

TUBAR : Cette urne contient les cendres d'Eugène Varlin, communard, membre de l'Internationale, sauvagement assassiné au bout d'un long martyre.

JEANNE : Vous avez retrouvé son corps ?

TUBAR : Je retrouve tous les corps qui le méritent. Dans la même urne reposent les cendres de Charles Delescluse mort le 25 mai sur une barricade. Je ne désespère pas de ramener les cendres de bien d'autres Communards.

JEANNE : Vous voulez en faire collection ? Vous avez l'air d'être un fétichiste de la morbidité !

PAUL (*goguenard malgré lui*) : Vous n'avez pas trouvé les cendres de Louis Rossel, non ? Ça m'étonne de vous. Ce colonel de l'armée française, qui a précédé Delescluse comme délégué à la guerre de la Commune et que certains communards ont accusé de fomenter une dictature, vous n'avez pas tenté de le désenfouir ? Louise Michel l'a défendu pourtant, qui l'eut cru ?

TUBAR : Il n'y a rien de risible là-dedans. Le pauvre Rossel, fin stratège, opposé à la capitulation devant l'ennemi prussien à Metz, contrairement à Bazaine et à Thiers, fusillé à Satory après l'échec de la Commune sur ordre du nabot, à l'âge de 27 ans et enterré à Nîmes près de ses parents. Je n'ai pas eu le cœur de faire des prélèvements.

PAUL : Cadet Rossel a trois ennemis, deux du camp opposé Thiers et Bazaine, et un de son propre camp Felix Pyat, tout fout le camp. Faut-il réduire en cendres un de ces deux-là ? Ou Félix le Pyat peut-être ? Qui était-il pour se croire autorisé à juger des camarades ?

PIERRE : Le Félix en question était un journaliste républicain, membre de la Commune, pourfendeur de la religion, auteur d'un Ave Marianne et de pièces de théâtre. Son chiffonnier de Paris a été joué par l'acteur en vogue du boulevard du crime Frédéric Lemaître.

PAUL : Sur ce fameux boulevard du Temple parsemé de théâtres, on y jouait beaucoup de pièces représentant des faits divers, des assassinats, des vols. Comment s'appelait le personnage maintes fois représenté dans différentes pièces et transformé en créature grotesque par le génie drolatique du maître Lemaître ?

PIERRE : Robert Macaire, incarnation du crime désopilant, du vol cocasse, du meurtre joyeux, de tout ce qui donne à la vie sa saveur ébouriffante.

JEANNE : En voilà encore un autre qui déraille. Terminus, tout le monde descend. Monsieur Tubar, faites quelque chose. Ces deux-là sont partis sur les chapeaux de roue dans une promenade ubuesque.

TUBAR : Laissez-les prendre des chemins écartés. Quand ils atterriront, ils n'en seront que plus aptes à m'écouter.

MONSIEUR PRAZOC : Moi, j'écoute vos discours. J'ai une aptitude que mes travaux ont renforcée. Sans plus attendre, j'étudierai la crémation des contre-révolutionnaires. Les cendres de nos ennemis doivent être étudiées avec la plus grande détermination. Si vous ne vous en sentez pas capable, passez à d'autres le relais. C'est un domaine qui vous a échappé, me semble-t-il. Je ne vous en tiens pas grief. « De chacun selon ses capacités ». C'est vous-même qui le dites dans vos écrits. Et je n'oublie pas « À chacun selon ses besoins. » C'est bien vous qui avez trouvé tout ça ?

TUBAR : Mon cher Prazoc, tu es mon animal de laboratoire préféré. Mais ce n'est pas moi l'inventeur de cet adage. Henri de Saint-Simon, Étienne Cabet, Louis Blanc, Pierre Kropotkine, sans oublier Étienne Gabriel Morelly ont fait leur ce précepte du communisme bien avant que je l'inscrive dans la Critique du programme de Gotha.

PIERRE : Vous faites un dédoublement de personnalité mon cher Tubar. Bien des fous se sont pris pour Napoléon ou pour Jules César mais Karl Marx est un choix beaucoup plus audacieux qui correspond bien à votre caractère.

MONSIEUR PRAZOC : Tu n'y es pas mon cher frère. Monsieur Tubar fait un détriplement de la personnalité. Il est aussi…

TUBAR : Métadon, un mot de trop et c'est la cage à souris qui va s'ouvrir promptement à tes pieds.

MONSIEUR PRAZOC : Il est aussi… Il se prend pour Ba… Babeuf ! L'autre jour je lui rendais visite dans son café, histoire de commander un verre d'eau et je l'ai trouvé la tête penchée sur le comptoir. Il parlait en dormant. Je vous répète sa phrase mot pour mot : « Georges Grisel, tu nous as trahis, tu as trahi la Conjuration des Égaux, et moi Babœuf, je t'accuse de m'avoir envoyé à la guillotine. Honte à toi ! Les premiers mots de notre manifeste étaient déjà écrits : « le peuple avance, la tyrannie n'est plus. Vous êtes libres. » Quand je l'ai réveillé, il cherchait partout sa tête guillotinée sur le comptoir.

TUBAR : Monsieur Prazoc est un piètre agent secret. Il ne sait pas garder une confidence arrachée par la ruse. En effet, je joue le personnage de Babeuf depuis ma plus tendre enfance. Est-ce un crime de vouloir incarner ceux que l'on porte en triomphe dans son cœur ?

PAUL : Ah, vous jouez trois personnages à la fois, c'est original. Cadet Tubar a trois grands rôles, trois personnages en quête d'auteur peut-être ?

TUBAR : Si vous m'interrompez tout le temps, je ne parviendrai jamais à terminer mon exposé.

JEANNE : Mais il y a de quoi vous interrompre. Vous vous prenez pour je ne sais qui, pour un triumvirat imaginaire. Vos histoires de cendres à partir de cadavres qui doivent être perdus ou à l'état d'ossements, enterrés depuis plus d'un siècle, tiennent si peu debout qu'il faudrait être un sourd pour avoir envie de vous écouter. Bon, continuez, je vous écoute !

TUBAR : La deuxième semaine sanglante a vu l'écrasement de la révolte spartakiste.

MONSIEUR PRAZOC : Nous sommes en deuxième semaine. Aucun d'entre nous n'a été éliminé.

JEANNE : Faites-nous grâce de vos commentaires !

TUBAR : Merci Jeanne. Une grève générale suivie de combats entre le 5 janvier et le 12 janvier 1919 a donné lieu à une sanglante répression dans les rues de Berlin.

PIERRE : Nous en avons déjà parlé avec Paul. Tout a débuté avec la révocation du chef de la police de Berlin, membre du parti social-démocrate indépendant (USPD) par le conseil des commissaires du peuple composé de membres du parti social-démocrate (SPD.) Tendance du SPD, puis de l'USPD, la ligue spartakiste d'extrême gauche est fondée en août 1914 par Rosa Luxemburg et Karl Liebknecht. Il comprend entre autres Franz Mehring, Léo Jogiches, Paul Levi, Claira Zetkin.

JEANNE : Oh c'est barbant vos explications.

PIERRE : Je peux raconter la suite ?
De nombreux travailleurs montent des barricades, bloquent des rues, occupent le siège du Vorwarts, qui signifie En Avant ! C'est l'organe officiel du SPD, hostile aux spartakistes. Cinq cent mille travailleurs se mettent en grève, manifestent dans le centre-ville de Berlin. Les combats de rue commencent, c'est le début de la semaine sanglante.

TUBAR : Merci Pierre pour ce bref exposé.

JEANNE : Je sens que ça va être long. Pierre m'a raconté ces événements plus d'une fois et malgré ma solidarité avec ces insurgés, je ne puis m'empêcher de penser que bavardage et rabâchage sont les deux mamelles dont vous vous nourrissez constamment.

TUBAR : Un comité d'action révolutionnaire est mis en place. Des dissensions apparaissent sur la marche à suivre. Karl Liebknecht contrairement à Rosa Luxemburg est pour un renversement violent du gouvernement. On essaie de rallier à la cause des régiments de marins. Peine perdue. Les marins restent fidèles au Conseil des Commissaires du Peuple.

Le chancelier Ebert, membre de ce Conseil conclut un accord avec l'armée pour mater la révolte dans le sang. Les travailleurs découvrent dans un tract du Vorwarts que l'administration du SPD a engagé des Freikorps ou Corps Francs, qui est une milice paramilitaire contre-révolutionnaire pour contrer la révolte ouvrière. Le SPD Ebert a donné l'ordre à son ministre SPD Gustav Noske de les mettre en action. Voilà ce qu'est devenue la social-démocratie allemande, le centre de la contre-révolution. Ironie de l'histoire, ce parti a été cofondé par le père de Karl Liebknecht, un moment rédacteur en chef du Vorwarts.

MONSIEUR PRAZOC : Qui a dit que l'histoire n'en finit pas de commencer comme une farce pour finir comme une tragédie ?

TUBAR : Tous les historiens se perdent en conjectures !

PIERRE : L'Histoire est une putain qui manie diaboliquement le vice pour s'en faire une vertu.

JEANNE : Ne déshonore pas les putains. L'Histoire a fait des putains des exclues de la société, méprisées et parquées dans des bordels ou refoulées dans des ruelles sordides, objets d'assouvissements sexuels de toutes les classes de la meute masculine.

MONSIEUR PRAZOC : Dans mon laboratoire américain, j'avais deux petites souris blanches toutes mignonnes que je gardais bien au chaud dans une cage en bois doré.

Je les ai choyées et dorlotées, hésitant à en faire des objets d'expérience. Nuit et jour je les observais, enfermées dans leur maison close et me sentant coupable d'une quelconque traite des blanches je les ai nommées l'une Hétaïre et l'autre Geisha. Elles sont passées à la casserole électrique juste avant mon départ.

JEANNE : Est-ce que votre art de la provocation est motivé par une ligne de conduite intransigeante ou par une stupidité indécrottable ?

MONSIEUR PRAZOC : Tu peux me tutoyer chère belle-sœur. J'ai le même caractère têtu quoique désopilant que mon très cher frère.

TUBAR : Vos histoires de famille ont un intérêt indéniable mais la mienne présente suffisamment d'agrément pour que vous continuiez à m'écouter avec attention.

PAUL : J'abonde dans votre sens, Tubar. Ces trois-là ont assez parlé !

TUBAR : Vous m'avez fait perdre le fil de ma pelote. Heureusement que l'Histoire n'a plus de secrets pour moi.

La ligue spartakiste lance un appel aux armes le jour même ou Ebert ordonne aux corps francs d'attaquer les travailleurs révoltés. Cette milice compte dans ses rangs des militaires encore armés ayant participé à la Première Guerre mondiale.

Après des combats de rues, beaucoup d'ouvriers se rendent et sont néanmoins tués par centaines.

Rosa Luxemburg et Karl Liebknecht sont capturés et assassinés. Voici leurs cendres dans cette deuxième urne rouge.

PAUL : Ce n'est pas sérieux de nous faire croire une chose pareille. On ne sait même pas où se trouve la dépouille de Rosa Luxembourg. Dans un cimetière de Berlin où sa tombe est fleurie toute l'année ou plutôt à l'Institut médico-légal d'un hôpital berlinois ?

Cette inconnue de l'Institut dont les caractéristiques anatomiques pourraient correspondre est-elle bien la célèbre révolutionnaire ? Il faudrait trouver un matériel ADN ayant appartenu à Rosa ou à une éventuelle descendance pour avoir une réponse et vous, la gueule enfarinée, vous prétendez nous présenter ses cendres dans votre grille-pain écarlate.

D'où vous les sortez ces cendres ?

TUBAR : C'est un secret… J'allais dire professionnel. Je dirai plutôt d'ordre ontologique.

PIERRE : Vous êtes un sacré phénomène ! D'où venez-vous pour nous faire des révélations qui n'en sont pas ? N'importe qui peut ramasser de la cendre de cigarettes et faire croire au tout venant qu'il a déniché les cendres de Toutankhamon.

TUBAR : Vous vous sous-estimez. Si vous étiez le tout-venant, je ne me donnerais même pas la peine de venir vous entretenir, n'est-ce pas mon ami Pierre ? Nous avons tous les deux de fréquentes relations téléphoniques depuis que votre frère adore se prendre les pieds dans le bourbier de l'espionnage. J'ai pris votre frère sous mon aile protectrice non seulement parce que c'est un moineau fragile mais aussi parce que j'ai une haute estime pour le hibou fureteur.

PIERRE : Votre langage avicole ne trompe personne. Si c'est bien vous qui avez délivré mon frère, je vous en suis reconnaissant mais ça ne vous donne pas le droit de perturber la vie de notre famille par des manœuvres dilatoires. Que cherchez-vous en interceptant un colis qui est destiné à notre groupe et en nous présentant des urnes qui contiennent je ne sais quelles poussières issues dites-vous d'événements révolutionnaires passés ?

TUBAR : Pierre, vous êtes un aigle royal aux serres apparemment émoussées. Nous avons les mêmes idées, non ?

PIERRE : Pourquoi cherchez-vous à m'aider si vous pensez que je ne suis que l'ombre de moi-même ? Adressez-vous à Paul qui a le mérite d'avoir vos faveurs.

TUBAR : Ne soyez pas jaloux. Paul est un faucon au bec acéré mais sa vitesse d'exécution est un frein à sa réflexion. Jeanne, ma petite mésange, vous êtes la proie de quel rapace ?

JEANNE : Vous êtes un drôle d'oiseau !
Ni un rapace, ni un passereau, ni un perroquet, quoique !
Je vous soupçonne d'être un oiseleur. Qu'en dites-vous, Monsieur le hibou, mon beau-frère ? Arrêtez de marcher comme ça, comme un petit moineau qui en cherchant des graines ne picore que du vent.

MONSIEUR PRAZOC (*qui marche de long en large depuis que Tubar a parlé de Rosa Luxemburg*) : Attendez, attendez, je crois que j'ai trouvé ! Vous avez parlé d'un corps conservé à l'Institut médico-légal, c'est bien ça ? Vous pouvez m'y amener ? Ne me dites pas que vous ne le pouvez pas, vous avez des entrées un peu partout. J'apporterai mon produit, l'agbaga, vous voyez où je veux en venir ? Si l'esclavagine n'est pas produite grâce à l'action de l'esclavaginase forcément très élevée chez une authentique révolutionnaire, nous aurons la preuve que c'est bien elle. Je suis génial, je suis génial, nous allons enfin résoudre l'énigme. Donnez-moi un peu de votre cendre, que je l'agbagalise, nous allons peut-être avoir un avant-goût du résultat. Surtout si comme vous le dites, il y a aussi dedans un peu de Karl Liebknecht. Ne dites pas non, Mar… Bak… Je veux dire… Martinet ou Marabout… Balbuzard ou Bécassine… ce sont bien des noms d'oiseaux ?

PIERRE : Pourquoi ne dis-tu pas franchement Marx et Bakounine puisqu'il se prend pour eux, ubiquité schizophrénique oblige ! Vous êtes bien présent dans deux corps à la fois ?

MONSIEUR PRAZOC : Il ne se prend pas… il est…

PIERRE : Il est aussi au standard téléphonique pendant qu'il prépare un cocktail derrière son bar. Il veut être au four et au moulin. Si ce n'est pas de l'ubiquité, c'est une lubie qui ne le quitte pas. Jeanne, tu as l'air bien songeuse.

JEANNE : Je pense à Rosa Luxemburg, la belle Rosa, la fervente révolutionnaire, amoureuse des petites gens et des grandes causes, amoureuse de ses amants et de l'humanité, amoureuse de la vie, prônant la démocratie directe par le pouvoir des conseils et non pas par le pouvoir d'un parti, amoureuse aussi bien d'une fleur que d'un sourire sur le visage des prolétaires qui se soulèvent.

TUBAR : Jeanne, je vous aime. Il n'y a que les femmes pour ne pas mettre en avant leurs ego et parler sincèrement des choses essentielles. Citez-moi chacun à tour de rôle une belle phrase de Rosa Luxemburg et nous serons tous réconciliés. Quant à moi je vais citer une phrase parue dans le Rote Fahne du 14 janvier 1919, la veille de son assassinat :

« L'ordre règne à Berlin ! sbires stupides ! Votre ordre est bâti sur le sable. Dès demain la révolution se dressera de nouveau avec fracas, proclamant à son de trompe pour votre plus grand effroi : j'étais, je suis, je serai ! »

MONSIEUR PRAZOC (*d'un air finaud*) : Et vous, mon cher Tubar, vous étiez, vous êtes et vous serez !

TUBAR : Mon cher Prazoc, soyez attentif à ne pas vous prendre pour Jules César. J'attends de vos interlocuteurs qu'ils soient plus sérieux que vous. Qui commence ?

PAUL (*d'un air détaché*) : Qui commence quoi ?

TUBAR : Les citations pardi !

PIERRE (*d'un air amusé*) : Nous sommes en classe ?

TUBAR : Excellente idée ! Faites comme si j'étais Rosa Luxemburg donnant des cours d'économie et d'histoire du socialisme à l'école de la social-démocratie allemande. Ne levez pas vos doigts comme des élèves soumis mais élevez votre esprit en sondant l'âme de la plus généreuse révolutionnaire qu'il m'a été donné de connaître.

MONSIEUR PRAZOC : Vous l'avez connue ?

PAUL : Prazoc, puisqu'il te dit qu'il connaît tout le monde, tais-toi un peu !

JEANNE : Je n'en connais qu'une, mais elle est si belle qu'elle me trotte souvent dans la cervelle dès que j'ai du vague à l'âme. Chaque fois mon humeur s'éclaircit quand il me vient l'idée de la déclamer. Pierre pourra vous le confirmer.

PIERRE : De quoi parles-tu ? Je ne t'ai jamais entendue déclamer quelque chose. Soliloques-tu quand je m'absente ?

JEANNE : Et toi, es-tu ouvert au dialogue en ma présence ?

TUBAR : Les querelles de couples sont toujours abrutissantes pour l'entourage. Les idées révolutionnaires n'ont pas l'air de vous aider à y faire face.

MONSIEUR PRAZOC : Moi, si j'avais une petite femme je la porterais aux nues jusque dans les nuages.

TUBAR : Ça, c'est une déclaration d'amour à l'Amour et je t'aurais bien vu la déclarer à Jeanne.

JEANNE : Beau-frère, abstiens-toi de toute déclaration de ce genre. Tu n'es pas du tout mon genre. Mon genre c'est Pierre, me citant, ce qu'il ne fera jamais, cette belle envolée de Rosa : « Rester un être humain, c'est jeter, s'il le faut, joyeusement, sa vie entière, sur la grande balance du destin, mais en même temps se réjouir de chaque belle journée de soleil, de chaque beau nuage. » Ça, c'est la Rosa qui met de la poésie dans sa vie.

PAUL : « Il n'y a de liberté pour personne s'il n'y en a pas pour celui qui pense autrement. » Ça, c'est la Rosa démocrate.

TUBAR : Je serais bien étonné que Pierre ne nous sorte pas une citation de derrière les fagots.

PIERRE : Il y a tant de belles phrases à dire que je ne saurais en citer aucune.

TUBAR : Ne vous forcez pas, laissez venir. Et les phrases sortiront comme un fleuve limpide et impétueux.

PIERRE : Comment les laisser apparaître à la surface des choses quand vous voulez me les extraire du plus profond de mon cœur ?

TUBAR : La surface des choses, c'est nous tous qui sommes ici. Si votre cœur a besoin d'être ouvert par la force pour que giclent des pensées si semblables aux vôtres, c'est qu'il n'a pas la pureté émotionnelle qu'on trouve chez Rosa.

MONSIEUR PRAZOC : Moi, si j'en connaissais par cœur des pensées de Rosa, je les offrirais à la première révolutionnaire qui passerait par là.

PIERRE : Pense plutôt aux oiseaux qui volettent dans le ciel. Rosa n'a-t-elle pas écrit ? : « Mon moi le plus profond appartient plus aux mésanges charbonnières qu'aux camarades. »

TUBAR : Précédée par cette phrase ; « Vous savez bien qu'au bout du compte, j'espère mourir à mon poste dans un combat ou au pénitencier. » Son dernier combat a été la parution de son dernier article dans le Drapeau Rouge. Son lâche assassinat par un militaire qui ne mérite pas qu'on retienne son nom était préparé de longue date. Rosa et Karl étaient les symboles plus que les acteurs de cette révolution ouvrière et ils dénonçaient avec une courageuse lucidité le double jeu de la social-démocratie allemande qui était censée diriger la révolution et qui ne pouvait pas accepter qu'on dénonçât son rôle contre-révolutionnaire.

PAUL : Son nom est Vogel, un sinistre oiseau parmi d'autres. Le dernier article de Liebknecht se nommait « Malgré tout "et se terminait ainsi : « Les vaincus d'aujourd'hui seront vainqueurs demain. Ce sera le règne de l'humanité libérée. Malgré tout ! »

PIERRE : Vous me donnez envie de me remettre à la lecture de ses lettres de prisons. Elle adorait les fleurs et les oiseaux et quand les circonstances carcérales lui en laissaient le loisir, elle cultivait les uns et apprivoisait les autres. Et pour faire plaisir à Jeanne, je vais lui offrir cette citation : « L'égalité politique et sociale des sexes ne peut provenir que d'une opposition généralisée au système des classes, à toutes les formes d'inégalité sociale et à tout pouvoir de domination. »

JEANNE : Oh, c'est trop chou ! A-t-elle eu de nombreux amants ?

TUBAR : Son premier amour qui a d'ailleurs influencé son activité militante s'appelle Léo Jogiches.

PIERRE : Mais il était peu disponible pour une vie de couple stable, tout entier tourné vers ses activités révolutionnaires. Puis elle contracte un mariage blanc, va en Allemagne militer dans les rangs du SPD.

TUBAR : Après de multiples péripéties, leur liaison prend fin une dizaine d'années plus tard, même s'ils entretiendront par la suite des relations d'amitié. Elle aura ensuite une liaison de quelques années avec Costia Zetkin, un des fils de son amie Clara Zetkin, une relation épistolaire romantique avec un ami de celui-ci, Hans Diefenbach, tué à la guerre, une liaison de quelques mois avec l'un de ses avocats, le socialiste Paul Lévi qui restera un ami proche et poursuivra son travail politique après son assassinat, en diffusant leurs idées.

PAUL : Rosa Luxemburg a fait sienne un demi-siècle avant lui, ce leitmotiv du mouvement hippy : « faites l'amour pas la guerre ! » Contre la guerre du Vietnam pour les hippies et contre la première guerre mondiale pour les spartakistes, et plus généralement contre toutes les guerres. Contrairement à toutes les social-démocraties européennes qui ont voté les crédits de guerre.

Cela lui a valu des séjours en prison et une mort brutale. Toujours au service des damnés de la terre qui n'ont pas toujours su la comprendre.

TUBAR : Elle était aussi belle à l'intérieur qu'à l'extérieur malgré sa claudication due à une luxation qui lui faisait une jambe plus courte que l'autre.

MONSIEUR PRAZOC : Puisque tout finit en beauté je vous demanderai Monsieur Tu… Bar, c'est bien votre nom ? d'avoir l'extrême obligeance de me permettre de faire un feu d'artifice en mêlant un peu de cendres de l'urne numéro deux avec mon feu grégeois.

TUBAR : Quel feu grégeois ? Tu te crois revenu aux temps anciens où Byzance se protégeait des assauts de la marine arabe en projetant de tels feux incendiaires ? Feux dont la composition précise était tenue secrète. Si tu n'ignores rien de sa formule, on t'écoute !

MONSIEUR PRAZOC : J'ai mal formulé ma demande. Je suis l'inventeur d'un crémeux liégeois à trois phases à base de raté complet, de crème brûlante de cervelle du même rat et de crème agbagaly. Sur vos cendres, ça peut faire un mélange déflagrant comme je vous l'ai déjà expliqué. L'ADN de Rosa et Karl partant en fusées cosmiques si j'ai bien calculé mon coup et retombant en fumées que je suis le seul à pouvoir analyser.

PAUL : Pierre, ton frère est un dingo complet et tu ferais bien de t'en alarmer avant qu'il ne soit trop tard. Un raté complet, c'est quoi à part l'individu qui se propose de nous faire imploser avec son ragoût à la crème ?

MONSIEUR PRAZOC : Un raté complet c'est un pâté du corps entier d'un rat élevé par mes soins en laboratoire.

TUBAR : Metadon Glousdon, c'est bien ton nom, n'est-ce pas ? Puis-je faire appel à ton esprit scientifique ? Dans les cendres funéraires, il n'y a pas traces de composés biologiques. Tout est parti en dioxyde de carbone, sauf les os réduits en cendres par broyage. Après la crémation il ne reste que des sels de calcium sous forme de phosphate, carbonate et fluorure et du phosphate de magnésium.

JEANNE : Est-on obligé d'écouter tous ces détails sordides ?

MONSIEUR PRAZOC : Vous ne faites qu'apporter de l'eau à mon moulin. Vous avez dit crémation ? Je crois bien que oui ! Qu'est-ce que je me propose de faire sinon introduire de la crème dans vos cendres ?

JEANNE : Pierre, si tu ne proposes pas à ton frère de cesser définitivement de nous abreuver de ses propos sacrilèges, fruits d'un dérèglement absolu de ses facultés mentales, je le prends par la peau des fesses et je lui fais dégringoler les trois étages de l'escalier de service.

PIERRE (*En aparté à Paul*) : Je crois que son addiction à la pensée révolutionnaire est revenue à un niveau qui doit nous inquiéter.

PAUL (*En aparté à Pierre*) : C'est ton problème, pas le mien.

Ils se regardent sans dire un mot puis murmurent chacun dans leur barbe sans se regarder.

JEANNE : C'est fini ces messes basses ? Baragouinez à haute et intelligible voix ou alors finissez vos singeries dans l'escalier. Vous ne serez pas de trop à être trois idiots entre la cave et le grenier.

TUBAR : Tout le monde se calme et tout le monde n'a plus d'yeux que pour la troisième urne qui renferme le massacre sanglant des marins révoltés de Kronstadt. Comme toute révolte de gens qui veulent prendre leur destin en main, elle fut réprimée avec une meurtrière sauvagerie qui ne laissa place à aucune clémence. Tout commence par des grèves à Petrograd pour finir par des combats féroces contre la Commune de Kronstad du 8 mars 1921 au 18 mars 1921.

MONSIEUR PRAZOC : Nous sommes en troisième semaine de répression. (*Il se tord les mains et grimace.*)

PIERRE : Assez, arrêtez tout de suite. Vous ne voyez pas que vous le faites souffrir ? Vous gagnez quoi à nous présenter toutes ces violences, toutes ces tueries, toutes ces exterminations ? Ce sont toujours les mêmes qui meurent, les exploités, les opprimés, les prolétaires, les pauvres, appelez-les comme vous voulez !

TUBAR : Vous voulez faire l'autruche, vous enfoncer la tête dans le sable et faire comme si les scorpions ne cherchaient pas à vous sucer la moelle épinière. C'est de l'apprentissage des défaites que l'on construit les futures victoires.

PIERRE : Alors, n'entrez pas dans les détails. Abrégez ! De toute façon, on connaît l'histoire par cœur.

JEANNE : Tu as bien changé. Il y a encore peu de jours, tu te plongeais dans des récits historiques du matin au soir et j'avais bien du mal à te faire lever la tête de tes lectures interminables. Tu changes de comportements voire d'opinions comme on change de chaussettes, à la première occasion.

PIERRE : Je pense à mon frère qui, lui, a bien du mal à se défaire d'idées fixes. C'est un être inchangé depuis qu'il veut changer le monde.

TUBAR : Dimetrodon, tu es un grand garçon. Je suis sûr que tu as entendu parler de la répression de la Commune libertaire de Kronstadt par les armées bolcheviques.

MONSIEUR PRAZOC : Saletés de Bolcheviks !

PIERRE : Je dois vous dire que mon frère ne supporte pas d'entendre prononcer le mot même de Bolchevik sauf lorsqu'il le prononce lui-même dans des injures. Ce mot est devenu une injure dans sa bouche. Donne des exemples de ta colère.

MONSIEUR PRAZOC : Au lieu de dire espèce de con à quelqu'un qui m'agace je lui dis espèce de Bolchevik. Au lieu de dire fils de pute à quelqu'un que je méprise, je lui dis fils de Bolchevik. Au lieu de dire merde alors quand je passe par toutes les couleurs de la surprise ou de l'indignation je dis Bolchevik alors ! Au lieu de dire nom d'un chien quand je suis mécontent je dis nom d'un Bolchevik, au lieu de dire triple buse à quelqu'un d'idiot, je lui dis triple Bolchevik. Au lieu de dire…

PAUL : Ça va, on a compris !

MONSIEUR PRAZOC (*devenant tout rouge*) : Toi, Paul, tu me fais bolcheviquier !

TUBAR : Je vais essayer d'être le plus concis possible. Je le jure sur le premier Bolchevik qui passe à ma portée. Considérés pendant la révolution d'octobre comme l'honneur et la gloire de la révolution et très tôt partisans de soviets librement élus, les habitants de Kronstad forment dès 1 : L'autorité centrale c'est le purin bolchevique !

PAUL : Ne profère pas d'insultes à tout bout de champ !

PIERRE : Si ça peut lui faire du bien !

TUBAR : Eh bien, laisse dire. Sur fond de famine et de révoltes paysannes durement réprimées…

MONSIEUR PRAZOC : Réprimées par qui ? Devinez !

TUBAR : Les grèves et les marches de la faim se multiplient. Les ouvriers des usines de Petrograd se mettent en grève et manifestent. Le soviet de Petrograd sous les ordres de Zinoviev proclame l'état de siège tandis que la Tcheka procède à des arrestations.

MONSIEUR PRAZOC : Zinoviev, une ordure de bolchevik !

PAUL : Ne serais-tu pas un menchevik ou un partisan du parti libéral des cadets ou un koulak enrichi d'une vache et de trois poules suite à l'abolition du servage ?

MONSIEUR PRAZOC : Ras-le-bol…chevik de tes insinuations surréalistes !

JEANNE : Cessez ces enfantillages qui n'apportent rien au débat.

PAUL : Ce n'est pas un débat mais un déballage sanglant d'événements historiques.

TUBAR : Fixez bien cette troisième urne. Elle contient le témoignage des événements suivants. Les équipages des navires

Petropavlosk et Sébastopol après avoir envoyé une délégation à Petrograd et suite à son rapport font une proclamation en quinze points. Ces revendications d'autonomie ouvrière en dehors des partis, réclamant l'organisation d'élections libres, la liberté de la presse, la libération des prisonniers politiques et l'organisation du travail par les ouvriers eux-mêmes, marins et soldats sont conformes à la constitution soviétique de 1918 jamais appliquée.

MONSIEUR PRAZOC : Pas étonnant. Les bolcheviks n'appliquent que les résolutions conformes aux idées qui rampent dans leurs cerveaux reptiliens.

PAUL : Tu es Bolchevik à pleurer.

MONSIEUR PRAZOC : La bêtise est la chose au monde la plus facile à partager. Mets-toi un bol sur le crâne pour empêcher que la tienne aille coloniser d'autres cieux.

PIERRE : Paul, arrête de le chercher, tu ne trouveras qu'un refus à valider les vannes qui ne sont pas les siennes.

MONSIEUR PRAZOC : Des vannes, des vannes, quelles vannes ? Je ne suis pas vannophile mais bolchevikophobe !

TUBAR : Vous savez qu'il faut avoir de la suite dans les idées et même les meilleures pour mener une conversation sérieuse avec vous tous. Si vous n'écoutez plus que vos élucubrations oisives, je reprends mes urnes et vous n'entendrez plus jamais parler de moi. Tant pis pour vous. J'avais encore un tas de choses à vous révéler.

JEANNE : Qu'on en finisse. Laissez parler le maître de cérémonie.

TUBAR : Donc... donc... Déjà un conseil. Lisez le détail des résolutions adoptées par l'assemblée générale des équipages, c'est un modèle du genre.

JEANNE : Pierre me les a lues un jour qu'il avait du vague à l'âme.

TUBAR : Est-ce le cas en ce moment ?
Vous avez l'air de répondre par l'affirmative.
Si j'avais su, j'aurais apporté du Borshepor.

MONSIEUR PRAZOC : Est-ce du porridge de Bolchevik ?

TUBAR : Viens me voir au bar, je t'en ferai goûter un nouvel arrivage.

MONSIEUR PRAZOC : Une marée de Bolcheviks est arrivée au port ?

PIERRE et PAUL (*en même temps*) : Silence !

TUBAR (*D'une voix criarde pendant que Monsieur Prazoc se bouche les oreilles*) : Un comité révolutionnaire provisoire est constitué, présidé par Stepan Petritchenko !

MONSIEUR PRAZOC (*Se débouchant à moitié les oreilles*) : C'est un Bolchevik ?

TUBAR : Pas du tout. C'est un ukrainien libertaire et anarcho syndicaliste.

MONSIEUR PRAZOC : Ouf ! J'ai failli tourner de l'œil !

PAUL : Je vais mettre tes yeux avariés dans cette urne si tu continues à nous faire tourner en bolchevique !

TUBAR : Jeux qui emmêlent les mots, jeux qui partent à vau-l'eau ! Je peux continuer ?

PIERRE (à *son frère*) : Je sais que c'est pénible pour toi d'écouter tous ces enchaînements d'épisodes révolutionnaires cruellement réprimés, mais fais un effort de distanciation, prends du recul, tu vas y arriver.

MONSIEUR PRAZOC (à *son frère*) : Peux-tu m'amener voir le groupe de paroles ?

PIERRE : Oui, on verra. Écoutons la suite de l'histoire.

MONSIEUR PRAZOC : Non, maintenant.

PIERRE : Maintenant, ce n'est pas possible.

MONSIEUR PRAZOC : On n'est pas obligé d'écouter la suite.

PIERRE : Tubar va vite nous dérouler le rouleau de cette tranche de liberté assassinée.

TUBAR : Mon petit Metadon, je termine mon exposé sans me faire interrompre et ensuite je te conduis moi-même à ton groupement psychothérapeutique.

MONSIEUR PRAZOC : Dépêche-toi !

TUBAR : Les ouvriers proclament dans un message radio aux ouvriers du monde entier : « Nous sommes partisans du pouvoir des soviets, non des partis. À Cronstadt tout le pouvoir est exclusivement entre les mains des marins, soldats, et ouvriers révolutionnaires. » Ce serait trop long de décrire tout ce que proclament les insurgés dans leur journal les izvestia du comité révolutionnaire provisoire. Voilà ce qu'ils disent en substance : « Le parti s'est détaché des masses dont il a perdu la confiance. Il n'a plus qu'une seule crainte, perdre le pouvoir et pour le garder, tous les moyens lui sont bons : calomnie, violence, fourberie, assassinats, vengeances sur les familles des rebelles… »

MONSIEUR PRAZOC : Je n'en peux plus. Tu avais dit que tu ferais court.

TUBAR : Voyons, tu n'es pas une mauviette. Le 4 mars, le blocus de Kronstad est effectif. Voilà ce que dit Zinoviev le même jour : « Vous êtes cernés de tous côtés. Si vous vous obstinez, on vous tuera comme des perdrix. »

MONSIEUR PRAZOC : L'ordure de Bolchevik !

PAUL (*qui s'est assis à califourchon sur une chaise*) : Prends de la hauteur. Tu sais bien que les Bolcheviks sont une espèce en voie d'extinction.

MONSIEUR PRAZOC : Tu es le dernier spécimen visible !

PAUL : J'ai beau être compréhensif, il y a des limites à ma tolérance. Retire ce que tu viens de dire où je t'écharpe avec un couteau à désosser !

MONSIEUR PRAZOC : Je ne retire rien du tout. Il n'y a que la vérité qui blesse !

PAUL : La calomnie aussi. Je vais te faire une tête si pleine de nids de poule que même une mère bolchevique ne retrouverait pas ses petits.

MONSIEUR PRAZOC : Elle n'aurait pas besoin de te chercher car l'œuf qu'elle pondrait ressemblerait à s'y méprendre à ta tête d'assassin.

TUBAR : Ça suffit vous deux. Vous faites honte à toute la communauté révolutionnaire. Comment voulez-vous que les gens s'entendent si même entre nous ce n'est que lutte intestine, guerre fratricide, combats d'ego et injures permanentes.

MONSIEUR PRAZOC : J'ai dit que je voulais partir. Vous-même, Tubar, n'êtes-vous pas un duo irréconciliable qui se provoque en duel en permanence ?

TUBAR : On verra ça plus tard. Trotsky donne l'ordre « de réprimer la mutinerie et de maîtriser les mutins par la force des armes. Cet avertissement est sans appel. » 50000 soldats de l'Armée rouge partent à l'assaut de 15000 soldats et marins insurgés. Les troupes d'assaut sont commandées par un ex-officier tzariste le général Mikhail Toukhatchevski. Il donne l'ordre d'attaquer les deux navires avec des gaz asphyxiants et des obus chimiques. Tu vois Métadon, ce n'était pas un bolchevik, celui-là, mais quand un nouveau pouvoir se sent menacé le mieux qu'il puisse imaginer est de faire appel aux partisans de l'ancien pouvoir. L'ancien pouvoir a le savoir-faire qu'il peut proposer au nouveau pouvoir.

PIERRE : Je crois que mon frère a très bien compris le cynisme des Bolcheviks.

TUBAR : Le 8 mars les izvestia de Kronstad publient le communiqué suivant : « Le premier coup de feu vient d'être tiré. Plongé jusqu'à la ceinture dans le sang fraternel des travailleurs, le feld-maréchal Trotsky a le premier tiré sur Kronstad révolutionnaire qui s'est levé contre le pouvoir communiste pour le rétablissement du vrai pouvoir des soviets. » Au terme de 10 jours de combats acharnés du 8 au 18 mars 1921, la commune de Kronstadt est écrasée.

MONSIEUR PRAZOC : C'est bon, on peut s'en aller maintenant que tout est dit ?

TUBAR : Toutes les tentatives de médiation ont échoué malgré l'offre de bons offices d'anarchistes menés par Emma Goldman et Alexandre Berkman. Les Bolcheviks ne veulent pas dialoguer. Pour ces derniers la victoire de l'insurrection de Kronstat conduirait à la victoire de la contre-révolution indépendamment des idées qui peuvent exister dans la tête des insurgés. Les ouvriers de Petrograd bloqués par la loi martiale ne peuvent pas leur venir en aide.

MONSIEUR PRAZOC : C'est trop facile. Les bolcheviks disent : nous sommes révolutionnaires, ceux qui ne sont pas du même avis que nous sont contre-révolutionnaires, il faut donc les éliminer.

TUBAR : Après deux assauts repoussés au cours desquelles les soldats de l'Armée rouge doivent avancer sur des kilomètres de glace sous les obus et la mitraille…

MONSIEUR PRAZOC : Ils n'avaient qu'à rester dans leurs casernes au lieu de faire du patinage inesthétique devant un jury de bolcheviks restés bien au chaud dans leurs choubas de zibeline. Les espions russes que j'ai fréquentés en Amérique portaient tous ce vêtement de luxe en signe de reconnaissance bureaucratique.

PIERRE : Très intéressant ! Je vois que tu reprends du poil de la bête, ça te va bien.

TUBAR : Beaucoup finissent noyés dans l'eau glacée. C'est la débandade. Certains refusent d'avancer ou veulent passer dans le camp des insurgés.

Malheureusement la résistance a ses limites. Dans la nuit du 16 au 17 mars 1921 une centaine de meneurs insurgés sont arrêtés dont les trois-quarts exécutés. L'assaut final a lieu le 17 et les troupes bolcheviques vengent dans le sang leurs camarades tombés. Je ne ferai pas le bilan de la répression : des milliers de morts, au combats ou prisonniers exécutés, emprisonnés, ou déportés dans des camps de travail obligatoire. Des milliers d'autres qui avaient pu s'échapper en Finlande et qui sont revenus l'année suivante après l'annonce de l'amnistie des coupables sont expédiés dans des camps. Dix mille morts dans les rangs de l'armée rouge. Mais la dictature bolchevique est consolidée.

JEANNE : Même Alexandra Kollontaï ne s'est pas opposée à la répression, elle qui était en désaccord avec Lénine sur la question des libertés politiques et syndicales et sur la répression des autres révolutionnaires. Elle a beaucoup œuvré pour la cause des femmes en tant que commissaire du peuple à l'Assistance publique dans le gouvernement bolchevique. Parmi ses mesures féministes, on peut noter le droit au divorce par consentement mutuel, l'accès à l'éducation, l'égalité salariale avec les hommes,

des congés maternité, l'égalité de reconnaissance entre enfants légitimes et naturels, le droit à l'avortement. Elle milite pour un amour libre, libéré des chaînes du mariage et de la prostitution, les deux faces de la captivité féminine dans la société bourgeoise. J'ai appris tout ça dans un de tes livres que tu t'amuses à cacher sous le lit.

MONSIEUR PRAZOC (à *Pierre*) : Tu caches les livres que je t'apporte dans des endroits poussiéreux, ça rime à quoi ?

JEANNE : Comment ça, poussiéreux ?

Il n'y a aucun corps étranger salissant sous aucun meuble. Je suis bien placée pour le savoir, c'est moi qui fais le ménage deux fois par semaine. Activité considérée sans doute comme illégale si elle doit être commise par la gent masculine dont Pierre, ici présent, est le plus fidèle représentant.

PIERRE : Je ne t'oblige à aucune tâche domestique et surtout pas à faire de mes livres une descente de lit.

TUBAR : Quand ce ne sont pas des scènes idéologiques, ce sont des scènes de ménage. Peut-on tomber encore plus bas ?

PIERRE : Jeanne tresse des louanges à la Kollontaï. Elle oublie de dire que malgré son opposition à la politique répressive des bolcheviks, politique qui supprimera le droit de fraction à l'intérieur du parti avec comme logique la dissolution de l'opposition ouvrière, elle n'hésitera pas après une longue carrière diplomatique à se faire l'interprète inflexible de la politique stalinienne de son pays. N'a-t-elle pas dit en 1941, je cite de mémoire ; « l'URSS ne reconnaît pas l'existence de prisonniers de guerre soviétiques. Ceux qui se rendent aux Allemands sont des déserteurs. »

JEANNE : Je ne reconnais pas l'existence de moutons de poussières sous notre lit. Ceux qui les accumulent après mon passage sont de mauvais lecteurs.

TUBAR : Sur ces paroles incendiaires, je m'en vais prendre congé. Pierre, n'oubliez pas de prendre connaissance des lettres insérées dans le paquet que votre frère vous a si gentiment apporté.

PIERRE : Quelles lettres, où avez-vous vu des lettres ?

TUBAR : Dans le paquet !

PIERRE : Le paquet, quel paquet ?

TUBAR : Le paquet dans lequel vous trouverez les lettres !

PIERRE : On arrête de tourner en rond ?

TUBAR : Ce n'est pas plutôt à moi de vous faire cette suggestion ?

MONSIEUR PRAZOC : L'autosuggestion ne m'a jamais apporté que des tourments.

PAUL : On ne te demande pas de t'autosuggérer mais de t'autodétruire.

TUBAR : Cessez de jouer à vos jeux d'enfants attardés. Ça me fatigue à la longue. Et vous Pierre, cessez de jouer à celui qui ne comprend pas ce que je lui dis. Je vous sais bien trop intelligent pour continuer à faire semblant de faire semblant de ne pas savoir ce qu'il y a écrit dans ces lettres. Je viens vous revoir demain pour connaître votre réponse.

Scène VI
Monsieur Prazoc, Pierre

Ils sont seuls dans l'appartement et font mine de boire un verre de whisky, chacun de leur côté. Les verres sont vides et Pierre se décide à verser à son frère quelque chose qui ressemble à du whisky.

MONSIEUR PRAZOC : Pouah… j'ai jamais pu saquer ce jus de punaise écrasée. T'aurais pas un lait grenadine par hasard. Depuis mes opérations je suis très fragile de la bouche et des amygdales.

PIERRE : Tu n'avais qu'à pas te faire charcuter.

MONSIEUR PRAZOC : Est-ce que j'avais le choix ?

PIERRE : Une seule intervention chirurgicale aurait suffi à te camoufler.

MONSIEUR PRAZOC : Pourquoi as-tu fait semblant d'ignorer devant les autres qu'on m'avait transfiguré trois fois ?

PIERRE : Défiguré plutôt.
J'avais trop honte de m'être prêté d'aussi bonne grâce à ton petit jeu de transformisme. On m'aurait reproché de ne pas t'avoir empêché de commettre ces bêtises. J'aurais voulu ne pas le savoir, plutôt que faire de la figuration dans tes deux farces opératoires. Avouer aussi ouvertement que j'avais laissé faire c'était m'avouer à moi-même que je t'avais laissé tomber.

MONSIEUR PRAZOC : Un océan nous séparait. Comment aurais-tu pu réagir alors que je ne te tenais au courant qu'une fois que la chose était faite ? Rien ni personne n'auraient pu me dissuader de mener à bien mon entreprise. La science, la révolution et l'espionnage m'attendaient au tournant.

PIERRE : On voit le résultat mon pauvre Dimetrodon. Les deux fois tu m'avais mis au courant avant…

MONSIEUR PRAZOC : Avant quoi ?

PIERRE : Avant qu'on fasse des prouesses de sculpture sur ton bloc de chair naïve.

MONSIEUR PRAZOC : C'est moi ou c'est toi qui perds la notion des choses ?

PIERRE : Tu avais perdu ta tête bien avant que les chirurgiens ne songent à s'en occuper.

MONSIEUR PRAZOC : Seul le chirurgien de Chicago n'en était pas un.

De toute façon, quitte à en retrouver une il fallait que je change de tête, que je me déguise en Monsieur tout le monde, j'étais poursuivi par ce qui se fait de mieux en guise d'agents de renseignements. Le sieur Troudelassec était un tocard à côté d'eux.

PIERRE : Pourquoi était ?

MONSIEUR PRAZOC : Parce qu'il a eu un accident.

PIERRE (*choqué et soulagé à la fois*) : Tu veux dire qu'il est…

MONSIEUR PRAZOC : Oui, il est… mais ce n'est pas de ma faute. En tout cas pas entièrement.

PIERRE : Il est mort ? Tu l'as tué ? J'en reviens pas ! On ne peut pas te laisser une journée tout seul sans que tu ne fasses une bêtise.

MONSIEUR PRAZOC : Je l'avais séquestré dans ma cave pour faire des expériences.

PIERRE : Tu l'as pris pour un rat ?

MONSIEUR PRAZOC : Ne me dis pas qu'il méritait d'être un lion ou même une crevette.

PIERRE : Tu es vraiment un savant fou. Je ne t'ai jamais demandé de prendre ce genre d'initiative. On s'était arrangé pour lui faire croire que tu étais de son côté.

MONSIEUR PRAZOC : Ça n'a jamais marché. Mais je ne lui ai pas dit que nous étions frères.

PIERRE : Encore heureux.

MONSIEUR PRAZOC : Attends ! Je ne lui ai pas dit ? Ah si je lui ai dit !

PIERRE : C'est malin ! Quand lui as-tu dit ?

MONSIEUR PRAZOC (*tout penaud*) : Dans la cave, pendant mes expériences.

PIERRE : Et dire que je lui ai fait dégringoler l'escalier sans ménagement quand il m'a avoué qu'il était pour quelque chose dans l'organisation de ton enlèvement.

MONSIEUR PRAZOC : Quel escalier ?

PIERRE : Quel escalier ? Le nôtre, idiot, celui grâce auquel nous avons notre club littéraire. Et moi qui m'étais bien gardé de lui avouer nos liens fraternels.

MONSIEUR PRAZOC : Qu'est-ce que ça change ?

PIERRE : Je n'en sais rien. Raconte ce qu'il s'est passé.

MONSIEUR PRAZOC : Donc, j'étais dans ma pharmacie quand j'ai vu arriver d'un air furibond le dénommé Trou.

PIERRE : Abrège !

MONSIEUR PRAZOC : Il a appris qu'on m'avait libéré ou plutôt que Tubar m'avait sorti de ce guêpier…

PIERRE : Je suis au courant par les appels téléphoniques de Tubar.

MONSIEUR PRAZOC : Ah bon ! Donc Monsieur Troudelassec des Renseignements Généreux est venu me faire du chantage jusqu'au milieu de mes clients, j'ai des témoins visuels, j'ai vu rouge, j'avais un pilon dans la main, un de mes préparateurs a saisi un mortier, on l'a assommé au milieu des applaudissements, on l'a traîné dans la cave où j'ai pu commencer sans tarder à lui administrer des produits de sidération occasionnelle. Mon but était de prouver que l'esclavagine présente en forte proportion dans un cerveau d'agent d'un service policier pouvait être dosée à l'aide d'un esclavomètre. Il l'a mal pris…

PIERRE : Je le comprends !

MONSIEUR PRAZOC : C'est la meilleure. C'est moi que tu dois comprendre. Pour terminer mon rapport, Tubar est arrivé masqué avec le Professeur Harro.

PIERRE : Tubar m'a entretenu de son sauvetage judicieux. Qui est ce Professeur Harro ?

MONSIEUR PRAZOC : L'homme qui m'a pris en charge après que leurs tests aux alcools se soient révélés infructueux.

PIERRE : Ça ne m'étonne pas. Tu as dû souffrir.

MONSIEUR PRAZOC : Pas plus qu'avec les tests aux paroles du Professeur Harro.

PIERRE : Tests aux paroles ! Tu as de drôles d'expressions.

MONSIEUR PRAZOC : Ben oui quoi. Un questionnaire pour connaître mes opinions politiques. Il a voulu m'injecter un produit de son invention, Tubar est intervenu juste à temps.

PIERRE : Il a dû t'injecter quelque chose. Voir Tubar avec un masque ce n'est pas donné à tout le monde.

MONSIEUR PRAZOC : Tu n'y es pas. Il portait le masque dans ma cave, et non lors de son intervention dans la salle de rééducation sociale et de redressement civique.

PIERRE : D'après les dires de Tubar, tu avais l'air d'être en bonne forme dans ta cave. Qu'as-tu fait de Troudelassec ?

MONSIEUR PRAZOC : Eh bien Tubar est reparti avec le Professeur Harro et moi j'ai gardé Mouillesec encore une journée puis je l'ai relâché, n'ayant pas à ma disposition un sujet d'étude convenable.

PIERRE : Passons ! Et ensuite ?

MONSIEUR PRAZOC : Ensuite ? C'est là que le bât blesse, il est revenu me voir le lendemain, ce fouillebec, à la fermeture de mon officine et m'a menacé de tout divulguer si je ne lui donnais pas l'argent de la vente de mon officine.

PIERRE : Rien que ça ! Il ne se refuse rien. Pourquoi vendrais-tu ton officine, il n'a rien contre toi ! Il a quelque chose ?

MONSIEUR PRAZOC : Il m'a brandi sous le nez un paquet qu'il cachait dans son giron, à l'abri des regards et en ricanant il s'est permis de me dire qu'il enverrait ces documents en sa possession à des officines bien plus dangereuses que la mienne si je n'obtempérais pas dans les plus brefs délais.

PIERRE : Des officines ? Il veut vendre des informations à la concurrence si tu ne vends pas ta pharmacie ?

MONSIEUR PRAZOC : Mais non ! Ce que tu es lourdingue parfois ! Les officines en question ce sont des agences de renseignements.

PIERRE : Encore tes histoires d'espionnage !

MONSIEUR PRAZOC : Eh oui, je suis un espion qui sait faire parler de lui.

PIERRE : Il n'y a pas de quoi s'en vanter.

MONSIEUR PRAZOC : Toujours est-il qu'il m'a donné tous les renseignements pour que je prenne son histoire au sérieux.

PIERRE (*blasé*) : Je t'écoute.

MONSIEUR PRAZOC : Étant agent des Renseignements Généreux il avait en charge de collecter les curriculum vitae de tous les individus appartenant à des organisations révolutionnaires. Il a rassemblé une foule d'informations sur notre groupe.

PIERRE : Tu crois m'apprendre quelque chose ?

MONSIEUR PRAZOC : Quand il s'est intéressé à moi, il a compris que j'étais peut-être celui qui était parti aux États-Unis suite à l'affaire des Landais de Mycènes mais il n'a pas fait le lien entre nous deux. Enfin, pas tout de suite.

PIERRE : Je me disais aussi ! Il t'a raconté tout ça pendant que tu te tournais les pouces à l'écouter ?

MONSIEUR PRAZOC : Je gardais un œil sur son paquet, prêt à le lui arracher à la moindre occasion.

PIERRE : Ça n'a pas été le cas ?

MONSIEUR PRAZOC : Ne brûle pas les étapes. Ayant des accointances avec la CIA qui connaissait ma véritable identité, il a obtenu une photo de mon nouveau visage ainsi que mon nom d'emprunt. Ça s'est compliqué avec mon double jeu au KGB.

PIERRE : Tes traces doivent s'arrêter là.

MONSIEUR PRAZOC : Pas du tout. J'avais disparu aux yeux de la CIA mais l'ayant espionnée pour le compte du KGB et vice-versa, les Américains trouvèrent dans un tiroir ma nouvelle identité américaine que j'avais adoptée pour le compte des Russes et que j'avais laissée traîner chez les Américains. Il obtint donc une nouvelle photo et un nouveau nom.

PIERRE : Et tu crois qu'avec ça il pouvait te faire chanter ?

MONSIEUR PRAZOC : S'il n'y avait que ça comme tu dis. J'avais disparu de la circulation, aucune des deux agences ne savait où j'étais passé.

PIERRE : Tu vois quand tu veux.

MONSIEUR PRAZOC : En retraversant l'océan, j'étais décidé à m'acheter une conduite de pharmacien tout en te recontactant pour avoir de nouvelles aventures révolutionnaires avec toi.

Mais j'avais une nouvelle bouille et en l'honneur de la pharmacie française je m'affublais du nom de Monsieur Prazoc.

PIERRE : Notre premier contact a été effrayant.

MONSIEUR PRAZOC : Je t'ai fait peur hein ? C'est moi qui n'ai pas voulu me faire reconnaître par nos proches. Ça m'attristait d'être méconnu de Jeanne.

PIERRE : C'est toi qui l'as voulu. Ton infortune est réparée. Tu avais peur de quoi en révélant ton identité ? Il t'a pourtant repéré.

MONSIEUR PRAZOC : Il ne m'a pas repéré. Il est devenu peut-être par hasard un de mes premiers clients. Puis il a appris que toi le stagiaire aux RG et moi son pharmacien appartenant au même groupe révolutionnaire, avions des choses à cacher.

PIERRE : Comme tu as l'air sérieux quand tu t'y mets alors que d'autres fois tu ressembles à un enfant qui raconte des sornettes. Tu ressembles à Monsieur Troudelassec. Qu'avions-nous à cacher ?

MONSIEUR PRAZOC : Eh bien, nous faisions semblant de ne pas nous connaître même si nous étions dans le même groupe et nous nous arrangions pour ne jamais nous rencontrer.

PIERRE : Effectivement ça l'a intrigué et il s'est fait un malin plaisir de me dire en face qu'il ferait connaître au groupe mon appartenance passée aux Renseignements Généreux. Quel malade !

MONSIEUR PRAZOC : Ce n'est pas pour rien qu'il prenait un tas de médicaments.

PIERRE : Quels médicaments ?

MONSIEUR PRAZOC : Tu réagis comme Paul. C'est un secret professionnel. Plutôt mourir que trahir mes principes pharmaceutiques.

PIERRE : Puisqu'il est mort, tu ne trahis plus rien. L'as-tu tué ?

MONSIEUR PRAZOC : Quand il a appris que nous étions frères et que nous faisions semblant de ne pas nous connaître, il a repris contact avec l'espionnage russo-americain pour savoir pourquoi ils avaient perdu ma trace et si je pouvais être celui qu'ils recherchaient.

PIERRE : Ils ont pu lui répondre ?

MONSIEUR PRAZOC : Ils n'en avaient pas la moindre idée.

PIERRE : Pas futé, le Klan de Gesticulation de la Bêtise.

MONSIEUR PRAZOC : Je ne te le fais pas dire. Les gars de la Centrale Imbécile Agency ont préféré se taire mais des membres du KGB lui ont révélé qu'ils étaient à ma recherche et que s'ils me trouvaient ils me feraient la peau.

PIERRE : Ils ne plaisantent pas ceux-là.

MONSIEUR PRAZOC : Monsieur Troudelassec ne plaisantait pas non plus quand il m'a dit que s'ils avaient perdu ma trace c'était parce que j'avais à nouveau changé de visage.

Après avoir fait les fonds de tiroirs des RG et recopié des notes rédigées lors de l'affaire des Landais il a compris que celui qui s'était fait la malle sans laisser d'adresse pour refaire surface incognito dans ton entourage, eh bien c'était moi. Il n'avait plus qu'à me prendre en photo, ce qu'il a fait sournoisement dans la cave pendant que je somnolais sur un Tintin au pays des Soviets, m'a-t-il dit et à envoyer ma bobine par Mondiopost au KGB avec ma nouvelle identité. À moins que…

PIERRE : À moins que tu ne vendes ton officine à son profit, j'ai compris.

MONSIEUR PRAZOC : Et encore il me faisait une fleur. Il aurait pu réclamer de l'argent immédiatement mais il a compris que ce n'était pas réaliste.

PIERRE : Le brave homme ! Les capitalistes sont parfois plus bienveillants qu'on ne pense. Et tu as pris pour argent comptant toutes ses affirmations sans exiger de voir le contenu de son paquet ?

MONSIEUR PRAZOC : Tu me prends pour un novice en la matière ? Voyant que je riais jaune il a sorti toutes les photos, les cartes d'identité, passeports, cartes d'espions tamponnées, sans oublier la photo de ma tronche actuelle. Il a voulu me montrer deux lettres mais je me suis rué sur lui et j'ai tenté de lui arracher tout son attirail. Nous avons roulé tous les deux par terre, je l'ai agrippé par le cou, je l'ai secoué, j'étais hors de moi, sa tête a heurté violemment le carrelage de mon officine, j'ai entendu comme un bruit de fosse septique qu'on vide, ça a fait glouglou. J'ai regardé autour de moi, pas de témoins, je l'ai traîné par les pieds jusqu'au préparatoire, je l'ai giflé, pas de réponse. Affolé, je lui ai fait respirer de l'ammoniaque, aucun toussotement, du sang coulait de ses oreilles, je les ai bouchées avec du coalgan…

PIERRE : Drôle de pharmacien !

MONSIEUR PRAZOC : Pas de réflexion de ce genre s'il te plaît. J'ai ramassé tous les documents éparpillés et au lieu d'alerter les secours j'ai appelé Monsieur Tubar.

PIERRE : Drôle de coco !

MONSIEUR PRAZOC : En attendant Tubar, je lui ai fait du bouche-à-bouche, beurk, un massage cardiaque, mais avait-il du cœur ? Je l'ai mis en position latérale de sécurité mais ne pouvant assurer plus longtemps ma sécurité je l'ai transporté jusqu'à la cave, qu'il était lourd ce lourdaud, où j'ai continué à lui prodiguer les gestes qui sauvent.

PIERRE : Drôle de secouriste !

MONSIEUR PRAZOC : À l'arrivée de Tubar, il ne respirait plus, et son cœur avait l'air d'en avoir pris son parti.

PIERRE : Tu n'as pas l'air d'en être plus perturbé que ça. As-tu sciemment tardé à agir dans l'unique but de l'encourager à mourir ?

MONSIEUR PRAZOC : Tu m'accuses d'assassinat ?
Quel frère es-tu pour me soupçonner d'un pareil forfait ? J'ai fait ce que j'ai pu. Mais ce Troudelassec avait l'air décidé à rendre l'âme.

PIERRE : Quelqu'un qui espère s'enrichir n'a pas envie de finir brutalement ses jours entre quatre murs de pharmacie sans percevoir ce qu'il croit être son dû. Pourquoi n'as-tu pas appelé les secours ?

MONSIEUR PRAZOC : C'est incroyable le procès que tu me fais. Je n'en crois pas mes oreilles. Tu en arrives à le plaindre. Ce pourfendeur de la veuve et de l'orphelin, ce spadassin sans conscience prêt à tuer ou faire tuer les êtres les plus innocents de la planète. Je suis sur le cul, la tête à l'envers et les yeux remplis de larmes brûlantes. Il est mort parce que je n'avais pas envie qu'il vive. Mais je ne l'ai pas tué, j'ai laissé la nature faire son œuvre. Que ça te plaise ou non, c'est comme ça.

PIERRE : Tu as sans doute raison, je suis trop sévère avec toi. Il a bien mérité son sort.

MONSIEUR PRAZOC : J'ai failli te prendre pour un nouveau bolchevik !

PIERRE : Rien que ça ! Comment a réagi Tubar ?

MONSIEUR PRAZOC : Il a tout de suite pris les choses en main. Il m'a dit qu'il fallait se débarrasser du corps. Pour lui le plus simple était de le brûler dans un feu de cheminée. Il avait chez lui un foyer qui ferait l'affaire. Il l'a enroulé dans une couverture de survie que j'ai mise à sa disposition, l'a transporté dans sa voiture et m'a promis de revenir dès le lendemain avec les cendres réparties dans trois urnes funéraires.

PIERRE (*éberlué*) : Les trois urnes rouges, d'accord ! Ton histoire m'abasourdit à un point que je ne saurais décrire. Toi et Tubar vous faites la paire du siècle de la mythomanie !

MONSIEUR PRAZOC : Merci, je suis flatté.

PIERRE : Le sieur Tubar a donc osé envoyer un colis avec les cendres de Troudelassec à l'intérieur avant de les récupérer et de nous les remettre sous le nez !

MONSIEUR PRAZOC : Je ne suis pas dans le secret de ses tours de magie.

PIERRE : Tu es dans le secret de bien des choses à son sujet. C'est Tubar déguisé en facteur qui t'a apporté le paquet récupéré près du corps de Troudelassec.

MONSIEUR PRAZOC : Ça alors, je ne l'aurais pas reconnu !

PIERRE : Faisons semblant d'être naïfs et revoyons le contenu du paquet. Le dénommé Mythobar a insisté pour que je prenne connaissance de deux lettres mystérieuses. Tu les as lues ?

MONSIEUR PRAZOC : Avec tous ces événements, je n'y ai pas prêté attention. Je venais chez toi pour qu'on regarde ensemble. Il a fallu que tout le monde veuille y mettre son grain de sel.

PIERRE : Je vais chercher le paquet. (*Il revient, les deux lettres à la main.*)

Voyons voir !

La première lettre est adressée à Monsieur Troudelassec. Je lis : « cher tovarisch Troudelassec Troudelassevitch Troudelassenov », eh bien il n'a pas peur de s'encombrer de superlatifs !

MONSIEUR PRAZOC : La suite…

PIERRE : Tout doux ! On n'est plus à cinq secondes près. Je reprends : « À la suite de notre conversation téléphonique et après contact inédit avec l'agence de renseignement américaine dont je tairai le nom aberrant, moi, Vavomir Vavomirovitch, lieutenant-colonel du glorieux Klan de Gesticulation de la Bêtise, vous prie de bien vouloir entreprendre des recherches dans les plus brefs délais en vue de capturer l'espion du KGB en fuite, connu sous le nom de Peter Glandon, et précédent espion de la CIA, connu sous le nom de Piotr Mikhaïlovitch Gloudanov, précédent directeur franco-grec des laboratoires pharmaceutiques Glaukos, connu sous le nom de Pyrrhus Glaukos. Ci-joint les photos correspondantes.

Mais nous ne connaissons ni son identité actuelle, ni son lieu de résidence, ni sa dernière figure. Il nous a fait faux bond à un moment où nous soupçonnions son retournement de veste.

Ce triste individu mi-mollasson mi-caméléon a créé tant de chaos dans nos services que lorsque nous l'aurons récupéré je me chargerai personnellement de l'exécuter à la réception du colis. Nous avons une politique d'extinction intrusive dont je vous épargnerai les détails et que les agences étrangères ne manquent pas de nous envier. Bien entendu vous recevrez une récompense gratifiante dont le montant sera à déterminer en fonction de la rapidité des résultats. N'hésitez pas à nous tenir au courant de vos recherches et à nous demander des conseils si besoin.

PS : il va de soi qu'une inefficacité de votre part impliquerait une intrusion de nos services dans votre environnement immédiat.

Vavomir Vavomirovitch

MONSIEUR PRAZOC : Oh là là, Monsieur Troudelassec, je le vois d'ici faire dans son froc.

PIERRE : Il n'est plus là pour nous faire connaître ses états d'âme.

MONSIEUR PRAZOC : Bien parlé !

PIERRE : Voyons la deuxième lettre.

C'est une lettre de Troudelassec. (*son frère regarde par-dessus son épaule*) Pousse-toi, veux-tu !

Cher Monsieur Vavomir. J'ai devancé votre souhait bien compréhensible de voir neutraliser au plus vite l'individu en question. Grâce à mon expérience acquise au cours de ma carrière chez les Renseignements Généreux et à l'excellence de mes états de service et de mes relations dans la sphère du renseignement, j'ai pu localiser l'espion en question et je suis en mesure de vous donner son identité complète. Il se nomme Metadon Glousdon et sa raison professionnelle est inscrite sur la devanture de son officine. C'est la Pharmacie Prazoc, nom éminemment ridicule. Il a donc pignon sur rue. Je me faire fort de le capturer et de vous l'envoyer dans les quinze jours qui suivent l'envoi de cette lettre. Au cas où par malchance il parviendrait à s'échapper ce qui est une hypothèse peu crédible et même en dehors de cette éventualité, je vous informe, sachant que votre politique audacieuse est aussi de vous en prendre aux familles des traîtres, renégats et autres opposants factieux, que Monsieur Métadon Glousdon a un frère. Il se nomme Pierre Glousdon, c'est un rentier désœuvré qui anime un groupe soi-disant libertaire, où officie d'ailleurs le frère recherché. Ils parlent de révolution à tort et à travers et sont sans doute d'obédience trotskyste. Vous voyez le genre. J'ajoute que le nommé Pierre a une délicieuse compagne dont je serais désolé qu'il lui arrive malheur à cause de ses mauvaises fréquentations.

Ci-joint toutes les photos et adresses complètes.

PS : Dans la perspective du succès complet de notre entreprise, je me permets de vous suggérer qu'un paiement en dollars comblerait mon attente, ayant été bercé dans ma jeunesse par les films de gangsters hollywoodiens.

Votre dévoué Nicéphore Troudelassec.

Le fumier, il veut s'en prendre à ma Jeanne ! Tu as bien fait de le zigouiller.

Nous avons intercepté sa lettre. J'espère qu'il n'avait pas prévu d'envoyer un double sinon je ne donne pas cher de nos abattis. Le fumier, ma Jeanne que j'aime !

MONSIEUR PRAZOC : Le fumier ! Notre Jeanne !

Acte VII

Scène I
Jeanne, Vanessa, Jacques

Dans l'appartement. Jeanne est debout dans le salon, en pyjama. Elle semble attendre fébrilement que la sonnette de la porte d'entrée se mette à sonner, ce qui après tout est sa fonction première.

JEANNE : Qu'est-ce qu'elle fabrique Vanessa ? Elle m'a promis de venir en fin de matinée. Je profite de l'absence de Pierre pour lui proposer une discussion entre filles et elle n'est même pas capable de venir à l'heure.

On sonne.

JEANNE (*elle va ouvrir*) : Bonjour ma chérie, je ne t'attendais plus !

Elle fond en larmes et se jette dans les bras de Vanessa.

VANESSA : Pourquoi pleures-tu ? Jeanne, ça me fait mal de te voir dans cet état. Est-ce à cause de ce dont tu m'as parlé au téléphone ?

JEANNE : Je suis confuse, je ne devrais pas laisser mes émotions l'emporter sur la raison. Je vais me reprendre.

VANESSA : Que crains-tu ? Une expédition de barbouzes assoiffés de sang, une attaque à la kalachnikov, un empoisonnement à la neurotoxine ?

Tu t'empoisonnes toute seule avec des idées qui n'ont pas lieu d'être. Ton beau-frère n'intéresse pas les méchants de ce monde même si cette engeance forme une gadoue de plus en plus épaisse sur la croûte terrestre.

JEANNE : C'est censé me rassurer ce que tu viens de dire ?

VANESSA : La naïveté inoffensive de Monsieur Prazoc est un gage de l'inaction d'éventuels ennemis.

JEANNE : Je me moque de l'activité inopérante et désopilante du frère de Pierre. Il est toujours, dans leur histoire commune que je ne connaissais pas il y a seulement quelques jours, à provoquer des catastrophes dont Pierre a de plus en plus de mal à se remettre.

VANESSA : Tu ne dois pas lui en vouloir. Si j'ai bien compris ce que m'a révélé ton coup de fil, tu ne dois craindre aucune conséquence fâcheuse de ses actes. C'est un cœur pur, une nature sincère qui n'a pas une once de méchanceté même s'il part dans des délires qui peuvent s'avérer irresponsables.

JEANNE : Est-ce que tu espères me sortir de mon angoisse en jetant dans mes oreilles des paroles qui disent à la fin le contraire de ce qu'elles disaient au début ? Tu souffles à quelques secondes d'intervalle le chaud et le froid.

VANESSA : Jeanne, prends les choses avec philosophie ! Wait and see comme disent les Anglais. Est-ce que Pierre s'inquiète comme tu le fais ?

JEANNE : Pierre ? Penses-tu ! Depuis qu'il a porté à la connaissance de tout le monde, je veux dire de moi, de ses très proches amis ainsi que du groupe révolutionnaire, les derniers rebondissements y compris l'existence des deux courriers, il rattrape le temps perdu. Il est toujours fourré chez son frère, dans son minuscule deux-pièces ou dans sa pharmacie. Il l'aide même à ranger ses médicaments.

VANESSA : C'est à peine croyable. Mais son frère est-il toujours interdit de visite chez vous ?

JEANNE : Pas du tout. Il vient une fois par semaine, apporte des livres à foison et des réunions du groupe y sont même envisagées dans un avenir proche.

VANESSA : Finalement les manigances de ce Trou quelque chose n'ont pas apporté que des désagréments…

JEANNE : Désagréments ? C'est un euphémisme. Dis plutôt désastres.
Et puis ne me parle pas de cet oiseau de malheur, qu'il crève !

VANESSA : Je crois que c'est déjà fait. Coincé dans des urnes apportées en démonstration à domicile. C'est plutôt original.

JEANNE : Tu as parfois le mot juste pour décrire les situations. Ce n'est pas souvent.

VANESSA : Si on se mettait autour d'une tasse de café à discuter d'un sujet qui me tient à cœur.

JEANNE : Je suis désolée de n'y avoir pas pensé. Veux-tu ton café avec du sucre, sans sucre, avec du sucre roux, du miel, des édulcorants, de synthèse ou naturels, avec du lait et des biscuits, du chocolat, de la confiture… ?

VANESSA : Eh, Jeanne, tu me fais l'article ? Qu'est-ce qui te prend ?

JEANNE : Tu veux discuter de quoi ? Des riches, des pauvres, du prolétariat, des capitalistes, des socialistes, des anarchistes, de la faim dans le monde, des guerres impérialistes, des révolutions, des grands hommes, des femmes célèbres… ?

VANESSA : Jeanne, arrête s'il te plaît ! Ou mettons cette discussion à plus tard.

JEANNE : À plus tard ? Jamais de la vie. (*Elle apporte deux tasses fumantes de café.*)

VANESSA : Tu es sûre que ça ira ? As-tu un sujet de prédilection ?

JEANNE : Ton sujet sera le mien.

VANESSA : Al right my dear ! Te souviens-tu de m'avoir posé la question de savoir si j'avais lu des ouvrages de féministes anglo-saxonnes ?

JEANNE : Oui, en effet. Ta bibliothèque en contenait quelques exemplaires mais plus comme ouvrages de décoration que de réflexion.

VANESSA (*dépitée*) : Ah bon, j'ai dit ça ?

JEANNE (*avec assurance*) : Je confirme.

VANESSA (*d'une voix absente*) : Eh bien, je les ai lus.

JEANNE : Quoi donc ?

VANESSA : Trois ouvrages d'auteures féministes américaines.

JEANNE : Elles font avancer la cause des femmes ?

VANESSA : Elles leur font faire un bond en avant substantiel.

JEANNE : Et toi tu les aides en les ayant lus ?

VANESSA : Je fais ce que je peux.

JEANNE : C'est toujours ça.

VANESSA : Le premier livre s'intitule Femmes, race et classe d'Angela Davis.

JEANNE : Je l'aime beaucoup celle-là.
Je n'ai pas lu son livre.

VANESSA : Je peux te le prêter si tu veux. Elle analyse le racisme dans le mouvement féministe américain blanc et la misogynie dans les mouvements révolutionnaires noirs. C'est une militante active, une universitaire. Elle a été emprisonnée pendant près de deux ans avant d'être acquittée.

JEANNE : Apporte-moi son livre, je suis ton homme.

VANESSA : Reste de phraséologie masculine dans ta bouche ?

JEANNE : Reste d'ironie buccale féminine !

VANESSA : Si tu veux. Le deuxième livre se nomme Le féminisme irréductible. Discours sur la vie et la loi de Catherine MacKinnon. C'est un recueil d'essais issus de conférences sur la violence sexuelle des hommes comme source de domination des hommes sur les femmes. Domination sexuelle qui s'inscrit dans le champ social. Abus sexuel comme forme de terreur, viols, prostitution, pornographie.

JEANNE : J'aimerais aussi lire cet ouvrage. Je suis ta femme.

VANESSA : Pas d'ambiguïté entre nous. Je ne suis ni une lesbienne repentie ni une linguiste dissidente. Parles-tu l'anglais couramment ?

JEANNE : Je parle l'anglais en marchant à cloche-pied sur son idiome.

VANESSA : Je n'ai pas la traduction française de ce livre.

JEANNE : Pierre déchiffre l'anglais assez facilement. Il va m'aider.

VANESSA : Je te l'apporterai aussi. C'est comme si c'était fait.

JEANNE : Tu es presque une amie. Quel est ton troisième bouquin ?

VANESSA : Tu es dure en amitié ! Le troisième bouquin est très connu dans les milieux féministes. C'est la politique du mâle de Kate Millett.

JEANNE : Archi connu. J'avais commencé à le lire puis je l'ai perdu suite à un déménagement mouvementé. Je m'installai avec Pierre.

VANESSA : Troisième bouquin à t'apporter. Je te rafraîchis la mémoire. Kate Millett dénonce le pouvoir patriarcal et la négation du corps féminin. Un vrai pavé dans la mare. Elle y révèle les injustices subies par les femmes. Es-tu certaine que Pierre n'y est pour rien dans sa disparition ? Je me demande si ton chéri n'est pas un macho contrarié.

JEANNE : Pas si contrarié que ça.

VANESSA : Fais ta révolution personnelle. Elle ne peut être que féministe. Es-tu toujours amoureuse de lui ?

JEANNE : De qui ?

VANESSA : De Pierre pardi. À moins que quelqu'un d'autre se soit infiltré dans ton cœur ? Paul par exemple ?

JEANNE : Paul est un vrai séducteur, à la limite du dragueur impénitent. On peut se laisser avoir quelque temps tant son charisme de beau mâle est ravageur et presque naturel mais il faut savoir s'en détacher avant qu'il ne soit trop tard. Je n'ai même pas envisagé de faire un bout de chemin avec lui.

VANESSA : Et tu as brandi une pancarte » tout le monde descend « pour ne pas faire une sortie de route catastrophique ?

JEANNE : Qui te dit que je suis montée dans son bolide dernier cri ?

VANESSA : Si ce n'est pas mon petit doigt qui me l'a indiqué, ce sont mes oreilles traînant un peu partout qui se sont mises à siffler, aidées par mon intuition féminine. Tu sais, ce ne serait pas une faute de tromper Pierre de temps en temps. Tu es pour l'amour libre oui ou non ?

JEANNE : Je ne suis pas de parti pris en ce qui concerne les rapports amoureux. En fonction des variations de ses sentiments, de sa disposition d'esprit, de ses penchants sexuels et des circonstances de la vie, on peut changer sa vision des choses dans les choses de l'amour. Mais avec Pierre rien n'a bougé, c'est le statu quo permanent. J'aime Pierre même s'il a un charisme tourmenté et un humour décalé. Ses jeux de rôle ambigus peuvent dérouter mais je mettrai mes deux mains et ma tête à couper qu'il m'aime sincèrement.

VANESSA : Je veux bien être guillotinée s'il n'y a jamais rien eu entre Paul et toi.

JEANNE : Tu es bien curieuse. Oui, il y a bien eu un petit rien si c'est ce que tu veux savoir.

VANESSA : Un petit rien, un petit rien, moi je veux bien, mais ce sont les petits ruisseaux qui font les grandes rivières.

JEANNE : Si tu voulais troubler voire briser notre union, tu n'agirais pas autrement. Occupe-toi plutôt de tes amours au lieu de fouiller dans les couples comme si tu leur cherchais des poux.

VANESSA : Je n'ai pas voulu te blesser. Mes amours ? Who loves me ? Nobody now actually ! My body is free like a white spirit.

JEANNE : Est-ce de l'humour british ?

VANESSA : C'est de la mauvaise humeur. Pas contre toi. Contre moi.

JEANNE : Il n'y a pas de raison.

VANESSA : Tu n'as pas de Borshepor, la boisson de Tubar, non ? Figure-toi que je ne retiens plus aucun mec depuis la dernière révolution du XIXe.

JEANNE : Tu ne fais pas ton âge. Les hommes doivent s'en apercevoir. Tu es comme moi, tu as des goûts de riches. Sors avec un pauvre.

VANESSA : Tous les hommes sont de pauvres mecs. Le dernier en date que j'ai cru bon devoir aimer était dans l'ordre sadique, mélancolique, barjotique. Il n'était ni poète ni manutentionnaire, ni riche ni pauvre. Il était mentalement dérangé et physiquement insatiable. Ça ne le rendait pas plus attachant que ça.

Il n'a fallu que neuf mois à la nature pour infliger à cet homme la triple peine qu'on nomme en langage anglo-saxon : Badness, Madness, Sadness.

JEANNE : Quel beau cocktail détonnant ! Mais je ne suis pas inquiète à ton sujet. Tu es une très jolie fille et les hommes doivent se prosterner à tes pieds avec dans leurs yeux une adoration sans limites. Ils ne demandent qu'à t'aimer et à te faire des enfants. J'en verrais bien un qui rien qu'à ton contact ne demanderait pas mieux que de connaître les joies de la paternité. Tu le connais et son pedigree peut se résumer en deux mots anglais : Gladness et Dadness.

VANESSA : Que me chantes-tu là ?
Je ne veux ni d'un mari ni d'un enfant. Je ne vois pas de qui tu parles.

JEANNE : De Jacques bien sûr. Chaque fois que je le vois en ta compagnie, il est aux anges, prêt à fondre sur place en laissant une large flaque enamourée.

VANESSA : Il n'y a que les aveugles pour se croire extra-lucides.
C'est ta présence qui le rend idiot à ce point, non la mienne. Jacques brûle d'amour pour toi, ça se voit à un kilomètre, que je sois présente ou non.

La sonnette de la porte d'entrée entre en service, ce qui fait sursauter les deux jeunes femmes.

JEANNE : Je ne m'y habituerai jamais. J'ai déjà dit à Pierre de mettre une sonnerie plus conviviale.

VANESSA : Je suis bien de ton avis.

Jeanne va ouvrir et le visage souriant de Jacques apparaît dans l'embrasure de la porte.

JEANNE : Jacques ! Que venez-vous faire ici à cette heure ? Pierre n'est pas là, il vous attendait ?

VANESSA : Quand on parle du loup !

JACQUES : Du loup ? Quel loup ? C'est moi le loup ?

VANESSA : Votre louve est ici.

JACQUES : Je ne comprends rien à vos histoires de louverie. Je m'attendais à un accueil plus chaleureux.

JEANNE : Vous l'aimez donc tant que vous venez la récupérer jusque chez moi ?

JACQUES : Récupérer qui ?

JEANNE : Vous ne me ferez pas croire que vous n'êtes pas amoureux d'elle.

JACQUES : Amoureux de qui, bon sang ?

VANESSA : Mais de Jeanne, voyons !

JACQUES (*il balbutie*) : Qu'est-ce qui… vous fait croire une chose pareille ?

JEANNE (*embarrassée*) : Oui… qu'est-ce qui vous fait croire une chose pareille ?

VANESSA : Moi, je ne crois que ce que je vois et pour moi c'est tout vu, il y a de l'amour dans l'air.

JEANNE : Ça suffit, Vanessa ! Quant à vous Jacques, sachez que Pierre ne va plus tarder. Si vous voulez l'attendre ici, ce n'est pas moi qui vous en empêcherais. Par contre, ne me donnez pas votre habit à accrocher si vous ne voulez pas que j'en fasse un ramasse-poussière.

JACQUES : Loin de moi cette idée, Jeanne. Je venais entretenir Pierre de ma dernière audience au palais de justice.

JEANNE : Oui, je comprends. Il faut bien des serviteurs fidèles pour défendre les privilèges des capitalistes.

JACQUES : Oh, Jeanne !

VANESSA : Ne vous inquiétez pas, Jacques, l'amour est plus fort que tout !

Scène II
Tubar, Professeur Harro

Dans le bar où les lumières tamisées éclairent deux silhouettes après la fermeture.

TUBAR : Harro, cessez de boire comme un ivrogne assoiffé alors que je sais que vous n'avez pas soif.

PROFESSEUR HARRO : Comment voulez-vous résister à la vue de tant de bouteilles remplies des liqueurs les plus subtiles. Faites-vous pâtissier et je mangerai des gâteaux.

TUBAR : Embauché chez le pharmacien Prazoc, vous vous empiferiez de médicaments jusqu'à ce que mort s'ensuive ?

PROFESSEUR HARRO : Ah… ne me parlez pas de celui-là ou je vais expulser tous les bons alcools que ce matin vous m'avez autorisés à boire quand vous avez le dos tourné.

TUBAR : Je ne vous ai rien autorisé du tout. Je ne peux pas vous avoir à l'œil tout le temps et si j'ai fait preuve de laxisme à votre égard c'est pour vous récompenser de votre bonne volonté à lire les bouquins que je vous ai prêtés.

PROFESSEUR HARRO : C'était la moindre des choses. Me plonger dans une littérature que durant toute ma carrière de psychologue spécialisé en pharmacologie politique j'étais chargé de mettre au pilori n'est pas pour moi une mince affaire.

TUBAR : Cessez vos jérémiades. Je vous ai permis d'améliorer votre culture générale qui manquait singulièrement d'épaisseur et d'originalité.

PROFESSEUR HARRO : Tout de même. Me faire ingurgiter du Kropotkine, du Proudhon, du Bakounine, du Marx, du Engels, du Lassalle, du Plekhanov, du, du, du.. (*il bafouille*)... vous avez un toupet extraordinaire. Mes lectures de chevet à part les cours de la bourse, le reader digest et les cours du soir de rééducation sociale se limitaient aux comptes-rendus pharmaco...

TUBAR : Épargnez-moi le détail de vos vicissitudes scientifiques. Monsieur Prazoc m'a tout raconté. Il n'est pas nécessaire de revenir là-dessus. Une seule question s'impose. En avez-vous retiré un bénéfice tangible ?

PROFESSEUR HARRO : De la lecture de vos livres ?

TUBAR : Oui, pas des vôtres !

PROFESSEUR HARRO : Je crois que je fais un affreux mélange de toutes ces idéologies à la mords-moi-le-nœud.

TUBAR : On va vérifier tout ça.

PROFESSEUR HARRO : Ah non, je suis trop fatigué. Vous me faites travailler du matin au soir.

TUBAR : Pauvre chou ! C'est moi qui fais tout le travail. Je prépare les cocktails, je compose les mélanges, j'apporte les plats et les boissons une fois sur deux. De quoi vous plaignez-vous ?

PROFESSEUR HARRO : De quoi je me plains ? Déjà le matin quand j'arrive vous m'accueillez par cette phrase » Tant va le prolo au boulot qu'à la fin il se lasse ». Ce n'est pas de la provocation ça ?

TUBAR : Donc vous avouez que travailler est une activité qui vous pèse.

PROFESSEUR HARRO : Bien-sûr que ça ne m'amuse pas. Ai-je bien le choix ? Sinon vous me menaciez de me donner à manger aux requins !

TUBAR : Triste fin en effet !

PROFESSEUR HARRO : Et puis j'ai l'impression de vous avoir toujours sur le dos.

TUBAR : Est-ce vraiment le cas ?

PROFESSEUR HARRO : Le seul fait de savoir que vous êtes mon patron augmente mon impression.

TUBAR : Ne vous fiez jamais à vos premières impressions.

PROFESSEUR HARRO : Les suivantes me murmurent que vous êtes toujours mon patron.

TUBAR : Donc sur votre dos !

PROFESSEUR HARRO : Alors que c'est inutile que vous le soyez. Tous les soirs au moment où je pars vous m'assenez cette phrase en guise d'au revoir : « La hiérarchie c'est comme les étagères, plus c'est placé haut moins ça sert ». Si ce n'est pas de la provocation, c'est quoi ? Du sadomasochisme ? vous vous flagellez en espérant que je vais vous plaindre ?

C'est raté ! D'abord d'où ça sort tous ces slogans incongrus ?

TUBAR : Vous ne les avez jamais entendu crier dans l'air du temps ? Il faut sortir parfois dans la rue. Vous les verriez s'élancer dans le ciel tels des papillons libérés à la recherche de fleurs de pavés.

PROFESSEUR HARRO : Oh ! Oh ! Monsieur fait de la poésie de comptoir ! C'est pas génial. C'est comme le nom de votre enseigne : « La Taverne des Globules ». J'ai beau avoir étudié le déchiffrement des codes secrets, cette appellation qui me paraît incontrôlée est pire qu'une tournure de phrase chinoise. Oseriez-vous insulter vos consommateurs en les traitant de globules ?

TUBAR : Mes tournures d'esprit engendrent des expressions dont vous ne semblez pas capables d'apprécier la valeur ni de comprendre la logique. C'est bien dommage ! Je dois en toute franchise vous faire cette remontrance. Les globules, voyons, les globules, ça ne vous parle pas ?

PROFESSEUR HARRO : Ça devrait ?

TUBAR : Les globules rouges sont rouges comme les vins rouges et les globules blancs sont blancs comme les vins blancs. Vins que d'ailleurs vous consommez sans modération.

PROFESSEUR HARRO : Patron, vous m'affligez !
Vos slogans inscrits sur la porte de votre Taverne sont du même tonneau.

TUBAR : En quoi ils vous dérangent ?

PROFESSEUR HARRO : Une semaine vous affichez un slogan, la semaine suivante l'autre slogan. Et ainsi de suite, alternativement, jusqu'à plus soif. C'est le début de la semaine, vous avez dû mettre (*il* *traverse la salle, va jusqu'à la porte et lit le texte imprimé à l'entête de la Taverne des Globules*) :

« Quand les bourgeois boivent, les prolétaires trinquent ! »

C'est bien ce que je pensais. Et la semaine prochaine ce sera : « Quand les prolétaires boivent, les bourgeois vainquent ! »

Et ça vous fait marrer ?

TUBAR : Pas du tout. Mais ça devrait vous faire réfléchir.

PROFESSEUR HARRO : Si vous voulez que ni les bourgeois ni les prolétaires ne s'adonnent à la boisson en pensant au camp opposé, mettez la clef sous la porte et faites la manche.

TUBAR : Ah, il commence à raisonner le bougre ! Est-ce le raisin macéré qui vous fait raisonner à force d'en goûter la substantifique moelle comme dit notre ami Rabelais ou bien est-ce l'approfondissement de la lutte des classes dont vous avez pris connaissance dans vos lectures récentes ?

PROFESSEUR HARRO : Patron, vous vous défilez !

C'est bien vous qui enivrez le genre humain en vous cachant sous de belles paroles !

TUBAR : Je ne veux pas faire de la mauvaise publicité pour le vin. Cet aliment car c'est un aliment, existe depuis la nuit des temps ou presque, avec l'apparition des vignes cultivées au sixième millénaire avant notre ère.

PROFESSEUR HARRO : Stop, je ne veux rien savoir.

TUBAR : Sa consommation était d'abord réservée aux souverains et à leurs proches.

PROFESSEUR HARRO : Bon, maintenant c'est démocratique, tout le monde boit.

TUBAR : De nos jours les prolétaires et les bourgeois ont du vin une approche différente. Les prolétaires boivent pour oublier la dureté de leur existence.

PROFESSEUR HARRO : Pas vrai. Ils boivent aussi pour le plaisir.

TUBAR : Les bourgeois boivent parce qu'ils ont fait de cette activité un des plaisirs de leur vie de luxe.

PROFESSEUR HARRO : Pas vrai. Ils boivent aussi pour oublier qu'ils font du mal à leurs salariés. Vous, par exemple, si vous avez pris ce bar c'est pour boire à ma santé.

TUBAR : Entre autres. Les premiers boivent plus souvent qu'ils ne voudraient de la piquette.

PROFESSEUR HARRO : Pas vrai, j'en ai connu qui ne se refusaient rien.

TUBAR : Ou des vins de qualité moyenne.
Les seconds ont l'assurance de pouvoir boire de grands crus quand l'envie ou le besoin s'en fait sentir.

PROFESSEUR HARRO : Les prolos boivent aussi quand l'envie ou le besoin s'en fait sentir.

TUBAR : Les uns comme les autres peuvent tomber dans les beuveries paroxystiques ou dans un alcoolisme chronique de mauvais aloi.

PROFESSEUR HARRO : On est bien d'accord. J'ai soif, je vais de ce pas prendre votre dernière invention de cocktail afin d'être prêt à biturer aussi bien les opprimés que les oppresseurs, les pauvres que les riches, les salariés que les employeurs. Que… Je ne vais pas avoir de salaire ? Vous voulez me faire travailler comme un esclave des temps anciens ?

Ah si je ne me méfiais pas j'en serais à mendier comme le dernier des parias. Ordure de patron !

TUBAR : Si vous aviez bu moins de vin, vous vous souviendriez de ce que je vous ai promis.

PROFESSEUR HARRO : Vous ne m'avez rien promis. Vous avez bien une mentalité de patron. Vous voulez m'entuber.

TUBAR : Je constate deux choses qui plaident en votre faveur. D'abord vous parlez un langage de prolo. Entuber ça fait prolo dans le texte.

Un bourgeois aurait dit : vous voulez me tromper ou m'escroquer. Ensuite, vous vous méfiez systématiquement de moi avant même de savoir ce que je vais vous dire. Tout simplement parce qu'à tort ou à raison vous me considérez comme votre patron. Vous avez une mentalité de prolo. Et rien que pour ça je dois autant vous en féliciter que me féliciter moi-même pour être arrivé à vous modifier socialement.

PROFESSEUR HARRO : Alors là vous n'y êtes pas du tout. C'est moi qui, en tant que diplômé de psychologie politique et pharmacologique, modifie socialement les gens.

TUBAR : Oubliez ce que vous étiez. Ça n'a plus aucun sens. Vous avez glissé avec nonchalance et néanmoins lucidité dans le camp immense du prolétariat.

PROFESSEUR HARRO : Non, non, non. Vous ne me ferez glisser nulle part. J'agis en fonction de mes propres intérêts et c'est déjà pas facile avec votre dialectique à la gomme. C'était quoi votre promesse ?

TUBAR : Enfin, vous y venez. Je ne vous salarie pas en effet. Tant que vous faites le service dans ce café-bar-taverne, je vous donne tous les mois la moitié des bénéfices. Il est entendu que s'il n'y a pas de bénéfices vous ne touchez rien. Mais moi non plus.

PROFESSEUR HARRO : Ouais, ouais. Vous faites des bénéfices ?

TUBAR : Ah ça, c'est le reliquat du capitaliste qui parle !
D'après vous ? Regardez le bar, exceptionnellement achalandé avec son cocktailothèque d'avant-garde, ses petits plats faits maison, son ambiance à la musicalité apaisante. Et les clients ! Toujours fidèles au rendez-vous. Je ne vous apprends rien, vous les côtoyez à longueur de temps. Et ses discussions philosophico-politiques qui font la réputation de l'endroit sans jamais se démentir. Et ses jeux d'esprit...

PROFESSEUR HARRO : Justement à propos de ces discussions et de ces jeux, j'aimerais bien ne plus y participer.

TUBAR : Allons, allons, à cette gouaille prolétarienne nouvellement acquise il faut que vous alliiez cet esprit d'à-propos que les intellectuels bourgeois radicaux n'ont pas manqué d'apporter au débat public.

PROFESSEUR HARRO : Je veux retourner dans le centre de Rééducation Sociale et de Redressement Civique.

TUBAR : Resaisissez-vous ! Ils ne vous connaissent plus là-bas. Ne faites pas votre Prazoc. Buvez une grosse chope du cocktail numéro 5633 AZ bis, je ne lui ai pas encore donné de nom et on va commencer notre discussion.

PROFESSEUR HARRO (*Il se dirige vers le comptoir, atteint sur la première étagère le plus gros flacon posé en évidence, prend un grand verre qu'il remplit d'un liquide ambré et avale d'un coup tout son contenu.*) : Cette nouvelle mixture va me donner du courage. Encore un petit coup.

TUBAR : Donnez-moi ça tout de suite.

(*Il lui arrache le flacon, ce qui n'est manifestement pas du goût du Professeur.*)

Vous êtes un drôle de phénomène ! Voici le thème : « L'homme et la société ».

Qui commence ?

PROFESSEUR HARRO : Certainement pas moi.

TUBAR : C'est trop facile de mettre tout sur le dos de l'homme. C'est la société qui est mauvaise.

PROFESSEUR HARRO (*d'un ton hargneux***)** : C'est trop facile de mettre tout sur le dos de la société.

C'est l'homme qui est mauvais.

TUBAR : Pas mal ! Mais moi je rétorque : Mais non, c'est bien pourtant la société qui fait l'homme.

PROFESSEUR HARRO (*toujours aussi hargneux*) : Pas du tout ! C'est l'homme qui fait la société. Ou la défait !

TUBAR : L'homme s'est laissé piétiner par la société. C'est là sa seule et honteuse défaite.

PROFESSEUR HARRO : Et moi je vous dis que c'est le contraire. S'il y en a un qui a le corps meurtri, c'est bien la société et l'homme est un grossier personnage qui la piétine…

TUBAR : La vérité se situe sans doute à mi-chemin.

L'homme et la société sont également responsables.

PROFESSEUR HARRO : Comme la poule est responsable de l'œuf et l'œuf de la poule ?

TUBAR : C'est bien de réfléchir, Professeur. À cette différence près que si la poule est responsable de son œuf elle n'est pas responsable du poulailler.

Dans la société des hommes, il y a une interaction entre le vivant et le milieu ambiant, ça s'appelle l'adaptation, elle peut être paisible ou brutale.

PROFESSEUR HARRO : L'homme a choisi lui-même son milieu ambiant, s'il n'en est pas satisfait il ne peut s'en prendre qu'à lui-même.

TUBAR : L'homme n'avait peut-être pas le choix.

PROFESSEUR HARRO : Qui a choisi pour lui, Dieu, le Diable, Tartempion, son voisin de palier ?

TUBAR : Ou tout simplement des salauds ?

PROFESSEUR HARRO : Des salauds ? Leurs noms, donnez-moi leurs noms et j'en fais de la bouillie pour chats.

TUBAR : Des noms, mais je peux vous en donner en pagaille.

PROFESSEUR HARRO : Ce ne sont pas des hommes au moins, peut-être des singes, des girafes, des coléoptères ?

TUBAR : À vous de me le dire.

PROFESSEUR HARRO : Des hommes qui ont des allures d'animaux ?

TUBAR : Ne tournons pas autour du pot. Ce sont des hommes, comme vous et moi.

PROFESSEUR HARRO : Pas comme moi. Comme vous, le patron.

TUBAR : Vous êtes un moulin à rengaines. Toujours la même. Quelques patrons ont pris la défense de la classe ouvrière, citons l'exemple significatif de Friedrich Engels alors que des ouvriers se sont comportés comme les pires des salauds. Ne faites pas semblant de l'ignorer.

PROFESSEUR HARRO : On enterre la hache ?

TUBAR : Je ne l'ai jamais déterrée.

PROFESSEUR HARRO : Nommez-moi des salauds.

TUBAR : Le brouillard idéologique mystificateur a pu vous les faire méconnaître mais tout le monde aujourd'hui n'a plus le droit de mettre leurs méfaits sous le tapis. Appropriez-vous l'histoire de l'humanité et l'humanité vous en sera reconnaissante.

PROFESSEUR HARRO : L'humanité c'est qui, les hommes, la société ?

TUBAR : La société des hommes. L'immense majorité de la population, celle qui ne détient ni le pouvoir ni l'argent.

PROFESSEUR HARRO : Les pauvres, quoi !

TUBAR : On peut dire ça comme ça.

PROFESSEUR HARRO : Et l'État dans tout ça ?

TUBAR : Vaste sujet qui risquerait de nous faire coucher à pas d'heure et qui mérite des débats à n'en plus finir.

PROFESSEUR HARRO : Comme entre Marx et Bakounine ?

TUBAR : Je n'en parlerai qu'en présence de mon avocat. Vous-même vous étiez un bureaucrate spécialisé donc un agent zélé de l'État.

PROFESSEUR HARRO : J'ai donné ma démission.

TUBAR : Ne vous vantez pas. J'ai effacé les traces de votre passage.

PROFESSEUR HARRO : Comment c'est possible ? Après tout si vous le dites, tant mieux. J'ai soif.

TUBAR : Un petit Borshepor si vous voulez.

PROFESSEUR HARRO (*Il regarde la cocktailotheque*) : Qu'y a-t-il dans ces amphores rouges sur l'étagère du haut ?

TUBAR : Ce ne sont pas des amphores mais des urnes. Elles contiennent des eaux-de-vie.

PROFESSEUR HARRO : Je peux voir ? C'est trop haut.

TUBAR : Les étagères haut placées ont parfois leur intérêt. Je vous les descends mais n'y touchez pas sans ma permission.

PROFESSEUR HARRO : Quelle idée de mettre des liqueurs dans des urnes.

TUBAR (*Il les descend une à une, le Professeur Harro fait le geste de s'en saisir*) : Je vous ai dit de ne pas y toucher.

PROFESSEUR HARRO : Bien chef, j'ai hâte d'y goûter. (*Il s'approche*) : Bizarre il n'y a pas de nom. Juste une lettre sur chaque urne. La lettre M sur la première, la lettre P sur la deuxième, la lettre J sur la troisième. C'est quoi ce mystère ?

TUBAR : Eau de vie de mirabelles, eau-de-vie de pêches, liqueur de jujubes.

PROFESSEUR HARRO : Oh, il y a des petits robinets !

TUBAR : Je les ai placés moi-même !

Scène III
Pierre, Paul

PIERRE (*Il est assis dans son fauteuil, une casquette vissée sur sa tête, un marcel plaqué au torse et des baskets délacés aux pieds. Il regarde Paul qui ne se prive pas de le dévisager*) : Tu veux ma photo ?

PAUL : Tu as un look d'enfer ! Puis-je avoir un autographe ?

PIERRE : Tu me prends pour Marlon Brando ?

PAUL : Je te prends pour un Fort des Halles.

PIERRE : Pourquoi pas ! Il ne devrait pas y avoir d'âge pour passer de l'intellectuel au manuel.

PAUL : Et pour passer du manuel à l'intellectuel, il faut se lever de bonne heure ?

PIERRE : L'idéal serait de passer indifféremment de l'un à l'autre. Je ne crois pas en être capable.

PAUL : Comme la plupart des gens. Il y a séparation entre travail manuel et travail intellectuel depuis l'apparition des classes sociales et la naissance de l'État. Tu es un intellectuel que tu le veuilles ou non et tu es riche aussi. Est-ce un hasard ?

PIERRE : Les pauvres sont manuels et les riches intellectuels, c'est ça ce que tu veux dire ?

PAUL : Ce serait faire un affront aux uns et aux autres de le penser mais c'est la triste réalité.

PIERRE : Les riches, des intellectuels ?
C'est la meilleure de l'année.
Ils se croient plus intelligents que les pauvres parce qu'ils les exploitent et les font trimer mais leurs réflexions s'arrêtent à savoir comment perpétuer cet état de fait.
La plupart sont au service de l'idéologie dominante et il n'y a pas besoin de pensée créatrice pour s'y consacrer. Ils sont en roue libre et ruminent des lois et règlements comme les vaches ruminent l'herbe avalée, sans y penser.

PAUL : Tu prends les riches pour plus bêtes qu'ils ne sont car tu voudrais toi-même être bête pour ne pas avoir mauvaise conscience d'être riche.

PIERRE : Seuls les gens qui ont mauvaise conscience font avancer l'Histoire dans la bonne direction. Ceux qui, droits dans leurs bottes, se croient supérieurs, soit parce qu'ils sont nés avec une cuillère d'argent dans la bouche, soit parce qu'ils ont volé la cuillère d'argent à d'autres, feront le plus grand mal au genre humain.

PAUL : Mais non, mon pauvre Pierre, tu ne ferais pas de mal à une mouche.

PIERRE : Parce qu'en fin de compte je ne suis ni manuel ni intellectuel, ni riche ni pauvre. Je suis un fantôme qui erre dans un no man's land à la recherche de ses origines. Et toi, Paul, es-tu un intellectuel qui drague ou un play-boy qui remue manuellement ses méninges ?

PAUL : Je suis un petit homme qui vient voir un grand homme afin de préparer avec lui la réunion de ce soir. Ce n'est pas une réunion d'intellectuels même si la plupart d'entre eux n'appartiennent pas à la classe ouvrière. Pour en finir avec les intellectuels, tu sais bien sûr qu'ils sont la simple courroie de transmission de la classe possédante et sont à ce titre courtisés pour faire fonctionner juridiquement et techniquement parlant la société. Ils sont surveillés comme le lait sur le feu et ceux qui veulent prendre trop de liberté risquent de voir leurs peaux déborder de la casserole idéologique. N'es-tu pas d'accord, idéologue en chef ?

PIERRE (*il enlève sa casquette et comme s'il tenait une sébile, il la présente en la secouant face aux yeux indifférents de son contradicteur*) : Et les pauvres dans tout ça ?

PAUL : Les pauvres ? Eh bien, les révolutionnaires passent, les pauvres, eux, ils restent.

PIERRE : Sommes-nous destinés à disparaître sans avoir fait avancer la cause des pauvres ?

PAUL : D'illustres révolutionnaires se sont cassé les dents à vouloir mettre la charrue avant les bœufs.

PIERRE : Il ne tient qu'à nous de remplacer les bœufs par des taureaux et envoyer les charrues à la casse.

PAUL : Comme par le passé les pauvres risquent de ne rien y comprendre. À qui la faute ?

PIERRE : Ces cons de pauvres, ils ne peuvent pas se défendre tout seuls ? (*Il secoue sa casquette énergiquement)* J'attends toujours que tu donnes ton obole, je vais avoir la main vacillante.

PAUL : Je ne fais pas plus l'aumône aux pauvres que la charité aux révolutionnaires.

PIERRE : Et si je n'étais ni l'un ni l'autre ?

PAUL : En ce cas tu n'es coupable de rien et je veux bien t'acheter la casquette.

PIERRE : Les plus coupables sont souvent moins ceux qui font croire que ceux qui croient.

PAUL : De nous deux qui est le croyant et qui est le mystificateur ?

PIERRE : Je ne peux croire que nous soyons deux belligérants potentiels qui s'escriment dans un duel à fleurets mouchetés en attendant qu'une étincelle mette le feu aux poudres.

PAUL : Quel est le casus belli ?

PIERRE : Y en a-t-il un ?

PAUL : Si nous discourons ainsi c'est que nous cherchons à savoir s'il y en a un.

PIERRE : Beaucoup d'États se comportent ainsi. Sommes-nous tombés si bas ?

PAUL : Je le crains fort. D'après Clausewitz « La guerre est un duel à une plus vaste échelle. » Nous ne sommes que deux, il ne pourra y avoir d'autres victimes.

PIERRE : Pauvres de nous, nous nous conduisons comme les pires empires capitalistes qui se regardent en chiens de faïence pour mieux se saisir à la gorge.

PAUL : C'est bien que nous nous mettions spontanément tous les deux dans le même sac.

PIERRE : Un sac de cordes dont nous formons les nœuds de la discorde.

PAUL : Ne nous flagellons pas plus qu'il n'est permis à d'authentiques révolutionnaires. Nous ne tomberons pas dans le piège de ce que Clausewitz nomme le prolongement de la politique par d'autres moyens en parlant de la guerre.

PIERRE : Il est vrai que ce fameux stratège, officier supérieur dans les armées prussiennes et russes avait de la matière à revendre pour tisser la complexité de l'Art de la Guerre dans tous ses états. Il a tout dit de ce que deviendront les guerres capitalistes fomentées les deux siècles suivants par les États impérialistes de tous les camps du monde. Il distingue les guerres limitées et les guerres absolues qui mobilisent toute la masse d'une nation.

Il n'y va pas par quatre chemins dans son analyse : « La guerre est un acte de violence dont l'objectif est de contraindre l'adversaire à exécuter notre volonté. Et il n'y a pas de limite à la manifestation de cette violence. »

PAUL : Sommes-nous violents l'un envers l'autre ?

PIERRE : Non, nous sommes tendus, l'un comme l'autre vers un même objectif et la discussion sur les moyens pour y parvenir n'a pas montré de divergence notable. Ayant le même fond de pensée il n'y a pas de raison d'en venir aux mains.

Ce n'est pas le cas des impérialismes qui même s'ils partagent des idées et des intérêts communs voudront en découdre par la force même de leurs appétits de puissance. La Terre entière est une scène de crime. Les populations de la planète sont prises à la gorge par la tourmente du capitalisme et s'ils l'acceptent sans tenter de se révolter elles le paieront toujours comptant.

Si le Capitalisme n'est pas capable de fonctionner sans provoquer des guerres, sans contracter des dettes, sans engendrer des famines et la misère généralisée, qu'il passe la main.

PAUL : Dans mes bras, camarade, mon frère, ton souffle est épique et ta casquette va connaître une lourdeur inaccoutumée.

PIERRE (*les yeux dans le vague*) : Le capitalisme n'a de cesse et ne cessera jamais d'exiger de ses prolétaires qu'ils s'entretuent en masse pour résoudre momentanément d'une manière aussi cruelle que chaotique ses petites affaires.

PAUL : Bravo Pierre, tu vas faire des dégâts parmi la gent féminine qui ne résistera pas longtemps à ta voix extatique et tes yeux vaporeux.

PIERRE : Ma gent féminine s'appelle Jeanne et je n'en veux pas d'autres.

PAUL : Ouais, ça se discute. Ceci dit pour nuancer tes propos je dirais que lorsque le capitalisme tient bien en laisse ses esclaves salariés il n'a pas besoin d'être fasciste ou stalinien. Ce n'est que lorsqu'il se sent menacé ou peu sûr de lui, qu'il montre les dents.

PIERRE : Ce capitalisme que tu juges plus démocratique n'a pas donné aux gens le droit de vote pour qu'ils se croient permis de rêver qu'on leur a octroyé le droit de révolte par-dessus le marché.

PAUL : À tout bien prendre, il vaut mieux une société de ce genre qu'une dictature où la révolte est un crime et le vote une large escroquerie.

PIERRE : Justifier le tolérable c'est cautionner l'intolérable.

PAUL : Ne monte pas ainsi sur tes grands chevaux !

PIERRE : Tu es parfois un nihiliste, adepte du jusqu'au-boutisme et parfois un réformiste qui se contenterait d'une social-démocratie rétrograde. Le fléau de ta balance penche pour quelle option ?

PAUL : Tu auras pour toute réponse un silence réprobateur.

PIERRE : Je vais reformuler ma question. Opine du chef pour indiquer ta préférence. Es-tu cruel ou cruche ?

PAUL : On va jouer ensemble à ce jeu. Es-tu cocu ou complaisant ?

PIERRE : Que veux-tu dire ?

PAUL : C'est le jeu de la vérité, on se dit tout ?

PIERRE : Si tu as quelque chose à me dire, dis-le !

PAUL : Eh bien, ce n'est pas facile à suggérer, encore moins à dire.

PIERRE : Si tu veux jouer au chat et à la souris, je ne suis pas ton homme. Jeanne me trompe, et toi tu es l'heureux élu, c'est ça ? Eh bien j'en doute, tu n'es pas son genre.

PAUL : Si elle te trompe, ce n'est pas avec moi.

PIERRE : Tes airs de grand mystère pour déballer un triangle amoureux archi rabâché par la morale bourgeoise ne trompent personne.

Scène IV
Pierre, Paul, Jeanne, Monsieur Prazoc, Tubar

On voit dans la pénombre les silhouettes de Pierre et Paul en train d'écrire l'un en face de l'autre. Ils sont si absorbés qu'ils ne voient pas la porte s'ouvrir tandis que Jeanne apparaît, suivie de Tubar et de Monsieur Prazoc.

JEANNE (*toute souriante*) : Mon Dieu, qu'il fait sombre ici. Ouvrez les volets ou allumez, ne restez pas dans le noir, vous allez vous abîmer les yeux. Pourquoi cette obscurité alors que vous êtes plongés comme des moines scribouillards dans l'écriture ?

PIERRE : C'est pour ne pas voir Paul.

PAUL : C'est pour ne pas voir Pierre.

JEANNE : Ah non, pas de bouderies ici ! On dirait deux écoliers punis par leur maître et qui se renvoient la balle pour rejeter sur l'autre la responsabilité de la punition.

Vous m'écoutez quand je vous parle ?

PAUL : On est trop occupé.

PIERRE : L'occupation est une activité qui prend tout son sens quand on n'y est pour personne.

JEANNE : Écoutez-moi. Déjà vous avez annulé au dernier moment la réunion prévue.

PIERRE : C'est Tubar qui l'a annulée.
On met les bouchées doubles pour la réunion de ce soir.

JEANNE : Écoutez-moi une seconde ! Je suis allée à la Taverne des globules et comme Tubar m'a appris qu'il y avait ce soir une réunion à l'appartement nous sommes allés directement prendre ton frère à son officine et nous voilà. Tubar nous a appris d'ailleurs une excellente nouvelle. Mon beau-frère est excité comme une puce qui a trouvé refuge sur un chien galeux.

PAUL : Metadon, est-ce la présence de Jeanne qui te fait tourner la tête ?

MONSIEUR PRAZOC : Tout le monde me rend heureux en ce moment et la nouvelle de Tubar me fait sourire aux anges.

TUBAR : Pierre, votre frère a même accepté avec une indulgence coupable l'engagement du Professeur Harro à mes côtés.

PAUL : Quand on est amoureux, on voit la vie en rose.

PIERRE : Pourquoi veux-tu à tout prix donner à Jeanne des soupirants chimériques ?

PAUL : Ton frère est-il une chimère ?

MONSIEUR PRAZOC : Je vous demande pardon mais en ce moment je ne soupire qu'après mon officine.

PAUL : Tu es le parfait soupirail à travers lequel passe un souffle d'amour transi.

TUBAR : Le seul amoureux auquel répond la flamme de Jeanne se nomme Pierre, ici présent. L'amoureux éconduit se nomme Paul ici présent. On peut passer à autre chose ?

PAUL : On ne peut même plus jongler avec l'amour courtois dont les nobles chevaliers se faisaient les héroïques hérauts.

PIERRE : Tu n'es ni un héraut qui claironne son amour pour une gente damoiselle ni un héros qui va au combat pour ses beaux yeux.

TUBAR : Cessez vos joutes d'un anachronisme à faire pâlir d'envie ou de dégoût un voyageur temporel. Crachez votre venin une bonne fois pour toutes en vous rentrant dans le lard. Je veux un duel loyal, sans coups bas, sans gouttes de sang, sans gestes vicieux. C'est trop vous demander ?

MONSIEUR PRAZOC : Je peux faire l'arbitre ? J'ai acquis une solide expérience avec mes combats de rongeurs. Ils se mordaient et se griffaient comme des chiffonniers. Et que la queue de l'un frappe les flancs de l'autre, et que les pattes du second tapent le museau du premier. Ils étaient acharnés à se foutre sur la gueule.

Je ne jugeais pas, je ne désignais pas de vainqueur, j'observais et je notais mes conclusions. Avec vous, Pierre et Paul, il en va autrement. Choisissez d'abord votre type de combat. Boxe, judo, kung-fu, lutte libre, karaté, krav maga. Chacun est libre d'adopter la technique de combat qui lui convient. Évidemment ça complique un peu les choses mais croyez-vous que mes rongeurs se concertaient dans le choix des armes ?

PIERRE : Si tu nous prends pour des rats, tu risques d'aller au-devant de graves déconvenues. On va te transmettre la peste, la leptospirose, la teigne, le typhus et le sodoku si on te mord. Un Prazoc prévenu en vaut peut-être deux !

MONSIEUR PRAZOC : Le vainqueur gardera-t-il ou gagnera-t-il les faveurs de Jeanne ? Pourra-t-il l'emporter loin de l'autre ?

JEANNE (*qui s'était tenue à l'écart et qui n'avait rien dit depuis le début de la joute*) : Le premier qui me prend pour un paquet de lessive qu'on peut gagner en tirant le bon numéro saura bien vite qu'il aurait mieux fait de s'abstenir d'avoir un jour levé les yeux sur moi !

Ni Dieu ni Maître !

MONSIEUR PRAZOC : Pierre, puis-je te parler en tête à tête, à l'abri d'oreilles indiscrètes ?

TUBAR : Oui, faites ça, qu'on en finisse !

PAUL : Tubar a l'air de penser que les affaires de cœur sont quantités négligeables et que la politique a seule droit de cité dans les relations humaines.

TUBAR : Quand une affaire de cœur est résolue comme celle-ci l'est, il n'y a pas de raison de perdre son temps à la faire traîner en longueur comme une pelote de laine qu'on rembobine dès qu'elle fait mine d'être dévidée.

MONSIEUR PRAZOC : Vous pouvez sortir afin que je m'entretienne une minute avec mon frère ? Ce n'est pas une question.

JEANNE : Je vais sortir me promener. Qui m'aime me suive. Ce n'est pas une réponse.

Elle se dirige vers la porte, tourne la poignée puis se ravise, fait demi-tour et va s'asseoir à une petite table au fond de la pièce. Tubar et Paul qui l'avaient suivie s'arrêtent à leur tour pour ne pas la heurter et à sa suite vont s'asseoir à la table qui dispose de trois chaises. Elle les dévisage, puis bouche fermée, commence à fredonner l'air de l'Internationale. Ses deux camarades lui emboîtent la voix et bientôt un concerto pour Damnés de la Terre prend toute la pièce à témoin. On n'entend pas voler une mouche.

MONSIEUR PRAZOC (*il n'a pas ouvert la bouche depuis le faux départ de Jeanne*) : Silence ! Taisez-vous ! Vous chantez faux. Laissez-moi parler à Pierre.

PAUL : Nous chantons pour couvrir vos messes basses.

MONSIEUR PRAZOC : Allez vous promener. Faites profiter les passants de vos sifflements indécents.

PAUL : Les plus gênés s'en vont !

PIERRE : Ne t'occupe pas d'eux et dis-moi ce que tu as à me dire.

MONSIEUR PRAZOC : Je n'arrive pas à me concentrer avec leurs ronronnements de hyènes.
Ils le font exprès.

Comme par enchantement l'Internationale cesse d'être fredonnée et des livres ouverts sur la table sont feuilletés.

PIERRE : Fais le vide dans ta tête, bouche-toi les oreilles, prends une respiration profonde et sors tes pensées en quelques phrases précises ou alors va te coucher.

MONSIEUR PRAZOC : Tu es ici chez toi, dis-leur de prendre la poudre d'escampette ou bien d'avaler leur gorge assassine.

PIERRE : Je ne peux pas prendre sur moi d'interrompre un chant révolutionnaire comme celui-là.

MONSIEUR PRAZOC : Ne sacralise pas un chant qu'on a déjà trop tendance à glorifier bêtement.

PIERRE : Je pars sur le champ, va dormir tout ton soûl.

MONSIEUR PRAZOC : Non, attends ! S'ils restent, c'est pour écouter nos confidences. Ils vont bien finir par se lasser.

PIERRE : Si tu avais commencé par me parler tout de suite ils auraient fini par se taire. Maintenant je n'ai plus envie de t'écouter.

MONSIEUR PRAZOC : Si, si… je vais parler…

PIERRE : Trop tard ! Comme dit le proverbe avant l'heure c'est pas l'heure, après l'heure…

MONSIEUR PRAZOC : Il n'est jamais trop tard ! Figure-toi que l'autre jour j'étais allongé sur ton lit à lire un de tes bouquins et figure-toi que…

PIERRE : Je me figure très bien !

MONSIEUR PRAZOC : Tout à coup, j'entends du bruit dans la salle à manger. Mes oreilles toujours aux aguets comme tu peux te le figurer, j'écoute… C'étaient Jeanne et Paul qui bavardaient. Mais pas si tranquillement que ça. Paul avait l'air de supplier, il lui disait : Jeanne on vit quelque chose de très fort, nous deux. Tu ne vas pas arrêter notre histoire sous prétexte de ne pas vouloir faire de la peine à Pierre ? L'aimes-tu seulement encore ? Paul, répondit-elle, tu sais bien que nous deux c'est de l'histoire ancienne, ça a duré à peine le temps de se connaître. Il y avait une attirance réciproque j'en conviens, une passion fulgurante mais qui s'est éteinte d'elle-même faute de carburant, et puis c'est Pierre que j'aime, tu dois l'admettre. Enfin, elle a dit quelque chose comme ça.

Ils ne m'ont même pas remarqué tellement ils étaient pris par leurs problèmes intimes.

Chut… je parle trop fort, ils vont finir par m'entendre.

TUBAR : Je vous fais gentiment remarquer que nous avons cessé de chantonner depuis au moins deux bonnes minutes.

MONSIEUR PRAZOC : Ils ont tout entendu, j'en suis convaincu. Ils se comportent comme des espions à la solde de… de…

PIERRE (*bien fort*) : De personne ! Mais si je comprends bien je suis le seul à ne pas connaître l'information exaltante dont Tubar vous a donné, une fois n'est pas coutume, la primeur.

PAUL (*depuis la table*) : Je ne la connais pas non plus.

MONSIEUR PRAZOC : Tu vois, il nous entend. Ah il a beau se cacher derrière les notes de l'Internationale c'est un beau filou de bolchevik !

TUBAR : Pierre et Paul, il est temps que je vous lise une copie de la lettre que j'ai envoyée ou plutôt que le camarade Troudelassec Troudelassevitch Troudelassenov des Renseignements Généreux a envoyée au tovarisch Vavomir Vavomirovitch, lieutenant-colonel du Klan de Gesticulation de la Bêtise. Voici les termes de la lettre : Cher tovarisch Vavomir. Suite à votre demande ô combien compréhensible d'appréhender l'espion russo américain francophile Metadon Glousdon, j'ai l'honneur de vous faire savoir que nous avons mis la main sur le sieur en question et vishnya sur le gâteau son frère et la compagne de celui-ci sont dans le paquet cadeau. Ou plutôt leurs cendres. Car malheureusement ces terroristes habitués à se cacher, à se défendre et à vendre chèrement leurs peaux ne nous ont pas laissé d'autre choix que d'envoyer dans leur repaire bunkerisé des explosifs particulièrement efficaces que seuls les Renseignements Généreux et les vôtres ont l'avantage de détenir. La précision étant de rigueur dans nos services nous avons pu recueillir trois amas distincts de cendres dont nous avons rempli trois urnes rouges avec pour chacune d'elles les initiales correspondant à leur prénom. M pour Métadon Glousdon,

P pour Pierre Glousdon et J pour Jeanne Baridon. Je suis à votre disposition pour tout renseignement complémentaire. Je vous fais parvenir les cendres par la valise diplomatique des Renseignements Généreux.

Votre dévoué Nicéphore Troudelassec Troudelassevitch Troudelassenov

PIERRE : Mon cher Tubar. Je crois que vous avez commis un impair. Pourquoi avoir donné à ce Vivomar nos trois identités alors qu'il ne les connaissait pas, la lettre de Troudelassec n'ayant pas pris le chemin de l'Amérique puisqu'elle a été dérobée au moment de son assassinat ?

TUBAR : Bravo mon cher Pierre, vous auriez fait un excellent détective. Après m'être saisi de la lettre et du cadavre, je me suis dit qu'il serait judicieux de m'emparer de sa ligne téléphonique au cas où des appels inconsidérés viendraient d'outre-Atlantique. Je ne me suis pas trompé, le tovarisch Vavomir a contacté son homologue généreusement renseigné, en l'occurrence moi, pour me dire qu'il ne suffisait pas d'avoir communiqué vos noms et adresses la semaine passée pour m'en tenir quitte mais qu'il voulait des actes et des photos de vos tronches. Je me suis empressé d'inventer ce bobard quelques jours plus tard avec l'envoi immédiat de vos cendres.

MONSIEUR PRAZOC : Ce fumier de Strudelassec qui voulait l'argent de ma sueur officinale alors qu'il avait déjà décidé de nous envoyer à une mort certaine.

PAUL : On ne sait pas combien de fois ils se sont entretenus par téléphone. Votre voix ne lui a pas semblé différente ?

TUBAR : Ce qu'il y a de bien avec ma voix c'est qu'elle peut prendre les intonations de qui elle veut.

JEANNE : Sans vouloir me mêler de vos turpitudes masculines, je ne crois pas un seul instant que votre Mavivor va se contenter de vos belles phrases et des cendres maléfiques de son collègue en espionnage qu'il ne prendra jamais pour les nôtres, d'autant plus que vous ne lui avez pas envoyé de photos. Vous le prenez pour un novice ?

PAUL : Jeanne a raison. Ils vont venir vous exécuter tous les trois et je ne pourrai que constater les dégâts et faire dire une messe pour le repos de vos corps mutilés.

MONSIEUR PRAZOC : Sans oublier que les Renseignements Généreux vont vouloir prendre des nouvelles de leur agent disparu, Troudelatsointsoin, n'est-ce pas Pierre, toi qui les a bien connus ?

TUBAR : À quels couards ai-je donc affaire ? Les RG ne s'intéressent plus à notre homme depuis qu'il a décidé de trop s'intéresser à eux. Il a fait des fiches de tout l'organigramme et s'est mouillé dans tout un tas d'affaires louches. S'il n'a pas été viré, c'est qu'il leur a rendu des services non négligeables dans le passé et que ses milliers de notes qu'il a restituées ont servi de modèle pour des travaux futurs. Ils l'ont mis au placard et il a reçu l'ordre de se tenir tranquille.

PIERRE : Agent peu obéissant à la moralité douteuse et à la voracité coûteuse.

PAUL : Plus encombrant mort que vivant. Comment connaissez-vous tous ces détails ?

TUBAR : C'est bien simple, Je suis allé au siège des RG.

MONSIEUR PRAZOC : Vous avez pactisé avec l'ennemi ?

TUBAR : Sans hésiter quand je peux y voir des intérêts communs.

JEANNE : Lesquels, mon champion d'opportunisme ?

TUBAR : L'intérêt pour eux d'être débarrassé d'un remuant personnage qui commençait à donner de sérieux signes de schizophrénie. Je leur ai dit qu'il avait tenté de m'étrangler et que je n'avais fait que me défendre. Vous connaissez la suite. Ils n'ont pas voulu récupérer ses cendres. L'intérêt pour moi c'est-à-dire pour vous est d'être protégés et hors d'atteinte des griffes des agents du KGB qu'ils ne portent pas dans leur cœur. Les RG les neutraliseront au cas où ils poseraient les pieds sur le macadam parisien. Je leur ai dit que Monsieur Prazoc était un dissident d'origine russe en butte aux persécutions du KGB américain et que Pierre l'avait aidé à s'établir en France.

MONSIEUR PRAZOC : Vous êtes notre ange gardien, notre Deus ex Machina, celui qu'on n'attend plus et qui est toujours là… Si cette nouvelle n'est pas une bonne nouvelle, je veux bien être traité de pessimiste !

Je ne parle pas le russe !

TUBAR : Logique. Tu n'as jamais vécu en Russie, tu es parti aux USA étant bébé avec tes parents fuyant le stalinisme. Que dire d'autre ?

Tu es revenu en France pour t'acheter une pharmacie.

MONSIEUR PRAZOC (*serrant Tubar dans ses bras*) : Tu es un homme extraordinaire. J'adore ma nouvelle biographie. N'est-ce pas qu'on lui doit une fière chandelle ?

PAUL : Quel mauvais roman. Les RG connaissent Pierre et son rôle dans l'affaire des Landais. Ils doivent toujours être à la recherche de son frère. Si j'étais toi, Prazoc, je me livrerais.

PIERRE : Paul, tu es infect. Personne ne fait le lien entre moi et Metadon, personne ne sait que nous sommes frères, excepté le KGB qui nous croit maintenant réduits en cendres. Sa troisième transformation le met à l'abri de toute recherche. À moins que tu ne nous dénonces !

PAUL : C'est à Prazoc de se dénoncer. Et vous Tubar, je ne crois pas un seul instant que les RG aient gobé votre histoire. Vous êtes au mieux un mythomane, au pire un espion à la solde d'une puissance étrangère.

MONSIEUR PRAZOC : Paul, je vais te faire du rentre-dedans !

PAUL : Vous vous êtes présenté en tant que quoi, empereur des Indes, dirigeant de multinationale, diplomate de haut rang, chef du contre-espionnage, trou du cul venant du trou du cul du monde… ?

PIERRE : Paul, laisse-le tranquille.

JEANNE : J'ai bien fait de m'être débarrassé de toi, Paul ! Tubar, qui êtes-vous ?

MONSIEUR PRAZOC : Moi, je sais !

TUBAR : Je suis le fantôme de la liberté !

PAUL : Tiens donc !

TUBAR : Vous ne risquez plus rien. À moins que…

JEANNE : À moins que quoi ?

TUBAR : À moins qu'il y ait un caillou dans la chaussure !

JEANNE : Ça veut dire quoi ?

TUBAR : À moins qu'un membre du KGB en France ait donné des informations au KGB en Amérique.

JEANNE : Vous soupçonnez quelqu'un ?

TUBAR : C'est possible.

JEANNE (*angoissée*) : Dites son nom !

TUBAR : Le professeur Harro.

MONSIEUR PRAZOC : Je le connais celui-là ! Il m'a fait assez souffrir. Mais il appartient au centre de rééducation…

TUBAR : L'un n'empêche pas l'autre.

PIERRE : Qu'est-ce qui vous fait penser ça ?

PAUL : Et vous l'employez dans votre bar ! Quel jobard vous faites ! Ça ne m'étonne pas de vous.

TUBAR : On peut mieux avoir à l'œil un ennemi quand on le voit dans son champ de vision que lorsqu'il vous tourne le dos à cent lieues de vos regards.

PAUL : C'est de la haute politique qui la plupart du temps tourne en eau de boudin.

JEANNE (*énervée*) : Qu'est-ce qui vous fait penser que c'est un salopard d'espion soviétique ? Il connaît nos noms et nos visages, il nous a déjà vus ?

TUBAR : Il a déjà vu Jacques et François et Métadon. Les autres je ne sais pas. Je le surveillais depuis le début. Je lui ai tendu un piège pour en avoir le cœur net.

PAUL : Vous avez mis sur son chemin une tapette à fromage ?

MONSIEUR PRAZOC : Les rats n'aiment pas beaucoup le fromage.

JEANNE : Tais-toi beau-frère !

TUBAR : J'ai exposé dans mon bar trois urnes rouges que j'ai remplies de liqueurs de fruits…

PAUL : On ne vous demande pas de décrire vos forfaits de barman.

TUBAR : Trois urnes rouges différentes bien sûr des urnes qui contiennent les cendres de Troudelassec et que j'ai envoyées au KGB,

PAUL : C'est la valse des urnes. On en redemande.

PIERRE : Ça t'arrive de laisser parler ceux qui ont quelque chose à dire ?

TUBAR : Merci Jeanne ! J'ai vissé des robinets pour laisser couler les liqueurs dans les verres.

PAUL : Vous ne savez plus servir directement dans les verres ? Tu vois Jeanne, je lui pose des questions pertinentes.

TUBAR : Sur chaque urne j'ai inscrit la lettre correspondant à l'initiale de vos prénoms, histoire de voir sa réaction.

PAUL : Ça doit lui faire une belle jambe !

TUBAR : Je poursuis. J'ai mis des liqueurs de fruits dont l'initiale est la même que l'initiale de vos prénoms.

PAUL : Vous ne seriez pas un fêlé du vocabulaire de bar ?

TUBAR : J'ai mis de la liqueur de mirabelle dans l'urne M de Metadon, de la liqueur de pêche dans l'urne P de Pierre, de la liqueur de Jujubes dans l'urne J de Jeanne. S'il connaissait vos prénoms, allait-il faire le rapprochement ?

Difficile à savoir. Il fallait creuser un peu plus le problème.

PAUL : Le problème est dans votre tête, le Professeur Harro ne risque pas d'aller y surprendre autre chose qu'un peu de vase psychotique.

TUBAR : Qui dit urnes dit cendres. Aussi à l'intérieur de chaque urne, bien au-dessus de la liqueur, j'ai suspendu un petit sachet contenant des cendres.

JEANNE : Des cendres de qui ? De Troudelassec ?

TUBAR : Des cendres de cigarettes.

PAUL : Ce n'est pas avec ce simulacre de ruse que vous renaîtrez des vôtres.

TUBAR : Ça pouvait lui mettre la puce à l'oreille et c'est ce qui s'est passé. Après avoir bu un peu et même beaucoup de chaque liqueur, il a voulu fourrer son nez à l'intérieur des urnes et il a découvert ces cendres.

PAUL : Si le tabagisme ne fait pas partie de son passe-temps favori, il n'a pas dû vous porter aux nues.

TUBAR : Il a eu des haut-le-cœur et j'ai dû le soutenir. Puis il m'a demandé des explications.

PIERRE : Je ne comprends pas à quoi rime cette mise en scène. Expliquez-vous.

TUBAR : Je lui ai dit que les cendres froides des cigarettes parfumaient l'intérieur des urnes et donnaient une saveur fumée aux liqueurs de fruits.

PAUL : Et il vous a cru ? Bien sûr que non !

Je crois que vous avez fumé plus de drogues que vous n'auriez dû et vous vous êtes ridiculisé.

TUBAR : Que croyez-vous qu'il fît de ces cendres ?

PAUL : Il en a fait un départ de feu pour vous consumer sur place.

JEANNE : Moi à sa place, je vous aurais dénoncé aux services d'hygiène pour insalubrité avérée dans un lieu public…

TUBAR : Eh bien, j'avais mis dix grammes de cendres dans chaque sachet. Le lendemain il n'en restait plus que cinq.

MONSIEUR PRAZOC : Vous aviez de quoi peser les cendres ?

TUBAR : J'ai le don de mesurer les différents paramètres de la vie courante à vue d'œil.

MONSIEUR PRAZOC : Vous auriez dû m'en parler, je vous aurais prêté mon trébuchet.

TUBAR : C'est le pharmacien qui parle, mais le magicien que je suis n'avait pas besoin de vos services, merci quand même.

PIERRE : Et vous en concluez quoi ?

TUBAR : Le détective le moins doué aurait supputé que le Professeur était au courant du départ des cendres vers l'Amérique et qu'il avait là dans ce bar une preuve supplémentaire de votre implication meurtrière dans cette histoire. Il a donc fait un envoi complémentaire avec des prélèvements de cendres. Et moi j'avais la preuve qu'il appartient bien au KGB.

PAUL : C'est tordu comme raisonnement. Ou alors c'est votre esprit de magicien qui a aussi un don de divination.

MONSIEUR PRAZOC : Oui, mon Tubar est aussi un visionnaire extralucide.

TUBAR : Si c'était le cas, je n'aurais pas eu besoin de me donner un mal de chien pour le débusquer.

JEANNE : Et alors que faut-il faire sinon accepter de voir débarquer un jour ou l'autre l'armada du KGB qui s'en prendra à nos abatis tout tremblants ?

PAUL : Pierre, c'est Monsieur Prazoc qu'ils veulent capturer, il n'a qu'à se livrer au KGB. Toi et Jeanne vous n'avez rien à craindre.

MONSIEUR PRAZOC : J'ai toujours su que vous ne m'aimiez pas !

TUBAR : Il n'est pas question que quiconque se dénonce. La solidarité révolutionnaire, à laquelle Paul est tout à fait étranger, ne doit pas être un vain mot. Pour ne prendre aucun risque malgré la protection assurée des RG, il faut que vous déménagiez tous les trois, que vous changiez de nom et de prénom et en outre pour Métadon qu'il vende sa pharmacie.

MONSIEUR PRAZOC : Ah ça non, jamais !

PAUL : Vends ta pharmacie ou je te dénonce !

On entend des coups redoublés à la porte, puis le tintement d'une sonnette.

PIERRE : Ouvrons vite, c'est le groupe qui arrive pour la réunion. On pourra leur demander leur avis.

Scène V
Jacques, Pierre

Pierre est debout dans le salon, en tenue négligée, il a un tee-shirt noir, un pantalon noir serré par une ceinture à clous, des cheveux dressés en pointe d'une belle couleur bleu foncé. Il va ouvrir la porte en réponse à la sonnette.

JACQUES : Bonjour Pierre… Tu m'étonneras toujours !

PIERRE : Ne m'appelle plus jamais Pierre.

JACQUES : Tu n'arrêtes plus de te déguiser. Avant-hier, déjà… en beatnik. Plus beatnik que toi, je meurs ! Ton air battu et béat, pauvre et joyeux comme un nègre et ta veste ouverte sur ton torse poilu ont fait beaucoup d'effet sur Vanessa !

PIERRE : Je voulais choisir un prénom parmi ceux des écrivains de la Beat Generation : Jack Kerouac, Allen Ginsberg et William Burroughs. Je n'ai pas eu le cœur d'en choisir un plutôt qu'un autre.

JACQUES : C'est pour cette raison que tu as délaissé hier les années 50 - 60 pour les années 60-70, où prospérèrent les hippies, en t'affublant d'une chemise florale et d'un chapeau de velours ? Pour trouver un prénom cool pioché chez Frank Zappa, Bob Dylan ou Jimi Hendrix, je suppose ? Moi je t'ai conseillé le prénom composé Jimmy-Frank.

PIERRE : Il n'est pas facile de quitter un prénom qu'on a fréquenté depuis l'enfance, depuis qu'une voix maternelle s'est donné pour tâche affectueuse de le prononcer.

JACQUES : Ou paternelle !

PIERRE : Pas souvent !

JACQUES : En tout cas aujourd'hui ce sera le bon jour. Tu ressembles trop à un punk authentique pour ne pas t'identifier à un ersatz de punk.

Mais tu aurais pu te dispenser de te percer la joue avec une épingle. Ça commence à pisser le sang.

Choisis-tu un prénom chez Joe Strummer, Sid Vicious ou Iggy Pop ?

PIERRE : Ce sera une journée sans, j'en ai bien peur.

JACQUES : Pierre, que caches-tu derrière ton dos, montre tes mains !

PIERRE : Je n'ai rien à cacher. C'est juste une seringue pour faire couleur locale.

JACQUES (*inquiet*) : Tu te piques à l'héroïne ?

PIERRE : N'ayant pas le culte des héros mais l'amour des esclaves, je me shoote à l'esclavagine. No future !

JACQUES : Ce n'est pas innocent que tu aies choisi des mouvements de contre-culture qui remettaient en cause la société de consommation, les mœurs sclérosées des anciennes générations, la famille, la guerre, l'État et pour finir le capitalisme. Je suis bien dans ton discours, non ?

PIERRE : Tu es en plein dedans.

JACQUES : Mais ils se droguaient pour échapper à tous ces démons qui les terrorisaient et ils y ont laissé beaucoup de plumes.

PIERRE : Les jeunes ont toujours voulu foutre un coup de pied dans le cul de leurs aînés mais avec plus ou moins de conviction. Les mouvements contestataires de ces périodes ont été particulièrement riches en créativité. L'anarchie jetait son ombre étincelante dans la bataille. Avant-hier j'étais un poète de la route et des grands espaces, hier un poète de l'amour et de la musique, aujourd'hui un poète de la violence. Je devrais m'appeler beahipunk !

JACQUES : J'ai une idée de prénoms : Spartacus ou Anacharsis.

PIERRE : Je ne mérite pas de porter ces noms illustres. Anacharsis, ce philosophe et homme politique scythe qui a défini l'Agora grec comme « un lieu où l'on se trompe mutuellement et où l'on s'enrichit par le vol. »

Spartacus, l'archétype du meneur d'esclaves qui se révoltent contre leurs maîtres.

JACQUES : Choisis alors Karl ou Friedrich ou Mikhaïl ou Vladimir ou Léon ou Mao ou Joseph !

PIERRE : Tu tiens tant à me trouver un prénom dans l'heure que tu en perds le sens des réalités. Concernant les trois premiers, je dirais que je n'ai pas mérité cet excès d'honneur ni cette indignité pour les quatre suivants.

JACQUES : Je vois que tu connais tes classiques. C'est un vers de Racine, je crois. On est en pleine tragédie. Dans quelle tragédie déjà ?

PIERRE : Toi qui es avocat, tu devrais le savoir. Dans Britannicus. June qui s'oppose à Néron.

JACQUES : Néron, Néron, Néron… Non, je ne peux pas te proposer ce prénom. Britannicus, peut-être, ça aurait du souffle, pour ne pas dire de la gueule. Ils ont les chapeaux ronds, vivent les Bretons !

Ça tourne à la farce !

PIERRE : Tu délires comme un enfant qui veut à tout prix donner un nom à son ours en peluche.

JACQUES : Pour rester dans l'histoire de l'antiquité romaine et de ses luttes de pouvoir, je te propose à toutes fins utiles : Romulus ou Remus les jumeaux légendaires, fondateurs de Rome ou Brutus le traître assassin de Jules Cesar, ou Crassus… oui pourquoi pas Crassus, le consul vainqueur de Spartacus. Riche à millions comme toi. Pourquoi ne pas choisir ce prénom composé Spartacus-Crassus. Ça montrerait l'ambiguïté de ton personnage. Je plaisante, bien sûr.

PIERRE : Les plaisanteries les plus longues n'étant jamais les meilleures, je te conseille de ramasser les déjections de ton esprit facétieux.

JACQUES : Ou Crésus. Très riche lui aussi !

PIERRE : Je crois qu'on va se quitter mauvais ami.

JACQUES : Comment ça ? Qu'entends-tu par-là ?

PIERRE : Je crois que tu m'entends pour la dernière fois !

JACQUES : Voyons, Pierre, qu'est-ce que qui te prend ? Es-tu susceptible au point de m'envoyer promener ? Pierre, t'ai-je bien entendu ou est-ce l'effet d'une mauvaise compréhension de ma part ?

PIERRE : La prochaine fois que tu m'appelleras Pierre, tu ne comprendras même pas ce qui t'arrive.

JACQUES : Comment doit-on te nommer si tu n'as pas la volonté de choisir un identifiant propre à t'inclure dans les relations sociales ? Qui plus est, tu dois aussi modifier ton nom.

PIERRE : Je n'ai besoin de personne pour me prendre en charge. Tu peux disposer, je ne te raccompagne pas.

JACQUES : Mais… Je ne te reconnais pas, ce n'est pas toi cet être méprisant qui me rabroue vertement comme si j'étais un valet malhonnête qu'on renvoie sans lui payer ses gages.

PIERRE : Crois-tu vraiment me connaître ? Allez, bon vent, ôte-toi de mon soleil !

Jacques s'avance vers la porte, complètement abasourdi, la mine défaite, la démarche hésitante.

JACQUES : Si je m'attendais à celle-là, si je m'attendais à celle-là !

Il ouvre la porte et la referme derrière lui. À peine est-il sorti que la porte tourne sur ses gonds laissant la voix de Pierre s'échapper joyeusement :

PIERRE : Jacques, tu as oublié quelque chose !

JACQUES (*il se retourne, interloqué*) : Oublié quelque chose ? Oui sans doute. Un bon coup de poing dans ta figure par exemple !

PIERRE : Tu n'as pas plus que moi le sens de l'humour !

JACQUES : Tu aurais dû comprendre que mes allusions ironiques c'était de l'humour. Ce que tu m'as dit ne ressemble ni de près ni de loin à une quelconque moquerie. C'est carrément une déclaration de guerre avec pour conséquence prévisible un état de belligérance permanent.

En langage juridique ça s'appelle une fin de non-recevoir avec mise en demeure et son lot de procès à la chaîne.

PIERRE : Je reconnais bien là le langage procédurier de l'avocat. Je te propose un non-lieu ou mieux encore un acquittement réciproque.

JACQUES : Acquittement réciproque, tu en as de bien bonnes ! Je ne me sens coupable de rien. Je veux bien prononcer ton acquittement parce que je suis un avocat honnête et un ami de longue date mais ne me demande pas de me fustiger. C'est à toi de battre ta coulpe et de faire amende honorable.

PIERRE : Pour te faire plaisir je vais me frapper la poitrine en criant mea culpa, mea culpa, mea culpa, mais je t'en prie cesse de battre le pavé sur mon palier, tu me donnes le tournis. Entre donc et fais comme chez toi.

JACQUES : Tu me dis d'entrer (*il entre*) : après m'avoir dit de sortir. Avec toi on ne sait jamais si c'est du lard ou du cochon.
Tu ne sais même pas profiter des qualifications de tes amis.

PIERRE : Qualifications, qualifications… Veux-tu devenir calife à la place du calife ?

JACQUES : Enfin ! Je retrouve ton esprit d'à-propos pourvoyeur de bons mots. Mais n'oublie pas que je suis avocat et qu'en tant qu'homme de loi je peux t'aider dans les démarches administratives ?

PIERRE : En tant que rentier je ne me sens pas en état d'entrer en contact avec l'administration.

JACQUES : Je peux t'aider à remplir les formulaires de demande de changements de nom et de prénom à qui de droit.

PIERRE : Ta serviabilité est légendaire non moins que ton esprit servile mais n'ayant pas encore choisi par quoi tout un chacun devra me désigner je me vois dans l'obligation de différer mon appel à l'aide. Laisse-moi le temps de la réflexion.

JACQUES : Il faut vraiment avoir envie de t'aider. Ton esprit révolutionnaire adore blesser le plus naturellement du monde quiconque ne partage pas tes opinions. Ton sentiment de supériorité est légendaire non moins que ton esprit superflu. J'ai l'impression de parler à ton alter ego Paul qui n'a pas plus d'égards que toi pour les pauvres créatures que nous sommes. Je plains Jeanne !

PIERRE : Jeanne ? Elle va bien, merci. J'espère être digne de son amour. Sans vouloir me jeter des fleurs ce qui aggraverait mon cas, je suis malgré tous mes défauts une copie adoucie de Paul qui a le mérite d'être mon alter inégal. D'ailleurs, il doit venir nous rejoindre en joyeuse compagnie.

JACQUES : Est-ce que Jeanne a choisi un nouveau prénom ?

PIERRE : Ah tu t'intéresses à Jeanne hein, comme Paul peut-être ? Ou plus que Paul ? Quel succès elle a cette Jeanne auprès de… J'ai dit cette Jeanne ? Eh bien oui, cette Jeanne. Car elle ne veut pas changer son nom de non-baptême.

JACQUES : Ce n'est pas prudent. J'espère que ton frère a plus de jugeote et qu'il a compris les réactions de méfiance de Tubar.

PIERRE : Mon Prazoc de frère ? Tu veux rire ! Il s'est barricadé dans sa pharmacie et a juré que si on venait lui prendre son officine il faudrait lui marcher sur le corps et le traîner par les pieds.

Scène VI
Pierre, Jeanne, Vanessa, Paul, François, Jacques

On tambourine à la porte sur un rythme pseudo africain, des rires et des gloussements fusent de part et d'autre de porteurs de gaieté. Pierre va ouvrir. Tout le monde entre et entoure Pierre qui se voit observé. En particulier par François.

PIERRE : Personne n'a les clefs ici ? Je vois Jeanne derrière toi, Vanessa. Les clefs sont fabriquées pour ouvrir les portes, Jeanne. Aurais-tu oublié leur usage ?

JEANNE : Tu sais ce qu'elle te dit, Jeanne ? Elle te répond qu'elle aspire à une société où les clefs dans les serrures seront aussi inutiles que les balles dans les fusils.

PIERRE : Pourquoi veux-tu garder les serrures et les fusils ? Pour faire joli ?

VANESSA : C'est le punk qui parle ! Oh ce qu'il est chou ! Et cette épingle à nourrice est du plus bel effet, isn't it ? Oh my god, what a naughty blood !

PAUL (*qui coince Vanessa contre Pierre*) : Rien ne t'interdit de causer français. Pierre, ton sang séché ne fait même pas illusion. C'est quoi, une menstrue de coccinelle ?

JEANNE : Quelle vulgarité ! Tu ne changeras jamais.

PIERRE : L'épingle est collée par de la gomme arabique imprégnée de rouge cochenille.

FRANÇOIS (*il met ses yeux dans les cheveux de Pierre*) : Ta punkitude est sournoise et poisseuse. Je ne te félicite pas. Tu aurais dû te grimer en zazou ou en apache.

PIERRE : Et pourquoi pas. J'apprécie les uns comme les autres.

FRANÇOIS : Je t'imagine bien, Pierre avec une veste à carreaux, un parapluie au bras, te dandinant en écoutant un air de jazz. Quel zazou tu ferais !

JACQUES : Vu ses moyens financiers, la tenue anglo-saxonophile chic lui irait comme un gant.

PIERRE : Je ne pourrais que me targuer d'adopter un mode de vie de contre-culture provocatrice qui en son temps a fait la nique à la jeunesse pétainiste.

PAUL : Si on parlait du but de la réunion de ce soir ?

PIERRE : Il n'empêche, faire l'apache me donnerait un air criminel, rôdeur du Belleville des années 1900, délinquant sans pitié et contestataire de l'ordre social.

VANESSA : Tu serais beau avec des rouflaquettes, un pantalon mince des g'noux et larges des pattes comme disait Aristide Bruant. Je serai ton Casque d'Or ? Ça me donne envie de chanter.

JACQUES : Vous encensez un peu trop facilement les voyous, quels que soient leurs noms. Pour vous les blousons noirs, les hooligans, les provos sont des délinquants, des révoltés, des révolutionnaires ?

PIERRE : Ils ont chacun dans leurs gènes une propension à la violence. Les provos hollandais sont-ils anarchistes ? Sans doute. Les blousons noirs sont-ils des voyous rockers ? Sans doute. Les hooligans sont-ils des asociaux délinquants et rebelles à l'ordre établi en Russie ? Sans doute. Ou bien des adeptes du démontage de supporteurs de football adverses, eux-mêmes hooligans en Grande-Bretagne ou ailleurs ? Sans doute. Sont-ils une conséquence désastreuse du capitalisme ou une réaction salutaire contre son ordre totalitaire ?

Je suis mal placé pour distribuer des bons ou de mauvais points, étant moi-même un produit réactionnel et réactionnaire de son fonctionnement.

VANESSA et JEANNE (*en chœur*) : Tant pis pour vous messieurs de la raclette

Tant pis pour vous, messieurs les collégiens
Faut pas chercher les garçons d'la Villette
Car leurs couteaux sont pas faits pour les chiens
Ohé ! Les apaches
À nous les eustaches
Les lingues à viroles
Les longes d'assassin
Pour le bidon des roussins
Et pour le ventre des cass'roles.

PAUL : Faites-les taire ou je ne réponds plus de rien. Pierre, toi qui est le maître de céans…

FRANÇOIS : Pierre, fais taire Paul. Pour une fois qu'on rigole bien.

PIERRE : Moi, j'ai un petit faible pour les Diggers de San Francisco et les Christianites de Copenhague.

Les diggers, collectif contre-culturel et anarchiste de la fin des années 60 se sont formés en distribuant de la nourriture aux divers marginaux pendant la période du « Flower Power. »

Quant à la commune autogérée de Christiania, elle a été fondée par un groupe de squatters, de chômeurs et de hippies. Elle s'est autoproclamée ville libre de Christiania et fonctionne comme une communauté intentionnelle dans le quartier de Christiania à Copenhague.

FRANÇOIS : Ce sont des repaires de drogués et de vauriens.

PIERRE : Tu es injuste. À Christiania j'admets que la marijuana a pignon sur rue mais les drogues dures y sont interdites.

FRANÇOIS (*Jeanne et Vanessa se sont mises derrière lui et lui font des grimaces*) : (*À Pierre*) Je demande à voir ! (*À Jeanne et Vanessa*) Qu'est-ce qu'elles ont ces deux-là ?

PIERRE : Quant aux Diggers c'étaient plus des artistes adeptes de la commedia dell'arte que des droguistes dingues d'overdoses.

FRANÇOIS (*sur lequel pleuvent les grimaces*) : (*À Pierre*) Je demande à voir. (*À Jeanne et Vanessa*) Je n'ai pas pour habitude de violenter le sexe faible mais si vous continuez…

JEANNE : Le sexe faible hou… hou…

VANESSA : Hou… le vilain garçon phallocrate !

FRANÇOIS : Chantez-moi plutôt quelque chose au lieu de faire les mijaurées. (*À Pierre*) Je demande à voir !

JEANNE : C'est tout vu !

FRANÇOIS : Ce n'est pas à toi que je parle.

PIERRE : La police ne se prive pas de les avoir à l'œil. (*À François*) Ta collaboration n'est pas la bienvenue.

PAUL : Est-ce qu'on peut en venir au sujet de notre réunion ?

JACQUES : Pour une fois j'approuve mon camarade.

PAUL : Je ne suis pas ton camarade.

FRANÇOIS : À bas les Diggers !

VANESSA : Il y a Diggers et Diggers. Ceux de Californie en prenant ce nom ont voulu rendre hommage aux Diggers anglais du XVIIe siècle. (*Elle se met à chanter*) :
You noble diggers all stand up now, stand up now
You noble diggers all stand up now …and so on…
Vous nobles creuseurs, levez-vous tous maintenant, levez-vous maintenant
Vous nobles creuseurs, levez-vous tous maintenant, levez-vous maintenant… etc.. Vous ne connaissez pas les Bêcheux, les Piocheurs ou vrais Nivelleurs ? Eh bien ce sont les Diggers, paysans précurseurs des idées anarchistes qui ont fait parler d'eux en se révoltant contre les propriétaires terriens de l'époque.

PAUL : Qui ne les connaît pas ? Certainement pas nous, hein, Pierre ?

FRANÇOIS : Moi, je ne les connais pas et j'en suis fier.

PIERRE : Un certain Gerrard Winstanley est l'initiateur du mouvement. Des journaliers se rassemblèrent sur la colline de Saint-Georges, le 1er avril 1649, pour signifier que « c'est indéniablement affaire de justice que le peuple travailleur puisse bêcher, labourer et habiter sur les communes sans avoir à louer ou à payer une redevance à quiconque. »
Chassés par les propriétaires locaux les Diggers s'établirent à Cobham, mais la colonie sera détruite pendant l'été 1650.

FRANÇOIS : Un 1er avril, quel blague !

PAUL : Winstanley publiera une série de pamphlets, au nom des « méprisés de la terre ». The Law of Freedom en 1652. Il y développe l'idée que « lorsque l'humanité commença à acheter et à vendre, elle perdit son innocence ; et les hommes commencèrent alors à s'opprimer les uns les autres ». Ce n'est pas beau ça ? Même François pourrait le reconnaître.

FRANÇOIS : Si je devais reconnaître l'expropriation des propriétaires qui ont acheté légalement leurs terres, je ne serais qu'un apostat reniant la Déclaration des droits de l'homme et du citoyen. Je commence à mourir de soif.

JACQUES : Je confirme la validité de l'affirmation de François. Dès l'article 2, il est question du droit à la propriété.

PIERRE : Quoi d'étonnant ? La Révolution française n'aboutit à rien d'autre qu'à la prise de pouvoir de la bourgeoisie.

PAUL : Jacques me dira si je me trompe mais je crois que dans ce fameux article 2 il est question du droit à la résistance à l'oppression. Ce droit est-il autorisé en pratique ? Les opprimés ont-ils le droit de se révolter contre leurs oppresseurs ? Certainement pas. On est loin du compte.

FRANÇOIS : Bien sûr puisqu'on est près du bourgeois.

VANESSA : C'est malin !

JEANNE : C'est puéril !

FRANÇOIS : Je ne vous le fais pas dire. Vous avez trouvé les mots justes. Ah je me sens bien quand je déploie mon esprit bon enfant.

JEANNE : Tu es pathétique !

FRANÇOIS : Que veut le peuple pour se sentir heureux ? Du pain, donc du travail, des jeux donc des loisirs, de bons vins, de la bonne chère et de belles femmes donc du plaisir ! N'a-t-il pas tout ça à sa disposition s'il veut s'en donner la peine ? Ma langue va s'assécher si elle continue à tourner dans le vide.

JEANNE : Elle va surtout t'être arrachée si tu persistes à jouer les provocateurs !

PIERRE : Et que récolte une partie non négligeable de la population ? Un boulot de merde et du chômage chronique, des jeux télévisés d'une rare stupidité, de l'alcoolisme chronique et l'usage non moins chronique des drogues, de la malbouffe, de la misère sexuelle, et de la pornographie. Glorieux tableaux de la vie en société.

VANESSA (*elle entonne d'une voix forte*) : So we, boys, we
Will die fighting, or live free,
And down with all kings by King Ludd !
Devinez qui a écrit cette chanson !

FRANÇOIS : Tu appelles ça chanter ? Et en anglais en plus.

VANESSA : Je suis professeur de littérature anglo-saxonne, l'aurais-tu oublié ? Alors qui ? Ne parlez pas tous à la fois !

PIERRE : Lord George Byron évidemment. Magnifique chanson !

VANESSA : Pierre, toi seul es le grand homme de ma vie, no future mon futur comme on dit chez les punks.

JEANNE : Ne te gêne pas surtout.

VANESSA : Qui a lu le discours prononcé par Lord Byron en 1812 devant la chambre des Lords contre le bill punissant de la peine de mort le bris de machines par les luddites qui défendaient leur droit de vivre ?

FRANÇOIS : Les luddites maintenant, on croit rêver, qui l'eut dit qu'une femme raisonnable comme toi prenne fait et cause pour une bande de casseurs de leurs outils de travail ?

VANESSA : Tu en as donc entendu parler, tu n'es pas aussi inculte que pourrait nous faire croire ta carrière professionnelle mais tu es aussi cruel que le gouvernement anglais qui n'a pas fait de quartier.

JEANNE : Bien parlé ! Neither God nor Master ! D'ailleurs François n'est ni un dieu ni un chef mais un modèle réduit d'humain.

FRANÇOIS (*il s'avance vers Pierre derrière lequel se sont réfugiées les deux femmes*) : Pierre, pousse-toi, je vais les réduire toutes les deux en miettes, retiens-moi ou je fais un malheur.

PAUL : On se calme et on en vient à des relations plus civilisées. La violence n'a jamais rien résolu.

FRANÇOIS : C'est toi qui oses dire ça, toi qui veux tout foutre en l'air.

JACQUES : J'aimerais savoir qui étaient ces luddites. (*En chuchotant à Jeanne.*) Jeanne je vous aime.

JEANNE (à *haute voix*) : Quoi Jacques ?

JACQUES (*s'étranglant à moitié*) : Qui sont ces luddites ?

PIERRE : Les luddites sont des ouvriers du textile anglais de la laine et du coton menés par le légendaire Ned Ludd. Pendant plusieurs années au début du XIXe siècle ils se sont organisés pour détruire des machines, accusées de provoquer le chômage. Un violent conflit social a opposé ces artisans tondeurs et tricoteurs sur métiers à bras aux employeurs et aux manufacturiers qui favorisaient l'emploi de métiers à tisser.

JACQUES : Le légendaire Ned Ludd ! Qu'entends-tu par légendaire ? Est-ce un personnage tellement fameux qu'il entre dans la légende ou n'est-il qu'une vue de l'esprit ?

VANESSA : Ta question est pertinente. To be or not to be ! C'est un personnage vraisemblablement mythique dont se servaient comme symbole ces tisserands en lutte.

PIERRE : La répression quant à elle n'a pas été symbolique mais bien réelle. Une centaine de luddites furent pendus ou déportés. Les troupes envoyées pour les combattre étaient plus nombreuses que les troupes disponibles pour Wellington dans la guerre contre Napoléon. Le capitalisme ne fait pas dans la dentelle.

JEANNE : Alors Jacques, même pas fichu de connaître Ned Ludd !

PIERRE : Laisse donc Jacques tranquille. Rien ne l'oblige à connaître les lois anglaises comme il connaît les Françaises.

PAUL : Si on en venait au but de notre réunion d'aujourd'hui, ça serait trop vous demander que de vous concentrer sur ce que j'ai à vous dire ?

JEANNE : Monsieur le conférencier attendra. Jacques vous connaissez au moins les canuts de Lyon ?

JACQUES : Qui ne connaît pas ces ouvriers de la soie dans la commune de la Croix-Rousse ?

PIERRE : Deux révoltes des canuts réprimées dans les années 1830 par la monarchie de juillet de Louis-Philippe. Des combats ont lieu entre la troupe, la garde nationale et les canuts qui se rendent maîtres de Lyon dans un premier temps. Si la première révolte voit une reprise en main sans effusion de sang car elle a contre elle le fils de Louis Philippe plus enclin à la clémence, la deuxième révolte qui se terminera au bout d'une semaine sanglante fera plus de victimes car Adolphe Thiers est à la manœuvre. Déjà !

Les causes de ces révoltes sont la misère ouvrière, les dures conditions de travail, 14 à 16 heures par jour, les bas salaires, un statut précaire soumis aux lois du marché, un espoir de reconnaissance déçu après la révolution de 1830 avec une interdiction de s'organiser….

PAUL : Es-tu le seul à avoir le droit de parler ?

PIERRE : Bien sûr que non.

JEANNE : Paul, chacun son tour. Moi aussi je veux chanter.

FRANÇOIS : Chante ma mie, je chanterai aussi pour tes beaux yeux.

JEANNE : Je ne suis la mie de personne car j'ai gagné mon pain à la sueur de mon front.

C'est nous les canuts
Nous sommes tout nus

Mais notre règne arrivera
Quand votre règne finira :
Mais notre règne arrivera
Quand votre règne finira :
Nous tisserons le linceul du vieux monde,
Car on entend déjà la révolte qui gronde

C'est nous les canuts
Nous n'irons plus nus.
Écrit par Aristide Briand.
La parole est à…

PAUL : Moi ! De quoi sommes-nous censés nous entretenir ? Nous parlons de politique et d'histoire et nous ne pourrions pas nous intéresser à la littérature dont j'ai été un grand prêtre pendant des années dans ma librairie ?

FRANÇOIS : Vas-y, tire ta culture de ta cervelle mais je ne t'écouterais que si la mienne se nourrit d'un apéritif que personne ne semble disposé à m'offrir dans cette maison.

JEANNE : Je t'apporte tout de suite un breuvage.

FRANÇOIS : Et que ça saute ma sauterelle !

JEANNE : Plutôt ta mante religieuse !

FRANÇOIS : Ou mon amante laïque !

JACQUES : François, tu es imperméable aux sentiments.

PAUL : Je vous propose de créer un club littéraire comme il en a tant existé par le passé et de nous réunir, disons une fois par semaine, disons chez Pierre pour commencer.

JEANNE (*elle apporte un borshepor à François qui s'empresse de l'engloutir*) : Si tu avales cette boisson cul sec, tu ne peux pas apprécier les goûts successifs qui te font apprécier le goût final.
Et ne m'en redemande pas une autre avant, disons, une bonne heure.

PIERRE : Paul, c'est une très bonne idée. Je serai un auditeur attentif.

PAUL : Bien, je commence.

Qu'est-ce que la littérature ?

Que raconte-t-elle ? Elle raconte avec plus ou moins de talent selon les auteurs, parfois avec du génie, l'histoire des malheurs de l'humanité. N'est-elle pas le reflet de la vie des hommes dans les sociétés qu'ils construisent ? De grands écrivains comme Shakespeare, Kafka, Dostoïevski, Balzac Tolstoï, Steinbeck, je ne peux pas tous les énumérer, n'appuient-ils pas là où ça fait mal ? Ne racontent-ils pas dans une peinture aussi crue que la chair humaine, et aussi subtile que son âme, la misère, les souffrances, le désespoir, la déchéance des plus humbles et le luxe, la frivolité, la fourberie, l'arrogance des nantis ? Ne racontent-ils pas par le sang de leurs plumes la cruauté des guerres que des gouvernants enivrés par leur désir inextinguible de pouvoir ne manquent pas de perpétuer pour leur plus grand profit ?

FRANÇOIS : Jeanne, un autre verre de Borshepor, je t'en prie !

JEANNE : Non !

FRANÇOIS : Mon petit lapin !

JEANNE : Non !

JACQUES : Quand une femme dit non, c'est non !

PAUL : Ça suffit. Si la littérature vous passe au-dessus de la tête, pendez-vous à votre ignorance, vous retomberez très vite.

Jacques, quand une femme dit non, c'est oui.

JACQUES : Violeur !

PAUL : J'ai apporté des livres, j'aimerai vous les montrer. Assoyons-nous. (*Paul, Vanessa, François vont s'asseoir à la table du salon*) : Qu'attends-tu Jacques pour nous rejoindre ?

JACQUES (*il s'approche de Jeanne en s'éloignant le plus possible de Pierre encore debout*) : Jeanne, je vous aime.

JEANNE (*gênée*) : Voyons Jacques, vous ne comprenez pas ce que vous dites.

JACQUES : Je vous ai aimée dès l'instant où je vous ai vue. Et depuis, mon amour pour vous ne fait que grandir.

PIERRE : Jacques, Jeanne, qu'attendez-vous pour vous asseoir ?

JACQUES : J'y vais.

PIERRE : Jeanne, que confiait Jacques à tes oreilles ?

JEANNE : Rien !

PIERRE : Mais non, pas rien. Il n'arrêtait pas de te sucer l'oreille gauche de sa bouche en chou-fleur.

PAUL : Si vous ne venez pas, on commence sans vous. Jacques, dis-leur de venir au lieu de loucher sur la gorge anglophile de Vanessa.

JACQUES : Vanessa, je te jure…

VANESSA : Ne jure pas, ça me fait rougir.

PIERRE : Bon, Jeanne, tu ne veux rien me dire ?

JEANNE (*d'une voix claironnante*) : Il m'a dit qu'il m'aimait !

PIERRE : Ah bon, ce n'est que ça, tu m'as fait peur !

JEANNE (*offusquée*) : C'est tout ce que ça te fait ?
Tu n'es pas un peu jaloux ?

PIERRE : Pourquoi le serais-je ? Jacques est incapable d'une mauvaise action. N'est-ce pas Jacques ?

JEANNE (*encore plus offusquée*) : Tomber amoureux de moi c'est commettre une mauvaise action ? Vous entendez, Jacques, vous êtes un méchant garçon.

PIERRE : Je suis flatté de l'élan amoureux que tu provoques chez tous les hommes qui te rencontrent. Mais Jacques, voyons, Jacques, il est incapable de joindre le geste à la parole et c'est ça qui compte.

JACQUES : De sinistres individus ne se contentent pas de joindre le geste à la parole. Ils ne préviennent même pas. Ils joignent le geste à la pensée. On les appelle des violeurs.

Il m'est arrivé d'en défendre aux assises. Ce n'est jamais de gaieté de cœur.

Je sais, Pierre, que tu n'en fais pas partie.

PIERRE : Les maîtres violeurs, les compagnons violeurs, les apprentis violeurs, taisez-vous, j'en ai par-dessus la tête de vos romans à l'eau de rose. Écoutez-moi aujourd'hui ou je me tais à jamais.

JEANNE : Jacques est un homme charmant et si je n'étais pas tombée amoureuse de ce suborneur de jeunes filles (*elle désigne Pierre*), je crois que je me serais laissé prendre dans ses filets.

FRANÇOIS : Plus dure sera la chute.

PIERRE : *Il va prendre une chaise, s'assoit en repliant ses jambes sur lesquelles il pose en douceur le derrière de Jeanne qui n'y voit pas malice.*

Je t'écoute Paul !

VANESSA (*à Jacques*) : Si jamais tu redéfends un violeur, je te dénonce au barreau. Je t'écoute Paul !

FRANÇOIS : Le premier qui ne me laisse pas écouter Paul je lui envoie à la figure mon verre vide de Borshepor. Je t'écoute Paul !

JACQUES : Si c'est un cri de ralliement, je t'écoute Paul !

JEANNE : Eh bien moi cela fait un moment que je ne t'écoute plus. Je t'écoute Paul !

PAUL : Si je m'écoutais, j'enverrais tout balader ! (*Il fait mine de jeter les livres posés sur la table.*)

VANESSA, JEANNE, FRANÇOIS, JACQUES, PIERRE : Non !

PAUL : Enfin ! Le premier livre que je vais vous faire découvrir, peut-être l'avez-vous déjà lu, s'intitule « Le Vagabond des Étoiles ». Non, tant mieux.

Il a été écrit par Jacques London, non ce n'est pas toi Jacques. (*Il lève le livre à hauteur de ses yeux.*) C'est un roman qui dénonce la brutalité de l'univers carcéral dans les prisons américaines. London a lui-même été enfermé pour vagabondage dans un pénitencier de l'État de New York. Il sait donc de quoi il parle. Le héros attend son exécution dans un cachot où depuis plusieurs années il subit le supplice de la camisole de force. Il pratique l'auto-hypnose, et peut ainsi s'évader par la pensée. C'est aussi un roman fantastique car il se retrouve successivement dans la peau de plusieurs personnages à travers les époques et les lieux. Peut-on vivre libre quand prisonnier dans la réalité on décide de l'être par la pensée ? Est-ce un moyen d'échapper à l'horreur de sa condition ?

JEANNE : Ne nous raconte pas tout, j'ai une folle envie de lire ce livre.

PIERRE : Metadon me l'avait donné à lire mais le temps m'a manqué.

PAUL : La preuve qu'un livre a le pouvoir de déplacer des montagnes, l'usage de la camisole de force a été supprimée pour les détenus de droit commun aux États-Unis. Le roman a été à l'origine d'une réforme des prisons en Californie. On le considère comme son testament d'auteur socialiste.

VANESSA : Enfermé dans une camisole de force, j'en ai des sueurs froides. Continue Paul, tu nous fais rêver.

PAUL : Le second livre, je l'ai aussi à votre disposition, s'appelle « Jungle » écrit par Upton Sinclair, un ami socialiste de Jacques London qui a qualifié ce roman de « Case de l'Oncle Tom de l'esclavage salarié » Le roman dénonce l'exploitation des immigrés des pays de l'Europe de l'Est, la misère et le désespoir de la classe ouvrière livrée à la puissance cynique des capitalistes. Ayant mené une enquête sur le terrain il expose les conditions d'hygiène déplorable dans l'industrie de la viande au niveau des abattoirs. Ce roman conduira à l'adoption d'une loi, la Loi sur l'inspection des viandes, la réglementation de la production alimentaire et médicamenteuse et une réglementation du droit du Travail. Malheureusement il n'a pas été bien compris des lecteurs qui ont retenu la mauvaise hygiène des abattoirs et non pas la misère des travailleurs. Il a déclaré à ce propos : « J'ai visé le cœur du public et par accident je l'ai touché à l'estomac ».
C'est mieux que rien.

VANESSA : Heureusement que les écrivains existent.

JEANNE : Mais dans les cas présentés, ce sont des écrivains socialistes.

PAUL : Tous les écrivains un tant soit peu talentueux vont faire plonger leurs personnages dans la mélasse du système de domination de classe qui n'a rien d'une abstraction. Avec son cortège de misères, ses déchéances physiques et morales, ses angoisses du temps qui passe, inexorable dans son désenchantement. Avec ses travaux forcés puisque les pauvres sont obligés de vendre leur force de travail pour survivre, avec son chômage synonyme bien souvent d'appauvrissements extrêmes, avec ses crimes, avec ses guerres, avec la destruction de la planète, la mère nourricière de quelques-uns et la mère exsangue du plus grand nombre. Même ou surtout les poètes savent rendre avec force le carnage qui se déroule sous leurs yeux. Écoutez l'Effort Humain de Jacques Prévert dit par Serge Reggiani. Ça vous serre le cœur et vous sonne comme un appel à la révolte.

FRANÇOIS : On s'égare là. Tu n'as pas d'autres livres à présenter ?

PIERRE : Paul, tu m'as fait monter les larmes aux yeux.

FRANÇOIS : Pleure un bon coup et ne va surtout pas jouer les midinettes.

VANESSA : François veut faire croire qu'il n'a pas de cœur mais je suis sûre qu'il a le cœur gros de tous ces chagrins qui suintent des milliers de pages écrites pour la mémoire des hommes.

FRANÇOIS : Si un jour mon palpitant venait à battre la chamade, j'irais déverser sa fureur auprès de mon cardiologue.

JACQUES : Les vicissitudes de la vie ne t'atteignent pas car tu es un privilégié.

FRANÇOIS : Les vices à l'étude dans ma vie ? Non, j'en ai trop pour vouloir les disséquer les uns après les autres. Tout est absurde, je le reconnais. La vie est absurde, c'est ce qui fait son charme.

PAUL : Nonobstant le fait que tu es toi-même absurde, je vais vous présenter un auteur qui a écrit les plus belles pages sur l'absurdité de cette société dans le 3e livre que voici.

JACQUES : Je crois deviner de quel livre il s'agit.

FRANÇOIS : Tu devines les choses maintenant ? C'est nouveau !

JEANNE : Pourquoi as-tu invité François à cette réunion ? Pierre, tu n'as pas de suite dans les idées.

PIERRE : Je veux donner une chance à tout le monde. Je ne veux pas paraître sectaire.

JEANNE : Mais tu l'es sectaire, ce n'est pas la peine de faire semblant de ne pas l'être.

PIERRE : Alors tu me connais mal. Et puis ça ne peut pas faire de mal qu'un individu ayant des idées complètement différentes des nôtres nous apporte la contradiction. Ça affûte notre dialectique.

FRANÇOIS : Merci Pierre. Il n'oublie pas ce cher Pierre que j'ai fait rééditer ses deux bouquins du temps de sa jeunesse.

PAUL : Je vais vous parler d'un livre que les plus de vingt ans n'ont pas le droit de ne pas avoir lu : Le Procès, de Kafka. Vu votre âge il n'y a pas de doute à avoir.

JEANNE : Pourquoi veux-tu alors nous en parler ?

VANESSA : Sans doute pour nous rafraîchir la mémoire. Nous le mettre en mode Replay isn't it ?

PAUL : Parce que de ce livre il faut faire des injections de rappel pour que nos défenses sociales soient réactivées.

PIERRE : Je suis curieux de t'écouter.

FRANÇOIS : J'ai entendu parler de cette histoire qui n'a ni queue ni tête !

PAUL : Eh bien, pour François, je vais essayer de donner le meilleur de moi-même. Deux inspecteurs débarquent chez un employé de banque Joseph K. pour lui signifier son arrestation et l'engagement d'une procédure à son encontre. Et pourquoi donc ? demande Joseph K. Nous n'avons rien à vous répondre.

Il vous suffit de savoir que la Loi vous a désigné comme étant possiblement le détenteur d'un délit. Vous allez faire l'objet d'une enquête. Joseph déclare qu'il ne connaît pas cette loi. On lui rétorque qu'il s'en mordra les doigts et qu'il ne doit pas faire trop d'histoires avec son innocence. Qu'en pense notre avocat ?

JACQUES : C'est de la présomption de culpabilité qui peut tomber sur la tête de n'importe qui puisqu'il n'y a pas lieu d'invoquer un motif.

PAUL : Il cherchera en vain à percer le mystère de cette loi. Il va se heurter à l'inertie de l'appareil judiciaire dont il n'obtiendra aucune réponse. Il n'y aura pas de procès avant son exécution. Le Procès, roman inachevé a fait l'objet de plusieurs interprétations dont certaines s'expliquent par la vie sentimentale et filiale de Kafka. Je n'entrerai pas dans ces détails pourtant passionnants.

FRANÇOIS : Tu m'étonnes. On a failli te perdre.

PIERRE : Il paraît que Kafka quand il faisait la lecture de certains passages à ses amis provoquait des éclats de rire qu'il n'était pas le dernier à pousser.

PAUL : Kafka pouvait-il prévoir que son imaginaire rejoindrait la réalité de ce siècle avec une telle acuité qu'il ne sera plus question pour nous d'avoir le cœur à en rire ?

Peut-on dire que ce roman commence comme une sinistre farce pour finir comme une loufoque tragédie ? À vous de juger.

Ce roman est dans la plus pure tradition kafkaïenne car personne n'a mieux décrit la fragilité de l'homme confronté à l'absurdité de l'existence… de l'existence dans la société capitaliste.

On peut voir une influence de la pensée anarchiste de Kafka dans la critique de la bureaucratie et de la torture. Le Procès et la Colonie Pénitentiaire en sont des exemples frappants.

L'humour juif allié à l'atmosphère surréaliste ne rend-il pas encore plus déchirante cette absurdité ?

FRANÇOIS : Tu nous as tout raconté. On n'a plus besoin de le lire.

PAUL : Rien ne vaut la lecture de ce roman pour en apprécier la dramaturgie délirante.

Dois-je te donner des exemples d'événements qu'il a pressentis ?

FRANÇOIS : Fais vite alors. Jeanne m'a promis d'autres événements à venir contre la sécheresse de mon gosier.

PAUL : Ce qui est arrivé à Joseph K. c'est ce qui est arrivé à des millions de personnes envoyées au goulag sans autre forme de procès.

FRANÇOIS : Ils avaient sans doute commis des délits ! On ne condamne pas les gens sans raison. Qui étaient-ils seulement, des apatrides ou des espions venus de nulle part. Il fallait bien les interroger pour savoir.

PIERRE : François a un sens de la provocation qui frise l'abjection.

PAUL : Je vais lui répondre. C'étaient des Soviétiques et des non soviétiques, des Russes et des non russes, des communistes et des non-communistes. On leur a collé à chacun l'infraction d'une loi numéro x alinéa y.

Ne sont-elles pas les sœurs de la fameuse Loi avec laquelle Joseph K a eu maille à partir.

Des millions d'hommes sont arrêtés et envoyés au goulag pour infractions diverses : propagande antisoviétique, trahison de la patrie, chapardages commis par des citoyens ordinaires même dans un contexte de famine. Les délations dans les familles, dans le voisinage, dans la rue, entre amis étaient monnaie courante. Il suffisait d'avoir imprudemment émis une critique quelconque pour se voir priver de la citoyenneté humaine et enfiler l'habit miteux du zek, le déporté du goulag. Des populations entières avant et après la guerre ont eu le triste privilège d'être condamnées aux travaux forcés. Et elles allaient voir ce qu'elles allaient voir et si le goulag pouvait leur convenir. Lénine a inauguré ces mouvements d'incarcérations collectives, de tueries de masse ou d'assassinats individuels par une balle dans la nuque et s'ils se sont taris à la mort de Staline avec des libérations anticipées, le système perdure, quels que soient les oppresseurs au pouvoir. Du haut en bas de la pyramide, la cruauté est la même. Un gardien n'a pas peur de dire : nous vous protégeons de la colère du peuple quand un autre renchérira : je n'ai que faire de votre travail, ce qui m'intéresse ce sont vos souffrances.

PIERRE : Hitler et Mao ont fait aussi bien ou bien pire. Et leurs victimes se comptent aussi par millions.

PAUL : Parlons un peu de la Chine et de la Campagne des Cent fleurs par exemple.

Pour le sinologue Jean-Luc Domenach, cette campagne est l'histoire d'« une comédie qui va se muer en tragédie ». Et c'est bien de cela qu'il s'agit. Mao Zedong voulant rétablir son autorité sur le Parti communiste chinois et pour améliorer les relations entre le Parti et le peuple appelle à une « campagne de rectification ». Il veut redonner une certaine liberté d'expression à la population et aux intellectuels pour critiquer et affaiblir le Parti. Cette campagne qu'il nomme Campagne des Cent fleurs va entraîner en quelques semaines une avalanche de critiques et une contestation de la nature même du Parti. Stupeur dans le Parti qui voit « dans la juste solution des contradictions au sein du peuple “dixit Mao, un danger mortel.

PIERRE : Ciel mon Parti ! On veut nous enlever notre joujou d'oppression !

PAUL : La répression sera féroce contre ceux qui auront osé lever le petit doigt. Plusieurs centaines de milliers de personnes en seront victimes : emprisonnements, déportations, exécutions. Le pouvoir de Mao va en être affaibli et sera ramené au niveau des autres dirigeants.

FRANÇOIS : C'est l'histoire de l'arroseur arrosé.

PAUL : C'est surtout le divorce entre dirigeants et dirigés.

FRANÇOIS : J'ai soif, j'ai faim, je suis en manque de tout ce qui fait le bonheur de mon estomac. Vous êtes des affameurs !

PAUL : Plains-toi ! Ce sont toujours les privilégiés qui crient au loup. Tu as la chance de ne pas avoir vécu sous la coupe des pires affameurs de l'Histoire que sont Mao et Staline. Quels dégâts ils ont faits à eux deux !

Avec le Grand Bond en avant qui a succédé aux cent fleurs, le Grand Timonier Mao nous amène à la Grande Catastrophe. On passe des coopératives aux communes populaires. C'est la militarisation de la vie à la campagne. Travaux forcés dans les champs, gestions calamiteuses et réquisitions injustes et violentes des récoltes, accaparements par les cadres locaux du Parti, découragement des paysans trop épuisés sur les chantiers d'ouvrages hydrauliques pour s'occuper des récoltes, aboutiront à la grande famine : les corps gisent dans les champs, les survivants à quatre pattes cherchent des graines sauvages à manger ou sont accroupis dans les mares pour chasser des grenouilles. Ils ont le visage bouffi par les œdèmes ou sont maigres comme des squelettes. Il n'y a plus d'oiseaux, plus de feuilles aux arbres, plus de rongeurs ce qui aurait déplu à ton frère, plus de cris de bébés, les femmes ne donnant plus de naissances. Le cannibalisme revient à la mode. Je vous épargne les détails. Il n'y a pas de grandes révoltes car la répression policière est à l'œuvre et les paysans sont trop épuisés et affamés pour se révolter. Le mensonge politique, l'aberration économique, la terreur policière, tels sont les grands travaux qui permettront à ce grand criminel d'assassiner quarante millions de personnes.

VANESSA : Plus d'oiseaux dans les arbres, c'est la vie qui fout le camp ! Où étaient-ils passés ?

PAUL : Le grand malade mental Mao avait décrété la campagne des quatre nuisibles, les oiseaux en tout premier lieu, surtout les moineaux. Les rats, les mouches, les moustiques fermaient la marche.

JACQUES : Quelle idée saugrenue !

PAUL : Figurez-vous que le grand ornithologue Mao, il était spécialiste de tout, avait déclaré que les oiseaux enlevaient les grains de la bouche des paysans et qu'il fallait donc les exterminer. Ce qui fut fait. Mais l'ornithologie Mao n'avait pas convoqué l'entomologiste Mao pour se faire dire que les oiseaux mangeaient aussi les insectes. Plus d'oiseaux en Chine mais des insectes en pagaille qui ont dévasté les récoltes, en particulier les criquets. D'où l'aggravation de la famine. Mais quand Mao décrète que les oiseaux sont les animaux publics du capitalisme, évidemment on lui obéit.

PIERRE : Et dire que des gauchistes à l'esprit égaré ont pu se réclamer d'un personnage aussi sinistre. Mao est aussi stalinien que Staline, aussi hitlérien qu'Hitler, aussi…

FRANÇOIS : Les plus grands affameurs sont les gauchistes d'une espèce particulière, les pacifistes.

JACQUES : Tu as trouvé cette idée dans une pochette surprise ?

PIERRE : Le plus grand affabulateur est un droitiste d'une espèce singulière, le franciscain Saint-François debout devant moi.

FRANÇOIS : Je ne renie pas ce que je viens de dire. Les pacifistes Jean Jaurès et Rosa Luxemburg ont tous les deux appelé les hommes de leur pays respectif à ne pas entrer en guerre les uns contre les autres. Ils ont voulu transformer ces guerriers mâles qui ne demandaient qu'à se battre en femmes couardes craignant une déculottée. Des irresponsables qui appellent les hommes à n'être que des femmes, voire des femmelettes sont des affameurs.

PAUL : Tu tords le cou à la linguistique pour asseoir ton idéologie. Ce n'est pas joli, joli. Femme et affamer n'ont pas la même racine latine.

PIERRE : Être radical, c'est prendre les choses par la racine et la racine de l'homme, c'est l'homme lui-même a écrit Karl Marx.

PAUL : La racine de l'homme c'est son cadavre mangeant les pissenlits par la racine aurait pu dire Mao, ce psychopathe rancunier.

JEANNE : La féministe que je suis ne peut que se réjouir du refus obstiné de la gent féminine de glorifier la guerre. Les femmes sont des mères et des épouses qui ne veulent pas voir leurs fils et leurs maris servir de chair à canon. Je n'aimerais pas que Pierre…

PIERRE : On n'est pas marié !

JEANNE : Il ferait beau voir qu'on se marie un jour. Je tiens à mon indépendance. Ça n'empêche pas les sentiments.

FRANÇOIS : Les sentiments, ça empêche d'avancer dans la vie. Moi, quand on me fait un mauvais coup, je n'ai pas d'états d'âme, l'agresseur se retrouve très vite agressé et s'il ne demande pas grâce dans la minute qui suit, c'est qu'il est inconscient.

PAUL : On parle de sentiments positifs. Toi, tu n'as que des sentiments négatifs. Je t'aurais bien vu dans le cercle rapproché et impitoyable de Mao Zedong. Car Mao ne se le tiendra pas pour dit. Écarté du pouvoir, il va ruminer sa vengeance et manœuvrer pour reprendre le pouvoir en éliminant ses adversaires au sein de l'appareil du Parti. Ce sera une nouvelle catastrophe avec la Révolution Culturelle qui jettera les gardes rouges dans l'arène.

FRANÇOIS : La révolution culturelle, ce sera sans moi. Pierre et Paul vous ressemblez aux gardes rouges comme deux gouttes d'eau.

PIERRE : Merci du compliment injurieux. Ça ne m'atteint pas. Je sais qui je suis et Paul aussi. Si on parlait d'un personnage dégoûtant qui fait la jonction entre Staline et Mao ?

VANESSA (*à moitié endormie*) : Où en est-on des romans à lire ?

JACQUES (*la tête penchée sur la table*) : Roman, quel roman ? Je crois que je vais piquer un petit roupillon.

PAUL : Attends, ne t'endors pas, tu risquerais de rater l'histoire la plus surprenante de la science agronomique. Les deux frères siamois Staline et Mao, organisateurs énergiques de gigantesques famines par leurs fièvres collectivistes ne pouvaient qu'être séduits par l'irruption miraculeuse d'un personnage hors du commun se disant communiste : Trofim Lyssenko. Il affirme que la nature des plantes peut être modifiée par les conditions du milieu. Ces deux mégalomanes lui tressent des louanges avant même qu'il ne tienne ses promesses. La faim tenaille les entrailles de millions de paysans dans les kolkhozes et communes populaires. Lyssenko est l'homme de la situation, il peut quadrupler les rendements agricoles du blé. Grâce à sa technique inédite de refroidissement des grains, un grain nouveau sort de terre, il peut même transformer de l'orge en blé, les pommes de terre en betteraves, les navets en melons, les haricots en épinards, le capitalisme en communisme. Grâce à la dialectique socialiste qu'il transpose à la science, il peut faire des hybrides ahurissants. Croisez le coton et la tomate vous aurez du coton rose, un ovule avec cent spermatozoïdes vous aurez un œuf plus vigoureux. Hélas, le héros de l'Union soviétique et des pays socialistes réunis est un escroc qui a trompé la vigilance des petits pères des peuples et aggravé les famines. Savez-vous planter les choux ou les glands de chênes ? Lui, Lyssenko il sait : il en met plusieurs dans un même trou pour que les petits plants moins vigoureux se sacrifient au profit du plus vigoureux. C'est la loi de la solidarité socialiste. Hélas, ça ne marche pas. La vernalisation, fer de lance de la révolution socialiste agricole, ne jette un froid que dans les cœurs des généticiens qui n'y ont pas cru. Ce sont les tenants de la génétique classique occidentale capitaliste, éliminés sur proposition enthousiaste de Lyssenko. Hélas, pas d'augmentation de rendements, qu'à cela ne tienne Lyssenko falsifie les résultats de ses expériences.

PIERRE : Tu n'aurais pas un tout petit peu exagéré ses prouesses ? Pourquoi d'après tes dires n'aurait-il pas changé les pingouins en canards et les ours polaires en grizzlys ?

PAUL : Tu n'es pas très loin de la vérité. Son procédé étant le refroidissement humide d'entités biologiques il y avait plus de chance qu'il change les canards en pingouins et les grizzlys en ours polaires. Pour en finir avec ce sinistre individu qui soutient l'existence de l'hérédité des caractères acquis et pour qui la génétique est fasciste et incompatible avec le communisme, il a berné des dictateurs qui ne demandaient qu'à l'être.

JEANNE : Ces expériences de rééducation socialiste des plantes ont un parfum de surréalisme qui aurait sans doute fasciné et épouvanté Kafka.

PIERRE : Il y avait dans ce tour de passe-passe une certaine logique, ignoble, certes, mais réaliste qu'ignore l'inventivité surréaliste.

La politique stalinienne de collectivisation, d'accaparements, de réquisitions, qui prive tous les paysans ukrainiens de la quasi-totalité de leurs récoltes et de leurs cheptels tuera des millions d'Ukrainiens et enverra des millions d'autres au goulag. Alors si un ukrainien Lyssenko prétend tout résoudre on fera de lui un héros de l'Union soviétique.

PAUL : Nommons ce génocide, l'extermination par la faim par le nom ukrainien qui lui a été donné : Holodomor. Les ordres de Staline exécutés par Molotov interdisent aux paysans ukrainiens qui veulent fuir la famine de se réfugier dans les villes. Les fuyards sont ramenés manu militari dans leur région d'origine pour y subir le travail forcé ou l'anéantissement physique puis la mort.

PIERRE : Ils n'avaient pas le droit de se révolter, pas le droit de fuir, pas le droit de ne pas dénoncer les koulaks, seulement le droit de mourir, ça ne vous rappelle rien ?

VANESSA (*entre deux états de conscience*) : Ça me rappelle quoi ? (*Elle veut se lever mais n'y arrive pas*) Des koulaks ? Il y a des koulaks ici ? Quésaco ?

PAUL : Voyons Vanessa, reprends tes esprits. Pour les bolcheviks les koulaks étaient des paysans aisés qui refusaient de travailler dans les kolkhozes depuis que la propriété privée leur permettait de détenir au moins une vache et une brouette. C'étaient donc des parasites, des ennemis du peuple qu'il fallait dékoulakiser.

VANESSA (*qui regarde Jeanne, incrédule*) : Alors là, tu m'en bouches un coin. Que fallait-il leur faire ?

PAUL : En faire de la chair à saucisse, c'est-à-dire les kolkhoziser ou les déporter ou les zigouiller. Seuls les moujiks pouvaient être réformés, encore que…

JEANNE : Les moujiks, c'étaient des paysans libres ?

PAUL : Libres, libres, ça dépend de la période. Ils ont été esclaves puis libérés avec l'abolition du servage mais toujours pauvres sauf les koulaks qui ont pu racheter des terres et des troupeaux à leurs anciens maîtres Mais c'était plus facile à dire qu'à faire. Il y a une littérature du moujik. Tolstoï ou Dostoïevski les trouvaient plutôt sympathiques, Gogol ou Tchekhov en avaient une piètre opinion. Ainsi que Maxime Gorki. Mais tout ça, c'est une autre histoire.

FRANÇOIS : Jeanne, depuis que quelqu'un a parlé de l'Holodomor, j'ai l'absence de vin triste. Peux-tu m'apporter du Borshepor ?

PIERRE : Tu attendras. Je vais rallonger ta période de tristesse. On a parlé des paysans qui ne pouvaient pas sortir de chez eux sans y être ramenés de force !

JACQUES (*qui se réveille*) : Et alors ?

PIERRE : Et alors ? C'est exactement ce qu'a décrit mon frère avec ses expériences sur les rats enfermés dans des cages.

Les cages, ce sont les différentes régions de l'URSS où les paysans sont faits comme des rats. Des cages bizones avec des zones à kolkhozes où les paysans doivent travailler dur pour un salaire de misère. Ils n'ont guère envie d'y rester. Et des zones villages où les paysans font de la résistance en cachant leurs récoltes, en vendant ou en détruisant leurs biens, en manifestant, en protestant, en attaquant ou en tentant de fuir les commandos de la dékoulakisation, en envahissant les kolkhozes.

Ce furent encore des millions de morts par exécutions, déportations, maladies infectieuses, affamations. Avec toujours en maître d'œuvre la police politique du Guépéou, bras armé des bolcheviks

JACQUES : Qu'y pouvons-nous à part pleurer pour ce saccage génocidaire ? (*Il se met à pleurer. Avec des sanglots dans la voix.*) Voilà, vous êtes contents ?

JEANNE : Finissons-en ! Une question encore et on passe aux rafraîchissements. Est-ce que ces dictateurs bolcheviques étaient dans les faits plus enclins à la clémence envers les pauvres ? Ça serait au moins la moindre des choses.

PAUL : En théorie oui. En pratique non. Ils s'attaquaient aussi bien aux koulaks qu'ils divisaient en différentes catégories de félonie qu'aux paysans soumis des kolkhozes qu'ils suspectaient d'être des ex-koulaks. S'ils disaient s'attaquer aux riches c'était par pure démagogie puisque les nouveaux riches c'étaient eux. Les fumiers de bolcheviks comme dirait le frère de Pierre.

VANESSA : Y a-t-il quelque chose de bien chez ces bolcheviks qu'on peut regarder comme un progrès par rapport au tsarisme ?

PIERRE : Quelque chose de bien, et puis quoi encore ? La Sainte Russie comme la Russie Soviétique ont-elles eu la chance de connaître un autre sort que l'assujettissement à des autocrates qui ont fait du rôle de dictateurs la respiration suprême de leur existence ? Les Romanov fusillés par les bolcheviks étaient-ils pires que leurs bourreaux ? Les paysans russes dont Lénine se méfiait étaient-ils mieux traités que les paysans dont le servage fut aboli par Alexandre II ? Pour Lénine les paysans, adversaires de la classe ouvrière, sont des bourgeois en puissance qui ne veulent pas ravitailler les villes et dont il faut réquisitionner les récoltes. C'est le même air qu'on entendra plus tard. Résultat des millions de morts en deux ans de révolution de 1918 à 1920.

FRANÇOIS : C'est pas compliqué. Il fallait zigouiller tous ces tyrans. Personne n'y a pensé ? Du coup je suis condamné à écouter toutes vos salades de massacres et de famines et j'attends toujours mon Borshepor. J'ai une de ces soifs !

PAUL : Tu crois qu'on t'a attendu pour mettre ce genre de projet à exécution. Alexandre II après dix tentatives d'assassinat a vu la onzième lui être fatale par l'explosion d'une bombe lancée par des membres du groupe populiste Narodnaïa Volia. Ils furent arrêtés et pendus.

JACQUES : Il ne faut pas se faire justice soi-même. Il y a des lois pour ça.

PIERRE : Des lois pour quoi, pour les pendre ?

JACQUES : Pour faire justice des agissements de tels groupes.

PIERRE : Qui fera justice des agissements du tzar ?

JACQUES : Le tzar lui-même puisqu'il rend la justice.

JEANNE : Jacques, tu es fatigué. Repose-toi sur mon sein.

JACQUES (*complètement réveillé*) : Ah si seulement tu étais sincère !

FRANÇOIS : Ah si seulement vous pouviez être capitaliste comme tout le monde ! N'avez-vous jamais pensé que si on avait tué Lénine, le communisme aurait été tué dans l'œuf ?

PIERRE : François, je vais m'énerver. Lénine n'a rien apporté d'autre que le capitalisme d'État. Il a été victime d'une tentative d'assassinat mais il s'en est tiré. Fanny Kaplan socialiste révolutionnaire a tiré 3 balles sur Lénine.

Elle a été exécutée sans procès par la tcheka, elle a été battue à mort, puis son corps a été aspergé d'essence et brûlé. Avant de mourir, elle a déclaré « J'ai tiré sur Lénine parce que je le considère comme un traître au socialisme et parce que son existence discrédite le socialisme. »

PAUL : Si on devait faire la liste de tous les autocrates sur qui une tentative d'assassinat a été osée et parfois réussie, il faudrait pratiquement tous les nommer.

PIERRE : Tu vas vite en besogne. Si seulement on avait pu éliminer au début de leur monstrueuse carrière les trois malfrats psychopathes Hitler, Staline et Mao, on aurait évité bien des malheurs à l'humanité.

PAUL : Des tentatives d'assassinats ont bien eu lieu contre ce triumvirat et la plus célèbre est celle contre Hitler. Malheureusement, la chance était de leur côté. Ce sont souvent les plus cruels qui partent les derniers. Cadet cruel a trois tyrans…

FRANÇOIS : Enfin, l'esprit blagueur reprend le dessus. Ça mérite un arrosage général de nos gosiers.

PAUL : Le sort réservé aux malchanceux, qui la plupart du temps ne s'étaient même pas approchés de la cible, fut toujours le même : la peine de mort.

FRANÇOIS : Ça mérite un arrosage général de nos gosiers.

JEANNE : J'ai lu dernièrement une chronique sur la vie du pauvre Damiens et sur le sort qui lui a été réservé après le coup de canif donné au roi Louis XV. C'est à pleurer de tristesse et de colère. Son supplice d'écartèlement pour régicide, le même que celui de Ravaillac, fut atroce et dura plus de deux heures. Le roi, légèrement blessé, qui comprend qu'il n'est plus le bien aimé de ses sujets, aurait bien pardonné mais ce que le Roi voulait, ses conseillers ne le voulaient pas.

PIERRE : Le plus triste dans cette histoire c'est la résistance à l'horreur d'une partie de la foule amassée et en particulier des femmes du monde. Les bourreaux eux, parmi lesquels le célèbre Sanson, étaient dégoûtés.

FRANÇOIS : Ça mérite un arrosage particulier de mon gosier.

JEANNE : De mémoire je vous cite un extrait de sa lettre écrite au roi dans son cachot avant son supplice : « Sire, je suis bien fâché d'avoir eu le malheur de vous approcher ; mais si vous ne prenez pas le parti de votre peuple, avant qu'il soit quelques années d'ici, vous et Monsieur le Dauphin et quelques autres périront. »

N'était-ce pas prémonitoire ?

FRANÇOIS : Ça mérite un arrosage urgent de mon gosier.

JEANNE : Comment peux-tu penser à ton gosier quand on sait que le courageux Damiens à la lecture de sa condamnation a dit : « la journée sera rude ».

FRANÇOIS : Mais moi, je ne le savais pas. Tu viens de me l'apprendre.

JEANNE : Ce n'est pas une raison.

FRANÇOIS : Ah vous les femmes ! Soit vous vous apitoyez sur le sort tragique des malheureux, soit vous vous délectez de leurs malheurs.

JEANNE : Ah vous les hommes ! Vous n'êtes pas mieux.

JACQUES : Heureusement, des temps plus justes allaient venir avec la glorieuse Révolution française qui abolira ces tortures abominables au profit de la guillotine.

VANESSA : Tu vois ça comme un progrès ?

JACQUES : Le passage de vie à trépas est beaucoup plus rapide. On n'a pas le temps de dire ouf qu'on est déjà parti vers d'autres cieux. Et puis la guillotine ayant fait son temps a été remisée au musée des curiosités. Que demande le peuple ?

PIERRE : Il vaut mieux ne pas lui poser cette question au peuple, on risque d'avoir de mauvaises surprises.

PAUL : Saviez-vous que la guillotine a eu trois papas, voire quatre ? Il y a Joseph Guillotin, le concepteur de l'idée d'une machine à décapiter, le Docteur Antoine Louis, le concepteur de la machine à décapiter, le sieur Guidon, le concepteur des bois de justice, le mécanicien Tobilas Schmidt, le réalisateur de la machine.

Le nom de guillotine a prévalu sur celui de Louisette, du nom du concepteur de la machine. La guillotine a remplacé la hache, le glaive ou la corde. Il existe bien d'autres moyens d'assassiner son prochain soit par décision étatique soit par décision individuelle ou collective.

La chaise électrique, la chambre à gaz, l'injection létale, le peloton d'exécution, la balle dans la nuque, le tabassage mortel, le ou les coups de couteau, la noyade, l'étranglement, la décapitation, le mitraillage, l'empoisonnement, le bûcher. L'espèce humaine a ceci de particulier qu'elle ne connaît pas de limites dans son imagination meurtrière. Il faudra rien de moins que l'abolition des classes sociales, de l'État, du salariat et de la valeur d'échange pour entrevoir la possibilité d'un ciel humain sans nuages sanglants.

FRANÇOIS : Ça mérite un arrosage sanglant de mon gosier. Par exemple du Borshepor au jus de groseille ou de framboise.

JEANNE : N'importe quoi !

PAUL : J'ai un quatrième livre à présenter. Tu n'as qu'à boire un verre d'eau en attendant. Si tu bois du Borshepor maintenant, je te connais, tu vas rouler sous la table et tu n'écouteras rien.

FRANÇOIS : Si tu crois que j'ai été attentif à tes balivernes, tu te fais de drôles d'illusions. Jeanne, un Borshepor où je me glisse sous la table pour contempler tes cuisses roses.

JEANNE : Obéis à Paul, je t'apporte un verre d'eau gazeuse avec une rondelle de citron. Le quatrième livre n'est pas le livre de trop, c'est le livre qui livre le secret des trois autres. J'ai vu son titre. Et Vanessa me l'a chaudement recommandé.

VANESSA : Qui ne serait pas subjugué par cette histoire ?

FRANÇOIS : Non, non, non. Cadet intellectuel n'a que trois bouquins dans sa bibliothèque itinérante.

JACQUES : Ne sois pas l'idiot du village qui reste cloîtré dans sa cabane d'ivrogne pendant qu'un air de liberté souffle au-dessus de sa tête.

FRANÇOIS : Tu es le diable qui se moque de l'enfer. Tu n'as pas cessé de somnoler et tes ronflements ont masqué plus d'une fois les explications de Paul. Et vous autres avec vos grands airs de bienfaiteurs de l'humanité vous vous croyez généreux mais vous n'êtes que des fascistes prêts à me faire ingurgiter de l'huile de ricin.

PAUL : Jeanne, donne-lui du Borshepor et qu'on n'en parle plus.

JEANNE : D'accord mais il a intérêt à ne pas faire semblant de boire tes paroles.

FRANÇOIS : Jeanne, tu es un amour. Je vais glisser mes oreilles sous la bouche du conteur et je les y laisserai jusqu'à ce qu'elles s'abstiennent d'écouter aux portes.

Jeanne apporte un pichet rempli à ras bord de Borshepor. François avec un trémolo dans la voix : Ah, je crois que je suis devenu Borsheporomane !

VANESSA (*sur un ton doctoral*) : It is a short story. I will be concise. I would prefer not to… Does it mean something to you ?

PAUL : Voyons Vanessa, tu te crois dans ton amphithéâtre à enseigner la littérature des grands auteurs anglo-saxons ? C'est qui le prof aujourd'hui ? Toi ou moi ? C'est moi et personne d'autre !

VANESSA : Oh Monsieur est imbu de sa personne ! C'est un club littéraire que tu veux créer ou une simple chambre d'enregistrement ?

PAUL : Excuse-moi. Je me suis mal exprimé. Vas-y, je te laisse la parole.

VANESSA (*boudeuse*) : Plus envie ! Go on !

PAUL : Je crois que tout le monde est fatigué et qu'il serait préférable d'ajourner la réunion pour la remettre à la semaine prochaine.

JEANNE : Eh bien moi je n'ajourne rien car cette nouvelle me tient à cœur. C'est l'histoire d'un dénommé Bartleby qui est engagé par un notaire comme clerc pour un travail de copie d'actes. Au début, il est travailleur et consciencieux. Puis un jour il se révèle différent de ce qu'il a montré jusqu'ici. Il refuse les travaux que lui demande son patron ou plutôt il ne les refuse pas ouvertement mais il dit I would prefer not to… je préfère ne pas les faire et il ne les fait pas. Son comportement change du tout au tout. Non seulement il ne fait rien mais en plus il reste dormir à l'étude. Il refuse son renvoi par son employeur. Celui-ci devra déménager et on retrouvera notre héros entre les murs d'une prison où il mourra d'anéantissement. Est-ce de la résistance passive ou de la résignation ? Est-ce une stratégie de la fuite qui remplace la lutte directe ou une indifférence de lui-même qui frise la soumission ? Des philosophes ont perçu ce personnage comme le symbole de « l'anti pouvoir ».

PAUL : Bravo Jeanne ! Il n'y a rien à ajouter. Tout est parfait. Mais toi, Jeanne, pour quel genre de lutte es-tu ?

JEANNE : Comment veux-tu que je le sache ?

PAUL : Voyons, Jeanne, après ton énoncé si brillant et si pénétrant ça ne doit être qu'une formalité de te prononcer.

JEANNE : Après réflexion je dirais que je suis une activiste pacifique.

PAUL : Pas mal Jeanne, pas mal… Et toi, Pierre, quel genre d'homme es-tu et quelle est pour toi la meilleure forme de lutte ?

PIERRE : Eh bien je te dirai Paul, à toi, notre meilleur docteur en révolutionologie que je suis pour la nonchalance subversive.

PAUL : Tu es presque un Bartleby bis. Ça se défend, ça se défend. Après tout… Poursuivons… Jacques…

JACQUES : Je t'arrête tout de suite. Ma raison d'être dans la vie est de défendre le justiciable. Mes actions et mes réflexions sont liées à ce seul but, ça suffit amplement à me satisfaire et à emplir mes journées.

PAUL : Ton engagement dans la société est tout à fait honorable. Je n'ai rien à redire.

JACQUES : Si tu ne trouves rien à redire, j'en suis fort aise et je prends acte de ta bienveillance inhabituelle.

PAUL : Voyons Jacques, ne fais pas le mauvais bougre. Mes paroles sont sincères et je reconnais que tu défends la veuve et l'orphelin plus souvent qu'à ton tour. Et toi Vanessa, es-tu une fervente passionaria du passage à l'action ?

VANESSA : Quelle action ? Je ne suis pas une révolutionnaire et je ne demande pas à l'être. Je veux juste inculquer à mes élèves et étudiants une bonne culture du monde anglo-saxon et un solide esprit critique.

PAUL : À la bonne heure. Tes étudiants feront partie de l'élite philosophique des conseils d'administration des multinationales anglophones. Quel beau titre de gloire !

VANESSA : Ta bienveillance, même occasionnelle, ne recouvre pas toutes les têtes ici présentes. Mais comme dit le sage, chacun a ses têtes.

PAUL : Vanessa, tu es un vrai bonbon anglais à croquer.

VANESSA : Pour rien au monde je ne voudrais être une de tes friandises. À moins que…

PAUL : À moins que quoi ?

VANESSA : On verra ça plus tard.

PAUL : Et toi, François, tu ne dis plus rien. Ce n'est pas naturel de ta part.

FRANÇOIS (*affalé sur sa chaise*) : Je cuve. Cuver est ma seconde nature.

PAUL : Vas-tu parfois aux alcooliques anonymes ?

FRANÇOIS : Si j'étais alcoolique, je ne m'amuserais pas à cuver pendant que vous refaites le monde.

PAUL : Qu'est-ce qui te fait courir ?
As-tu une passion pour laquelle tu serais prêt à risquer ta vie en combattant pour l'assouvir ?

FRANÇOIS : Tu parles de passion malsaine ? J'en ai une. Je suis d'un parisianisme éhonté et culotté et je passe mon temps à jouer les paparazzis en quête de photos et d'histoires de stars qui n'en valent pas la peine.

PAUL : Es-tu prêt à aider des amis révolutionnaires qui en valent la peine ?

FRANÇOIS : Ce n'est pas ce que j'ai fait quand tu m'as demandé d'aider Pierre à faire rééditer ses deux livres écrits il y a une dizaine d'années ?

PAUL : Je dois dire que tu as été d'une efficacité remarquable.

PIERRE : Je n'ai pas manqué de vous remercier tous les deux à ce sujet.

FRANÇOIS : Allez, n'en parlons plus, ça m'a fait plaisir. Je bois à la santé de tous. Buvons un verre de Borshepor et vive la révolution… de mon doigt autour d'un verre plein. (*Il joint le geste à la parole*).

PAUL : Sais-tu qui aimait particulièrement le Borshepor ?

FRANÇOIS : Pourquoi devrais-je le savoir ?

PAUL : Parce que Tubar en a parlé au bar des globules rouges.

FRANÇOIS : Je ne m'en souviens pas.

PAUL : Tu avais dû trop en boire. Je vais te rafraîchir la mémoire. Un trio de comiques très célèbre apprécié des cinéphiles.

Jeanne, Vanessa, et Pierre regardent Paul, intrigués.

FRANÇOIS : Quand ça me reviendra, tu seras peut-être déjà à la retraite.

PAUL : Tu ne fais aucun effort. Les Marx Brothers, ça te parle ?

Jeanne, Vanessa et Pierre ne peuvent s'empêcher de sourire.

FRANÇOIS : Marx… Marx. Marx quelque chose, ça me dit quelque chose mais quoi, laisse-moi réfléchir. Oui, Tubar a dû prononcer ce nom-là.

PAUL : Groucho Marx aimait surtout le bordeaux, Chico Marx aimait surtout le Sherry, Harpo Marx aimait surtout le Porto.

Un autre trio est sur le point d'éclater de rire.

FRANÇOIS : Sans blague !

PAUL : Avant le tournage de chaque scène d'un de leurs films, ils se réunissaient dans une loge et buvaient à tour de rôle, au goulot, une bouteille de Borshepor, à la régalade.

FRANÇOIS : Plutôt à la rigolade !

PAUL : Oui bien sûr, aussi… les deux !

FRANÇOIS (*qui voit Jeanne, Vanessa et Pierre en train de boire avec force grimaces leur Borshepor*) : C'est super, ça fait plaisir de voir des amis prendre tant de plaisirs à boire du Borshepor. (*Se tournant vers Jeanne*) : Il y a une vraie cargaison de Borshepor ici. D'où tiens-tu tant de bouteilles ? J'ai vu au moins une vingtaine de bouteilles, rien qu'en regardant dans le hall d'entrée par la porte ouverte donnant sur un placard.

JEANNE : Cinq. Il y a cinq bouteilles. Tes yeux ont le mérite d'exister mais ils ne savent pas compter.

FRANÇOIS : C'est le jeu des miroirs qui donne une illusion d'optique.

JEANNE : Quels miroirs, où vois-tu des miroirs ?

FRANÇOIS : Alors dans quoi me suis-je miré ? Oh ! Où avais-je la tête ? Dans ces beaux yeux qui me font d'aussi doux reproches ! Mais d'où sort ce quintuple Borshepor ?

JEANNE : C'est un cadeau de Tubar en remerciements de nos gages d'amitié.

FRANÇOIS : Et moi, je ne suis pas son ami peut-être ? Il ne m'a rien donné, moi qui ai accepté à mon corps défendant une sorte de jeu de rôles, avec mon ami Jacques, dont vous étiez Pierre et Paul les têtes de Turc.

PIERRE : Quel jeu de rôles ? Qui s'est moqué de nous ?

JACQUES : Personne, je peux te l'assurer. S'il y avait des têtes de Turc, c'était plutôt François et moi qui en assumions les conséquences. Tubar a parfois de drôles d'idées.

FRANÇOIS : Mais où est-il ce Tubar, notre camarade excentrique ? D'habitude on le voit toujours courir à droite et à gauche, à parler pour ne rien dire sauf lorsqu'il nous fait l'éloge de ses cocktails.

PIERRE : J'ai demandé à Tubar d'aller rendre visite à mon frère dans sa pharmacie. Et ce n'est pas une visite de courtoisie, je peux vous le garantir. À l'heure qu'il est, il doit être en train de lui remonter les bretelles.

FRANÇOIS (*hilare*) : Pourquoi donc, il perd son pantalon ?

PIERRE : Tu peux le prendre à la plaisanterie mais il n'y a pas de quoi rire. Je suis allé le voir plusieurs fois dans son officine et je me suis rendu compte que son comportement commençait à inquiéter sa clientèle. Le soir il s'enferme dans son laboratoire et le jour il bougonne dans sa barbe devant ses fidèles clients. Quant aux inconnus il les dévisage d'un air soupçonneux et profère des insultes en russe pour voir s'ils vont réagir. Des clients qui m'ont repéré dans le quartier sont venus me trouver pour me dire que leur pharmacien travaillait du chapeau.

PAUL : J'ai toujours su que ton frère Prazoc était cinglé.

Acte VIII

Scène I
Tubar, Monsieur Prazoc

Dans le laboratoire de Monsieur Prazoc.

On entend la voix de Tubar qui essaie de persuader le pharmacien de lui ouvrir la porte du laboratoire.

TUBAR : Laisse-moi entrer. Ton attitude n'est digne ni de l'honnête scientifique ni du révolutionnaire dévoué que j'ai pris l'habitude de fréquenter.

MONSIEUR PRAZOC : Laissez-moi tranquille. Je ne suis ni l'un ni l'autre et je ne demande qu'une chose c'est qu'on me fiche la paix.

TUBAR : Tu te comportes comme un enfant gâté. Tu sais bien que si je veux je peux entrer dans ton laboratoire sans ta permission et c'est d'ailleurs ce que je vais faire.

Tubar entre par une autre porte placée au fond du laboratoire.

Et me voilà !

MONSIEUR PRAZOC : Sortez ou j'appelle les flics !

TUBAR : J'imagine la tronche que tu ferais si tu les voyais débarquer. Ce ne serait pas très intelligent de ta part de te faire remarquer.

MONSIEUR PRAZOC : À qui la faute si j'en suis réduit à me cacher comme un vulgaire malfaiteur ?

TUBAR : Tu ne te caches pas, tu te barricades comme si des troupes d'assaut allaient sonner la charge. Tu n'as rien à craindre de personne.

MONSIEUR PRAZOC : Je n'ai pas envie de finir le corps criblé de balles dans une ruelle sombre avec pendue autour de ma tête une pancarte en guise de carte de visite et d'avis de décès sur laquelle serait écrit « avec les compliments de tes anciens collègues, en souvenir d'un pharmacien qui a vendu son officine alors qu'il aurait pu la garder ».

TUBAR : Tu ne perdras ni la vie ni ton officine si tu fais ce que je te dis de faire.

MONSIEUR PRAZOC : Alors là bravo ! Je ne perdrai pas mon officine si je la vends. Car c'est bien ça que vous me dites de faire à moins que vous n'ayez changé d'avis. Avec vous je peux tout entendre, le vrai et le faux, une opinion et son contraire, le chaud et le froid, que sais-je encore ? Rien ne doit m'étonner de la part d'un double masque qui ne sait même pas sur quel pied danser.

TUBAR : Tu te calmes et tu m'écoutes. D'abord tes anciens collègues n'ont aucun renseignement concernant ton dernier aspect physique sinon que tu reposes sous forme de cendres dans une urne scellée qu'ils détiennent depuis un moment. C'est encore mieux qu'un faire-part de décès.

MONSIEUR PRAZOC : Ils ne sont pas obligés de te croire. Ce ne sont pas des naïfs. Ils sont suspicieux par nature. Ça pourrait tout aussi bien être les cendres de ma grand-mère ou d'un sans domicile fixe ou d'un feu de cheminée.

TUBAR : Ton enthousiasme à disparu à partir du moment où je t'ai proposé de changer de nom et de vendre ton officine. Change de nom et tu te revends ton officine à ton nouveau nom. Ça peut paraître impossible à réaliser mais Jacques m'a assuré qu'il existait plusieurs moyens d'y parvenir. Ensuite si tes ex-collègues ont une envie folle de se venger, sache que les RG se feront un malin plaisir de les intercepter. Il ne faut pas hésiter à attiser les tensions entre agences de renseignements. Si tu me fais confiance, tu t'en sortiras sans laisser de plumes et plus tard tu en riras auprès de tes petits enfants.

MONSIEUR PRAZOC : Quel nom vous me proposez de prendre ?

TUBAR : C'est à toi de choisir ta nouvelle identité. Tu n'es pas obligé de prendre le même nom que ton frère. Mettez-vous d'accord entre vous.

MONSIEUR PRAZOC : On va y réfléchir. En ce moment j'ai beaucoup de travail dans mon labo.

TUBAR : Toujours avec tes rats et tes souris ?

MONSIEUR PRAZOC : Je suis plus que jamais embourbé dans leurs vies.

TUBAR : Dératise-toi pendant qu'il en est encore temps.

MONSIEUR PRAZOC : Je suis découragé. Ces bestioles me donnent du fil à retordre. Je n'arrive pas à changer leurs comportements dans le sens que je voudrais leur donner. Elles ont la désobéissance chevillée au corps. Mais c'est une désobéissance servile. Je n'arrive pas à leur faire produire suffisamment d'esclavaginase synonyme d'esprit de révolte. Je les gave d'agbaga. Elles me sécrètent des quantités phénoménales d'esclavagine mais après il n'y a plus personne. Je suis désemparé, c'est un constat d'échec. C'est même incroyable ce qu'elles peuvent me décevoir. Les souris comme les rats. Il y en a qui explosent en vol. Elles sont tellement imbibées de molécules lèche-bottes que certaines plus sensibles que d'autres se jettent au pied de leurs congénères dans une position d'agenouillement que je n'ai vu faire que par des hommes et certainement pas par des rongeurs. Je tente de les relever pour qu'elles retournent au combat, elles n'essaient même pas de me mordre. Je crée même des situations rocambolesques en en faisant sauter deux ou trois à la fois du haut de la cage sur une autre allongée sur le dos et scotchée aux pattes. Elles font tout pour l'éviter.

TUBAR : Ce phénomène d'évitement est un bon signe. Elles font preuve de solidarité vis-à-vis de l'une d'entre elles en mauvaise position.

MONSIEUR PRAZOC : Un signe de couardise, plutôt. D'ailleurs ça s'est vérifié sur ce lot de souris. Aucune d'entre elles n'atteignait à l'esclavometre une concentration supérieure au millionième de milligramme, c'est tout dire. J'ai l'intention de faire une communication à l'Académie Nationale de Pharmacie à ce sujet. L'étude neurobiomédiatique des rongeurs laisse à penser en extrapolant chez l'homme qu'il y a une relation directe entre la pauvreté en esclavaginase chez les êtres humains et leurs soumissions permanentes. La Biochimie et l'Histoire se rejoignent. À moins de trouver un médicament les révolutions seront toujours maîtrisées par des exploiteurs qui, et c'est là ma deuxième contribution à la science, doivent soit avoir des concentrations élevées en esclavaginase soit et c'est mon hypothèse la plus sérieuse, posséder un neuromédiateur particulier encore inconnu que j'appellerai volontiers exploitine. Il faudrait faire des dosages chez tous les exploiteurs mais comme ils nous exploitent, ils ne se laisseront pas faire.

TUBAR : Métadon, tu te dépenses dans des activités inutiles. Et tu fais souffrir les animaux ce qui est en contradiction avec ton amour pour les hommes. Je te le redis encore une fois : il n'y a pas plus d'exclavagine que d'exploitine, d'opressine ou d'assassine. Si tu ne te sens pas bien, refais un tour aux « Révolutionnaires Anonymes ».

MONSIEUR PRAZOC : Mes rongeurs ne souffrent pas. Ils ont l'air de s'amuser à mes dépens.

TUBAR : C'est ce que disent tous les bourreaux de leurs victimes.

MONSIEUR PRAZOC : N'essaie pas de me culpabiliser. Il faut bien que j'aide les hommes à se révolter.

TUBAR : Ton approche chimique de la révolution est une voie de garage due à ta formation de pharmacien. C'est déjà bien que tu te sois engagé dans un groupe militant. Distribue des tracts, participe à des réunions, soutiens des grèves. Tu ne peux pas faire mieux à moins de jouer au terroriste, ce que je te déconseille formellement. Tu as voulu faire l'espion dans une autre vie, regarde où ça t'a mené.

MONSIEUR PRAZOC : Tout ça c'est de votre faute, à tous les deux, avec vos sempiternelles disputes. Enlevez votre double masque pour que je vous étrangle comme vous le méritez. (*Il se jette sur Tubar.*) Tu vas voir ce que tu vas voir, espèce de binôme grotesque !

Tubar le repousse d'une pichenette.

TUBAR : Ça suffit maintenant, ma patience a ses limites !

Monsieur Prazoc se réfugie dans les bras de Tubar en sanglotant.

MONSIEUR PRAZOC : Pourquoi vous avez dissous la Première Internationale, pourquoi vous avez dissous la Première Internationale, c'est pas Dieu possible ? C'était la seule révolutionnaire !

TUBAR : Laisse le bon Dieu en dehors de tout cela. Il a assez à faire avec ses pécheurs turbulents. Quant à l'Internationale, elle avait joué son rôle, elle n'avait plus de raison d'exister.

MONSIEUR PRAZOC : Ce n'est pas vrai ! ce n'est pas vrai ! Elle avait encore beaucoup à faire, ne serait-ce que d'empêcher toutes les autres de lui succéder.

Monsieur Prazoc s'effondre sur une chaise en remuant négligemment un pilon dans un mortier cabossé.

TUBAR : Tu idéalises cette Internationale d'une façon obsessionnelle et tu oublies que tout groupe humain a ses qualités mais aussi ses défauts et malgré les actions à mettre à son crédit elle a aussi commis des erreurs, connu des tensions en son sein qui lui ont été préjudiciables. Quoi de plus normal puisqu'il y avait des syndicalistes anglais, des proudhoniens mutuellistes français, des marxistes, des anarchistes collectivistes, des blanquistes, des mazziniens. Pour simplifier, il y a eu surtout les partisans de Karl Marx et les partisans de Bakounine.

MONSIEUR PRAZOC : Et vous êtes bien avancé avec tout ce bric-à-brac.

TUBAR : À la bonne heure, tu acceptes de les critiquer.

MONSIEUR PRAZOC : C'est quand même cette Internationale qui dans ses statuts a déclaré que : « l'émancipation des travailleurs doit être l'œuvre des travailleurs eux-mêmes » et qui a déclaré agir pour l'émancipation définitive de la classe travailleuse, c'est-à-dire pour l'abolition définitive du salariat.

TUBAR : Il faut dire qu'il y a eu une rencontre inédite entre cette jeune institution et les prolétaires. Les ouvriers qui se sont engagés dans la lutte ne connaissaient même pas son existence.

Selon les mots de mon marxologue Marcello Musto, « ils protestent à cause des conditions de travail et de vie dramatiques qu'ils sont contraints de subir. Leur mobilisation les amène pour la première fois à rencontrer l'Internationale qui leur apporte une coordination, les soutient par des manifestes et des appels à la solidarité, organise des collectes d'argent pour venir en aide aux grévistes et propose des rencontres afin de faire barrage aux patrons qui tentent de saper leur résistance. »

MONSIEUR PRAZOC : Vous avez des marxologues à votre disposition ?

TUBAR : J'en ai plein. Mais ils ne sont pas à ma disposition. Je suis au contraire tout disposé à les écouter quand ils éclairent honnêtement ma personnalité. Celui-ci est particulièrement à mon écoute comme je le suis au sien.

MONSIEUR PRAZOC : Quel veinard ! Personne ne se réclame de moi et je ne peux idolâtrer aucune personne vivante… à moins que vous acceptiez…

TUBAR : N'y pense même pas ! Le culte de la personnalité n'est pas dans mes gènes et ne doit pas être dans les tiens. Mais si tu persistes dans tes travaux bestiaux qui ne reposent sur aucune base scientifique reconnue tu vas devenir un nouveau Lyssenko et tu seras la risée du monde entier si on excepte les farfelus et autres partisans des âneries occultes.

MONSIEUR PRAZOC : Et si j'essayais sur des ânes ?

TUBAR : Ne me fais pas regretter de vouloir te ramener dans le droit chemin.

MONSIEUR PRAZOC : Et vous croyez que les membres des Internationales successives ont suivi le droit chemin ? Ce sont eux les farfelus et les traîtres au socialisme.

TUBAR : Ce n'est pas faux. La deuxième Internationale fondée à l'initiative d'Engels a regroupé des partis sociaux-démocrates qui se sont partagé entre réformistes prêchant le parlementarisme et les révolutionnaires se voulant fidèles à l'émancipation du prolétariat par lui-même.

MONSIEUR PRAZOC : On a vu ce que ça a donné. Ils ont presque tous voté les crédits militaires demandés par leurs gouvernements nationaux. Et ça a été la Première Guerre mondiale. Salopards de sociaux-démocrates, si j'en chope un ou plusieurs je leur ferai passer l'envie de tourner le dos à leurs principes.

TUBAR : Ils sont tous morts. Mais des militants fidèles à l'internationalisme et au pacifisme ont dénoncé ce reniement de la majorité en militant contre la guerre. Ils ont été exclus. Dis merci à Rosa Luxembourg, Karl Liebknecht, Jean Jaurès, tous les trois assassinés. Ils t'écoutent là où ils sont.

MONSIEUR PRAZOC : Oui, ils sont tous morts, tués par des ordures, des traîtres. Si je pouvais leur rendre la vie, je me jetterais à leurs pieds et leur baiserais les mains en signe de gratitude.

TUBAR : Tu es sûr de ne pas vouloir faire une petite cure de désintoxication aux révolutionnaires Anonymes ?

MONSIEUR PRAZOC : Et pourquoi donc ? Vous me prenez pour un demeuré, pour quelqu'un qui n'a plus toute sa tête ?

TUBAR : Pas du tout. Ta tête est bien placée sur tes épaules mais elle est trop pleine. Tes idées, tes sentiments débordent jusqu'à noyer ton propos.

Il faut que tu maîtrises tes émotions pour rendre plus crédibles tes convictions. Sinon tes interlocuteurs vont prendre leurs jambes à leur cou en pensant qu'ils ont affaire à un déséquilibré.

MONSIEUR PRAZOC : C'est ce que vous pensez de moi ?

TUBAR : Pourquoi ne pas me tutoyer comme le font tous les camarades embarqués sur le même navire de la révolution ?

MONSIEUR PRAZOC : Pourquoi ? D'abord parce que vous êtes deux. Ensuite qu'est-ce que ça prouverait ? Les bolcheviks aimaient se tutoyer, s'envoyer de grandes embrassades et bourrades et dès que l'un d'eux avait le dos tourné on lui plantait un couteau entre les omoplates en lui criant « désolé camarade mais tu es devenu un contre-révolutionnaire et à vue d'œil tu allais devenir une raclure de bourgeois qui n'aurait pu que trahir la cause du peuple. » Saletés de bolcheviks qui sous prétexte d'avoir fait semblant de vouloir faire la paix à l'extérieur ont fait la guerre à l'intérieur, contre leur population.

TUBAR : Tu es un peu sévère. Les bolcheviks ont souhaité lors de la révolution russe transformer la « guerre impérialiste » en « guerre révolutionnaire » et appelé à l'extension de la révolution en Europe. Et puis la guerre civile contre les armées blanches ne leur a pas facilité la tâche.

MONSIEUR PRAZOC : Lequel des deux parle en ce moment ? Je crois que c'est un troisième larron qui montre ses dents. Peut-être Lénine ? Les bolcheviks dès qu'ils ont pris le pouvoir ont installé leur dictature et s'apercevant que la révolution voulait montrer le bout de son nez se sont empressés de lui casser l'os du nez avec un marteau et de scier le morceau restant avec une faucille. Ce n'est pas vrai ? Les révoltés de Kronstadt, les anarchistes de Makno, les paysans révoltés, les socialistes révolutionnaires, c'étaient des bourgeois qu'il fallait zigouiller ? Je me demande s'il y a encore du Bakounine en vous… euh… en toi ?

TUBAR : Bon, tu as fait ton pharmacien révolté ? Tout ce que tu me dis j'y consens bien volontiers. La Première Guerre mondiale a signé la fin de la 2e Internationale et les éléments pacifistes et internationalistes ont fondé la Troisième Internationale qui est rapidement tombée dans l'escarcelle des bolcheviks qui venaient de prendre le pouvoir. Tu connais la suite aussi bien que moi. Staline en a fait une coquille vide qu'il a dissoute au cours de la Deuxième Guerre mondiale.

MONSIEUR PRAZOC : Alors pourquoi tu leur trouves une circonstance atténuante ?

TUBAR : La seule excuse qu'ils auraient pu avoir c'était d'avouer leur échec avant qu'ils aient pu commettre des fautes puis des crimes. C'était de dire « on n'y arrive pas, on rend notre tablier, on fera mieux la prochaine fois ».

MONSIEUR PRAZOC : Ils n'auraient pas fait mieux la prochaine fois, ce n'était pas dans leurs intentions.

Quel genre de révolution les bolcheviks espéraient voir s'étendre dans d'autres pays ? Une révolution qui verrait les prolétaires prendre le pouvoir à leur profit et instaurerait une marche vers le socialisme ? Certainement pas. Ils espéraient des révolutions avec prise de pouvoir d'un parti à leur image, dictatorial, bureaucratique, policier, sans liberté d'expression, avec militarisation des usines et des champs. Qu'ont fait les bolcheviks staliniens sinon mettre toute leur force militaire et industrielle dans la bataille pour anéantir la révolution libertaire qui se mettait en place en Catalogne et ailleurs en Espagne ? Avec l'aide des staliniens espagnols. Staline est la conséquence logique de Lénine et Trotsky est le chevalier Bayard de Lénine.

TUBAR : Je vois que tu as fait plus de progrès en Histoire qu'en Biochimie. Tu n'es pas tombé dans le piège que je t'ai tendu.

MONSIEUR PRAZOC : Quel piège ?

TUBAR : Celui de leur trouver des excuses.

MONSIEUR PRAZOC : Et si je déterrais des bolcheviks ?

TUBAR (*s'étranglant à moitié*) : Je me disais aussi, c'était trop beau ! Qu'est-ce que tu veux déterrer ?

MONSIEUR PRAZOC : Vous m'avez bien entendu tous les deux. Il me vient une idée que je qualifierais de géniale si je ne savais pas que je suis loin d'être un génie.

TUBAR : Du génie à la folie, il n'y a qu'un pas.

MONSIEUR PRAZOC : Où se trouvent les neuromédiateurs chez les vivants ? Principalement dans le cerveau. Où pourraient se trouver ces mêmes neuromédiateurs chez les morts ? Je vous le donne en mille. Dans une zone du corps proche du cerveau, la boîte crânienne !

Il suffirait que je prélève une carotte de boîte crânienne chez un bolchevik authentiquement révolutionnaire, s'il en existe, et que je fasse de même chez un bolchevik authentiquement stalinien pour constater la différence.

TUBAR : Est-ce que tu t'entends parler ? Te rends-tu compte de l'insanité de ta proposition ?

MONSIEUR PRAZOC : Je me verrais bien prélever un peu d'os chez Boris Souvarine, c'était un révolutionnaire admirable, un communiste de la première heure, un antistalinien inflexible. Et un peu d'os chez Maurice Thorez, un stalinien indécrottable, un anticommuniste de premier choix. Je vous parie tous mes mortiers et pilons que je trouverais chez le premier peu d'exclavagine et beaucoup d'exclavaginase et chez le second tout le contraire. Je me garderais bien de mélanger les deux carottes, ça fausserait tous les résultats.

TUBAR : Il faut te faire soigner avant qu'il ne soit trop tard.

MONSIEUR PRAZOC : Bien entendu, il faudrait que j'obtienne les autorisations nécessaires.

TUBAR : Et tu crois vraiment que tu les aurais ? Je crois rêver !

MONSIEUR PRAZOC : Ou alors je me rends la nuit au Père Lachaise muni d'un marteau piqueur.

TUBAR : Un marteau piqueur ? Pour quoi faire ? Pour desceller les tombes ?

MONSIEUR PRAZOC : Comment s'y prendre autrement ?

TUBAR : Tu vas réveiller les morts du cimetière et les vivants des environs. Et toi, tu te réveilleras en prison avant même d'avoir pu récolter un os de poulet et ça sera bien fait pour toi. En outre Boris Souvarine n'est pas enterré au Père Lachaise et je t'interdis de rechercher le lieu de sa sépulture.

MONSIEUR PRAZOC : Tu me donnes donc le feu vert pour le crâne stalinien ?

TUBAR : Si tu veux crâner, attaque-toi aux staliniens vivants.

MONSIEUR PRAZOC : Ça existe encore ?

TUBAR : Si ça n'existait plus, tu ne te sentirais pas obligé d'entamer ta tournée des cimetières pour combattre chimiquement ce que tu n'oses plus combattre par l'action et par le verbe.

MONSIEUR PRAZOC : Et si je me contentais de fleurir la tombe de Boris avec un lys rouge et la tombe de Maurice avec du chiendent ?

TUBAR : Voilà le Prazoc que j'aime ! Cela entretiendrait la valeur historique d'une postérité qui s'attache à deux hommes au départ sensibles à la même espérance et à l'arrivée ennemis l'un de l'autre, le premier fidèle à leurs convictions, le second les bafouant à son corps acceptant, attaché servilement aux basques de Staline.

MONSIEUR PRAZOC : On fait comme ça. Exhumer le stalinisme ou l'antistalinisme ne fera pas revenir l'Histoire en arrière. Je vais aller de l'avant et mettre en vente mon officine.

TUBAR : Ne précipite pas les choses. Je vais contacter Jacques et je te tiendrai au courant.

MONSIEUR PRAZOC : Vive Boris ! Honte à Maurice !

TUBAR : Fais-moi voir ton esclavomètre.

MONSIEUR PRAZOC : Tu ne sauras pas t'en servir.

TUBAR : Je veux juste savoir à quoi il ressemble.

MONSIEUR PRAZOC : Je ne peux pas te le montrer maintenant. Il est en réparation, je l'ai trop utilisé. Il y a un circuit qui a lâché.

TUBAR : Je suis assez bricoleur. Je peux te donner un coup de main.

MONSIEUR PRAZOC : Tu ne m'as jamais vraiment expliqué les différences entre vous deux.

TUBAR : C'est donnant-donnant. Tu me montres, je t'explique.

MONSIEUR PRAZOC : Explique-moi d'abord.

TUBAR : D'accord, mais si tu me fais faux bond il n'y aura plus de Tubar pour te sortir d'embarras.

MONSIEUR PRAZOC : Croix de bois croix de fer si je mens je vais en enfer !

TUBAR : Il y a des moments où je me demande si tu as pu un seul jour sortir de l'enfance. Parlons peu, parlons bien. Qu'est-ce qui différencie ces deux grands penseurs du socialisme ? Pour Marx, les conditions économiques, la misère produisent l'esclavage politique, l'État. Pour Bakounine, l'esclavage, l'État reproduit à son tour et maintient la misère.

Pour Marx, les prolétaires doivent se constituer en parti politique dont les responsables seront les fers de lance de la révolution.

Bakounine lui rétorque que dès lors que la base cherche des responsables elle se déresponsabilise.

Ils veulent tous les deux en finir avec la politique mais ils divergent sur la manière d'en finir. Marx reproche à Bakounine de ne pas s'intéresser à la question politique. Bakounine n'est pas apolitique mais antipolitique.

Bakounine reproche à Marx de ne pas vouloir abolir l'État. Il parle de communisme d'État. Cette expression est d'après moi un oxymore puisque dans une société communiste il n'y a plus d'État. J'aurais plutôt reproché à Marx d'aboutir au capitalisme d'État, ce qui n'était pas bien entendu ce qu'il envisageait.

MONSIEUR PRAZOC : Mon pauvre Tubar ! L'enfant que je suis te dit que tu navigues à vue, que tu louvoies entre ces deux têtes pensantes. L'un était-il à la proue et l'autre à la poupe du navire révolutionnaire ? Dois-tu virer de bord, être à bâbord ou à tribord du navire ? Es-tu l'un, es-tu l'autre selon les jours ou les deux en permanence ?

TUBAR : Leurs pensées respectives sont si complexes que parfois je m'y perds mais c'est ce qui fait le charme de mon destin. Ce que je viens de définir n'est qu'une approximation et je peux penser le contraire de ce qu'ils disent et dire le contraire de ce qu'ils pensent sans jamais me parjurer.

MONSIEUR PRAZOC : Mon pauvre Tubar ! (*Il lui prend les mains.*) Ta schizophrénie aussi bien sociale que personnelle te rend désabusé et pour tout dire dépressif. Veux-tu que je te donne un inhibiteur sélectif de la recapture de la sérotonine ?

TUBAR (*qui se dégage en douceur*) : Mon cher Metadon, le Borshepor me suffit amplement. Puisque tu m'as invité à comparer anarchisme et communisme, je vais te donner un exemple historique. La République des conseils de Bavière. Il y a eu en avril 1919 deux républiques des conseils. La première menée par des anarchistes, la deuxième chassant la première menée par des communistes. Ils se sont désunis, ils se sont alliés, dans la plus grande confusion. Le social-démocrate traître Noske fera à Munich ce qu'il a fait à Berlin. Il engagera les corps francs pour réprimer dans le sang cette république éphémère dont je commence seulement à comprendre les tenants et les aboutissants. Maintenant j'aimerais connaître les tenants et aboutissants de ton esclavomètre.

MONSIEUR PRAZOC : Il est encore tout sale avec plein de crèmes de ma composition.

TUBAR : Alors, nettoie-le !

MONSIEUR PRAZOC (*il prend un torchon qu'il enroule autour d'un tube boueux. Il frotte vigoureusement puis crache dessus pour dissoudre les résidus.*

Je ferais bien d'en fabriquer un autre.

TUBAR : Alors, c'est pour aujourd'hui ou pour demain ?

MONSIEUR PRAZOC : Voilà, voilà, j'arrive. On ne peut guère faire mieux. Il est presque propre. (*Il tend l'objet à Tubar qui l'examine minutieusement*).

TUBAR : On ne peut pas dire que ton truc soit de première jeunesse. Comment ça fonctionne ? Je ne vois ni bouton de marchearrêt ni écran pour visualiser les mesures. Par contre il y a plein d'encoches comme si on avait voulu se faire les griffes dessus.

MONSIEUR PRAZOC : C'est normal. Quand je pose mon esclavomètre dans la cage où trottinent mes souris, elles se jettent dessus et font ce que font tous les rongeurs, elles mordillent, elles griffent, elles reniflent et parfois elles font leurs besoins dessus. Avec les rats c'est pire, je suis souvent obligé de secouer la cage pour mettre fin à leurs saccages. C'est que j'ai sué sang et eau pour mettre au point mon invention.

TUBAR : Invention, invention, tu utilises de grands mots pour une aussi petite chose. Je ne vois qu'un bout de ferraille et je me demande comment tu peux le mettre en marche. Ne peux-tu pas t'en servir sans en faire de la pâtée pour rats ?

MONSIEUR PRAZOC : La mise en marche est un secret scientifique que je n'ai dévoilé qu'à mon premier et unique cobaye humain, Monsieur Troudelassec.

TUBAR : Il avait toutes les raisons de t'en vouloir. Mets-le en route.

MONSIEUR PRAZOC : Quand le circuit sera réparé !

TUBAR : Le circuit, bien sûr ! Je ne vois aucune ouverture par où mettre un quelconque circuit. Même tes rongeurs avec la meilleure volonté n'ont pas trouvé l'ouverture. Ça ne doit pourtant pas être difficile de me la montrer sauf si elle n'existe pas.

MONSIEUR PRAZOC : Il n'y a pas d'ouverture mais le circuit existe bel et bien. On le recharge quand il y a un orage conséquent. La météo ne prévoit pas de pluie orageuse avant une bonne quinzaine.

TUBAR : Il y a un circuit qui ne fonctionne pas bien dans ta cervelle. Bon, quand ton objet n'est pas hors circuit, tu fais quoi ?

MONSIEUR PRAZOC : Je mets l'esclavometre dans la cage avec mes rongeurs préalablement agbagalisés, je me mets au-dessus de la cage et je prononce une incantation.

TUBAR : Je croyais avoir tout entendu.

MONSIEUR PRAZOC (*tout fier*) : Tu veux entendre mon incantation ?

TUBAR : Elle sert à quoi ?

MONSIEUR PRAZOC : À stimuler la sécrétion d'esclavaginase. Comme je vous l'ai déjà dit, mes rongeurs ne veulent pas sécréter.

TUBAR : Normal, puisque c'est un secret.

MONSIEUR PRAZOC : Pas pour vous mes Tubar.

TUBAR : Alors secrète ! Non incante plutôt.

MONSIEUR PRAZOC : C'est une très belle citation d'Albert Camus sur l'esclavage.

TUBAR (*sur un ton désabusé*) : On ne pouvait pas rêver mieux. Je t'écoute.

Scène II
Pierre, Jeanne, le Professeur Harro, Monsieur Prazoc

Dans le salon de Jeanne et Pierre.

PIERRE : Ah Jeanne, ma Jeanne, que ça fait du bien de se retrouver tous les deux, sans tract à écrire ou à distribuer, sans réunions de groupe à prévoir, rien que nous deux les yeux dans les yeux, le cœur à la fête, l'esprit dégagé de toute obligation militante.

JEANNE : Vous vous revoyez quand ?

PIERRE : C'est une surprise. Tubar m'a laissé entendre qu'il organiserait une grande réunion de tout le groupe dans son bar-taverne dès qu'il connaîtrait la date de fermeture de sa buvette. Il compte se reposer quelques semaines. Il est très fatigué et il a besoin de repos.

JEANNE : Nous aussi nous avons besoin de souffler. Une semaine de vacances buissonnières ça te dirait ?

PIERRE : Si les buissons ne cachent pas d'autres animaux que nos corps enlacés, sans les bruits de la ville, ni voix humaines, ni vacarme automobile, ni cris d'enfants avec seulement le piaillement des moineaux le jour et le hululement des hiboux et des chouettes la nuit, je suis ton homme.

JEANNE : On dressera notre campement au milieu de nulle part, avec des arbres tout autour, des ruisseaux en pagaille, et des nuages pour cacher la folie des hommes.

PIERRE : Je préfère le ciel bleu.

JEANNE : Et la voix de ton frère si bien éloignée qu'on aura l'impression qu'elle n'a jamais existé.

PIERRE : Elle te fait donc si peur ?

JEANNE : Sa présence me met mal à l'aise et sa voix me tape sur les nerfs.

PIERRE : Il a pourtant un cœur immense, ou plutôt deux cœurs, un cœur d'or et un cœur d'artichaut même si leurs battements donnent souvent des signes de défaillance.

JEANNE : Un cœur d'or ? Il ne pense qu'à sa pharmacie. Un cœur d'artichaut ? Peut-être. S'il pouvait me conter fleurette, il le ferait sans hésiter.

PIERRE : Pas plus pas moins que Paul !

JEANNE : Tu m'en veux encore ?

PIERRE : Je ne t'en veux pas si de ton côté tu considères mon frère avec les yeux d'une amie sincère.

JEANNE : Je vais faire un effort par amour pour toi. Mais son obsession pour la révolution relève d'une pathologie effrayante.

PIERRE : Nous sommes tous dans le groupe atteints d'une pathologie plus effroyable qu'effrayante.

JEANNE : Tu m'avais demandé il y a quelque temps d'aller enquêter chez ce Monsieur Prazoc, pharmacien de son état pour savoir ce qu'il avait dans le ventre alors que tu connaissais son identité. Pourquoi ?

PIERRE : J'ai pensé que vous pouviez vous créer des liens d'amitié avant même que je te le présente comme beau-frère.

JEANNE : Quelle drôle d'idée ! Je n'ai pas pensé un seul instant lui rendre visite même en tant que cliente. Dès le premier coup d'œil, j'ai éprouvé un malaise angoissant qui m'a laissé sur le qui-vive.

PIERRE : N'y pense plus. Il n'y a rien à redouter de lui.

JEANNE : Et toi, redoutes-tu l'amour que j'éprouve pour toi ?

PIERRE : Au contraire, je le recherche car il est partagé.

JEANNE : Alors tu m'aimes vraiment ?

PIERRE : Ça ne fait pas l'ombre d'un doute.

JEANNE : Tu ne m'as pas toujours parlé comme ça. Tes jeux de rôle...

PIERRE : Mes jeux de rôles n'étaient pas drôles, ils étaient infantiles et particulièrement ravageurs pour mes interlocuteurs et inexcusables et je n'aurais jamais dû t'entraîner là-dedans. Abandonnons ce jeu stupide de maître et de servante. Il n'y a que des dangers à attendre de ces attitudes grotesques, de ces divagations verbales.

JEANNE : Il était temps que tu t'en rendes compte. Peut-être ai-je bien fait de provoquer ta jalousie.

PIERRE : Peut-être !

JEANNE : Tu étais jaloux ?

PIERRE : Sans doute.

JEANNE : Alors, n'en parlons plus !

PIERRE : Pour me racheter, je veux aider les autres. Je vais donner à mon frère une grosse somme d'argent pour renflouer sa pharmacie.

JEANNE : Même s'il veut la vendre ?

PIERRE : Il ne voudra pas la vendre. Tubar et Jacques sont prêts à l'aider.

JEANNE : Espérons-le.

PIERRE : Et je ne veux plus vivre comme un riche ni comme un pauvre d'ailleurs. J'en ai assez de poser mon cul sur ce fauteuil à attendre de gober les mouches qui me taquinent.

JEANNE : Ces derniers temps tu étais plutôt hyperactif. J'étais inquiète de te voir mener une vie à ce point trépidante qu'elle ne pouvait mener qu'à la catastrophe.

PIERRE : J'avais besoin de ça pour me sortir de ma léthargie. Maintenant que je retombe sur mes pattes, je vais devenir un être humain digne de ce nom.

JEANNE : On est bien d'accord ? On ne change pas de noms et on ne déménage pas ?

PIERRE : Pierre me va comme un gant, Glousdon est un nom que mon arrière-grand-père donnait à ses dindons et qu'il tenait du temps où son ascendance portait le nom de Goudon, qui vient de God, Dieu. Tubar est bien gentil mais on n'est pas obligé de toujours suivre ses conseils.

JEANNE : Je ne t'ai jamais posé cette question parce que je connais la réponse. Crois-tu en Dieu ?

PIERRE : Je ne peux pas te répondre de but en blanc.

Il y a ceux qui ne croient qu'en ce qu'ils voient. Ne voyant pas Dieu, ils n'y croient pas. Ce sont des athées.

Il y a ceux qui ne croient qu'en ce qu'ils ne voient pas. Donc ils croient en Dieu, entre autres. Ce sont des mystiques.

JEANNE : Comment ça entre autres ?

PIERRE : Ils sont prêts à croire en chaque divinité qui passera invisiblement devant leurs yeux.

Il y a ceux qui croient dur comme fer qu'ils sont les seuls à croire que ce qu'ils ne voient pas mérite leur attention. Ce sont des fanatiques.

Il y a ceux qui croient que chacun peut croire en ce qu'il veut du moment qu'on n'y voit que du feu. Ce sont des croyants confiants.

Il y a ceux qui ne croient ni en ce qu'ils voient ni en ce qu'ils ne voient pas. Ce sont des sceptiques méfiants. J'en fais partie.

JEANNE : Je reconnais bien là ton humour sarcastique. Tu es donc un sceptique, tu n'ajoutes pas foi à tout ce que tu crois, même en la révolution ?

PIERRE : Je suis sceptique à propos de mon scepticisme.

JEANNE : Tu ne quitteras donc jamais tes penchants verbeux ?

Le son confiant de la sonnette se fait entendre.

Tu attends quelqu'un ?

PIERRE : Personne à part toi !

(*Il va ouvrir et croit voir un homme qu'il a déjà vu*) : Que me vaut l'honneur d'une visite imprévue car imprévisible ?

LE PIERRE HARRO : Je me permets de m'introduire chez vous sans invitation de votre part car j'avais trop hâte de vous rencontrer.

Rencontrer le frère de Monsieur Prazoc était mon vœu le plus cher. Si le reste de la famille est à l'avenant, on ne doit pas s'ennuyer. Je me présente : Professeur Harro du Centre de rééducation sociale et de redressement civique. J'ai eu le grand plaisir d'avoir affaire à votre frère. Lors d'un entretien à bâtons rompus j'ai tenté sans succès d'agbagaliser votre frère et nous aurions pu faire plus ample connaissance sans l'intervention inopinée d'un dénommé Tubar qui m'a par la suite embauché dans son bar.

PIERRE : Je ne comprends toujours pas le but de votre visite, ni son intérêt à court terme, ni son intérêt à moyen et long terme. On se connaît ?

PROFESSEUR HARRO : J'en viens au motif de ma visite. Monsieur Tubar a sans doute sauvé votre frère d'une longue vie de souffrance car j'étais disposé à l'agbagaliser au maximum ce qui aurait pu avoir pour conséquence de faire imploser son cerveau et de le rendre hébété pour le restant de ses jours.

JEANNE : Ça n'aurait pas changé grand-chose à son état actuel.

PIERRE : Vous et mon frère vous faites la paire avec vos expériences ringardes et vos discours abscons.

PROFESSEUR HARRO : Lorsque nos découvertes, je veux dire mes découvertes seront au point et rendues publiques dans le monde entier vous ne pourrez que blêmir d'admiration devant tant de génie visionnaire. La différence avec votre frère c'est que moi je veux endormir l'esprit de révolte de mes semblables alors que lui veut survolter ce qu'il leur reste d'esprit.

PIERRE : Si vous êtes venu pour me dire tout ça ce n'était pas la peine de vous déplacer.

PROFESSEUR HARRO : J'en viens au fait. Vous allez voir, ça se complique. En tant que membre toujours actif des RG, ce qui n'est pas votre cas, je suis allé voir mes collègues avec des échantillons de cendres qu'un dénommé Tubar chez qui je travaille semblait détenir. Ils m'ont révélé que le sieur Tubar en question était allé les voir pour leur expliquer une situation extravagante.

Les RG m'ont révélé qu'ils avaient intercepté quatre espions étrangers qui m'ont paru bien étranges. Deux avaient des noms russes et parlaient le français avec l'accent américain.

Deux avaient des noms américains et parlaient le français avec l'accent russe.

Parmi ceux qui avaient des noms russes, un se disait de la CIA et l'autre du KGB. Parmi ceux qui avaient des noms américains un se disait du KGB et l'autre de la CIA.

Parmi ceux qui se disaient de la CIA, un se réclamait du capitalisme et l'autre du communisme. Parmi ceux qui se disaient du KGB, un se réclamait du communisme et l'autre du capitalisme. Parmi ceux qui se réclamaient du capitalisme, l'un préférait la vodka et l'autre le whisky. Parmi ceux qui se réclamaient du communisme, l'un préférait le whisky et l'autre la vodka. C'est à n'y rien comprendre. Mais si vous voulez, je veux bien tenter de vous faire un schéma. Je vais être obligé en tant que membre honoraire du Centre de rééducation sociale et de redressement civique de revoir tout mon questionnaire. Ces quatre espions étaient lourdement armés. Ils avaient dans leurs papiers les noms de trois individus qu'ils recherchaient ainsi que dans leurs bagages les urnes contenant leurs cendres… Après m'avoir mis au parfum, les RG m'ont assuré à mon grand soulagement que les cendres en question et celles de mon patron appartenaient à Monsieur Troudelassec, celui-là même qui avait fait capturer le pharmacien Prazoc avant de me l'envoyer. Quel filou ce Tubar de m'avoir fait croire à des cendres de cigarettes ! À qui donc peut-on se fier ? Dans quel monde vit-on ? Les RG ont débarqué en nombre dans la Taverne de Tubar mais ont trouvé porte close. Moi j'avais pris des congés bien mérités. Pas de trace de ce vicieux personnage qui nous joue la fille de l'air !

Les espions du KGB cuisinés par les RG ont avoué qu'ils avaient voulu se venger des agissements du Sieur Prazoc en lui infligeant la loi du Talon.

PIERRE : Du Talion, pas du Talon !

PROFESSEUR HARRO : Non, du Talon. Vous n'êtes pas sans savoir que les relations humaines sont imprégnées d'une tension permanente qui va de l'embrassade à l'agression caractérisée. On peut vouloir offrir un présent à autrui et en même temps être sur le point de lui donner une talonnade en prenant son derrière pour un ballon. C'est la loi de la carotte et du bâton plus communément appelée loi du Talon.

PIERRE : Vous mélangez trop facilement le whisky avec la vodka.

PROFESSEUR HARRO : Quand je reprendrai mon service, je dirai deux ou trois choses à mon patron au sujet de sa mauvaise politique de gestion du personnel. Faire boire autant d'alcool à son unique employé relève d'une attitude sanctionnable par les prud'hommes. Où est donc passé cet employeur irresponsable ?

PIERRE : Il est parti rejoindre mon frère, dans sa pharmacie pour le persuader de la vendre.

PROFESSEUR HARRO : Et pourquoi donc ?

JEANNE (*d'une voix imperceptible*) : Ne dis rien de plus à ce Harro. On ne sait pas vraiment à qui on a affaire.

PIERRE (*méfiant tout à coup et se rappelant les soupçons de Tubar*) : Vous n'appartenez pas à un autre service d'espionnage ?

PROFESSEUR HARRO : Je suis membre honoraire du Centre de rééducation sociale et de redressement civique, docteur en pharmacologie politique, membre titulaire des Renseignements Généreux, employé à temps complet dans un bar select. Comment voulez-vous que je trouve le temps de m'adonner à de l'espionnage de bas étage ?

PIERRE : Si vous le dites !

PROFESSEUR HARRO : Voici mes différentes cartes officielles de fonction. Monsieur Tubar peut se porter garant de ma probité.

PIERRE : On ne peut pas être plus rassuré !

La sonnette fidèle à sa réputation fait de nouveau entendre sa voix pour peu qu'un doigt comme ça a l'air d'être le cas s'appuie dessus.

Monsieur Prazoc entre après que Pierre lui a ouvert la porte.

MONSIEUR PRAZOC : Il y a du monde ici, on dirait !

PROFESSEUR HARRO : Mais c'est mon petit cobaye, dans mes bras cher confrère !

MONSIEUR PRAZOC (*décontenancé*) : Mais qu'est-ce qu'il fait ici celui-là ?

PIERRE : Si seulement je le savais ! Peut-être était-il à ta recherche ou à celle de Tubar ou aux deux ?

MONSIEUR PRAZOC : Qui me cherche me trouve à condition que je sois occupé à me laisser chercher.

PROFESSEUR HARRO : Quand je trouve quelqu'un comme vous sur mon chemin, je lui tends les bras et le serre contre ma poitrine jusqu'à l'étouffer de douleur exquise.

MONSIEUR PRAZOC : Étouffez-vous vous-même, je n'ai rien à vous dire.

PROFESSEUR HARRO : Où en êtes-vous de vos travaux ?

MONSIEUR PRAZOC : Vous croyez qu'un chercheur est enclin à faire des confidences à un concurrent qui effectue les mêmes expériences dans un domaine encore peu prospecté ?

PROFESSEUR HARRO : Que faites-vous de la solidarité entre scientifiques ? La recherche n'a pas de frontières et s'occupe très peu de politique.

MONSIEUR PRAZOC : Mais vous, vous vous occupez autant de politique que de recherche biologique, je suis bien placé pour le savoir.

PROFESSEUR HARRO : On fait ami-ami pour une fois ? N'oubliez pas que c'est moi qui vous ai donné la formule de l'agbaga.

MONSIEUR PRAZOC : C'est peut-être ce que vous avez fait de mieux dans toute votre vie.

PROFESSEUR HARRO : Que voulez-vous, je suis chercheur et je gesticule dans tous les laboratoires où on a la bonne idée de m'inviter. Je cherche aussi bien des molécules actives que des personnes agissantes. Je suis le seul chercheur à détenir un diplôme de pharmacologie politique. Ça vous en bouche un coin n'est-ce pas de me voir si généreux ? Mais je ne suis pas membre des Renseignements Généreux pour rien ! Votre frère en sait quelque chose.

MONSIEUR PRAZOC : Tout le monde est aux Renseignements Généreux cette année !

PIERRE : Nous en reparlerons. Jeanne veuillez raccompagner Monsieur s'il vous plaît !

JEANNE : Pierre, tu retombes dans tes travers !

PROFESSEUR HARRO : Monsieur Prazoc, en tant que spécialiste animé des inhibiteurs de la recapture de nombreuses substances aminées, je vous salue bien bas. Madame, votre belle-sœur, mes hommages, Monsieur, votre frère, tous mes compliments. Je vous ferai d'autres comptes-rendus si vous le voulez bien.

(*Il sort en faisant des courbettes.*)

MONSIEUR PRAZOC : Il était temps qu'il parte. J'étais au bord de l'explosion. Qu'est-ce qu'il voulait ?

PIERRE : Il voulait se faire bien voir. Je t'expliquerai. Il prétend qu'il est aux R. G. alors que Tubar le verrait plutôt au K.G.B. Qu'en dis-tu toi qui a fréquenté bien des espions ?

MONSIEUR PRAZOC : Mon petit doigt me dit qu'il est de la CIA. J'ai cru discerner un léger accent slave.

PIERRE : Tu es d'une logique à toute épreuve. Mais ça peut cadrer avec ce qu'il nous a raconté. En tout cas, je vous décerne à tous les deux une mention spéciale de loufoquerie chronique qui convient mal à votre posture de scientifique.

MONSIEUR PRAZOC : Beaucoup de grands noms de la science avaient un grain de folie. Je dirai même que c'est une condition sine qua non pour faire avancer la recherche. Moi par exemple…

JEANNE : J'ai des choses à faire à l'extérieur, je vous laisse entre frères.

MONSIEUR PRAZOC : C'est dommage, j'allais vous expliquer à tous les deux le phénomène prodigieux de recapture… ou plutôt son blocage domestiqué…

JEANNE : Je vais descendre m'acheter un chapeau de cow-boy, des bottes, un colt et un lasso pour capturer des étalons sauvages.

MONSIEUR PRAZOC : Quelle bonne idée ! Je vais vous expliquer le processus d'inhibition de la recapture de la sérotonine à la manière d'un scénariste de films Hollywoodiens.

JEANNE : Je vais finir par m'offrir une séance de cinéma… Commencez sans moi.

Je mets au défi quiconque de réussir à m'empêcher de capturer le scalp des têtes multiples de mon beau-frère bien-aimé.

Elle sort en poussant de hauts cris à la manière des Indiens.

MONSIEUR PRAZOC : Quelle formidable belle-sœur, elle me sauve la vie.

Écoute-moi bien Pierre. Imagine une histoire de western. Dans le Far West, les chasseurs de primes sont payés pour capturer des hors-la-loi, des bandits de grand chemin. Ils les capturent, les livrent aux shérifs qui les mettent en prison. Mais dix pour cent des prisonniers sont libérés de prison par les chasseurs de primes qui les relâchent dans le but de les recapturer et toucher la prime. Les Marshall sont chargés d'empêcher les chasseurs de primes de libérer les prisonniers des mains des shérifs.

Le chasseur de prime est le neurone émetteur, le hors-la-loi est la sérotonine, le shérif est le neurone récepteur. La période de chasse à l'homme est la fente synaptique entre les deux neurones. Le Marshall est l'inhibiteur de la recapture de la sérotonine. S'il n'est chargé d'empêcher la recapture que d'un type particulier de hors-la-loi capturés par le chasseur de prime et livrés aux shérifs, il est dit sélectif.

PIERRE : Comparer la sérotonine à des hors-la-loi c'est un peu excessif.

MONSIEUR PRAZOC : Il ne faut pas donner un jugement moral à ces phénomènes biochimiques.

PIERRE : Et quand les prisons sont pleines et bondées, les neurones éclatent ?

MONSIEUR PRAZOC : Les prisons sont vidées peu à peu car au Far West on avait tendance à pendre assez rapidement les prisonniers.

PIERRE : Triste sort pour la sérotonine qui finit pendue !

MONSIEUR PRAZOC : La comparaison s'arrête donc là. Sinon on fait de l'anthropomorphisme de comptoir.

PIERRE : Tu as vraiment l'air d'être plus à l'aise avec le biochimique qu'avec le politique. L'un t'excite quand l'autre t'inhibe.

MONSIEUR PRAZOC : L'inverse est également vrai.

PIERRE : Tu es plutôt compliqué comme frère. Tu n'as pas besoin d'aller aux Biochimiques Anonymes, c'est déjà ça.

MONSIEUR PRAZOC : Ça existe les Biochimiques Anonymes ?

PIERRE : Non, ça n'existe pas. Mais on pourrait les créer rien que pour toi.

MONSIEUR PRAZOC : L'anonymat ne me convient pas. Je veux être reconnu comme un bienfaiteur de l'Humanité pour mes activités biologiques.

PIERRE : Lyssenko ne disait pas autre chose. Méfie-toi de prendre un chemin semé d'embûches qui t'égarera dans les inepties les plus totalitaires.

MONSIEUR PRAZOC : Tu es là deuxième personne à me mettre en garde.

PIERRE : Qui est la première ?

MONSIEUR PRAZOC : Tubar, le cher Tubar.

PIERRE : S'il faut au moins deux personnes pour te mettre en garde, on est mal barré.

MONSIEUR PRAZOC : Je vous écoute, je vous écoute, je vous écoute ! Je tente une dernière expérience, l'expérience de la dernière chance et puis je vous écoute.

PIERRE : Tu es incorrigible !

MONSIEUR PRAZOC : Tu n'auras pas à le regretter. Salut frangin !

Il va jusqu'à la porte, tourne la poignée, se retourne vers son frère en riant : J'ai fait un rêve prémonitoire la nuit dernière. J'ai rêvé qu'après la Révolution on m'avait donné un ministère important qui englobait des sous-ministères humanistes, ceux de la Bêtise, de la Méchanceté, de l'Hystérie, du Mensonge, du Cynisme, de l'Hypocrisie, du Sadisme, de la Pornographie, de la Violence, de la Convoitise, de la Cupidité…

PIERRE : C'est bon signe, signe que tu es sur la voie de la guérison.

MONSIEUR PRAZOC : Ah oui ?

PIERRE : Prendre tout en dérision est synonyme de guérison.

MONSIEUR PRAZOC : Je me dépêche de rentrer. Je vais faire l'ultime expérience sur moi-même.

Il ouvre la porte et revient vers Pierre :
Le professeur Harro a une nouvelle coiffure, ça ne lui va pas du tout.

Scène III
Pierre, Jacques

Pierre et Jacques feuillettent des journaux fébrilement comme s'ils étaient à la recherche d'un article particulier.

PIERRE : Laisse tomber, Jacques, l'annonce ne paraîtra sans doute que demain. D'ailleurs ça ne te concerne pas vraiment et ton intérêt pour notre action n'en est que plus méritoire.

JACQUES : Crois-tu que la parution d'une telle annonce puisse vous amener de nouveaux adhérents ? N'est-ce pas une bouteille à la mer lancée contre des brisants ?

PIERRE : Jeter une bouteille à la mer signifierait que nous aurions fait naufrage. Mais notre navire est à quai et n'a pas encore largué ses amarres. Ce que nous cherchons, c'est un équipage capable d'appareiller les voiles pour lancer un premier navire contre les récifs du capitalisme.

JACQUES : N'est-ce pas une grave illusion de penser qu'une petite embarcation ferait des émules au point de mettre en péril ce que vous appelez le grand méchant loup capitaliste ?

PIERRE : Des petits ruisseaux peuvent former de puissantes rivières qui en se gonflant dévastent tout sur leur passage.

JACQUES : T'entendre parler de la sorte me désespère mais je suis ton ami et tu peux compter sur mon soutien moral.

PIERRE : Je n'en demande pas plus.

JACQUES : Je ne voudrais pas te décourager mais vous pourrez au mieux recruter un nombre de courageux égal aux cinq doigts d'une seule main et former à peine une équipe de rugby à XV sans les remplaçants.

PIERRE : Ton soutien moral me fait déjà défaut. Tant pis. Ta présence même silencieuse pourra quand même me réconforter.

JACQUES : Tu rumines une rancœur qui s'apparente à celle de ton frère, contrôle-toi. Tu devrais chercher une situation professionnelle pour réfréner tes ardeurs.

PIERRE : Je suis actuellement à l'écriture d'un nouvel ouvrage, mon troisième. Le sujet : Imposture et Démagogie, les deux armes du Capitalisme.

JACQUES : Ça te suffit comme occupation ?

PIERRE : Pourquoi demander plus ? Je peux même faire d'une pratique d'écrivain un métier à part entière.

JACQUES : Sortir un bouquin tous les dix ans ça ne nourrit pas son homme.

PIERRE : Qu'ai-je besoin d'un métier pour me nourrir ? Je ne suis pas dans le besoin justement. Je suis riche et je m'aperçois que tu feins de l'ignorer. Si j'écris, c'est à la fois pour mon plaisir et pour faire avancer les choses, tu vois ce que je veux dire.

JACQUES : Alors, va jusqu'au bout de ton entreprise. Ne te contente pas de revisiter l'histoire des hommes et de la société, deviens un véritable écrivain pour qui le temps qui passe trop vite est l'ennemi de ta fureur d'écrire. Entre imagination et politique, tu as l'embarras du choix. Écris des utopies, des dystopies, des contes philosophiques. Tes prédécesseurs te reconnaîtront comme un des leurs. Orwell, Zamiatine, Voltaire te souffleront de leurs voix d'outre-tombe leurs messages inspirés.

PIERRE : Tu crois que je t'ai attendu pour savoir ce que je devais faire ? Et puis je n'aime pas qu'une voix, quelle qu'elle soit prenne mon inspiration pour la sienne.

JACQUES : Je ne t'oblige à rien. Je pensais que le métier d'écrivain était le seul qui pourrait avoir ta bénédiction. Je me suis trompé et j'en suis plus que confus.

PIERRE : Tu ne te trompes pas. La moitié des métiers existants est à mettre à la poubelle.

JACQUES : Tu craches donc sur les plombiers, les peintres, les électriciens, les maçons, les travailleurs manuels…

PIERRE : Tu… tut… tut… je t'arrête tout de suite ! Travailleurs manuels et intellectuels ont tout autant droit à mon estime. Ce n'est pas le sujet. Ce que je remets en cause c'est d'abord l'obligation pour les travailleurs de vendre leur force de travail pour avoir le droit de vivre, se loger, s'habiller, se nourrir, accéder à des activités culturelles ou de loisir, etc. Ce que je remets ensuite en cause ce sont les métiers inhérents au fonctionnement de la société capitaliste mais totalement superflus et pour tout dire inutiles dans le cadre d'une société sans classe.

JACQUES : Tu me fais peur quand tu prends ton air sérieux et que tu développes des arguments qui ne supportent aucune contradiction.

PIERRE : Tu prends des airs de victime pour tenter de me couper l'herbe sous le pied. Tu as le droit de me contredire autant que tu le veux, aussi ne prétends pas que je ne t'en donne pas le droit.

JACQUES : Fais-moi donc une liste des métiers que tu voues aux gémonies.

PIERRE : Avec plaisir. Si tout pouvait bien se passer nous nous passerions des services des policiers, des banquiers, des assureurs, des inspecteurs des impôts, des notaires, des traders, des hommes politiques, des militaires et de toute une armada de métiers qui protège ou fabrique ou brasse ou glorifie ou encaisse ou scrute de près ou de loin la valeur d'échange sous quelque forme monétaire que ce soit.
C'est pour ça que j'inverse le proverbe « il n'y a pas de sots métiers, il n'y a que de sottes gens » en « il n'y a pas de sottes gents, il n'y a que de sots métiers ». Ce qui implique qu'il n'est surtout pas question de s'en prendre physiquement aux gens qui les exercent. Ils pourront se reconvertir dans des activités épanouissantes individuellement et utiles pour la collectivité.

JACQUES : Ouf, tu m'as fait peur ! J'ai cru que tu voulais zigouiller tout ce petit monde qui n'a pas l'air d'être si sot que ça.

PIERRE : Ce sont les sots métiers qui finissent par les rendre plus sots qu'ils ne voudraient l'être.

JACQUES : Au royaume des sots, les paresseux sont rois !

PIERRE : Enfin, tu sors le mot de la discorde. La paresse, quel vilain mot dans la bouche des exploités et dans les oreilles des exploiteurs !

JACQUES : C'est vrai que tu la cultives sans trop de remords.

PIERRE : Sans remords aucun, mon ami. Ne pas la cultiver ne pourrait me donner que des regrets.

JACQUES : Tout est donc pour le mieux dans le meilleur des mondes comme dit le Pangloss de Voltaire.

PIERRE : Tout est pour le pire dans le pire des mondes. Car ce monde a fait du travail, c'est à dire de l'esclavage salarié la vertu suprême.

Le travail est une valeur sacrée pour ceux qui ne travaillent pas. Pour les classes possédantes qui détiennent les moyens de production grâce auxquels ils vont faire travailler ceux qui ne possèdent que leur force de travail. Et qui sont dans l'obligation de travailler pour survivre. Les prolétaires vont être invités à mettre la valeur travail sur un piédestal et malheur à ceux qui ne veulent pas rentrer dans le rang.

Les pauvres sauf les chômeurs qui ne produisent pas, produisent beaucoup mais consomment peu, les riches sauf par exemple de riches artisans produisent peu mais consomment beaucoup.

Les ni pauvres ni riches appelés classes moyennes produisent moyennement et consomment moyennement.

Et c'est dans l'intérêt des capitalistes de vendre leurs produits.

JACQUES : Tu es trop simpliste. C'est tout noir ou tout blanc pour toi. La réalité est plutôt grise dans toutes les couches de la société. Toi-même tu es riche et tu ne travailles pas, tu es donc un parasite que tu le veuilles ou non.

PIERRE : Mais je le voulais et j'avoue qu'en allant au bout de ma logique j'étais dans le mauvais camp. Mais je ne le veux plus.

JACQUES : Faute avouée à moitié pardonnée.

PIERRE : Engels était lui-même un patron mais peut-on le lui reprocher, lui qui a aidé Marx à survivre ?

JACQUES : J'en prends acte Monsieur l'économiste marxiste qui veut dorénavant s'épanouir dans son travail. Peut-on s'épanouir dans son travail Monsieur l'économiste marxiste ?

PIERRE : Arrête de me donner un surnom que je réfute ! Je réponds à ta question d'avocat prédateur : oui, on peut. Il y a ceux qui s'épanouissent dans leur travail soit parce qu'il est intéressant, c'est une minorité chanceuse soit parce qu'il n'est pas intéressant mais la pression idéologique leur fait croire qu'il est intéressant.

JACQUES : Alors là, ta dialectique me fait tourner la tête et je crois que je vais prendre un antidépresseur, un anxiolytique, trois cachets d'aspirine et un antinauséeux.

PIERRE : Libre à toi de nourrir les pharmaciens. Mon frère t'en sera éternellement reconnaissant.

JACQUES : Il s'épanouit dans son officine ?

PIERRE : Tu n'as qu'à le lui demander.

JACQUES : Tu as fini tes observations subversives ?

PIERRE : J'ai deux ou trois choses à rajouter. Les gens se sentiraient beaucoup mieux dans leur travail s'il n'y avait pas un patron, un petit chef ou un collègue aux airs supérieurs qui ayant pris la valeur hiérarchique comme modèle de comportement se croient autorisés à leur pourrir la vie par un harcèlement incessant. Sans parler des conditions de travail souvent dégradées pour un salaire de misère. La libre association des êtres humains égaux entre eux dans les faits pourrait remédier à ce conflit dévastateur. En attendant, il n'y a qu'à prendre des médicaments. Ou des drogues diverses et variées.

JACQUES : Ou se réfugier dans la paresse.

PIERRE : La paresse est un moyen de résistance passive même si elle ne peut-être qu'individuelle. Les résistances collectives étant les grèves, les sabotages comme on l'a vu avec les luddites, les manifestations, les insurrections.

JACQUES : Et les révolutions ?

PIERRE : Des écrivains plus connus pour leurs œuvres romanesques que pour leurs essais ont remis en cause le travail dont le mot même proviendrait du latin tripalium signifiant instrument de torture. Citons Boris Vian dans le Traité de Civisme, Oscar Wilde dans l'Âme Humaine, Paul Lafargue dans le Droit à la Paresse. À Adolphes Thiers le futur massacreur de la Commune de Paris qui écrit le « Travail est le fondement de la Propriété » et aussi « une bonne philosophie apprend à l'homme qu'il est ici-bas pour souffrir et l'instruction est un commencement d'aisance, et l'aisance n'est pas réservée à tous », Lafargue rétorque : « le génie des grands philosophes du capitalisme reste dominé par le préjugé du salariat, le pire des esclavages » et il fait sienne l'exclamation de l'écrivain prussien Lessing : « Paressons en toute chose, hormis en aimant et en buvant, hormis en paressant. »

JACQUES : Ce mot est caressant à tes oreilles délicates. Et les révolutions ?

PIERRE : Et ces auteurs ont mis tous les trois en exergue le rôle salvateur que pourraient avoir les machines si elles étaient mises au service des hommes, diminuant considérablement le temps de travail, alors que dans la société capitaliste elles entrent en compétition directe avec les salariés, accélérant les cadences, augmentant le chômage et diminuant les salaires.

JACQUES : Et les révolutions ?

PIERRE : Les révolutions ne sont pas des actes de résistance mais des offensives.

JACQUES : Et alors ?

PIERRE : Tous les régimes politiques qui exaltent le travail, célébrant la productivité, contraignant les prolétaires à une malsaine émulation, sont à ranger parmi les pires régimes d'exploitation.

JACQUES : Et que fait-on de ces régimes, on les dénonce, on les combat ? On s'en bat l'œil ?

PIERRE : Oscar Wilde écrivait que la meilleure forme de gouvernement est l'absence de gouvernement.

JACQUES : Quel artiste cet Oscar !

PIERRE : Tu as dû entendre parler du héros de l'Union soviétique, le prolétaire Stakhanov ?

JACQUES : Qui n'a pas entendu parler du stakhanovisme comme emblème de l'Effort du travailleur !

PIERRE : Stakhanov, ce médaillé de l'Ordre de Lénine, ce héros du travail socialiste, plus jouet de la propagande malfaisante que héros des travailleurs, a obligé des millions d'entre eux à augmenter les cadences de production. Il a eu droit aux honneurs de la Nomenklatura stalinienne avant de sombrer dans les beuveries et la déchéance psychiatrique.

JACQUES : Comme quoi, travailler et boire peu : oui. Paresser et boire inconsidérément : non !

PIERRE : La paresse et l'ivresse sont des lots de consolation que les pauvres acquièrent souvent malgré eux et dont ils ne se débarrassent jamais sans un douloureux pincement au cœur.

JACQUES : Nos démocraties n'ont-elles pas rendu le travail acceptable et ne sont-elles pas les meilleures formes de gouvernement ? Liberté égalité fraternité ça a de la gueule non ?

PIERRE : La devise de notre société est liberté, égalité, fraternité parce qu'il n'y a ni liberté, ni égalité, ni fraternité.

JACQUES : Cette devise proclamée indique les buts à atteindre ou du moins à approcher le plus possible.

PIERRE : Ces notions pour merveilleuses qu'elles soient sont trop vagues. On n'atteint pas ces buts par l'opération du Saint-Esprit.

Seules des actions concrètes à entreprendre dont le but est l'abolition du salariat et de l'État permettront peut-être d'atteindre ce nirvana tridimensionnel.

JACQUES : J'aime bien le peut être. Et par quel moyen comptes-tu t'y prendre ?

PIERRE : Par la révolution !

JACQUES : Enfin, tu en parles. On a vu ce que ça a donné tes révolutions. C'était pire après qu'avant.

PIERRE : Tout le problème est là. Des révolutions authentiques ou tentatives de révolutions ont bien eu lieu comme en 1848 et 1871 en France ou 1919 en Allemagne avec bien des défauts mais elles ont été écrasées dans le sang avec une férocité d'autant plus grande que la réaction capitaliste a eu très peur. Et puis une révolution, celle de 1917 a tourné court en se transformant en contre-révolution.

JACQUES : Comme ça, par l'opération du Saint-Esprit ?

PIERRE : Tu connais le jeu du boomerang ? Eh bien les bolcheviks ont lancé un boomerang soi-disant révolutionnaire pour abattre le tsarisme décadent et le boomerang est revenu assommer le prolétariat qui ne s'en est jamais relevé.

JACQUES : Pourquoi soi-disant ?

PIERRE : Parce que les bolcheviks n'étaient pas sincères.

JACQUES : Comment pas sincères ?

PIERRE : Ils se sont servi des prolétaires en les flattant et en encensant la révolution mais c'était pour prendre le pouvoir. Une fois au pouvoir ils ont proclamé que le parti était la quintessence du prolétariat et que lui obéir était le devoir de tout prolétaire.

Les amis de la révolution seront souvent les meilleurs ennemis des prolétaires.

JACQUES : À qui se fier ?

PIERRE : Tout le problème est là. La révolution doit être faite uniquement par ceux qui n'ont rien à perdre mais tout à y gagner, et que l'envie de prendre le pouvoir pour le garder, n'effleure même pas.

JACQUES : C'est la quadrature du cercle.

PIERRE : Je risque de faire un piètre géomètre.

JACQUES : Alors ce n'est pas la peine d'en parler.

PIERRE : Parlons-en au contraire. Il faudrait au moins une armée d'anges pour transformer l'enfer dans lequel nous nous débattons en paradis terrestre.

JACQUES : Tu sombres maintenant dans le mysticisme, ça m'étonne de toi.

PIERRE : As-tu lu la Divine Comédie de Dante ?

JACQUES : Non, j'aurais dû ?

PIERRE : Tu aurais dû et tu aurais pu. Alors tu aurais su ce que Dante avait à l'esprit.

JACQUES : Je sais qu'il a visité l'Enfer accompagné du Poète Virgile.

PIERRE : Et qu'il y a vu les âmes des damnés organisées en différents cercles, sanctionnées plus ou moins sévèrement selon la gravité de leurs vices et de leurs crimes. Tous ces péchés que les mortels doivent expier existent-ils seulement à certaines époques ou sont-ils éternels. La luxure, la gourmandise, l'orgueil, la paresse, l'envie, la jalousie, l'avarice, la colère, la violence, la fourberie, la traîtrise sont-elles nées avec l'homme ou avec la division des sociétés humaines en classes sociales ?

JACQUES : Je suppose que la gourmandise, la luxure et la paresse ne sont pas à tes yeux révolutionnaires si condamnables qu'il faille mettre ces pauvres âmes trop bonnes vivantes dans les flammes ou les glaces de l'enfer.

PIERRE : C'est pour ça qu'on peut en voir errer au Purgatoire de Dante. Mais qu'y a-t-il de commun entre la paresse, acte de résistance d'un prolétaire et la paresse d'un grand bourgeois qui se la coule douce pendant que ses ouvriers travaillent comme de beaux diables pour un salaire de misère ?

JACQUES : C'est l'hôpital qui se moque de la charité. Toi le rentier…

PIERRE : Tu peux retourner le couteau dans la plaie autant de fois qu'il te plaira mais tu admettras que je n'exploite personne.

JACQUES : J'abonderais dans ton sens si je ne pensais pas qu'il y a forcément des gens quelque part qui travaillent pour toi.

PIERRE : Si tu veux chercher la petite bête, libre à toi de dresser un arbre généalogique de mes exploités potentiels.

JACQUES : Les avocats ont ce penchant intrigant d'ergoter sur des détails qui peuvent avoir leur importance.

PIERRE : C'est ton droit le plus strict. Je poursuis. Qu'y a-t-il de commun entre la luxure des jeunes qui découvrent la liberté sexuelle et la luxure d'obsédés sexuels, de violeurs violents et infestés de pornographie ?

JACQUES : Es-tu un amoureux fou de ta belle au point de vouloir lui faire accepter des pratiques qui sortent de l'ordinaire, comme le libertinage, le triolisme, l'échangisme ou je ne sais quoi de plus pervers ?

PIERRE : Pourquoi me suggères-tu une telle idée, veux-tu t'insérer dans notre couple ? Je te soupçonne d'y avoir déjà songé.

JACQUES : Pierre, tu n'y penses pas !
Je suis un ami fidèle et même si un penchant me poussait vers Jeanne je n'oserais jamais lui proposer… et encore moins te mêler à nos…

PIERRE : Voyez-vous ça, mon cochon ! Tu ne mérites ni le Paradis ni même le Purgatoire, tu iras directement en Enfer.

JACQUES : Ce n'était juste qu'une rêverie idiote comme ça en passant, jamais un passage à l'acte… voyons, tu me connais, je serais bien incapable d'agir comme le dernier des saligauds.

PIERRE : Il n'y a que l'intention qui compte et les meilleures intentions cachent souvent les pires. Je continue ma démonstration. Qu'y a-t-il de commun entre la gourmandise d'enfants aux yeux plus gros que le ventre devant des confiseries et la goinfrerie scandaleuse d'adultes bourgeois qui font ripaille sous l'œil envieux et mal famé de pauvres mendiants...

JACQUES : Tu nous rejoues les Misérables de Victor Hugo !

PIERRE :... Et qu'y a-t-il de commun entre la colère légitime des pauvres contre l'insolence des riches et la colère furieuse des riches craignant pour leurs bourses ?

JACQUES : Tu ne vas pas nous citer tous les péchés capitaux.

PIERRE : Tous les péchés capitaux sont les péchés du Capital.

JACQUES : Ils existaient bien avant l'avènement du Capitalisme. La religion en donne une liste exhaustive, au nombre de sept.

PIERRE : Oui mais le Capitalisme les a réhabilités car il en a besoin pour se développer. L'avarice, l'envie et l'orgueil suscitent la rivalité féroce entre les entreprises et les États pour conquérir de nouveaux marchés, la gourmandise favorise le succès de la publicité, la colère suscite les violences, les meurtres, les guerres. Et les guerres favorisent quoi à ton avis ?

JACQUES : Je me demande bien ce qu'elles peuvent favoriser à part des morts, de la souffrance, des destructions.

PIERRE : Un écrivain dont les péchés mignons tenaient plus du capiteux que du capital a écrit dans son traité de civisme : « La guerre est la forme la plus raffinée et la plus dégradante du travail puisque l'on y travaille à rendre nécessaires de nouveaux travaux. »

Et aussi : « je hais la guerre parce qu'elle est le contraire de la vérité ou qu'elle naît du mensonge ».

Et aussi : « la guerre devrait être particulièrement odieuse au capitaliste puisqu'elle détruit le client.

JACQUES : Je dirai après ce morceau de bravoure sur la guerre qu'elle détruit aussi le chômeur. Qui est l'écrivain aussi brillamment inspiré ?

PIERRE : Boris Vian. Pour finir, il serait temps que les exploités arrêtent de perdre leur temps à servir les exploiteurs. Je laisse cette dernière citation de Boris Vian à l'admiration des foules : « Le temps perdu c'est le temps pendant lequel on est à la merci des autres ».

JACQUES : Paul et toi Pierre, je vous vois bien fonder l'Internationale Citationiste.

En as-tu fini avec tes citations et les vices de nos semblables, générateurs de fautes, de délits, de crimes, d'assassinats, de viols, de guerres, de génocides ?

PIERRE : Que dire de plus ? Eh bien une chose dont l'évidence n'aurait jamais dû échapper à personne. La faute morale la plus lourde de conséquences à laquelle les prolétaires ne devraient jamais envisager de succomber et qu'ils se font un malin plaisir non seulement de commettre mais d'entretenir souvent avec entrain c'est de se jalouser, d'envier le sort plus heureux qu'ils croient deviner dans la foule de leurs semblables, en rivalisant de haine et d'invectives plutôt que de désigner comme coupable la classe des exploiteurs. Qui eux ont pour devise :

« Diviser pour régner. »

« Divide et impera », dixit Machiavel.

JACQUES : Tu ne changeras donc jamais de disque ?

PIERRE : Et pourquoi donc ? La plus grande vertu que peuvent opposer les pauvres aux riches est la Solidarité. Grâce à elle et seulement grâce à elle, les pauvres pécheurs pourront accéder au paradis terrestre.

JACQUES : Les derniers seront les premiers, Amen !

PIERRE (*Il déclame en criant à tue-tête*) : Prolétaires de tous les pays unissez-vous !

JACQUES : Ben voyons !

Scène IV
Pierre, Monsieur Prazoc, Jacques, Vanessa, Jeanne, François, Paul

La sonnette qui dormait sur ses deux oreilles se voit tout à coup obligée d'accepter de subir des assauts de plus en plus appuyés et violents. Cette avalanche de sons plus apparentée à un tintamarre de fin de règne qu'à une sonate de Mozart la laisse en bout de course, pantelante, exténuée, à limite de l'agonie et de la déréliction,

PIERRE : C'est quoi ce raffut ? On ne peut plus philosopher sans être constamment dérangé ? La sonnette n'est pas un lieu de défoulement pour névrosés du bulbe. Qui que vous soyez, passez votre chemin !

On entend la voix essoufflée de Monsieur Prazoc derrière la porte.

MONSIEUR PRAZOC : Ouvrez-moi, ouvrez-moi vite !

PIERRE (*à Jacques*) : Ouvre-lui avant qu'il ne casse la porte !

JACQUES : Vas-y toi, c'est ton frère. Je n'ai pas envie de recevoir un mauvais coup, d'être percuté ou jeté à terre par un forcené même s'il se prétend de ta famille.

PIERRE : Je t'ai connu plus conciliant, plus convivial, plus compréhensif avec mon frère…

JACQUES (*qui ne supporte plus d'entendre les coups redoublés sur une sonnette aphone, se précipite pour ouvrir la porte*) : On vient, on vient, arrête de t'en prendre à plus solide que toi.

MONSIEUR PRAZOC (*En voyant Jacques, il le prend dans ses bras*) : Mon Jacquot, mon Jacquot, je suis bien aise que tu sois un des premiers à connaître ma découverte. (*Voyant son frère*) Et mon cher frère sera aussi dans la confidence. Dans mes bras, que je t'embrasse !

(*Et joignant le geste à la parole, il l'empoigne et le serre contre sa poitrine, en l'étouffant de baisers*).

PIERRE : Du calme, du calme ! Tu te comportes comme si tu me voyais pour la dernière fois ce qui n'est malheureusement pas le cas.

MONSIEUR PRAZOC (*Il retourne embrasser Jacques et revient aussi promptement sur Pierre pour l'embrasser à nouveau*) : Ah je ne peux pas m'empêcher de vous prodiguer à tour de rôle de délicieuses embrassades.

PIERRE (*il s'essuie les joues en faisant la grimace*) : Par pitié, arrête ton cirque. Dis-nous ce que ton cerveau a encore inventé et puis passons à autre chose.

MONSIEUR PRAZOC : Ah, Jacques me comprend mieux que toi. Dis-lui, Jacques, que tu es plus à mon écoute, que tu ne prends pas mes recherches à la légère et que tu acceptes avec reconnaissance de devenir mon assistant scientifique. J'ai préparé des papiers à cet effet pour concrétiser ton acceptation. Dis-lui que tu acquiesces et signe là !

PIERRE : Oui, dis-le-moi, Jacques, ça lui fera plaisir.

JACQUES : As-tu déjà vu, Pierre, des gens qui acceptent de signer par exemple un contrat ou toute autre déclaration sans les avoir lus ?

PIERRE : Il y en a sans doute qui acceptent de signer les yeux fermés.

JACQUES : Eh bien moi je n'accepte pas de donner un blanc-seing à ton frère sans savoir de quoi il retourne.

PIERRE : Pourquoi tu te tracasses ? Les suggestions de mon frère sont souvent des paroles en l'air. N'est-ce pas Metadon ? Deviens son assistant puisqu'il ne me l'a pas proposé.

MONSIEUR PRAZOC : J'adore quand vous vous disputez pour savoir qui aura l'honneur de me seconder.

JACQUES : J'ai bien des occasions d'avoir des différends avec Pierre mais jamais au sujet de ce qui t'intéresse, Monsieur le Pharmacien.

PIERRE : Je confirme. Bon, accouche ou va te coucher.

MONSIEUR PRAZOC : À la bonne heure. Je vous vois tous les deux dans de meilleures dispositions.

JACQUES : Ça ne va pas durer si tu ne te mets pas à table.

MONSIEUR PRAZOC : J'en viens à ma découverte. Mes recherches ont été longtemps infructueuses mais comme on dit chez les Glousdon, si tu ne trouves pas ce que tu cherches et que tu as le bourdon, ne te laisse pas aller à l'abandon !

PIERRE : Les Glousdon seraient bien en peine d'approuver une maxime aussi godiche. On t'écoute néanmoins.

MONSIEUR PRAZOC : J'ai tenté d'obtenir sur mes rongeurs des taux significatifs d'esclavaginase, sans succès.

JACQUES : Es-tu naïf au point de croire encore à tes sornettes pseudo-scientifiques ?

MONSIEUR PRAZOC : Je ne relèverai pas ce trait assassin. J'ai songé un instant à abandonner mais comme on dit chez les Glousdon…

PIERRE : Si demain on y est encore…

MONSIEUR PRAZOC : J'ai eu l'idée d'élever des lignées pures de rats pour qu'il n'y ait pas de différences génétiques et de leur lire pendant leur sommeil, un rat après l'autre, des textes choisis d'auteurs révolutionnaires. J'avais pris la précaution de leur injecter à tous au préalable des doses fixes d'agbaga…

PIERRE : Agbaga bien sûr ! Et pourquoi pendant leur sommeil ?

MONSIEUR PRAZOC : Quand ils sont éveillés, ils sont trop dissipés, ils gigotent dans tous les sens, grignotent la moindre miette, se chamaillent quand ils sont plusieurs et tournent en rond quand ils sont isolés. Donc ils ne sont pas assez concentrés pour apprécier les grands auteurs.

JACQUES : Tandis que lorsqu'ils dorment…

MONSIEUR PRAZOC : Ils sont d'une réceptivité exceptionnelle.

PIERRE (*donnant un coup de coude à Jacques*) : Tu es donc obligé d'attendre qu'ils s'endorment les uns après les autres, tu dois en perdre du temps, tu n'as plus le temps de t'occuper de tes clients. Tu travailles pour la gloire ou pour l'argent ?

MONSIEUR PRAZOC : Je n'attends rien du tout. Je les endors avec un raticide et le sommeil vient en…

JACQUES (*donnant un coup de coude à Pierre*) : En ratiocinant !

PIERRE : Tu les tues, quoi ! Les raticides, ça ne laisse aucune chance, surtout à des rats.

MONSIEUR PRAZOC : Vous êtes de mauvaises langues. Je donne à mes animaux une quantité très éloignée de la dose létale et elle va les plonger dans un sommeil propice à enregistrer dans de bonnes conditions des textes de Marx, Bakounine, Engels, Rosa Luxembourg… J'ai éliminé d'office les textes des bolcheviks. La difficulté a été de trouver le gratin des textes susceptibles de provoquer les meilleures sécrétions. Je dois vous dire qu'après quarante-huit heures de ce régime je n'avais plus de voix.

PIERRE (*qui n'en revient pas de la question qu'il pose) :* Quels textes leur as-tu proposés ?

MONSIEUR PRAZOC (*tout fier*) : Un extrait des manuscrits de 1844 du jeune Marx, un extrait de la Situation de la classe laborieuse en Angleterre de Engels, un extrait de Dieu et l'État de Bakounine, un extrait de Lettres de prisons de Rosa Luxembourg. J'ai essayé différents extraits et pour l'instant je n'en ai pas trouvé de supérieurs.

JACQUES : Et tu crois que tes rats y comprennent quelque chose ?

MONSIEUR PRAZOC : Forcément. Je les vois dormir et au fur et à mesure de ma lecture, je les vois se détendre, étirer leurs petites pattes comme s'ils prenaient un bain de soleil, ronronner comme des chats que l'on chatouille, leurs poils deviennent plus brillants et leurs moustaches frétillent comme s'ils étaient à la recherche de bonnes odeurs… et tout ça en dormant.

JACQUES : À mon avis c'est ton raticide qui les met en transe.

MONSIEUR PRAZOC : Je suis un expérimentateur compétent. J'ai fait trois groupes de dix rats. Un premier groupe qui bénéficiait de cette expérience, un deuxième groupe qui s'endormait naturellement avant d'entendre les textes, un troisième groupe qui recevait le raticide sans écouter de textes. Seul le premier groupe sécrétait dans un premier temps une quantité convenable d'esclavaginase.

PIERRE : Mais ces trois groupes avaient-ils des comportements différents à leur réveil ?

MONSIEUR PRAZOC : Le premier groupe de rats se réveillait en pleine forme. Il ne demandait qu'à sortir de la cage et j'étais parfois obligé d'élever la voix pour qu'il cesse de feuler et de mordiller en vol les barreaux après avoir fait une galipette en arrière. Si j'avais ouvert la cage, je me serais fait mordre sauvagement à n'en pas douter.

JACQUES : Tu fais des expériences très dangereuses et tu n'as pas l'air de t'en rendre compte.

MONSIEUR PRAZOC : Je prends toutes les précautions utiles et imaginables. Par exemple, je ne les remets jamais ensemble avant deux bonnes heures de peur que ces petits révolutionnaires ne se sautent sur le paletot en s'arrachant les poils.

PIERRE : À quoi joues-tu ? Tu les rends violents les uns envers les autres, ce n'est pas le but.

MONSIEUR PRAZOC : Bonne réflexion frérot. J'ai diminué les temps de lecture des textes de moitié et mes rongeurs tout en étant plein de vie, ont eu lorsque je les ai rassemblés un comportement convivial tout à fait attendrissant et leur instinct grégaire les a incités à se faire des léchouilles, des gratouilles et des papouilles à n'en plus finir.

JACQUES : Et le deuxième groupe ?

MONSIEUR PRAZOC : Je m'aperçois que vous vous passionnez enfin pour mes travaux. C'est de bon augure pour la suite. J'ai laissé le deuxième groupe avec un temps de lecture complet. Il n'était pas loin de se comporter comme le premier groupe avec diminution du temps de lecture. J'ai donc deux possibilités d'actions semblables. Que peut demander le peuple de plus convaincant ?

PIERRE : Quel texte est le plus efficace ?

MONSIEUR PRAZOC : Les quatre textes font sécréter la même quantité d'exclavaginase mais j'ai besoin de les lire successivement pour que la réponse soit performante. Si par exemple je lis quatre fois le même texte, le résultat est médiocre. Le raticide permet d'obtenir le même comportement avec un temps de lecture divisé par deux.

JACQUES : Tes rats sont-ils tous sécréteurs de la même quantité d'esclavaginase ?

MONSIEUR PRAZOC : Oh ça me passionne de vous voir tous les deux autant passionnés ! Placés dans les mêmes conditions d'expérience, ils fabriquent les mêmes quantités à un ou deux pour cent près.

PIERRE (*il s'approche de Jacques et lui souffle quelque chose à l'oreille* il s'approche de Jacques et lui souffle quelque chose à l'oreille… *lequel* JACQUES : *ne voulant pas être en reste lui souffle aussitôt quelque chose à l'oreille…*

MONSIEUR PRAZOC (*intrigué*) : S'il y a un détail que vous ne comprenez pas il ne faut pas hésiter à me chuchoter à tour de rôle à l'oreille.

PIERRE : Hum… Comment mesures-tu les taux d'esclava… (*il se retient pour ne pas s'esclaffer)…* ginase de tes rongeurs ?

MONSIEUR PRAZOC : J'ai fabriqué un esclavomètre.

PIERRE : C'est pratique ça !

MONSIEUR PRAZOC (*il sort un tube métallique*) : Le voilà. Il mesure les concentrations en milli… voire microgrammes.

Jacques et Pierre s'approchent et constatent la présence d'un objet qu'ils n'arrivent pas à identifier.

PIERRE : Ça ne ressemble à rien ça ! On dirait un gros stylo à encre.

JACQUES : Je dirai plutôt une petite lampe torche.

MONSIEUR PRAZOC : J'en ai fabriqué un autre plus perfectionné qui prend les mesures en unités internationales. (*Il sort de sa poche un autre tube*).

PIERRE : Comme les stylos injecteurs d'insuline.

MONSIEUR PRAZOC : Le mien n'injecte rien mais mesure. J'ai en projet la fabrication d'un stylo injecteur d'esclavaginase. En l'honneur de notre cause, j'ai modifié le nom des unités. L'esclavaginase se mesurera équivalentement en unités internationalistes.

PIERRE : Une unité internationale égale une unité internationaliste ?

MONSIEUR PRAZOC : Exactement.

PIERRE : On ne pouvait pas mieux trouver. Unité hilarante aurait fait aussi bien l'affaire.

JACQUES : Des unités révolutionnaires donc, pas mal ! Ou pourquoi pas des unités communistes ou anarchistes ?

PIERRE : Ou socialistes, ou ouvrières !

MONSIEUR PRAZOC : C'est mon invention, c'est moi qui décide !

PIERRE : Ne te fâche pas. Il y a un problème que tu ne peux pas méconnaître. Ce ne seront pas les rongeurs, rats, souris ou autres bestioles qui malgré leur meilleure volonté pourront être en mesure de faire la révolution. Il faut donc extraire ta fameuse substance de leurs corps bestiaux. Comment comptes-tu t'y prendre ? Tu les tues, tu les dissèques ou tu nous fais boire leur sang ?

Combien d'animaux comptes-tu sacrifier pour faire d'un homme un révolutionnaire ?

MONSIEUR PRAZOC : Aucun. Tu me prends pour un vivisecteur, un sadique qui n'a pas meilleure chose à faire que d'assassiner des créatures vivantes ? Je ne suis pas Monsieur Troudelassec, moi. Je cherche, je trouve, j'innove. J'extrais l'esclavaginase du sang de mes rats. Et pour ce faire je fais une prise de sang à chacun de mes rongeurs. Je prélève un ml de sang et j'arrive donc pour dix rats, faites le calcul, à un volume sanguin de dix millilitres. Et là commence l'opération la plus difficile. Comment extraire l'enzyme de cette liqueur revigorée ?

PIERRE : Tu devrais peut-être questionner Tubar à ce sujet.

MONSIEUR PRAZOC : Je n'ai pas besoin de son aide. J'ai trouvé en compulsant de vieux parchemins chez un bouquiniste vendant des livres ésotériques une liste de liqueurs dissolvant les humeurs naturelles ou artificielles flottant dans l'organisme. J'en ai testé une cinquantaine et à la cinquante-neuvième, j'ai obtenu un précipité qui a littéralement affolé mon esclavomètre. Le liquide résiduel du sang testé ne contenant plus un seul atome détectable de mon enzyme, j'ai compris qu'avec ce précipité je touchais au Graal.

PIERRE : Je connais une maison ayant pignon sur rue qui s'occupe de recycler les imaginations débordantes.

MONSIEUR PRAZOC : Tu veux m'envoyer à l'asile, tu me prends encore et toujours pour un idiot de village ?

JACQUES : Méfie-toi, il va t'envoyer aux Mythomanes Anonymes.

MONSIEUR PRAZOC : Je l'ai connu plus conciliant et plus fraternel. En tout cas, j'ai dans ce flacon dix mille unités internationalistes d'esclavaginase qui lui fera rabaisser son caquet. (*Il sort d'une poche intérieure un petit flacon contenant une poudre blanche*) : Elle est pure à cent pour cent, de l'esclavaginase microcristalline dont la valeur est inestimable.

Il la promène d'un va-et-vient rapide entre le nez de Pierre et celui de Jacques.

Et je peux faire mieux pour vous démontrer la véracité de mes affirmations.

JACQUES : Tu nous montres ton esclavomachin ?

MONSIEUR PRAZOC : Pour qui ne sait pas s'en servir, ça ne sert à rien de le montrer.

PIERRE : On peut toucher avec les yeux ?

MONSIEUR PRAZOC : Pour qui ne sait pas s'en servir, ça ne sert à rien de le toucher.

JACQUES : Juste le voir !

MONSIEUR PRAZOC : Pour qui ne sait pas s'en servir, ça ne sert à rien de le voir.

PIERRE : Même de loin ?

MONSIEUR PRAZOC : Même de près !

PIERRE : Qui nous dit que ta poudre blanche contient de l'esclavaginase ? C'est peut-être du sucre ou de la cocaïne ?

JACQUES : Ou de la craie pulvérisée ?

PIERRE : Tu ne risques rien à nous prêter ton flacon pour voir de quoi il retourne.

MONSIEUR PRAZOC : Vous n'y connaissez rien ! Les caractères organoleptiques de cette poudre ne vous apprendront rien de plus que sa couleur blanche et son aspect microcristallin.

PIERRE : On ne va pas la manger ta poudre. Si elle est efficace, tout le monde pourra en profiter.

MONSIEUR PRAZOC (*il tend le flacon à Pierre qui s'en saisit, le scrute, puis le tapote, puis fait mine de le mettre dans sa poche.*
Rends-le-moi tout de suite !

PIERRE : Attends une seconde, je le passe à Jacques. *Il tend le flacon à Jacques qui s'en saisit, le scrute, puis le tapote, puis fait mine de le mettre dans sa poche.*

MONSIEUR PRAZOC : Bon, ça suffit, rendez-le-moi !
Jacques rend le flacon à Pierre qui le rend à Jacques par-dessus la tête de Monsieur Prazoc qui tente sans succès de l'intercepter.

MONSIEUR PRAZOC : Je vois que vous vous êtes ligués tous les deux contre moi. Vous vous joignez à Paul dans le dénigrement de ma personne.

PIERRE : On te rend le flacon si tu nous donnes le nom du solvant extracteur d'esclavaginase.

MONSIEUR PRAZOC : C'est du chantage malfaisant ! Si j'avais pu deviner qu'un frère allait me tirer les vers du nez de manière aussi scandaleuse, je serais resté en Amérique. La solidarité révolutionnaire c'est du pipeau !

PIERRE : Et ta solidarité, elle est tombée aux oubliettes ? Tu devrais nous donner sans états d'âme toutes les informations concernant tes travaux au lieu d'être fuyant comme une anguille qui a peur d'être débusquée sous une roche.

Si par malheur tu venais à disparaître, nous ne pourrions même pas profiter de ton invention.

MONSIEUR PRAZOC : Dès que j'aurai fait breveter ma découverte, vous aurez tous les renseignements en votre possession. L'esclavaginase ne doit pas tomber entre des mains ennemies.

PIERRE : Déposer un brevet, et puis quoi encore ! Tu parles comme un capitaliste. Tu devrais avoir honte de nous prendre pour des ennemis. Donne-nous déjà le nom du solvant et ce sera déjà un premier pas synonyme de bonne volonté.

MONSIEUR PRAZOC : Il me reste à affiner mes techniques de fabrication et je pourrai vous sortir des centaines de flacons d'esclavaginase.

JACQUES : Tu me fais sourire bêtement avec ton esclavaginase !

PIERRE : Tu as raté ta vocation, celle de nous faire prendre des vessies pour des lanternes.

MONSIEUR PRAZOC : Vous me rendez mon flacon et si vous donnez votre langue au rat je vous donne le nom du solvant.

PIERRE (*il lui donne son flacon*) : Tu aurais mérité que je jette ton flacon au feu.

MONSIEUR PRAZOC : Il n'y a pas de solvant !

PIERRE : Je t'aimais bien jusqu'à maintenant mais je crois que je vais t'étrangler de mes propres mains.

JACQUES : Je suis d'ailleurs prêt à joindre mes mains aux tiennes.

MONSIEUR PRAZOC (*qui recule instinctivement*) : Ça ne veut pas dire que je ne suis pas capable d'isoler l'esclavaginase. Je prends un volume de sang de rats du premier groupe et j'y ajoute le même volume de sang d'un groupe de rats naïfs.

PIERRE : Les rats sont peut-être des bestioles naïves mais s'il y a bien un groupement humain exempt de toute naïveté c'est bien celui des révolutionnaires.

JACQUES : À nous, on ne nous la fait pas !

MONSIEUR PRAZOC : À toi, si ! Tu n'es pas un révolutionnaire. Et vous n'êtes ni l'un ni l'autre des scientifiques. Un rat naïf ou un singe naïf ou un homme naïf, en langage médical ça signifie qui n'a reçu aucun traitement.

JACQUES : On dit pourtant malin comme un singe.

MONSIEUR PRAZOC : Tu ne descends manifestement ni du singe ni du rat. Peut-être du bâtonnier ?

PIERRE : Métadon, ne sois pas méchant. Jacques t'a toujours défendu. Continue ta démonstration.

JACQUES : Je connais bien ton frère, il est d'une susceptibilité commune à tout le genre humain. Je ne lui en veux pas.

MONSIEUR PRAZOC : Tant mieux ! Donc en mélangeant du sang de rat agbagalisé, puis raticidisé et endormi sous quarteron de textes révolutionnaires à du sang de rat naïf, n'ayant donc reçu aucun de ces traitements j'obtiens un précipité blanc d'esclaviginase pure.

PIERRE : Elle est dans ce flacon ?

MONSIEUR PRAZOC : Exactement.

JACQUES : Et si j'en avale, je deviens révolutionnaire ?

MONSIEUR PRAZOC : En tout cas sensible et réactif à la misère humaine.

JACQUES : Et tu crois que je ne le suis pas. Demande à Pierre ce qu'il en pense. Toutes les semaines je lui fais un résumé des causes pour ainsi dire perdues que je défends souvent sans demander beaucoup d'honoraires. Je vois dans les prétoires ou à mon cabinet de pauvres bougres accusés de chapardages, de squats, de vols à l'étalage, de cambriolages de riches villas sans violence et sans effusion de sang, de tentatives d'escroqueries avortées…

MONSIEUR PRAZOC : Tu ne défends que les miséreux et jamais les misérables ?

JACQUES : Je ne défends jamais les criminels qui répandent le sang par cruauté intrinsèque.

MONSIEUR PRAZOC : Ta bonté d'âme est un exemple pour nous tous. Je te ferai avaler deux cents unités internationalistes d'esclavaginase, ça devrait suffire. Et toi Pierre, je t'en donnerai autant… dans quelques jours. Puis nous ouvrirons un cabinet révolutionnaire pour esclavaginaser le prolétariat mondial.

JACQUES : Avoir de la suite dans les idées ne garantit pas la justesse du raisonnement.

N'est-ce pas faire preuve de naïveté déplorable de croire qu'on pourra transformer le genre inhumain en genre humain par l'opération de la sainte biochimie ? Les pauvres ne sont-ils pas naïfs par nature puisqu'ils croient aux promesses des riches ?

MONSIEUR PRAZOC : Crois-en mon expérience. Même mes rats naïfs ne sont pas si naïfs que ça. (*Il sort de sa poche intérieure une boîte en carton trouée d'ouvertures et ouvre son couvercle*) : Allez Raspoutine, sors de ta cachette, le tzarévitch t'attend pour une promenade. (*Rien ne sort de la boîte.*) Vous voyez, il ne veut pas sortir. Il a compris à la tonalité de ma voix que j'étais en train de mentir.

JACQUES : Que veux-tu faire sortir de ton chapeau, pas un rat j'espère ?

MONSIEUR PRAZOC : Allez Raspoutine, tu ne veux pas décevoir le petit Romanov, quand même ?

Un rat blanc montre le bout de son museau, sort de la boîte, grimpe sur les épaules de Prazoc, renifle sa bouche, lui lèche le cou, mordille son bras, puis saute à terre et trotte à travers la pièce.

JACQUES : Je ne vais pas rester une minute de plus avec ce sale machin blanc à pattes et à poils, mangeur de détritus et vecteur de microbes.

PIERRE : On a compris ta démonstration de force. Maintenant, rattrape ton rat avant qu'il ne fasse des saletés ou des dégâts plus substantiels. C'est un monde, ça. Il n'y a que toi pour nous montrer la lie des égouts.

MONSIEUR PRAZOC : Vous êtes de sacrées chochottes !

Tout à coup la sonnette, baignant dans son son, se met à gémir, actionnée par une pression douce mais prolongée.

PIERRE : Ça tombe pile-poil, va ouvrir Jacques et profites-en pour le faire sortir.

JACQUES (*qui voit le rat s'approcher vivement de ses jambes*) : Allez le rat, j'ouvre la porte et tu sors !

La sonnette lance un profond râle et s'éteint. On entend frapper à la porte.

JACQUES : Oui, oui, je vais ouvrir. Qui que vous soyez, regardez bien droit devant vous et ne baissez pas les yeux.

MONSIEUR PRAZOC : Raspoutine, si tu sors de cette pièce tu seras fusillé par les bolcheviks !

Le rat s'immobilise à mi-chemin entre la porte et son maître.
La porte s'ouvre et la silhouette gracieuse de Vanessa apparaît dans l'embrasure.

VANESSA : Bonjour Jacques, mais laisse-moi donc entrer au lieu de jouer au football avec mes jambes. Mais qu'est-ce que c'est… Mon Dieu, une souris ! Quelle horreur ! Je m'en vais !

JACQUES : Mais non, Vanessa, il n'y a pas de souris ! Mais laisse-le donc sortir !

Vanessa saute à pieds joints sur une chaise et se met à crier sans plus pouvoir s'arrêter :

VANESSA : Une souris ! Une souris ! Une souris ! My God ! Je vais m'évanouir ! (*Elle se jette dans les bras de Jacques qui n'en demandait pas tant*)

MONSIEUR PRAZOC : Ce n'est pas une souris, c'est un rat ! Viens ici, toi, avant que je ne me fâche. Raspoutine, c'est pour aujourd'hui ou pour demain ? J'ai dû me tromper, il n'a pas l'air naïf, celui-là. À quel groupe il appartient ? Il a dû fabriquer trop d'esclavaginase celui-là. Laisse la dame tranquille. Il faut l'excuser. C'est un mâle et c'est la première fois qu'il voit une femme en chair et en os.

Le rat, bon prince, regagne les bras de Monsieur Prazoc qui s'empresse de le remettre dans sa boîte.

MONSIEUR PRAZOC : Tout est bien qui finit bien. Vanessa, tu peux quitter les bras de Jacques. À moins que tu t'y sentes trop bien.

VANESSA : Tu peux me relâcher Jacques. La frayeur est passée. Je peux gérer toute seule comme une grande personne maintenant.

JACQUES : Parfois ça fait du bien de se sentir faible comme l'enfant qui vient de naître.

VANESSA : Tu peux me déposer ? Je ne suis pas ton enfant et je n'ai pas envie que tu m'allaites.

Jacques la remet à regret sur ses pieds en faisant une révérence contrariée.

VANESSA : Que fais-tu avec des rats, Métadon ? Tu ne peux pas te contenter d'exercer ton métier normalement ?

MONSIEUR PRAZOC : Bientôt tu me remercieras de t'avoir causé cette frayeur. Quel bon vent t'amène ?

VANESSA : Je viens vous prévenir qu'une guerre nous menace.

JACQUES : Une guerre, quelle guerre ?

VANESSA : Il suffit de savoir lire entre les lignes les informations quotidiennes que nous déversent des journalistes superficiels.

PIERRE : Sans blague ! Tu lis des scoops majeurs dans des journaux de la jet-set ? As-tu repéré dans le journal people de François, expert en géopolitique, les signes avant-coureurs d'un bruit de bottes belliqueux ?

VANESSA : Laisse François à sa vie insouciante, je n'ai pas besoin de lui pour me faire ma propre idée. On est au bord de la troisième guerre mondiale.

PIERRE : Et quelles seraient selon toi les forces en présence prêtes à en découdre ? Les tensions internationales et les guerres régionales, les actes de terrorismes, les ethnocides sont à l'œuvre depuis longtemps dans le monde capitaliste. Donc ce n'est pas déraisonnable de penser au pire. Mais qu'est-ce qui te fait penser que le pire est aux portes de toutes les nations ?

VANESSA : Ton optimisme béat, ton indifférence aux malheurs qui surnagent me laissent pantois. Il ne faut pas attendre, descendons dans les rues des villes, dans les chemins de campagnes, dans les vallées et les places publiques, nouons des chiffons rouges en guise de drapeaux à tous les étages des immeubles d'habitations et des bureaux et crions notre colère, crions non à la guerre, non à la guerre !

PIERRE : Que t'arrive-t-il, Vanessa, tu as mangé du lion ? Je ne te connaissais pas cet esprit de révolte, ce souffle enflammé de passionaria rouge. Tu as peur d'une souris et tu veux soulever des montagnes, il y a quelque chose qui m'échappe.

VANESSA : Et alors ? Je n'ai pas le droit de prendre conscience des événements quand cette conscience remonte dans ma gorge et me fais hurler de dégoût. Je prends le relais de Rosa Luxembourg, de Karl Liebknecht, de Jean Jaurès.

PIERRE : Quelque chose m'échappe !

JACQUES : Je suis éberlué, estomaqué, abasourdi. Vanessa, reprends-toi. Je veux retrouver ma petite enseignante de littérature anglo-saxonne.

Monsieur Prazoc émet une prazoquerie insolite.

PIERRE : Et toi, Metadon, qu'est-ce qui te fait rigoler ? Tu ricanes comme un pic vert qui demande son chemin. Il n'y a pas de quoi se réjouir de voir ses proches partir en vrille.

MONSIEUR PRAZOC : Ce qui m'amuse c'est la constatation qu'il n'y a rien de plus amusant que de constater la logique des vases communicants. Quand l'un perd en lucidité, un autre en gagne d'autant.

PIERRE : Nous sommes au moins deux à nous en amuser. Car je constate avec amusement que tu as peut-être raison après tout. Personne ne peut affirmer sans se tromper que la troisième guerre mondiale n'aura pas lieu.

MONSIEUR PRAZOC : *Il plonge une main dans sa poche intérieure et gratte la boîte dans laquelle est installé comme un bébé kangourou son rat favori.*

Tu as entendu, mon brave Raspoutine, ce que les gens viennent de dire. Prends-en de la graine. Ça devrait t'inciter à réfléchir.

On entend une clef tourner dans la serrure et le visage de Jeanne apparaît, tourmenté par un essoufflement non feint.

JEANNE : J'ai cru que je n'arriverais jamais à destination. Il a fallu que je fasse des tours et des tours autour des pâtés de maisons, puis des détours par des ruelles peu fréquentées puis des demi-tours en longeant les murs, puis des arrêts sous des porches ou des cages d'escaliers puis…

PIERRE : Jeanne, tu n'es pas dans ton état normal, reprends ton souffle et éclaircis tes idées qui ont l'air dépourvues de sens.

JEANNE : Si je me tais plus d'une seconde je n'arriverai pas à recouvrer mes esprits. (*Elle tousse*).

PIERRE : Jeanne, je jurerais que tu as bu un verre de trop chez notre ami Tubar.

JEANNE : J'aurais bien voulu mais ils ne m'ont jamais permis d'aller dans cette direction.

PIERRE : Qui ils ?

JEANNE : Tu ne comprends donc pas qu'ils n'ont pas arrêté de me suivre ?

JACQUES : Jeanne, comme ils ont raison ! Moi, je vous aurais suivi jusqu'au bout du monde.

PIERRE : Jacques, tu prends de plus en plus souvent tes désirs pour des réalités.

JEANNE : J'aurais mille fois préféré être suivie par Jacques.

PIERRE : Cesse de tourner autour du pot. Qui t'a suivie ?

JEANNE : Au début j'ai cru que c'étaient des violeurs qui voulaient me coincer. Mais si ça avait été le cas, ils seraient vite allés droit au but.

PIERRE : Tu nous assènes ces phrases avec un sang-froid qui me glace les sangs.

JEANNE : J'ai commencé par courir pour essayer de me débarrasser d'eux. C'est à peine s'ils allongeaient le pas. Je me suis cachée plus d'une fois derrière un lampadaire ou un poteau télégraphique mais ils me repéraient au tumulte de mon halètement.

MONSIEUR PRAZOC : Je t'aurais bien cachée, belle-sœur, dans une de mes poches, mais il y a un rat dans l'une et un esclavomètre dans l'autre.

JACQUES : Tu prends Jeanne pour une lilliputienne, tu n'as vraiment pas le sens des réalités.

MONSIEUR PRAZOC : Plus c'est petit, plus c'est mignon.

JEANNE : Dès qu'ils s'approchaient de moi, je reprenais ma marche en avant. Je m'arrêtais, ils s'arrêtaient, je courais s'ils faisaient mine de m'oublier. Alors ils repartaient de plus belle. On aurait fait du sur-place avec une distance de sécurité, cela aurait eu le même résultat. J'ai failli aller les voir pour leur signifier mon mécontentement et puis je me suis ravisée.

S'ils m'accusaient de racolage, ils étaient capables de me traîner en prison.

PIERRE : Ce sont donc des policiers ?

Ils étaient combien à te suivre ?

JEANNE : Ce sont des espions des Renseignements Généreux qui sont envoyés en mission pour pister notre groupe révolutionnaire.

VANESSA : Je suis de tout cœur avec toi.
Sans les espions il y aurait sûrement moins de guerres.

MONSIEUR PRAZOC : Il y a les bons espions et les mauvais espions.

J'ai moi-même joué pendant plusieurs années un rôle d'espion avec une virtuosité que bon nombre de mes pairs ont bien été obligés de reconnaître.

PIERRE : Avec trois charcutages plus que douteux qui t'ont défiguré, tu crois t'en être tiré à bon compte ?

MONSIEUR PRAZOC : Plus qu'à bon compte puisque je suis passé à des comptes d'apothicaires.

JEANNE : Si tous les espions se défigurent sans précaution, les mères ne reconnaîtront plus leurs fils.

MONSIEUR PRAZOC : Ni leurs filles. Tu oublies les espions féminins. Les espionnes m'ont toujours fasciné. J'ai essayé dans la mesure de mes propres moyens de mettre mes pas dans les leurs. Quelles délicieuses et malignes jeunes femmes, Mata Hari et la chevalière d'Eon.

PIERRE : Le Chevalier d'Eon, car c'était un homme a été un espion remarquable au service de Louis XV dans la guerre de Sept Ans qui a opposé la France à l'Angleterre. Il a su se faire des amis dans le camp de ses ennemis mais quand il s'est fait des ennemis dans son propre camp il a été obligé de prendre des habits féminins sous peine de sanctions. Apprécié du Roi d'Angleterre George III alors qu'il était chargé d'établir un plan d'invasion de la perfide Albion il a été délaissé par les rois de France Louis XV puis Louis XVI. C'est l'exemple parfait d'un espion qui a été le roi du travestissement et qui a influencé le cours de la guerre.

Quant à Mara Hari, parlons-en. Ce fut une cocotte naïve et vénale qui a été manipulée par les services secrets allemands et français pendant la Première Guerre mondiale. Elle a été sacrifiée sur l'autel de la raison d'État en temps de guerre. Espionne pour l'Allemagne, peut-être, mais une espionne qui n'a rien révélé d'important. Courtisane et danseuse bien sûr, elle est morte fusillée la tête haute et pleine de courage. Toi, mon frère, n'as-tu pas été manipulé comme elle par la CIA et le KGB ?

MONSIEUR PRAZOC : C'est faux, c'est faux ce que tu viens de dire. C'est moi qui les ai manipulés.

VANESSA : J'avais raison. Les espions favorisent les guerres.

PIERRE : J'aurais plutôt envie de dire que les guerres multiplient à l'infini les espions. Ils vadrouillent d'un bout à l'autre du globe terrestre en temps de paix. En temps de guerre, ils grouillent comme des microbes dans un bouillon de culture.

JEANNE : Tandis que vous perdez bêtement votre temps à logorrher, les agents qui nous cherchent sont sans doute en bas de l'immeuble.

PIERRE : Combien sont-ils à te pourchasser ? Car je pense qu'ils en ont uniquement après toi.

JEANNE : Ils sont deux mais leurs nombres ne demandent qu'à enfler. Il faut les capturer car ce sont des espions du capitalisme.

PIERRE : Si ce sont les R. G., tu n'as rien à craindre. Les Renseignements Généreux comme leurs noms l'indiquent se renseignent. Ils n'interviennent que contraints et forcés.

Ils sont certes comme cul et chemise avec une section d'assaut à qu'ils demandent parfois d'intervenir en cas de grosse opération. Ce sont des agents spéciaux des R. G. appelés les Intervenants.

JEANNE : Raison de plus pour intervenir. Il faut les capturer.

PIERRE : Jeanne, quelle mouche te pique ? Toi et Vanessa, vous faites la paire. Où donc as-tu été fourrer ton nez ?

JEANNE : Je revenais de mon cours de théâtre.

JACQUES : J'ignorais que tu voulais devenir comédienne.

JEANNE : Je ne veux pas devenir comédienne. Je suis comédienne. On est en train de répéter le Marchand de Venise de Shakespeare.

PIERRE : Pièce ambiguë mais qui explique bien des choses sur la société marchande qui préfigure la société capitaliste.

JACQUES : J'ai hâte de te voir jouer. Tu es une femme pleine de ressources.

MONSIEUR PRAZOC (*qui ne s'intéresse plus à la conversation*) : Raspoutine, cesse de gigoter comme un animal en cage.

PIERRE : Elle écrit aussi des contes pour enfants que je nomme les contes de la mère Jeanne.

JACQUES : C'est merveilleux ! Quel genre de contes écris-tu ?

MONSIEUR PRAZOC (*soudain intéressé*) : Des comptes d'apothicaire !

PIERRE : Ses contes se situent au centre de gravité d'un triangle équilatéral dont les trois sommets sont respectivement les contes de Perrault, les contes de Grimm et les contes d'Andersen.

JACQUES : Mazette ! Je n'ai pas d'enfants mais j'ai une folle envie de lire tes histoires.

JEANNE : Ce n'est pas le moment. Si personne ne veut prendre le taureau par les cornes, je prends mon bâton de pèlerin, je descends dans la rue, je me rue sur les espions et je les mords au sang. Vive la révolution !

PIERRE : Reste sur la scène de l'imaginaire Jeanne, ça vaudra mieux pour tout le monde. Et toi, Prazoc arrête de ricaner avec ton rat.

On entend trois coups vigoureux frappés à la porte suivis d'un borborygme sonore qui laisse peu de doute sur l'identité de l'esprit frappeur.

JACQUES : Je parie trois pièces frappées à l'effigie de Dionysos que derrière cette porte titube François le saint patron des spiritueux ! (*Il lui ouvre la porte*).

FRANÇOIS : Je t'ai entendu fieffé coquin !
Tu veux me faire passer pour un ivrogne. Mais si j'étais dans le même état que les deux poivrots que j'ai repérés en bas de la rue, tu serais en droit de me traiter comme le dernier des éthyliques.

JEANNE : Tu les as vus en bas ?

FRANÇOIS : Comme je te vois ma chère Jeanne ! Tu les connais ?

JEANNE : Ils font semblant d'être ivres mais ce sont des agents des R. G. Ils sont malins les scélérats !

MONSIEUR PRAZOC (*qui couve d'un œil attendri le contenu de sa poche*) : Mes rats sont en général très malins même si leur sort est scellé d'avance.

JEANNE : Arrête de radoter !

On ne te demande pas ton avis. Dors dans ta poche et ronfle tout ton saoul.

JACQUES : Je ne pense pas que des fonctionnaires payés avec l'argent du contribuable oseraient s'offrir le luxe de gaspiller leur temps de travail à s'aviner comme de vulgaires tonneaux.

FRANÇOIS : L'alcoolisation du genre humain est un phénomène qui se transmet de génération en génération et qui n'épargne aucune classe sociale. Les riches boivent pour oublier les pauvres, les pauvres boivent pour se souvenir des riches. J'ai toujours évité le premier verre d'alcool et jamais refusé le dernier verre d'eau.

PIERRE : C'est l'hôpital qui se fout de la charité !

JEANNE : De quoi avaient-ils l'air ?

FRANÇOIS : Ils avaient un chapeau melon, une canne en bois verni et ils se ressemblaient comme deux gouttes d'alcool. Je les aurais bien giflés mais mon réservoir d'humanité aurait été entamé d'une manière irréversible. À bas l'alcoolisation, vive la révolution aquatique. Boire du vin alors qu'on pourrait téter au pis de la vache pour améliorer le sort des agriculteurs est un sacrilège dont même les viticulteurs ne veulent pas entendre parler.

PIERRE (*à Jacques*) : Tu n'aurais pas un alcootest ? je crois qu'il est bourré de bas en haut.

JACQUES : Je n'en ai pas besoin. Je ne bois pas de cette eau-là !

FRANÇOIS : Je vais effectuer des enquêtes dans les bas-fonds des principales villes et recueillir des témoignages plus parlants que les études des alcoologues. Tous les malheurs de l'humanité sont déclenchés par les beuveries et jugulés par les cures d'eau.

JEANNE : Je vais descendre les voir pour en avoir le cœur net. (*Elle ouvre la porte et disparaît*).

VANESSA : Toutes les guerres sont perpétrées par des soldats ivres.

FRANÇOIS : Qu'est-ce que je disais ! On est bien d'accord.

PIERRE : Je crois que je suis entouré de fous furieux.

FRANÇOIS : J'ai un doute sur le fait de boire de l'eau polluée ou de ne pas boire du tout. Peut-être après tout qu'une révolution bien menée pourrait permettre de s'adonner avec bonheur aux boissons alcoolisées et autres réjouissances. Vive la révolution ! Vous n'auriez pas du Borshepor ?

PIERRE : Metadon, tes sourires niais m'horripilent au plus haut point. Où est passée Jeanne ?

JACQUES : Elle vient de sortir.

La porte s'ouvre brusquement et Paul entre d'un pas décidé, le regard pénétrant.

PAUL : Toujours aussi facile de crocheter ta serrure, Pierre. Je viens de croiser Jeanne dans l'escalier. Elle ne m'a même pas salué.

PIERRE : Elle est partie voir si deux policiers indiscrets ne seraient pas en train de l'attendre dans la rue en marchant négligemment au pas de l'oie.

PAUL : On n'est jamais trop prudent quand des formes humaines s'avisent d'empêcher leur popotin de dandiner. Mais qu'elle se rassure, les rues sont désertes depuis que des patrouilles de révolutionnaires ont fait le ménage dans le quartier.

PIERRE : De quoi tu parles ? Tu te crois en pleine révolution ouvrière ?

PAUL : Ouvre donc les yeux ! L'insurrection a débuté il y a deux heures. Des milices ouvrières ont pris position dans chaque arrondissement. J'ai veillé à ne prendre que des hommes sûrs, peu enclins à trahir la cause et les hommes qui se sont mis en branle pour elle. L'étude de l'Histoire sert à ne pas renouveler les erreurs du passé. Il n'y aura pas de nouveau Grisel, cet infâme traître qui a dénoncé la conjuration des Égaux. Je vous propose de créer un Directoire secret de salut public qui coordonnera la lutte.

PIERRE : Qu'est-ce qui ne va pas avec toi ? Tu as avalé des champignons hallucinogènes ou fumé de la marijuana ?

PAUL : Tu es des nôtres ou tu te dégonfles comme d'habitude ? Un rentier ne peut pas parler de la souffrance des travailleurs et il n'éprouve donc pas d'empathie. Le loup ne peut pas parler de la peur de l'agneau !

PIERRE : Je suis un loup et toi un agneau, c'est ça ? Mon vieux, tu es un pervers narcissique !

MONSIEUR PRAZOC : Le loup et l'agneau, quelle belle image champêtre ! Je vois la scène d'ici : le loup fait hou ! hou !, l'agneau fait bêe ! bêe ! houbêe ! houbêe ! houbêe !

JEANNE (*qui vient d'entrer*) : C'est quoi cette ménagerie ? Prazoc, on t'entend braire depuis l'escalier.

MONSIEUR PRAZOC : Je peux faire encore mieux.
Le chien ratier ne peut pas parler de la peur du rat ! (*Il veut aboyer puis feuler mais rien ne sort de sa gorge.*)
Il faudrait que j'apprenne à faire des vocalises dès le matin.

JEANNE : Métadon, tais-toi, tu me tapes sur les nerfs !

PAUL : Alors, Jeanne, as-tu vu des intrus en képis ou en civils ?

JEANNE : Tout est désert, un silence de cimetière, pas un oiseau ne chante, on dirait que les vivants ont rejoint les morts.

MONSIEUR PRAZOC : Cuicui, tout est cuit !

PAUL : La guerre des classes va commencer !

PIERRE : Les vrais historiens pensent que ce sont les vainqueurs qui écrivent l'Histoire en forçant les vaincus à l'apprendre par cœur. Toi, Paul, tu prétends écrire mon histoire personnelle et je n'ai pas d'autre choix que de m'imprégner de ta version. Honte à toi !

PAUL : Je me suis peut-être laissé emporter par l'ambiance du combat qui se prépare.

PIERRE : Ainsi dès aujourd'hui les prolétaires se préparent à vaincre les capitalistes ? Les rêves ne sont beaux que lorsque la réalité rêvée dépasse la fiction. Je sens dans ta tête une révolution qui ne fera pas plus de bulles qu'un pet dans un verre d'eau.

PAUL : Ainsi l'utopie n'est pour toi qu'un mot creux ?

FRANÇOIS (*qui somnole*) : J'en ai marre de vous entendre vous chamailler pour un verre d'eau. Alcoolisons-nous avant de faire la révolution.

VANESSA : Je sens une tension malsaine dans cette pièce. Descendons dans la rue pour manifester contre la guerre.

Monsieur Prazoc, cessez de jouer avec votre bouche. On ne sait pas si vous souriez ou si vous grimacez.

PAUL : Pierre, es-tu prêt à venir coller des affiches dans ton quartier ? D'autres affiches sont déjà collées un peu partout dans la ville.

PIERRE : Quel genre d'affiche ? Je ne veux rien coller sans connaître leur teneur à l'avance.

PAUL : On a réimprimé la fameuse affiche rouge dont Bakounine a écrit le texte et qui a été placardée le 28 septembre 1870 à Lyon. Des modifications mineures ont été apportées pour coller au plus près à l'époque actuelle.

PIERRE : Mon Dieu ! C'est l'affiche de la Fédération Révolutionnaire des Communes. Quand on met naïvement la charrue avant les bœufs, on finit par sombrer dans le ridicule.

PAUL : Tu insultes Bakounine, ça ne m'étonne pas de toi !

PIERRE : Je ne songe pas un seul instant à l'insulter, bien au contraire. Dans cette tentative d'insurrection, il a su faire preuve du courage que je lui ai toujours reconnu. Son charisme, son esprit d'organisation n'ont pas suffi à faire triompher le mouvement. La lâcheté, la traîtrise de Cluseret, le soi-disant chef militaire qui n'a pas voulu armer la garde nationale issue du quartier ouvrier de la Croix Rousse ont été dénoncés avec justesse par Bakounine. Les milliers d'ouvriers présents sur la place se sont retrouvés désarmés devant la charge des gardes nationaux bourgeois. On reverra sévir l'incompétent Cluseret pour le plus grand malheur de la Commune de Paris.

PAUL : Que reproches-tu à Bakounine, son utopie ?

PIERRE : Que dit l'article premier proclamé par l'affiche ?

« La machine administrative et gouvernementale de l'État, étant devenue impuissante, est abolie. »

Il ne suffit pas d'écrire une chose pour qu'elle soit réalisée. C'est à la révolution de l'accomplir et ce n'est pas une mince affaire. On ne peut pas faire l'économie de la révolution. C'est à la fin d'une révolution aboutie qu'on peut espérer voir l'extinction de l'État, pas à son début où tout reste à faire. On peut en parler comme d'un but à atteindre dès le commencement des hostilités mais pas crier sur tous les toits à l'avance :

« Veni, vidi, vici » « je suis venu, j'ai vu, j'ai vaincu ».

C'est comme si la NASA proclamait dans tous les médias « demain à l'aube une navette spatiale ayant à son bord une dizaine d'astronautes, décollera pour un voyage interplanétaire vers la planète Mars. Aucune navette ne partira le lendemain vers la planète rouge car rien n'a été préparé pour un voyage si fantastique.

PAUL : Si parfois on ne remue pas le cocotier même quand il n'est pas mûr, on est alors tout surpris de sentir les noix de coco tomber sur sa tête. Dans Dieu et l'État qui est le texte fondateur de la pensée socialiste libertaire, voici ce qu'écrit Bakounine : « Le peuple n'a que trois moyens de s'en sortir : les deux premiers, c'est le cabaret et l'église, la débauche du corps ou la débauche de l'esprit ; le troisième, c'est la révolution sociale. » Son hostilité à l'État est définitive. Il ne croit pas qu'on puisse mener à bien la révolution en se servant de l'État. Est-ce utopique ?

PIERRE : Je n'ai jamais dit qu'il faille se servir de l'État. Bakounine a raison de dire qu'un État gouverné par des ouvriers, des savants ou des vertueux reste un État, donc un système d'exploitation. Il doit dépérir au fur et à mesure de la progression de la révolution et ne laisser au bout du compte qu'un tas de cendres sur la terre des hommes. Quant à savoir si son agonie sera douce ou violente, courte ou prolongée, les hommes du futur pourront sans doute en parler. Une chose est sûre : si la révolution n'est pas faite par des hommes heureux de la faire, pour eux-mêmes et pour tous les autres, c'est-à-dire pour le genre humain, elle risque de se transformer en dictature. Si elle fait des robots qui ne pensent pas et des assassins prêts à exterminer leurs ennemis sans discernement, elle ne sera que l'ombre d'elle-même. Elle doit se faire aimer par les exploiteurs eux-mêmes qui finiront peut-être par se rendre compte qu'ils seront plus heureux après qu'avant. Maintenant si la bêtise des uns est aussi grande que la méchanceté des autres et vice-versa on ira de désillusions en désillusions.

PAUL : Le principal est de dire ce que l'on veut faire, d'appeler un chat un chat et de dénoncer les soi-disant sociétés socialistes pour ce qu'elles sont : d'infâmes dictatures capitalistes.

JACQUES (à *Jeanne*) : Si vous ne voulez pas entendre parler continuellement de révolution, je suis votre homme.

JEANNE : Mais moi, je ne suis pas votre femme !

JACQUES : Réfléchissez bien Jeanne avant de refuser mes avances.

PIERRE : Jacques, j'entends tout. Reprends-toi !

PAUL : Il y a trois sortes de dictatures capitalistes : les dictatures staliniennes, les dictatures fascistes, les dictatures religieuses. Elles aiment bien associer leurs différentes forces totalitaires. Elles sont donc souvent mixtes, bicéphales, voire tricéphales. Elles aiment bien montrer des visages entremêlés car plus elles oppriment par différents moteurs d'oppression plus elles assoient leurs dominations.

Non contentes d'exploiter et d'asservir leurs populations elles ont une inclination particulière pour envahir des territoires et pays voisins, dictatoriaux ou non pour y mettre leurs modèles d'asservissement.

Elles sont donc impérialistes par nature, prônent le mensonge et la violence comme moyens de parvenir à leurs fins. Elles sont machiavéliques et sadiques par essence. La cruauté mûrement réfléchie est leur raison d'être.

FRANÇOIS : Jeanne, si Jacques ne te convient pas, moi je suis libre d'assouvir tes désirs dans la mesure où Pierre ne te convient plus. À moins que Vanessa soit plus disponible que toi.

VANESSA : Tu les entends tous ma pauvre Jeanne ? Leurs sexes ne savent plus où donner de la tête et leurs têtes ne savent plus quoi faire de leurs sexes.

MONSIEUR PRAZOC : Raspoutine, n'écoute pas tout ce que tu entends, tes oreilles chastes risquent de ne pas s'en remettre.

PIERRE : Paul, tu n'ignores pas que nos utopies se rejoignent et comme l'a écrit Oscar Wilde, « Le progrès, c'est la réalisation des utopies. »

JEANNE : On se ferait violer par Jacques et François, les deux autres imbéciles lorsqu'ils radotent ne s'en rendraient même pas compte. J'ai la tête qui tourne. J'ai l'impression d'avoir dit pas mal de stupidités aujourd'hui.

VANESSA : Moi, c'est pareil ! J'ai des nausées et mes idées me remontent dans la tête comme des brûlures malsaines. Je n'ai pas dû digérer le gâteau au chocolat que Metadon nous a fait goûter hier après-midi dans sa garçonnière.

JEANNE : Il avait d'ailleurs un goût bizarre. Et chez lui, ça puait le rat.

PIERRE : Quel gâteau au chocolat ?

Je n'ai pas eu l'honneur d'être invité. Qui en a mangé ?

PAUL : Moi, j'en ai eu un gros morceau, je l'ai trouvé fameux.

FRANÇOIS : Il nous a invité tous les quatre pour fêter la fin de ses travaux.

PIERRE : Tous les quatre, c'est-à-dire ?

JEANNE : Vanessa, François, Paul et moi. Il nous a dit qu'il n'avait pas pu te joindre, Pierre, et que Jacques n'était pas libre.

PIERRE : Qu'est-ce que c'est que cette histoire de gâteaux ? Tu n'as jamais su faire de gâteaux ni cuisiner le moindre plat.

MONSIEUR PRAZOC : Eh bien, quoi ? On a le droit de se découvrir des violons d'Ingres à l'âge mûr.

PIERRE : Tu as fini quels travaux ?

MONSIEUR PRAZOC : Mes travaux sur les rats et les rates, pardi !

PIERRE : Tu invites les gens sans m'en parler ?

MONSIEUR PRAZOC : Et pourquoi pas ? Nous ne sommes pas des frères siamois. Mes travaux ne t'intéressent pas et si j'ai su capter l'attention des quatre mousquetaires ici présents avec mes travaux je ne peux que m'en féliciter.

PAUL : On a voulu faire une bonne action et comprendre un peu les rouages de son cerveau.

Venant de ma part, ça peut surprendre.

MONSIEUR PRAZOC : Je vais tout vous réexpliquer.

Pour mes expériences j'évite dans la mesure du possible de mettre ensemble les rats mâles et les rats femelles. Ça fausse les résultats. Quand je m'y résous, ça tourne vite fait à la mêlée de rugby. Les rats mâles ont les mains baladeuses et pour calmer leurs ardeurs génésiques je suis obligé de leur chanter la ballade des rats heureux. Comme je chante faux, ça dégénère en pugilats entre rats mâles. Les pauvres rates meurtries ont des bleus sur les cuisses et elles finissent parfois avec des entorses et des luxations.

C'est d'une tristesse infinie.

FRANÇOIS : Ne te mets pas trop la rate au court-bouillon.

MONSIEUR PRAZOC : Jamais je ne mettrai mes rates à cuire dans de l'eau bouillante. (*Il émet un petit gloussement.*) Je les aime trop.

Mes rongeurs me prennent la moitié du temps que je passe avec mes clients. Le reste du temps, je le consacre à mes activités révolutionnaires.

PAUL : Pour en revenir à notre sujet de prédilection, n'oublions pas que demain une réunion de la plus haute importance se tient dans la Taverne de Tubar avec tout notre groupe. Nous devons mettre la dernière main au premier numéro de notre revue l'Avenir Libertaire. Aussi je vous quitte pour y réfléchir.

PIERRE : Et tes affiches ?

PAUL : Quelles affiches ?

PIERRE : N'en parlons plus ! Métadon, si tu continues à avoir ce sourire niais, je t'en colle une, tu ne vas pas y couper.

MONSIEUR PRAZOC : Je préfère que tu colles des affiches.

VANESSA : Je rentre aussi chez moi. Je ne fais pas partie de votre groupe évolué mais les émotions m'ont coupé les jambes et je vais me reposer un peu. J'ai l'impression d'avoir couru le marathon.

FRANÇOIS : Je te suis Vanessa. On ne sait jamais, Si tes belles jambes flageolent tu auras besoin d'un soutien aussi bien moral que physique.

VANESSA : Si tu veux. Je n'ai pas la force de te contredire.

JACQUES : Je vous accompagne. Je n'ai pas confiance dans les entreprises équivoques de François. Mon secours te sera peut-être nécessaire, ma chère Vanessa. François est un loup pour la femme.

FRANÇOIS : Je n'en disconviens pas. Plus on est de loups, plus on rit.

JEANNE : Je vais suivre tout ce joli monde. Me dégourdir les jambes et m'aérer l'esprit me permettront d'échapper un instant à des effluves familiaux parfois accablants.

MONSIEUR PRAZOC : Fais gaffe, jolie belle-sœur aux agents de la circulation.

JEANNE : Quels agents ?

MONSIEUR PRAZOC : Je viens avec toi et je t'explique. Raspoutine nous accompagne.

PIERRE : Monsieur Prazoc, vous ne suivez personne. Tu restes ici. Qu'on parle un peu !

Les autres s'empressent de prendre la porte.

Scène V
Pierre, Monsieur Prazoc

PIERRE : Que mets-tu dans tes gâteaux au chocolat ?

MONSIEUR PRAZOC : Que veux-tu que j'y mette ?
Du chocolat pardi !

PIERRE : Quel genre de chocolat ?

MONSIEUR PRAZOC : Pourquoi veux-tu que les chocolats aient un genre ?

PIERRE : Fais l'idiot, ça te va si bien.
Du chocolat noir ou au lait ou du chocolat blanc, avec ou sans noisettes, de la poudre de cacao ?

MONSIEUR PRAZOC : Pourquoi veux-tu que je mette des noisettes dans mon gâteau au chocolat ?

Pourquoi pas des amandes entières, comme ça ils se casseront les dents. J'achète des tablettes de chocolat noir du commerce, c'est tout bête mais il paraît qu'on ne fait pas mieux pour donner aux gâteaux un goût de chocolat.

PIERRE : Continue de te payer ma tête !

MONSIEUR PRAZOC : Pourquoi tout le monde se sent-il obligé de m'agresser quand il veut m'adresser la parole ? Qu'est-ce que j'ai fait au bon Dieu pour mériter un châtiment aussi mesquin ?

PIERRE : Je te le demande gentiment. Avec quels ingrédients accompagnes-tu le chocolat ?

MONSIEUR PRAZOC : Ce sont toujours les mêmes compagnons de route… (*en gloussant*) il ne faut pas qu'on fasse une fausse route (*en gloussant*) en dévorant mes gâteaux.

PIERRE : Tes gloussements sont-ils destinés à cacher quelque chose, un embarras quelconque, un secret de famille, une phobie ou une peur des relations humaines ?

MONSIEUR PRAZOC : Ne joue pas au Docteur Freud avec moi ! Si quelqu'un est cachottier et garde ses névroses pour lui, c'est bien toi.

PIERRE : Si ça te plaît de le croire, grand bien te fasse ! Tu sembles oublier toutes les rectifications bénéfiques que j'ai faites à ton existence chaotique.

MONSIEUR PRAZOC : Eh bien je vais répondre à ta question existentielle, j'ai ajouté au chocolat, de la farine, des œufs, du beurre, du sucre en poudre et du… (*il hésite*) et du…

PIERRE : Du quoi ?

MONSIEUR PRAZOC : Du… je ne sais plus, tu me stresses. Et de la levure, voilà !

PIERRE : Et rien d'autre ?

MONSIEUR PRAZOC : Si, bien sûr. De la mort aux rats !

PIERRE : Bien sûr que tu as mis de la mort-aux-rats ! Et quoi d'autre ?

MONSIEUR PRAZOC : Tu me prends donc pour un empoisonneur ?

PIERRE : Et l'esclava… tu n'en parles pas, ça m'étonne de toi.

MONSIEUR PRAZOC : De l'esclavaginase ? Mais c'était une blague, c'était pour amuser la galerie, ça n'existe pas l'esclavaginase ! Tubar l'a bien compris.

PIERRE : Alors à quoi joues-tu avec tes rats ?

MONSIEUR PRAZOC : Mes rats ? As-tu vu des rats à part Raspoutine ?

PIERRE : Tu dois en avoir chez toi mais comme tu ne m'as jamais invité je n'ai rien pu vérifier.

MONSIEUR PRAZOC : Tu es le bienvenu. Seul Tubar m'a rendu visite dans mes locaux quand il a amené avec lui le Professeur Harro.

PIERRE : J'ai eu le plaisir de le rencontrer. Que devient-il ?

MONSIEUR PRAZOC : Il a repris son travail à la taverne. Tu devrais le voir demain.

PIERRE : Je t'ai inscrit à un nouveau cycle de réunions aux révolutionnaires Anonymes. Es-tu venu à la première séance qui a eu lieu hier matin ?

MONSIEUR PRAZOC (*il saute au cou de son frère*) : J'ai oublié de te remercier.

Les révolutionnaires présents ont été ravis de me revoir. Et moi je n'ai jamais été aussi heureux de retrouver leurs gueules sympathiques d'enfants perdus. Pour fêter l'événement, j'avais apporté deux grands gâteaux au chocolat qu'ils ont engloutis entre deux discours incendiaires. Plus le temps passait plus ils s'enthousiasmaient aux idées qu'ils faisaient défiler comme des rafales de mitrailleuse et l'intervenant a eu bien du mal à contenir leurs ardeurs.

PIERRE (*rêveur*) : Deux grands gâteaux au chocolat !

MONSIEUR PRAZOC : Deux grands gâteaux, tu t'en rends compte ! Et ils ont tout avalé !

Et Monsieur Prazoc tord sa bouche dans un immense éclat de rire.

Épilogue
Le Récitant, Tubar, Harro

Le Récitant

Dans l'arrière-salle de la Taverne des globules rouges sont attablés les douze membres du groupe révolutionnaire « le Frémissement orthostatique révolutionnaire », nom tendrement apprécié de Tubar qui en préambule et sur le ton de la plaisanterie n'hésite pas à les complimenter : « Tous les membres de votre groupe lorsqu'ils adoptent la position verticale dégagent une puissante vibration révolutionnaire. On ne peut pas en dire autant de tous les groupes. » *Les douze membres se lèvent comme un seul homme, l'applaudissent à tout rompre et se rasseyent aussitôt. Il y a là, en présence de Tubar assis parmi eux : Eulogio, Marc, François (pas le journaliste),*

Pierre (pas le rentier), Salah, *Chérif, Jaime, Grandizo, Gérard, Pierre (le rentier), Paul, Métadon dit Monsieur Prazoc. Des borshepors servis dans de grandes coupes transparentes distillent leur éclat alezan. Du foufou d'igname et de banane plantain végète dans des feuilles d'aubergine et laisse évaporer sa viande en sauce. Des flacons de chamallow, de rouge-gorge et de tuyau de poêle n'attendent qu'un signe salvateur pour arroser la gorge des casse-cou. Des flasques de ratafias jettent leurs lueurs fauves dans la cocktailothèque.*

Le professeur Harro fait le service.

Tubar prend la parole :

Avant de vous dire le but de cette réunion, je voudrais la définir. Nous allons jouer une pièce autour de cette table. Comme cette pièce ne contient qu'une seule scène je la nommerai « La Scène »

Passons aux choses sérieuses. Je vous ai réunis pour prendre avec vous un bon repas arrosé et répondre à toutes vos questions. Qui commence ?

Chacun d'une voix assurée et joyeuse voulut prendre la parole. Tubar répondit de bonne grâce à toutes leurs questions. Il leur parla du conflit Marx Bakounine dans la Première Internationale, des dommages causés par leurs querelles, des moyens et des buts des deux penseurs avec leurs différences et leur communauté de vue. Il s'enflamma contre l'un puis contre l'autre avant de les congratuler pour la sincérité de leurs combats. Les membres du FOR étaient devenus tout rouges à force d'exclamations et d'enthousiasme. On parla des révolutions passées écrasées dans le sang, de la situation présente qui meurtrissait l'humanité, des révolutions futures qui étaient toujours possibles car déclara Tubar : « il ne faut pas désespérer Billancourt et les lendemains qui chantent nous enchanteront bien un jour ou l'autre. »

Quand Monsieur Prazoc, après un long discours qui n'en était pas un, demanda qui était Billancourt, on s'aperçut que Tubar avait disparu. Le Professeur Harro se proposa de partir à sa recherche.

Il n'y a rien de moins que la fin de l'histoire dans les événements qui suivirent.

Le soleil était déjà haut dans le ciel quand une forte explosion secoua la taverne des globules rouges. D'innombrables globules éclatés se mirent à couler en un fleuve de sang jusque dans la rue. Les secours bientôt arrivés sur les lieux découvrirent dans les décombres fumants 9 corps sans vie, 2 blessés légers qui fixaient d'un œil hagard la scène d'épouvante et un corps indemne qui faisait autant de bruit par ses cris qu'une meute de 12 loups hurlant à la lune.

Quelqu'un à distance de la scène observait avec attention les sauveteurs affairés à donner les premiers soins. Il ressemblait étrangement à... mais laissons parler le personnage.

VAVOMIR VAVOMIROVITCH HARRONOV (*joué par le même acteur interprétant le Professeur Harro*) : Moi, Vavomir Vavomirovitch Harronov, j'ai eu beaucoup de mal à faire cracher le morceau à mon frère jumeau, Casimir Vavomirovitch Harronov. Il a fallu de longues heures de menaces, de torture psychologique et pour finir de persuasion physique pour en venir à bout. Enfin, là où il est maintenant il ne pourra faire de mal à personne. Les étoiles seules peuvent le contempler. Les étoiles et les pissenlits.

Je lui avais dit de venir s'engager avec moi à la filiale américaine du KGB. Il a préféré les Renseignements Généreux, tant pis pour lui. L'avantage que j'ai gardé sur lui c'est qu'il n'a jamais osé parler d'un frère jumeau engagé au KGB. Il avait trop honte. Tant pis pour lui.

Quant à Tubar je l'ai bien enfumé, il n'y a vu que du feu. Tant pis pour lui. Il aurait dû lire Machiavel !

Les quatre espions arrêtés n'étaient que des doublures ignorant tout de l'affaire. Mon frère n'était-il pas sans le savoir ma piteuse doublure ? Ce que j'ai fait à mon frère, chaque État doit le faire vis-à-vis de l'État voisin qui lui ressemble le plus. Car la guerre est le summum de la jouissance.

Deux individus furent appréhendés par les Renseignements Généreux car soupçonnés d'avoir lancé la bombe. On ne sut jamais le fin mot de l'histoire car ils se suicidèrent quelques heures après dans leur cellule.

Tubar prit le train pour Berne dès sa disparition
du repas familial.

Il traversa le cimetière de Bremgarten et s'arrêta devant la tombe de Bakounine. Après une longue méditation, il enleva son masque et le visage grave de Karl Marx, cachant le ciel, se figea dans un profond recueillement. Quand le gardien du cimetière qui le regardait à la dérobée s'approcha pour lui conseiller de relever le col de son manteau afin de se protéger du froid, il ne vit devant la pierre dressée qu'un manteau posé dans l'herbe comme un pansement sur une plaie.

Il quitta la Suisse sans se retourner, traversa la France d'une seule traite et sans prendre le temps de souffler il prit un bateau pour l'Angleterre. À l'approche des côtes anglaises, il eut une pensée émue pour celui qui offrit ses cendres à la faune marine. Friedrich Engels emportait avec lui dans l'abîme de l'oubli cette phrase révolutionnaire qui tomba à l'eau comme son auteur.

« La société, qui réorganisera la production sur la base d'une association libre et égalitaire des producteurs, reléguera toute la machine de l'État là où sera dorénavant sa place au musée des antiquités, à côté du rouet et de la hache de bronze. » L'origine de la famille, de la propriété et de l'État.

En arrivant à Londres, Tubar se rendit directement au cimetière de Highgate une heure avant sa fermeture. Après avoir payé son obole de quatre livres sterling il se dirigea vers la partie Est du cimetière et dès qu'il fut devant la stèle de Karl Marx il arracha d'un coup sec son masque qui dévoila la haute stature de Bakounine. Il déclara, laissant éclater sa fougue, à celui qui fut pensa-t-il l'organisateur puis le liquidateur de la première internationale :

TUBAR : Quoi que nous puissions penser l'un de l'autre, nous ne pouvons nier que nous avons fait ensemble un travail remarquable ces derniers jours. Nous avons formé aussi bien d'un point de vue théorique que pratique un groupe d'une douzaine de personnes qui à leur tour formeront d'autres groupes et par un effet boules de neige les prolétaires pourront s'unir à nouveau comme le proclame sur ta stèle ton fameux slogan « Workers of all Lands Unite ! »

Le silence qui suivit mêla espoir, tristesse et amertume.

Il ne put s'empêcher d'évoquer la phrase

d'un penseur de la droite nationaliste française Maurice Barrès :

« La première condition de la paix sociale est que les pauvres aient le sentiment de leur impuissance ».

Quand les grilles du cimetière se refermèrent, il ne resta après sa disparition à la nuit tombante qu'un foulard noir autour du visage de pierre de Karl Marx.

Je remercie le site Wikipédia et le site cairn info grâce auxquels mes personnages ont pu se croire historiens et dérouler les événements comme s'ils les avaient vécus. Référence Wikipédia : CC BY-SA 3.0.

https://fr.m.wikipedia.org/wiki/Commune_de_Paris

httpss://fr.m.wikipedia.org/wiki/Semaine_sanglante

https://fr.m.wikipedia.org/wiki/R%C3%A9volte_spartakiste_de_Berlin

https://fr.m.wikipedia.org/wiki/R%C3%A9volte_de_Kronstadt

https://fr.m.wikipedia.org/wiki/R%C3%A9volution_fran%C3%A7aise

https://fr.m.wikipedia.org/wiki/R%C3%A9volution_fran%C3%A7aise

https://fr.m.wikipedia.org/wiki/Jacques_Roux_ (1752-1794

https://actualitte.com/article/9059/edition/les-classiques-du-feminisme-americain-maintenant-en-poche

https://fr.m.wikipedia.org/wiki/B%C3%AAcheux

https://fr.m.wikipedia.org/wiki/Luddisme

https://fr.wikipedia.org/wiki/Grand_Bond_en_avant

https://fr.m.wikipedia.org/wiki/Campagne_des_Cent_Fleurs

https://fr.m.wikipedia.org/wiki/Trofim_Lyssenko

https://doi.org/10.3917/lp.380.0129
https://www.cairn.info/revue-la-pensee-2014-4-page-129.htm

https://www.cairn.info/revue-actuel-marx-2007-1-page-112.htm

https://fr.m.wikipedia.org/wiki/Association_internationale_des_travailleurs#:~:text=La%20premi%C3%A8re%20Internationale%20est%20la,tous%20les%20pays%20unissez%2Dvous%20 !

https://fr.m.wikipedia.org/wiki/Commune_de_Lyon

Imprimé en Allemagne
Achevé d'imprimer en avril 2023
Dépôt légal : avril 2023

Pour

Le Lys Bleu Éditions
40, rue du Louvre
75001 Paris